JN215217

編集復刻版

木村淳　編・解説

明治漢文教科書集成

第12巻

補集Ⅱ　模索期の教科書編②

不二出版

〈復刻にあたって〉

一、左記資料は国立教育政策研究所教育図書館所蔵を底本とさせていただきました。記して感謝申し上げます。

資料1『中等漢文』巻1・4・5、資料2『中等漢文読本』巻2・5・7・8、
資料3『中等教科漢文読本』巻2～9、資料4『訂正中学漢文読本』巻1・2・3・5、
資料5『漢文読本』巻2、資料6『新撰漢文読本』巻3・4

一、収録した資料は適宜縮小し、四面付としました。
一、原本の表紙は収録しませんでした。
一、原本の白頁は適宜割愛しました。
一、印刷不明瞭な箇所がありますが、原本の状態によるものです。

（不二出版）

〈補集Ⅱ　模索期の教科書編　収録資料〉

巻		「書名」	「編者」	「発行年」	
編集復刻版 第11巻	1	中等漢文	山本廉	明治三〇年	1
	2	中等漢文読本	遊佐誠甫・富永岩太郎	明治三一年	208
編集復刻版 第12巻	3	中等教科漢文読本	福山義春・服部誠一	明治三二年	1
	4	訂正中学漢文読本	弘文館	明治三五年（訂正三版）	264
編集復刻版 第13巻	5	漢文読本	法貴慶次郎	明治三七年	1
	6	新撰漢文読本	宇野哲人	明治三八年（訂正再版）	250

明治三十二年五月五日
文部省檢定濟

文學士福山義春
服部誠一 共編

中等教科 漢文讀本

卷一

東京 育英舍

中等教科漢文讀本凡例

一本書編纂所基。出於編者多年所積經驗。故所蒐文章。不問內外。取銓衡於各學年級之力。而分其長短難易。

一本書又參照多數教育家所說。而定之順序。且參考文部省尋常中學教科細目調查委員所致報告。以爲之標準。

一選擇材料。最密注意。不敢採屬陳套舊腐者。專拔有益嶄新者而蒐之。以使適合我國方今所授普通教育之要旨。此編者之所特用力也。

一本書所蒐材料。採之於內外群書。雖使學無所漏。而如征清戰役事蹟及愛國談地理話等。亦以爲不可闕於我中等教科書之事項。故編者起草之。以編入諸本書中。

一當本書編纂。編者最所苦心。在於編纂程度。乃分本書爲十卷。每學年課二卷。自易入難。從短及長。不止使適年級學力。按高等小學讀書之程度。而努於平易適切。使學生易入且進。

一卒高等小學第二學年者。則得入中學之資格。令直繙本書第一卷。故先與入漢文門之階梯。亦以爲甚必要。此所以於第一卷前半。特附譯文也。乃使學生對照原譯兩文。以易解。

一至文章排列。不唯注意周到。有所凝趣向。按事實連絡。以努於學習之際。自覺興味。以使不倦。

明治三十二年一月　　編者識

中等教科漢文讀本卷之一目次

(一)三種神器　藤田彪
(二)草薙劒　青山延于
(三)國體　會澤安
(四)皇基　賴襄
(五)稼穡　青山延光
(六)書挿秧圖後　齋藤馨
(七)帝政　佐久間啓
(八)仁德天皇聖德　巖垣松苗
(九)高倉天皇仁恕　林恕
(十)孝德　林恕
(十一)孝子愛敬　藤井臧
(十二)東村敎化頑夫　角田簡
(十三)敎化　貝原篤信
(十四)學問之道　東條耕
(十五)惜時日　貝原篤信
(十六)義家兵略　賴襄
(十七)義光傳秘曲　巖垣松苗
(十八)經正還琵琶　賴襄
(十九)忠度遺和歌　賴襄

(二十) 除日起講　原　善
(二一) 德川賴宣智勇　賴　襄
(二二) 神童　東條　耕
(二三) 敏少年　原　善
(二四) 爲父待罪　巖垣松苗
(二五) 池尼救賴朝　巖垣松苗
(二六) 文覺勵賴朝　青山延于
(二七) 賴朝度量　青山延于
(二八) 三浦義明先見 其一　賴　襄
(二九) 三浦義明先見 其二　賴　襄

(三十) 實盛染鬚髮　青山延于
(三一) 豪膽　岡田　僑
(三二) 眞丈夫　岡田　僑
(三三) 勝成愛士　岡田　僑
(三四) 快男子　賴　襄
(三五) 截蜻蛉　賴　襄
(三六) 飯田覺兵衞戒主君　青山延光
(三七) 加藤淸正剛毅　青山延光
(三八) 加藤嘉明寛大　青山延光
(三九) 林羅山諷諫井伊侯　原　善

(四十) 父子異心　賴　襄
(四一) 義經襲八島　巖垣松苗
(四二) 宗高斷扇轂　賴　襄
(四三) 嗣信代主死　賴　襄
(四四) 源平戰爭圖　齋藤　馨
(四五) 後醍醐天皇感夢召楠氏　青山延于
(四六) 義貞擧義兵　賴　襄
(四七) 高德謀奪駕　青山延于
(四八) 正行殉國 其一　賴　襄
(四九) 正行殉國 其二　賴　襄

(五十) 義光義勇　林　恕
(五一) 瓜生保母　德川光圀
(五二) 蜂谷半之丞母　大槻淸崇
(五三) 成歡之役 其一
(五四) 成歡之役 其二
(五五) 成歡之役 其三
(五六) 怯士改心　大槻淸崇
(五七) 勇者之甲　中村　和
(五八) 弘安之役　大橋　順
(五九) 勤儉率下　賴　襄

(六十) 儉薄自奉　賴襄
(六一) 君子五樂　佐久間啓
(六二) 義捐建黌　角田簡
(六三) 足利學校　青山延于
(六四) 銃術之傳來　飯田忠彦
(六五) 以礮換弧矢　佐久間啓
(六六) 題西洋城郭圖　齋藤正謙
(六七) 巴黎　斌椿
(六八) 倫敦 其一　斌椿
(六九) 倫敦 其二　斌椿

中等教科漢文讀本卷之一目次 終

中等教科 漢文讀本卷之一

文學士 福山義春
服部誠一 共編

(一) 三種神器　藤田彪

天孫ノ下土ニ降臨シタマフトキ、天祖賜フニ三種ノ神器ヲ以テシタマフ。曰ハク玉、曰ハク鏡、曰ハク劍。因リテ勅シテ曰ハク、葦原ノ千五百秋ノ瑞穗ノ國ハ、是レ吾カ子孫ノ王タル可キノ地ナリ。宜ク汝皇孫就キテ治ムベシ。行ケヨ。寶祚ノ隆ナルコト、當ニ天壤ト窮リナカルベキ者ナリト。是ノ際ニ方リ、高皇産靈尊ハ毎ニ天上ノ議ニ參シ、思兼神ハ其ノ智ヲ竭シ、手力雄神ハ其ノ勇ヲ效シ、天兒屋命、太玉命ハ祭祀ノ事ヲ掌リ、武雷神ハ征討ノ任ニ當リ、天忍日命、天津久米命ハ仗ヲ帶ヒテ前行シ、其ノ他ノ群神ハ各其ノ職ヲ奉シ、以テ天業ヲ贊成セリ。

天孫之降臨下土也、天祖賜以三種神器。曰玉、曰鏡、曰劍。因勅曰、葦原千五百秋之瑞穗國、是吾子孫可王之地。宜汝皇孫就而治焉。行矣。寶祚之隆、當與天壤無窮

者矣。方是際。高皇產靈尊每參天上之議。思兼神竭其
智。手力雄神效其勇。天兒屋命、太玉命掌祭祀之事。武
雷神當征討之任。天忍日命、天津久米命帶仗前行。其
他群神各奉其職。以贊成天業。

(二)草薙劍

青山延于

景行帝ノ時。東夷反ス。帝、日本武尊ヲシテ之ヲ征
セシメタマフ。吉備ノ武彥、大伴ノ武日從ヘリ。日
本武尊伊勢ニ過リテ神宮ヲ拜ス。倭姬神劍ヲ以
テ之ニ授ク。進ミテ駿河ニ至ル。土賊日本武尊ヲ
誘ヒテ之ヲ殺サムト欲シ。乃チ之ニ勸メテ游獵

セシメ。因リテ火ヲ縱チテ野ヲ燒ク。日本武尊燧
ヲ鑽リテ火ヲ取リ。反リテ賊徒ヲ燒ク。時ニ劍ヲ
挺キテ艸ヲ薙ギ。賴リテ以テ免ルヽコトヲ得タ
リ。是レニ由リテ。叢雲ノ劍ヲ名ケテ草薙ト曰ヘ
リト云フ。遂ニ賊ヲ擊チテ殲シヌ。

景行帝之時。東夷反。帝使日本武尊征之。吉備武彥、大
伴武日從焉。日本武尊過伊勢。拜神宮。倭姬以神劍授
之。進至駿河。土賊欲誘日本武尊殺之。乃勸之游獵。因
縱火燒野。日本武尊鑽燧取火。反燒賊徒。時挺劍薙艸。
賴以得免。由是名叢雲劍曰草薙云。遂擊賊殲焉。

(三)國體

會澤安

帝王ノ恃ミテ以テ四海ヲ保チ。而シテ久安長治。
天下ノ動搖セザル所ノ者ハ。萬民ヲ畏服シ。一世
ヲ把持スルノ謂ニ非ズ。而シテ億兆心ヲ一ニシ。
皆其ノ上ニ親ミテ離ルヽニ忍ビザルノ實。誠ニ
恃ム可キナリ。夫レ天地剖判シ。始メテ人民アリ
テ天胤四海ニ君臨シタマヒシヨリ。一姓歷歷。未
ダ嘗テ一人モ敢テ天位ヲ覬覦スルモノ有ラズ。
以テ今日ニ至レル者ハ。豈其レ偶然ナラムヤ。夫
レ君臣ノ義ハ。天地ノ大義ナリ。父子ノ親ハ。天下

ノ至恩ナリ。義ノ大ナルモノト恩ノ至レルモノ
ト。天地ノ間ニ併立シ。漸漬積累シテ人心ニ浹洽
シ。久遠ニシテ變ゼズ。此レ帝王ノ天地ヲ經緯シ。
億兆ヲ綱紀シタマフ所以ノ大資ナリ。

帝王之所恃以保四海。而久安長治天下不動搖者。非
畏服萬民。把持一世之謂。而億兆一心。皆親其上而不
忍離之實。誠可恃也。夫自天地剖判。始有人民。而天胤
君臨四海。一姓歷歷。未嘗有一人敢覬覦天位。以至於
今日者。豈其偶然哉。夫君臣之義。天地之大義也。父子
之親。天下之至恩也。義之大者。與恩之至者。併立天地

之間。漸漬積累。浹洽人心。久遠而不變。此帝王所以經緯天地。綱紀億兆之大資也。

(四) 皇基　　頼襄

我ガ王國ノ基ヲ成シヽハ。深クシテ且ツ遠シト謂フ可キカ。神武ヨリ以前ハ。得テ知ルコトナシ。盖シ神明ノ胤ヲ以テ。累葉徳ヲ積ミ。西偏ニ在マシヽト雖モ遐邇望ミヲ屬セリ。而シテ之ヲ此ニ發スルノミ。抑草昧ノ世。雄長碁峙ノ時ニ當リ。能ク一擧シテ海内ヲ定メタマヒ。海内帖然トシテ。以テ千萬年ノ業ヲ開キタマヘリ。天錫ノ勇智ニ

シテ。群倫ニ首出シタマヘルニ非ザルヨリハ。烏ゾ能ク此ノ如クナラム。謚シテ神武ト曰フハ。允ナリ。

我王國之成基。可謂深且遠歟。自神武以前。莫得而知。爲盖以神明之胤。累葉積德。雖在西偏。遐邇屬望。而發之於此爾。抑當草昧之世。雄長碁峙之時。能一擧而定海内。海内帖然。以開千萬年之業。自非天錫勇智。首出群倫。烏能如此。謚曰神武。允矣。

(五) 稼穡　　青山延光

神武天皇ノ元年。既ニ中洲ヲ定メタマヒ。天富命ヲ遣シ。日鷲命ノ孫ヲ率井。肥饒ノ地ヲ求メ。穀麻ヲ阿波ニ種ヱシメタマフ。天富命更ニ沃壤ヲ求メ。阿波ノ齋部ヲ率井テ東國ニ往キ。穀麻ヲ播殖ス。麻ニ宜シキモノ。之ヲ総ノ國ト謂ヒ。穀ニ宜シキ者。之ヲ結城郡ト謂ヒ。阿波ノ齋部ノ居ル所。之ヲ安房郡ト謂フ。

神武天皇元年。帝既定中洲。遣天富命。率日鷲命孫。求肥饒地。種穀麻於阿波。天富命更求沃壤。率阿波齋部。往東國。播殖穀麻。宜麻者。謂之総國。宜穀者。謂之結城郡。阿波齋部所居。謂之安房郡。

(六) 書挿秧圖後　　齋藤馨

水田ハ縱横。婦孺ハ數十人。蓑笠相屬シ。秧針地ニ挿ミ。歴歴然トシテ碁子ノ局面ニ在ルガ如シ。是レ圖中ニ有ル所ニシテ。一覽セバ便チ自ラ之ヲ見ム。乃チ晴日背ヲ射テ。汗禾下ニ滴リ。細雨衣ヲ濕シテ。袖袂皆重ク。手ハ已ニ倦ミテ拮据シ。足ハ將ニ顚ラムトシテ且ツ佇立スルガ若キハ。是レ圖中ニ無キ所ナリ。瞑目シテ意想スルニ非ズバ得可ラジ。見ル可キノ景ヲ圖ニ觀テ。見ル可ラザルノ情ヲ圖外ニ知ル。是レ善ク此ノ圖ヲ觀ル者

ト謂フ可シ。

水田縱橫。婦孺數十人。蓑笠相屬。秧針揷地。歷歷然如棊子之在局面。是圖中所有。一覽便自見之。若乃晴日射背。汗滴禾下。細雨濕衣。袖袂皆重。手已倦而拮据。足將顚且佇立。是圖中所無。非瞑目意想不可得。觀可見之景于圖。而知不可見之情于圖外。是可謂善觀此圖者矣。

(七)帝政

佐久間啓

帝王ノ政ハ。財ヲ民ニ藏シ。餘アリテ取リ。足ラズシテ與フ。故ニ百姓ヲ凍餒セシメテ。上獨リ富足ナラズ。亦百姓ヲ飽逸セシメテ。國獨リ貧窶ナラズ。故ニ曰ハク。百姓足ラバ。君孰レト與ニカ足ラザラム。百姓足ラズバ。君孰レト與ニカ足ラムト。此レ天下古今易ラザルノ道ナリ。

帝王之政。藏財於民。有餘而取。不足而與。故不凍餒百姓。而上獨富足。亦不飽逸百姓。而國獨貧窶。故曰。百姓足。君孰與不足。百姓不足。君孰與足。此天下古今不易之道也。

(八)仁德天皇聖德

巖垣松苗

仁德天皇ノ十年ニ。宮城ヲ修メタマフ初メ天皇高臺ニ登リテ眺望シタマヘルニ。炊煙稀少ナリキ。乃チ人民ノ困敝セルヲ知シメシ。課租ヲ蠲免シ。窮乏ヲ賑恤シタマヒ。宮垣壞敗スレドモ而カモ修メズ。屋簷穿漏スレドモ而カモ葺カズ。爾來風雨時ニ順ヒ。五穀豐穰シ。百姓殷富トナレリ。天皇復タ臺ニ登リ。炊煙ノ盛ムニ起ルヲ見タマヒ。喜ビテ和歌ヲ咏ジテ曰ハク。朕既ニ富メリト。或ヒト云ハク。今屋墻風雨ヲ禦ガズ。何ヲカ富メリト謂フヤ。天皇曰ハク。衆庶ノ富メルハ。即チ朕ノ富メルナリト。是レヨリ先キ。諸國交〻宮室ヲ修理

セムト請ヒシガ。聽キタマハズ。是ノ歲群下屢〻請ヒテ已マズ。始メテ之ヲ許シタマフ。庶民子ノゴトク來リ。日ナラズシテ功ヲ成セリ。

仁德天皇十年。修宮城。初天皇登高臺眺望。炊煙稀少。乃知人民困敝。蠲免課租。賑恤窮乏。宮垣壞敗而不修。屋簷穿漏而不葺。爾來風雨順時。五穀豐穰。百姓殷富。天皇復登臺。見炊煙盛起。喜咏和歌。曰朕既富矣。或云。今屋墻不禦風雨。何謂富乎。天皇曰。衆庶之富。即朕之富也。先是諸國交請修理宮室。弗聽。是歲群下屢請。不已。始許之。庶民子來。不日成功。

（九）高倉天皇仁恕

林　恕

高倉天皇位ニ在マシ、時年十餘ニシテ紅葉ヲ愛シタマヒ禁門ノ西ニ假山ヲ築キテ之ヲ栽ヱ、秋ニ及ビテ毎ニ之ヲ賞シタマフ。仁和寺守覺法親王楓櫨二株ヲ獻ズ。其ノ葉太タ紅ナリ。帝特ニ之ヲ愛シテ盆中ニ栽ヱ、大膳大夫信成ニ附シタマフ。晝ハ則チ之ヲ御座ノ前ニ置キ、夜ハ則チ信成園ニ構ヘテ之ヲ護養セリ。一夕信成他ニ之ク。時ニ園丁寒ヲ禦ガムガ爲メニ相集リテ酒ヲ飲ムトシ、其ノ枝ヲ折リテ其ノ葉ヲ燒キ酒ヲ煖メテ酣醉セリ。信成歸リテ之ヲ見、驚キテ園丁ニ問フ。之ニ答フルニ實ヲ以テス。是ニ於テ園丁ヲ縫殿陣ニ繫ギ、而シテ之ヲ奏ス。帝答ヘタマハズ。信成大ニ懼ル。少ラクアリテ、帝從容トシテ曰ハク、汝之ヲ苦ムコト莫レ。昔シ白居易琴、詩、酒ヲ以テ三友ト爲ス。其ノ詩ニ曰ク、林間ニ酒ヲ煖メテ紅葉ヲ燒キ、石上ニ詩ヲ題シテ綠苔ヲ掃フト。斯ノ若キ鄙夫ニ誰レカ其ノ風流ヲ誨ヘシゾ。何ゾ之ヲ罪セムヤ。

高倉天皇在位、時年十餘。愛紅葉、禁門之西築假山栽之、及秋每賞之。仁和寺守覺法親王獻楓櫨二株。其葉太紅。帝特愛之、而栽盆中、附大膳大夫信成。晝則置之御座前、夜則信成構園護養之。一夕信成之他。時園丁爲禦寒相集飲酒、折其枝燒其葉煖酒酣醉。信成歸見之驚、問園丁。答之以實。於是繫園丁于縫殿陣、而奏之。帝不答。信成大懼。少焉帝從容曰、汝莫苦之。昔白居易以琴詩酒爲三友。其詩曰、林間煖酒燒紅葉、石上題詩掃綠苔。若斯鄙夫誰誨其風流。何罪之乎。

（十）孝德

林　恕

孝謙天皇詔シテ曰ハク、民ヲ治メ國ヲ安ズルニハ必ズ孝理ヲ以テス。百行ノ本茲レヨリ先キナルハ莫シ。宜シク天下ヲシテ家ゴトニ孝經一本ヲ藏シ精勤誦習シ倍〻發授ヲ加ヘシムベシ。百姓ノ間ニ孝行人ニ通ジ鄉閭欽仰スル者アラバ、宜シク由ル所ノ長官ヲシテ具サニ名ヲ以テ薦メシムベシ。其ノ不孝、不恭、不友、不順ナル者アラバ、宜シク陸奥ノ國桃生、出羽ノ國小勝ニ配シ以テ風俗ヲ清メ邊防ヲ捍ラシムベシ。

孝謙天皇詔曰、治民安國、必以孝理。百行本莫先於茲。宜令天下家藏孝經一本、精勤誦習、倍加發授。百姓間

有孝行通人鄕閭欽仰者宜令所由長官具以名薦其
有不孝不恭不友不順者宜配陸奧國桃生出羽國小
勝以淸風俗捍邊防

（十一）孝子愛敬　藤井臧

備ノ前州津高郡横井村ノ人太郎左衛門其ノ父
母ヲ養フニ愛敬衷ヨリス身ハ至賤ナレドモ而
カモ之ニ事フルコトノ恭シキハ恰モ士大夫ノ
善ク其ノ親ヲ敬フガ若シ若シ夫レ父ト田ニ往
キテ之ニ饁スレバ則チ先ヅ多ク輭艸ヲ芟リ厚
ク之ヲ壟上ニ布キ父ヲシテ其ノ上ニ坐セシメ

已レバ則チ下ニ跪坐シ敬シテ食ヲ進メ父ノ食
シ畢ルヲ竢チテ後ニ自ラ飯シ此レヲ以テ常ト
ナセリ父モ亦畧禮容有リシカバ一家之ニ化セ
ラレ皆敬シテ和セリ里中ノ之ヲ觀ル者頤ヲ解
カザルハ靡シ其ノ已レノ父子相處ルトハ敬慢
大ニ相遠キヲ以テナリ國主ヨリ賞アリ

備之前州津高郡横井村人太郎左衛門養其父母愛
敬自衷身雖至賤而事之之恭恰若士大夫之善敬其
親若夫與父往田饁之則先多芟輭艸厚布之於壟上
使父坐其上已則跪坐于下敬而進食竢父食畢而後
自飯以此爲常父亦畧有禮容一家化之皆敬而和里
中之觀之者靡不解頤以其與已之父子相處敬慢大
相遠也國主有賞

（十二）東村敎化頑夫　角田簡

或ヒト川井東村ニ見エ其ノ父ノ事ヘ難キコト
ヲ言フ東村之ヲ聞キ泫然トシテ泣下リ左右ニ
謂ヒテ曰ハク鴟梟室ニ入レリ速カニ駈リテ之
ヲ出セト其ノ人肯テ去ラズ懇ロニ敎ヲ乞フ東
村乃チ責メテ曰ハク子ノ斯ニ至レル者ハ足ナ
リ我レニ告ゲタル者ハ舌也舌ト足トハ皆親ノ

遺體ナリ遺體ヲ以テ本體ヲ毀ルハ天地ノ容レ
ザル所罪焉レヨリ大ナルハ莫シト語畢リテ復
タ泣ク其ノ人瞿然トシテ地ニ伏シ罪ヲ謝シテ
曰ハク請フ是レヨリ行ヲ改メムト東村乃チ其
ノ父ニ謂ヒテ曰ハク古人言ヘルコト有リ子ニ
黄金滿籝ヲ遺スハ子ニ一經ヲ敎フルニ如カズ
ト令嗣ハ與ニ善ヲ爲ス可ケレドモ但タ學バザ
ルヲ以テ此ニ至レルナリト其ノ人竟ニ孝行ヲ
以テ鄕里ニ名アリ

或見川井東村言其父之難事東村聞之泫然泣下謂

左右曰、鴟梟入室。速駈出之。其人不肯去。懇乞教。東村乃責曰、子之至于斯者足也。告于我者舌也。舌與足皆親之遺體也。以遺體毀本體。天地之所不容。罪莫大焉。語畢復泣。其人瞿然伏地謝罪曰、請從是改行。東村乃謂其父曰、古人有言。遺子黄金滿籯、不如教子一經。令嗣可與爲善。但以不學至此也。其人竟以孝行名于鄉里。

(十三) 教化　　貝原篤信

天下ハ一日モ義理ナカル可ラズ。義理ナケレバ、則チ人道廢レム。是ヲ以テ國家ハ一日モ學校ナ

カル可ラズ。學校ナケレバ則チ義理ノ教興ラズ。人倫ノ道明カナラズ。故ニ曰ハク、飽食暖衣逸居シテ教ナケレバ、則チ禽獸ニ近シト。

天下不可一日而無義理。無義理則人道廢矣。是以國家不可一日而無學校。無學校則義理之教不興。人倫之道不明。故曰、飽食暖衣逸居無教、則近於禽獸。

(十四) 學問之道　　東條耕

澁井太室常ニ人ニ教ヘテ曰ハク、學問ノ道ハ、德ヲ成シ用ヲ作スニ在リテ、學術ノ淺深ニ在ラズ。夫レ德ヲ成シ用ヲ作スハ、人才ヲ育スルニ始リ、器ヲ知ルニ終ル。故ニ吾レ平生人才ヲ育スルコト、農夫ノ菜ヲ養フガ如クシ、菊ヲ愛スル者ノ如クスルコトヲ欲セズ。菜ヲ養フニハ、美惡兼培シ、各適スル所アリ。菊ヲ養フ者ハ、已レノ意ノ如クナラザルモノヲ見レバ、必ズ刈リテ之ヲ棄ツ。是レ却リテ其ノ性ヲ害フナリ。菜ヲ養フ者ハ、能ク其ノ固有スル所ニ從フノミ。吾ガ學ニハ區別ナシ。人ヲシテ其ノ好ム所ニ從ハシメテ、而ル後德ヲ成シ用ヲ作スニ在リ。吾レ敢テ菊ヲ愛スル者ナラムヤ。菜ヲ養フ者ナリ。

澁井太室常教人曰、學問之道、在於成德作用。不在于學術深淺矣。夫成德作用、始於育人才、終於知器。故吾平生育人才、如農夫養菜。不欲如愛菊者。養菜善惡兼培。各有所適。養菊者、見不如已意者、必刈而棄之。是却害其性。養菜者、能從所其固有而已。吾學無區別。使人從其所好、而後在於成德作用焉。吾敢愛菊者哉。養菜者也。

(十五) 惜時日　　貝原篤信

人ノ學ヲ講ジ業ヲ勤ムルニハ、皆時日ノ力ヲ以テス。故ニ志士ハ日ノ短キコトヲ惜ム。嗚呼、此ノ

日ハ再ビ得難ク。今年ハ重ネテ來ラズ。是ヲ以テ學者ハ最モ時日ヲ惜マムコトヲ要ス。豈時ヲ曠シ日ヲ曠クス可ケムヤ。古語ニ、天地ハ萬古有リ。此ノ身ハ再ビ得ラレジ。人生ハ只百年。此ノ日最モ過シ易シ。幸ニ其ノ間ニ生ルヽ者、生有ルノ樂ヲ知ラザル可カラズ。亦生ヲ虛クスルノ憂ヲ懷カザル可カラズト。此ノ六句ハ時ニ吟玩ス可シ。

人之講學、勤業、皆以時日之力。故志士惜日短。嗚呼。此日難再得。今年不重來。是以學者最要惜時日。豈可曠時曠日乎哉。古語。天地有萬古。此身不再得。人生只百

年。此日最易過。幸生其間者。不可不知有生之樂。亦不可不懷虛生之憂。此六句可時吟玩。

(十六) 義家兵略　　賴　襄

源義家自ラ出羽ニ赴キ、家衡ヲ攻メ利アラズシテ還ル。武衡喜ビ來リテ家衡ニ謂ヒテ曰ハク、子八幡太郞ニ克ツハ、我ガ曹ノ榮ナリ。當ニ與ニ力ヲ戮ハス可シト。遂ニ兵ヲ合セテ金澤ノ柵ニ據ル。義家大ニ怒リ寬治元年九月、自カラ數萬騎ヲ將ヰテ之ヲ攻ム。柵ヲ去ルコト數里ニシテ、雁行ノ亂ルヽヲ望ミ見テ曰ハク、是レ伏アルナリト。

兵ヲ縱チテ搜索シ、果シテ獲テ之ヲ鏖ニス。衆ニ謂ヒテ曰ハク、兵法ニ言フ、鳥ノ亂ルヽ者ハ伏ナリト。我レ學バザリセバ則チ殆カラマシト。遂ニ進ミテ柵ヲ圍ム。相模ノ人鎌倉景政、戰ヲ挑ム。敵射テ其ノ右目ニ中ツ。景政箭ヲ拔カズシテ、已レヲ射タル者ヲ索メ、終ニ射テ之ヲ殺ス。

源義家自赴出羽。攻家衡不利。還。武衡喜來。謂家衡曰。子克八幡太郞。我曹之榮也。當與戮力。遂合兵據金澤柵。義家大怒。寬治元年九月。自將數萬騎攻之。去柵數里。望見雁行亂。曰。是有伏也。縱兵搜索。果獲鏖之。謂衆

曰。兵法言。鳥亂者伏也。我不學。則殆矣。遂進圍柵。相模人鎌倉景政挑戰。敵射中其右目。景政不拔箭。而索射己者。終射殺之。

(十七) 義光傳秘曲　　巖垣松苗

源義家ノ弟義光、新羅三郞ト稱ス。朝ニ請ヒ赴キテ力ヲ戮セムト欲シテ、許サレズ。因リテ潛行シ、日夜程ヲ兼ヌ。是レヨリ先キ義光笙ヲ豊ノ時光ニ學ベリ。時光卒セシ時、其ノ子時元尙ホ幼ニシテ、秘曲未ダ授ク可カラズ。乃チ義光ニ授ク。是ニ至リテ、時元驛ヲ逐ヒテ馳セ至リ、乃チ與ニ倶ニ

セムト請フ。義光數謝シテ之ヲ去ラシム。肯ゼズ。行キテ足柄山ニ及ブ。辭譲スルコト再三。猶ホ肯ゼズ。義光忽チ其ノ意ヲ悟リ。路傍ニ荊ヲ班キ。二楯ヲ布キテ座ヲ分チ。乃チ胡簶ノ中ヨリ時光ノ書シテ與ヘシ所ノ譜ヲ出シ。之ヲ示シテ曰ハク。子ノ我レヲ追フハ。必ズ此ノ事ノ爲メナラムト。時元乃チ笙ヲ出ス。悉ク秘曲ヲ傳ヘ畢リ。各別レ去ル。

源義家弟義光。稱新羅三郎。請朝欲赴戮力。不許。因潛行。日夜兼程。先是。義光學笙豊時光。時光卒。時其子時元尚幼。秘曲未可授。乃授義光。至是。時元逐驛馳至。乃請與俱。義光數謝去之。不肯。行及足柄山。辭譲再三。猶不肯。義光忽悟其意。路傍班荊。布二楯。分坐。乃胡簶中出時光所書與譜。示之曰。子追我。必爲此事。時元乃出笙。悉傳秘曲。畢。各別去。

(十八) 經正還琵琶　賴襄

平經正幼ニシテ仁和寺法親王ニ仕ヘ。其ノ愛スル所ノ琵琶ヲ貺フ。征行ト雖モ。未ダ嘗テ携ヘズムバアラズ。是ノ日齎シ還シ王ニ謁エテ曰ハク。臣等事已ニ此ニ至ル。願クバ一タビ別ヲ叙シテ行クコトヲ得ムト。因リテ席ニ即キテ數曲ヲ彈ズ。王及ビ左右皆涙ヲ垂ル。經正曰ハク。臣嘗テ此ノ賜ヲ守リ。以テ子孫ニ傳ヘムト欲セシガ。今行、且サニ死亡セムトス。寶器ヲ并セテ之ヲ滅沒スルニ忍ビズト。乃チ琵琶ヲ奉還シテ去ル。

平經正幼仕仁和寺法親王。王貺其所愛琵琶。雖征行。未嘗不携。是日齎還。謁王曰。臣等事已至此。願得一叙別而行。因即席彈數曲。王及左右皆垂涙。經正曰。臣嘗欲守此賜。以傳子孫。今行且死亡。不忍并寶器滅沒之。乃奉還琵琶而去。

(十九) 忠度遺和歌　賴襄

平忠度モ亦淀河ヨリ還リ。其ノ和歌ノ師藤原俊成ニ詣リ。夜門ヲ叩キ刺ヲ通シテ。面謁ヲ請フ。俊成微カニ門ヲ啓キテ之ヲ見ル。忠度曰ハク。兵興リテヨリ。君家ニ數スルヿヲ得ズ。今當ニ遠ク別ルベシ。聞ク君勅ヲ奉シテ撰輯スル所有リト。臣幸ニ一章ヲ收メラル、ヿヲ得バ。死ストモ且ツ朽チジト。乃チ其ノ歌集ヲ鎧縫ヨリ出ス。俊成泣キテ之ヲ受ク。

平忠度亦自淀河還。詣其和歌師藤原俊成。夜叩門通刺講面謁。俊成微啓門。見之。忠度曰。自兵興。不得數於君家。今當遠別。聞君奉勅。有所撰輯。臣幸得收一章焉。死且不朽。乃出其歌集於鎧縫。俊成泣而受之。

（三十）除日起講　原　善

歲暮ニ菅得庵林羅山ニ謂ヒテ曰ハク。余ハ未ダ通鑑綱目ヲ讀マズ。請フ先生明春ヲ以テ。余ノ爲メニ之ヲ講ゼヨ。羅山曰ハク。子ノ心誠ニ之ヲ求メバ。何ゾ來年ヲ待タムト。即チ除日ヲ以テ講ジ起ス。又嘗テ人ニ邀ヘラレテ。祇園神會ヲ觀ムトス。適、一諸生アリ。棠陰比事ヲ袖ニシテ來リ問フ。

羅山一一之ヲ說キ。晷既ニ移リ。遂ニ會ヲ觀ザリキ。

歲暮。菅得庵謂林羅山曰。余未讀通鑑綱目。請先生以明春。爲余講之。羅山曰。子心誠求之。何待來年。即以除日講起。又嘗見人邀。觀祇園神會。適、一諸生。袖棠陰比事來問。羅山一一說之。晷既移。遂不觀會。

（三一）德川賴宣智勇　賴　襄

大坂ノ役ニ。義直、賴宣。後軍ヨリ馳セ諸軍ノ輜重途ニ屬シテ爭ヒ進ムヲ見ル。賴宣曰ハク。是レ軍既ニ捷チテ將ニ舍セムトスルナリト。已ニシテ天主煙擧ル。賴宣咄嗟シテ進ミ。義直之ニ從フ。茶臼山ニ至レバ。則チ諸將ノ賀スル者大ニ聚マル。賴宣淚ヲ攬リテ曰ハク。大人兒ヲ後軍ニ置キ。事ニ及バザラシメタリト。松平信綱曰ハク。君ハ十四歲ナリ。前途脩遠ナレバ。功ヲ建テザルコトヲ患ヒズト。賴宣色ヲ變ジテ曰ハク。吾レ復タ十四歲アルカト。前將軍曰ハク。汝ノ此ノ言ハ。以テ首功ニ當ツルニ足ルナリト。

大阪之役。義直、賴宣。自後軍馳。見諸軍輜重屬途。爭進。賴宣曰。是軍既捷。將舍也。已而天主煙擧。賴宣咄嗟而

進。義直從之。至茶臼山。則諸將賀者大聚。賴宣攬淚曰。大人置兒後軍。使不及事。松平信綱曰。君十四歲矣。前途脩遠。不患不建功。賴宣變色曰。吾復有十四歲乎。前將軍曰。汝此言。足以當首功也。

（三二）神童　東條　耕

小川泰山ハ幼ニシテ慧悟。兒戲スルニ常ニ筆硯ヲ愛ス。苟モ寸帛尺紙ニ遇ヘバ。意ニ隨ヒテ科斗蚯蚓。字ニ似畫ニ似ルノ狀ヲ作リ。一縱一横。自ラ風骨アリ。五六歲ニ至リテ。頗ル字體ヲ辨ズ。人或ハ試ムルニ甲、申、戊、戌、盧、虎、焉、馬。凡ソ謬リ易キノ

字ヲ以テ併寫錯列シ之ガ勾畫撇捺ヲ詰ルニ未ダ嘗テ差應セズ。郷隣皆神童ヲ以テ之ヲ稱ス。

小川泰山。幼而慧悟。兒戲常愛筆硯。苟遇寸帛尺紙。隨意作科斗蚯蚓似字似畫之狀。一縱一横。自有風骨。至五六歳。頗辨字體。人或試以甲、申、戊、戌、盧、虎、焉、馬。凡易謬之字。併寫錯列詰之勾畫撇捺。未嘗差應。郷隣皆以神童稱之。

(三) 敏少年　原善

某侯一夜近臣左右ト飲ス。侯問ヒテ曰ハク。江戸ヨリ京ニ至ルニ國ヲ經ルコト幾クゾヤ。一人指ヲ

屈シテ答ヘテ曰ハク。武藏、相摸、伊豆、駿河ト。而シテ言窮ス。坐ニ少年アリ。林春齋ノ詩ヲ誦シテ云ハク。武、相、豆、駿、遠州ノ際、參、尾、勢、江、雍路ノ中ト。侯喜ビテ其ノ句ヲ誦スルコト再三ナリキ。

某侯一夜與近臣左右飲。侯問曰。自江戸至京。經國幾也。一人屈指。答曰。武藏、相摸、伊豆、駿河。而言窮。坐有少年。誦林春齋詩云。武、相、豆、駿、遠州際、參、尾、勢、江、雍路中。侯喜。誦其句再三。

(四) 爲父待罪　巖垣松苗

源爲義四十餘子アリ。爲朝ハ其ノ第八子ナリ。初メ年十三。既ニ呑牛ノ氣有リテ。諸兄ヲ凌轢ス。爲義其ノ不順ナルヲ嗔リ。諸レヲ西海ニ放ツ。豐後ニ居リ。肥後ノ平忠國ト相謀リテ西侵ス。大小二十餘戰。遂ニ九州ニ覇トナリ。鎭西八郎ト稱ス。朝廷諸郡ニ檄シ。之ヲ討ジテ克タズ。其ノ父ノ官爵ヲ褫ヒ其レヲシテ爲朝ヲ招カシム。爲朝慨然トシテ曰ハク。父ヲ刑辟ニ陷ル、ハ。不孝焉レヨリ大ナルハ莫シト。輙チ自ラ闕ニ詣リテ罪ヲ待ツ。朝廷其ノ志ヲ壯ナリトシテ之ヲ赦ス。

源爲義有四十餘子。爲朝者。其第八子也。初年十三。既

有呑牛之氣。凌轢諸兄。爲義嗔其不順。放諸西海。居於豐後。與肥後平忠國相謀。西侵。大小二十餘戰。遂覇九州。稱鎭西八郎。朝廷檄諸郡。討之不克。褫其父官爵。令其招爲朝。爲朝慨然曰。陷父於刑辟。不孝莫大焉。輙自詣闕待罪。朝廷壯其志。赦之。

(五) 池尼救賴朝　巖垣松苗

義朝東走スルノ日賴朝之ニ從ヒ。困苦シテ行歩スルコト能ハズ。後レテ近江ノ森山ニ至ル。盜アリ之ヲ捕ヘムト欲ス。賴朝刀ヲ拔キテ二人ヲ斬ル。群盜驚キ散ズ。乃チ追ヒテ義朝ニ及ブ。既ニシ

テ復タ後レ。遂ニ父ト相失ヒ。獨行シテ淺井ノ北郡ニ至リ。且ラク民家ニ匿クレ。不破ノ關ニ至ルニ及ビテ。平氏ノ家人宗清ニ遭ヒ。避ケテ林藪ニ隱ル。宗清怪ミ見テ。人ヲシテ之ヲ捕ヘシムレバ。即チ頼朝ナリ。之ヲ宗清ノ家ニ囚フ。宗清待ツコト甚ダ厚シ。清盛ノ後母尼池氏ニ謂ヒテ曰ハク。囚人ノ容止ハ。故ノ右馬助ニ肖タリト。右馬助ハ池氏ノ生メル所ノ家盛ナリ。十二歳ニシテ早世ス。故ニ尼感傷シテ堪ヘズ。宗清密カニ頼朝ニ告ゲテ曰ハク。郎君豈死ヲ免レムト欲スルカ。吾レ爲メニ之ヲ請ハムト。頼朝曰ハク。父祖兄弟多ク亡セヌ。唯我レノ在ルコトアリ。復タ人世ニ意ナシ。冀クハ僧ト爲ラムノミト。宗清以テ尼ニ告ゲ。爲メニ重盛ヲシテ之ヲ清盛ニ乞ハシム。清盛肯ゼズ。尼泣キ且ツ怨ミテ曰ハク。我レ之ガ爲メニ寢食モ常ヲ失ヒ。命モ亦久シカラジ。若シ乃ヂノ父猶ホ在ラバ。豈我ガ言ヲ侮ルコト斯ニ至ラムヤト。清盛乃チ之ヲ赦シ。伊豆ノ蛭島ニ流ス。

源義朝東走之日。頼朝從之。困苦不能行歩。後至近江森山。有盜欲捕之。頼朝拔刀斬二人。群盜驚散。乃追及義朝。既而復後。遂與父相失。獨行至淺井北郡。且匿民家。及至不破關。遭平氏家人宗清。避隱林藪。宗清怪見。使人捕之。即頼朝也。囚之宗清家。待甚厚。謂清盛後母尼池氏曰。囚人容止。肖故右馬助。右馬助者。池氏所生家盛也。十二歳早世。故尼感傷不堪。宗清密告頼朝曰。郎君豈欲免死耶。吾爲請之。頼朝曰。父祖兄弟多亡矣。唯有我在。無復意人世。冀爲僧爾。宗清以告尼。爲使重盛乞之清盛。清盛不肯。尼泣且怨曰。我爲之寢食失常。命亦不久矣。若乃父猶在。豈侮吾言至於斯乎。清盛乃赦之。流于伊豆蛭島。

(二六) 文覺勵頼朝　青山延于

治承四年八月。伊豆ノ流人源頼朝。以仁王ノ令ヲ奉ジテ兵ヲ起シ。目代平兼隆ヲ殺ス。初メ僧文覺事ニ坐シテ。伊豆ニ配流セラレ。自カラ善ク人ヲ相スト稱ス。一日頼朝ヲ見テ曰ハク。我レ四方ヲ周流シテ。人ヲ閲セルコト多シ。然レドモ未ダ相ノ極メテ貴キコト公ノ若キ者ヲ見ザリキ。公須ク首トシテ義擧ヲ唱ヘ。舊讎ヲ復シ前耻ヲ雪グベシト。頼朝心竊カニ之ヲ喜ベリ。然レドモ其ノ狡譎ニシテ適身ノ累ト爲ラムコトヲ慮リ。唯唯トシテ遜謝スルノミ。文覺其ノ意ヲ悟リ懷中ヨリ一ノ枯髏ヲ出シ。詐リテ義朝ノ首ト稱シテ曰ハク。我レ獄ニ在ルノ日。盜ミテ之ヲ藏セリ。我レヲシテ流竄ニ遭ハザラシメバ。公豈先公ヲ覩ルコトヲ得ムヤト。因リテ潸然トシテ泣下ル。賴朝モ亦其ノ言ヲ聞キ。嗚咽歔欷セリ。是ニ至リテ遂ニ意ヲ決シテ兵ヲ擧ゲ。安達盛長ヲ遣シテ。兵ヲ東國ニ集ム。伊豆相摸ノ豪傑來リ附ク者衆シ。

治承四年八月。伊豆流人源賴朝。奉以仁王令起兵。殺目代平兼隆。初僧文覺坐事配流伊豆。自稱善相人。一

日見賴朝曰。我周流四方。閱人多矣。然未見相之極貴若公者。公須首唱義擧。復舊讎。雪前耻。賴朝心竊喜之。然慮其狡譎適爲身累。唯唯遜謝而已。文覺悟其意。於懷中出一枯髏。詐稱義朝首曰。我在獄日盜而藏之。使我不遭流竄。公豈得覩先公哉。因潸然泣下。賴朝亦聞其言。嗚咽歔欷。至是遂決意擧兵。遣安達盛長。集兵東國。伊豆相摸豪傑來附者衆。

(二七) 賴朝度量　　青山延于

治承四年九月。賴朝進ミテ石橋山ニ陣ス。三浦義澄等期ニ後レテ至ラズ。從兵僅カニ三百餘人。王ノ令旨ヲ以テ。之ヲ旗上ニ繫ク。相摸ノ人大庭景親。兵三千ヲ率ヰテ來リ攻ム。賴朝ノ兵皆殊死シテ戰フ。時ニ大風甚雨シ。衆寡敵セズ。賴朝遂ニ敗走ス。初メ賴朝ノ兵ヲ起コシヽトキ。安達盛長ヲ遣シテ。檄ヲ平廣常ニ傳ヘ。廣常之ニ應ゼリ。是ニ至リテ賴朝上総ニ奔リ。和田義盛ヲシテ廣常ヲ召サシム。廣常託スルニ徵兵未ダ集ラザルヲ以テシテ至ラズ。數日ニシテ始メテ兵二萬ヲ帥ヰテ來リ會ス。賴朝其ノ後レテ至レルヲ怒リ。即チ出デヽ見ズ。土肥實平ヲシテ其ノ遲緩ヲ誚讓セ

シメテ曰ハク。當ニ後軍ニ在リテ以テ指麾ヲ待ツベシト。廣常退キテ人ニ謂ヒテ曰ハク。賴朝敗績シ。兵勢寡弱ナリ。吾レ今大兵ヲ將ヰテ來リ會ス。以爲ラク其ノ意必ズ喜バムト。而ルニ責讓スルヿ乃チ爾リ。其ノ度量人ニ過グルコト遠シ。佗日必ズ天下ノ大將軍ト爲ラムト。遂ニ心ヲ傾ケテ之ニ事フ。

治承四年九月。賴朝進。陣石橋山。三浦義澄等。後期不至。從兵僅三百餘人。以王令旨。繫之旗上。相摸人大庭景親。率兵三千。來攻。賴朝兵皆殊死戰。時大風甚雨。衆

寡不敵。頼朝遂敗走。初頼朝起兵。遣安達盛長傳檄於平廣常。廣常應之。至是頼朝奔于上總。使和田義盛召廣常。廣常託以徵兵未集。不至。數日始帥兵二万來會。頼朝怒其後至。不即出見。使土肥實平責讓其遲緩。曰當在後軍以待指麾。廣常退謂人曰。頼朝敗績。兵勢寡弱。吾今將大兵來會。以爲其意必喜。而責讓乃爾。其度量過人遠。佗日必爲天下大將軍矣。遂傾心事之。

(二八) 三浦義明先見 其一　　頼　襄

三浦義明。遣子義澄、義連、庶孫義盛等。以三百騎會頼朝于石橋山。至酒勾。聞頼朝敗死。乃還。與畠山重忠戰于小坪。克之。而歸守衣笠城。重忠以三千騎攻之。義明年八十九。力疾上馬。欲親戰。義澄等止之。出戰不克。城竟陷。義明謂義澄等曰。佐公有勇略。非一敗而死者。汝輩宜索而從之。吾老矣。不能行。當止死於此。吾耄耋。死不足惜。獨憾不目佐公成業耳。義澄等固請扶行。弗聽。逡巡間。遂爲敵兵所獲死。

(二九) 三浦義明先見 其二　　頼　襄

義澄等・航海走安房。索頼朝。頼朝之匿箱根山。投僧家。僧弟嘗善於平兼隆者。欲爲復仇。乃逃出循山走土肥。自眞鶴崎上舟赴安房。獨土肥實平岡崎義實從之。當是時海陸皆敵。二人盡心防護數日。望見一大船載甲士者。二人急匿頼朝于船腹而待。大船至。則三浦氏也。見義實。爭問佐公何在。義實不輒對。曰。吾亦索公耳。義澄等泣曰。吾棄父而去者。欲見公焉耳。今如此。悔不與倶死。頼朝聞之。匍匐而出。義澄驚喜。拜曰。君在此耶。亡父之言果驗矣。頼朝聞義明死。悲慟。義實亦語石橋之戰。義忠死狀。相共泣涕。義盛進曰。諸君何徒泣爲。今得與佐公遭。盍議大事。於是頼朝乃上安房。移檄遠近來會。

(三十) 實盛染鬚髮　　青山延于

齋藤實盛。其先越前人。實盛遷武藏長井。稱齋藤別當。嘗事源義朝。義朝敗後。事平宗盛。維盛之討義仲也。宗盛令實盛從之。實盛請曰。此役也。臣必効死。越前臣之鄕里。願得衣錦襖。以爲身後之榮。宗盛許之。篠原之敗。實盛獨止奮鬪。爲義仲麾下手塚光盛所獲。光盛以首視義仲曰。臣得一奇男子首。以爲將則非將。以爲士則著錦襖。問其姓名。終不告。第曰。視木曾殿。義仲熟視曰。噫此齋藤別當乎。我幼時見之。其髮既皤。而今鬚髮黰黑。何也。樋口與渠有舊。必能識之。召而視之。兼光潸然曰。此實盛也。實盛嘗曰。吾年老力衰。取侮壯者。他日臨陣。當染鬚髮以伍壯者。今果踐其言。乃洗之。鬚髮皤然。
義仲感其舊恩。爲之掩泣。命葬之。實盛時年七十三。

(三一) 豪膽　岡田僑

小島一忠。性多力。仕上杉謙信。當謙信與武田晴信相持川中嶋。使一忠於晴信。晴信預畜猘狗。比一忠至。放之。一忠進致謙信旨。未訖。狗猝來。嚙其脚。一忠自若。直以右手拉其口。徐致旨。訖。復受晴信對。臨去投狗於地。鼻口出血立斃。一忠復命。具白其狀。謙信稱快。

(三二) 眞丈夫　岡田僑

福嶋丹波。貌醜而跛。關原大捷後。東照公召諸侯家臣有功者。賜盃。福嶋氏臣。尾關石見。長尾隼人。及丹波皆與焉。隼人缺脣而石見瞎。三人同進。左右皆掩口而笑。既退。公叱左右曰。彼輩皆以功名顯。乃眞丈夫也。汝等安得以其貌嗤之哉。左右皆有慙色。

(三三) 勝成愛士　岡田僑

廣田圖書稱義大夫。仕水野勝成爲書史。大阪之役。從勝成戰鵲野。得首級獻之。勝成大喜。因請曰。願從君左右。緩急效身。勝成許之。翌日從戰道明寺。日暮城兵競進。犯勝成陣。圖書苦戰死之。勝成憫圖書。索其屍視之。刀瘢滿身。無全膚。勝成爲含藥。乃蘇。後創悉愈。以功加

賜祿千石。爲家宰。

(三四) 快男子　賴襄

荒木村重。以雄豪聞。部兵皆驍。義昭之變。首應信長。迎謁于大津。面貌甚偉。會有獻饅頭者。信長拔佩刀。貫饅頭于鋒。以昭村重。村重進開口受之。信長笑曰。快男子。

(三五) 截蜻蛉　賴襄

武田信玄將兵三萬來侵。内藤信成。大久保忠世。將四千人。西嶋與信玄遇。家康聞前鋒危。使本多忠勝率精騎往援之。忠勝至一言坂。信成等欲退。甲斐兵尾之。結而不解。忠勝善用槍。所愛一槍名曰截蜻蛉。於是忠勝戴鹿角冑。提截蜻蛉。單騎馳入兩軍之間。兩軍乃開。終收兵而退。

(三六) 飯田覺兵衛戒主君　青山延光

加藤忠廣嘗謂衆曰。吾欲多力若能被兩鎧。何畏矢石。老臣飯田覺兵衛進曰。先君身經百戰。不被一創。外國震慴。比之鬼神。何嘗被兩鎧。夫人君苟能撫循將士。人人樂死。是擐精甲千百也。兩鎧何爲。退而號泣曰。吾國危矣。

(三七) 加藤淸正剛毅　青山延光

征韓之役。一日諸將啓事。秀吉連署押字。淸正押字。筆

畫繁密。久而成。福嶋正則曰。押字宜疎。臨死押遺狀。繁者。恐不能書。淸正曰。丈夫當橫骨原野。遺狀何爲。正則慙服。

(三八) 加藤嘉明寬大　青山延光

加藤嘉明。生平好蓄磁器。一日會客。近臣誤壞其寶器一枚。懼而請罪。嘉明曰。此失誤耳。何罪之有。命取其餘。悉碎之。謂左右曰。他日每見此器。必謂某壞其一。此以器辱人也。自是不復蓄。

(三九) 林羅山諷諫井伊侯　原善

寬永中。井伊侯謂林羅山曰。人稱樊噲勇。然其勇。吾亦

能之。何足深稱。羅山答曰。噲爲所稱者。以其排闥直諫也。此實非大勇者不能也。若夫身當矢石。卻敵斬首。且其脫戲下之急。勇則勇矣。然苟擐甲執兵者。不以爲難也。君盍少愼其言。內自省。則必有不及者。侯赧然曰。誠然。吾甚慚於噲。羅山蓋有諷云。

(四十) 父子異心　賴襄

平重盛次子資盛。與數騎出獵。途値攝政藤原基房。不下馬。徑衝其衛。衛士捽而下之。重盛責資盛無禮。基房縛送衛士。以謝重盛。釋其縛。勞而遣之。淸盛聞之怒曰。當今日。誰敢辱淨海之孫者。必報之。重盛諫止。淸盛弗聽。伏三百人。要基房于路。摧折其車。切從者髻。帝因輟朝三日。重盛逐資盛于伊勢。

(四一) 義經襲八嶋　岩垣松苗

文治元年二月。義經襲八嶋。將發船。其日大風。船頭不可。義經怒曰。兵法擊敵不虞。今日彼無備必矣。將斬之。船頭懼曰。發亦死。不發亦死。齊死不如馳死。乃發。集船本五百艘。發者唯五艘而已。人不滿百。海上三日程。不過三時而至。義經既至八島。縱火高松邑。以兵八十騎。分爲數隊。鳴鼓而進。平軍驚以爲源軍大至。乃奉前帝浮海。源兵進火皇宮。平氏見其兵少。且怒且悔。大與之

戰。

(四二) 宗高斷扇轂　賴襄

源義經至屋嶋。縱火於高松里。平氏大驚。以爲大兵至也。擧族乘舟。而義經已至城下矣。騎能屬者。七人而已。義經恐敵知其寡單也。乃縱火燒城。平氏兵皆航更來。迫岸。七騎拒射。我兵後者稍稍來屬。戰而交退。日既晡。敵以一舟載美姬。揷扇于竿。植之舳。去陸五十步。麾而請射。義經曰。誰命中之者。衆薦下野人那須宗高。義經召而命之。宗高騎而獨出。兩軍注視。宗高一發斷扇轂。扇翻而墮。兩軍大呼。

(四三) 嗣信代主死　頼襄

平宗盛憾失義經。令教經率精兵迫岸射義經。佐藤嗣信以身蔽義經。輒仆。教經豎菊王下舟欲斬其首。嗣信弟忠信射殺菊王。扶兄還營。義經親視嗣信。枕之膝問所欲言。嗣信曰。臣自出陸奥。已委身於君。代君而死。死且不朽。獨不覩君鏖敵為憾耳。義經泣曰。我鏖敵在旬日。而不及酬汝勞。嗣信肯謝而絕。

(四四) 源平戰爭圖　齋藤馨

嘗聞。新田總兵見楠廷尉問曰。子之於兵焉學。曰學諸源九郎。總兵笑曰。子亦戲乎。子非古人也。安得直受諸

古人。廷尉曰。九郎鐵枴襲虛。攝浦冒風。用兵之機盡矣。吾每戰以此為師耳。總兵擊節稱善。夫九郎之用兵。孰不知之。但少善學如廷尉者耳。此圖鐵枴攝浦諸戰歷歷在目。使善學者見之。便一幅兵訣祕圖也。

(四五) 後醍醐天皇感夢召楠氏　青山延于

後醍醐帝在笠置。近畿之兵稍集。而四方勤王之師未至。帝憂之。適夢紫宸殿前庭有一大樹。南枝最茂。下設御座。忽有二丱角。迎帝坐之。帝覺而異之。以為木傍南。楠也。意將有楠氏出輔朕。再正帝位也。即召寺僧問之。曰。河內國金剛山西有楠正成者。橘諸兄之裔也。其母

嘗禱志貴山毘沙門而生正成。故小字曰多聞。以勇武聞世。帝謂所夢殆是。乃遣藤房召至行在。帝大悅。委以興復。問滅賊之計。正成曰。逆賊暴虐。自招覆亡矣。天誅所加。蔑不剋也。然兵有勝敗。或遇小衄。勿煩聖慮。臣如獲存。何患不濟。辭歸城赤阪。

(四六) 義貞舉義兵　頼襄

大舘宗氏。堀口貞滿。岩松經家。里見義氏。江田行義等。百五十騎。推新田義貞為將。豎旗于邑生品祠前。以舉義。實元弘三年五月八日也。八州豪傑。響應爭歸義貞。義貞進至關戶。兵凡十二萬騎。分為三軍。三道攻鎌倉。

鎌倉震駭。而北條氏見兵猶十餘萬。分拒三道。義貞貞滿進入山內。而宗氏戰死。其兵皆却。義貞以選兵二萬。乘夜赴之。則敵大兵據海岸。樹柵。兵艦列其南。以備傍射。義貞下馬免冑。向海拜曰。天子為逆臣所遷。越在西海。臣義貞不忍坐視。提兵討賊。伏願海神眷臣忠義。退潮以開道。因釋所佩金裝刀。投之海中。比曉。潮大退。兵艦皆漂去。義貞大喜。麾衆而進。諸軍從之。直入府中。乘風縱火。煙焰漲天。義貞縱兵鏖戰。高時舉族遂伏誅。自舉兵至此。蓋十五日矣。

(四七) 高德謀奪駕　青山延于

兒嶋高德。備前人。備後守範長之子也。稱備後三郎。夙好讀書。初帝之在笠置也。謀起兵勤王。會行在失守。車駕西狩。高德聚族。議欲奪車駕于路。乃要於舟阪山。已而車駕自山陰道。計竟不成。乃踰三石山。徑赴杉阪。則又不及焉。於是。衆皆散去。高德欲見帝道其衷。微服夜至御館。竟不得間。庭有一櫻樹。輒斫使白。題之曰。天莫空勾踐。時非無范蠡。明日衛士見之。以白帝。帝心竊自喜。至是與父共詣行在。

(四八) 正行殉國 其一　　賴襄

楠正行與弟正時。率諸宗族。詣行宮。因中納言藤原隆

資。上言曰。先臣正成。嘗以微力。挫强賊。以安先帝宸憂。及天下再亂。逆賊四襲。遂致命於湊川。臣時年十一。命歸河內。囑以收合餘燼。報復國讐。臣年已壯矣。而禀性羸弱。常念不及今力戰。以有待之身。罹無虞之病。上爲不忠之臣。下爲不孝之子。而今賊渠師大擧來犯。是眞臣效命之秋也。非臣獲彼首。則授臣首於彼。臣生死決於今日。切希得一拜天顏而行。隆資入奏。帝掲簾臨視將士。前正行。勞之曰。曩日兩捷。大殺賊勢。甚慰朕心。朕深嘉汝世忠。今賊悉銳而來。眞安危之決矣。雖然。兵之進退。貴於從宜。朕以汝爲股肱。汝其自愛。正行俯伏。垂泣而出。辭訣後醍醐帝廟。題族黨百四十三人姓名於廟壁。然後上途。

(四九) 正行殉國 其二　　賴襄

正平二年正月。北軍至四條畷。兵凡八萬騎。正行自將三千騎。直指其中軍。我兵殊死戰。無不一以當百。賊軍披靡。正行進逼師直。師直臣僞稱師直死。正行大喜。抛首于空。而手承者二。軍士有告其實者。正行投頭于地。蹴且罵曰。咲汝亦無雙國賊矣。已而曰。其勇可嘉也。自斷袖裹首。置隴上。復進索師直。望見其幟。欲追之。正朝曰。彼騎我步。不可及也。不若佯走誘之。乃與殘兵五十

餘人。負楯以北。師直不肯追。令其裨將以數百騎尾擊之。正行大呼返戰。追走復逼師直。相去數步。而我兵自晨至晡。三十餘合。力索莫能起。正行注目於師直。勉衆前進。敵連射之。正行身被箭如蝟。乃呼曰。已矣。勿爲賊所獲。與正時相刺。北向而斃。年二十二。餘兵皆自及騈斃。

(五十) 義光義勇　　林 恕

關東大軍。圍護良皇子於吉野城。城將陷。村上義光馳來。告護良曰。城南第一戶。敵兵輒破之。故於第二戶防戰良久。依聞酒宴聲夥而來。此敵既競登。官軍疲罷。今

於此城立功難矣。君其逃之。吾賜甲冑。犯君之諱死之。護良曰。我與汝欲共死生。汝死則我何獨生乎。義光曰。君之言過矣。紀信誑楚。漢高許之。今君之胸量如此之狹。而欲成天下之大事奈何。即進解鎧帶。護良泣曰。吾若不死。則可弔汝。乃自勝手明神之前南逃。義光登高樓。遙望之。護良行之既遠。於是義光露其身。向敵揚大聲曰。皇子護良。爲逆臣被滅。而欲報怨于泉下。故今自裁。汝輩武運頓盡自刎則以是爲規。即脫甲投之於櫓下。遂貫刃而死之。

(五二) 瓜生保母

徳川光圀

瓜生保母。逸其姓名。延元中。新田義貞。據金崎城。保與弟義鑑源琳重照。據杣山城。奉脇屋義治。以里見時成爲將。往援之。敵將高師泰出兵。要于敦賀津敗之。保義鑑姪七郎與時成俱戰死。源琳重照收散卒。還于杣山。而城中軍士多死亡。號哭滿街。唯保母神色自若。無敢戚容。進謁義治曰。兒曹不力。使里見君戰沒。竊恐大傷郎君之心也。幸二子從死。足以少謝。妾家兒曹本爲郎君起大事。苟使賊平。亡百千子姪。固非所悔。三子猶在。再擧可期。是妾所以轉哀爲喜也。因起爲義治行酒。士衆感激。皆思自奮。

(五三) 蜂谷半之丞母

大槻清崇

吉田(今川所據)之役。蜂谷半之丞貞次。初心期一番槍。聞其爲人所先不悅。乃付槍於從者。更提大刀而進。敵士河井太郎以銃略之。蜂谷揮大刀截其銃口。河井跪狙擊。丸洞蜂谷胸而死。從者馳反。其母迎之門。問狀。從者曰。郎君戰死矣。母曰。死不待言。妾問其所以死之狀。曰。面敵而死。母喜曰。善。妾聞之足矣。走入室。伏地號哭。

(五四) 成歡之役 其一

韓國不治。朝野軋轢。遂有東學黨之亂。清國藉名於拯難。使直隷提督葉志超副提督聶士成等海路入韓而

據牙山之要。又取陸路者。使直進據平壤。欲及我師入京。南北相應而挾擊。蓋是出於直隷總督李鴻章之策也。葉聶等築壘成歡。據要而守焉。我少將大嶋義昌率其部兵。航海入韓。既營于京城仁川間。兵勢驍然。勇氣如溢。閲日四旬。不堪髀肉。先是特命全權公使大鳥圭介。入說韓廷。欲使攘清兵且廢韓清條約。二十七年八月廿五日。韓廷聽言。託我公使。以斥攘清兵事。尋廢韓清條約。於是大島少將乃勒兵。向牙山而發。時方三伏。炎暑如熾。我兵蹴熱塵進。廿六日。進至水原。會有我水師傳豊島海戰捷報。全軍踴躍。兵氣大振。廿八日。抵素

砂場驛。驛與成歡隔田疇相對。敵據其要築壘設堡。旗幟林立。如勢甚熾。

(五四) 成歡之役 其二

成歡之地。水田連前。川流貫之。易守難攻。大嶋少將與參謀長岡外史。裨將福島安正等議。欲乘夜襲之。是夜天陰。四顧晤淡。不辨咫尺。乃半夜擧軍而發。距素砂場半里有川。前岸沼澤迢曠。淤泥沒脚。澤畔丘陵起伏。敵壘乃在焉。衆將亂流。水深及肩。敵既撤橋。殆不可進。前隊奮進。纔涉登岸。尖兵早已過沼澤。而失路。大尉松崎直臣亦失路。趦趄。有伏卒起襲我隊後。叢銃亂射。飛丸

雨注。我兵顧戰。與敵相距僅數步耳。田疇潤然。夜色亦晤。無由避敵彈。乃轉方向。退伏沼澤堤下而戰焉。中尉時山襲造率一隊來。將過沼澤。會前隊戰鬭甚急。即欲赴援。跳入沼中。水沒其頭。衆亦隨之。陷泥而死者二十餘人。時山陷焉。

(五五) 成歡之役 其三

全隊已涉。伏堤下而戰。有敵騎出沒于村端。相距數十步。松崎直臣揮劒麾兵。將突貫。當之有流丸。來貫其左股。直臣不屈。號呼督兵。流丸又來。中頭而斃焉。少尉山田四郎。代之指揮。又有流丸來。中其脚。四郎自抉彈裹

創。復起指揮。是時後隊已至。全軍叢銃。一齊突貫。敵忽辟易。棄壘而走。我軍尾擊。斃敵數十。遂進迫成歡。敵設兩翼。據壘防戰。我軍列砲攻之。無彈不命中。毀壘斃敵。不知其數。衆皆乘勝。猛進激鬭。敵不能支。爭先敗走。我軍既陷成歡。又進迫牙山。敵望風而潰。不復見隻影。衆相顧。呆然憾無餘勇所漏焉。八月五日。振旅肅肅。凱旋京城。

(五六) 怯士改心　大槻清崇

岩間大藏爲人魁梧。儼然一丈夫也。信玄拔之伶人中。以列士伍。而性怯懦畏死。殊甚。信玄試之戰陣。七進七

退。信玄曰。是不可以常法馭焉。我聞。西域崑崙山。鐵化爲金。則人性怯懦亦在鼓鑄如何耳。一日臨戰。俄捕大藏縛之竹牌外。使向敵坐。一步不能動。則矢丸雨下。礮聲如雷。大藏膽落神死。無復人色。幸而不中。竟戰惴惴。以得無恙。大藏於是幡然改悟曰。人苟有命。矢丸且不能中。死豈足畏哉。自此每戰。鼓勇先登。遂以成驍名。

(五七) 勇者之甲　中村和

某侯使函人作鐵甲。成欲試之矢。函人曰。臣能以身當之。乃擐其甲而坐。侯命善射者。以强弓勁矢利鏃射之。中胸鏗然矢躍。而不入。侯曰善。吾既試其前矣。未知其

後何如。將試其背。函人釋甲而號曰。臣未慣作怯者甲。請辭。侯曰。吾過矣。賞之以金。

（五八）弘安之役　　大橋順

建治元年九月七日。北條時宗。斬元使杜世忠等五人于龍口。梟其首。乃減公私用費。簡選勇士。分遣鎭西以戍邊。元寇來犯對馬。及壹岐。進至宗像海。草野次郞經長。夜襲燒賊船一隻。斬二十一人。賊大駭。舳艫十里。以鎖聯之。爲圜營。外向。巨艦設石弩。侯薄擊乃發。我兵進戰者。船小不能敵。伊豫人河野六郞通有。與其子八郞通忠、伯父伯耆守通時。駕輕舸進戰。賊弩亂發。部下四

五人中箭斃。通時被創。通有亦傷左肩。不能彎弓。右手揮刀而進。賊艦高大。不可超乘。乃仆帆檣爲梯。躍入船中。手斫數人。遂擒賊將玉冠者而還。

（五九）勤儉率下　　賴襄

北條泰時。不以權勢自異。常與諸將更直幕府。逮老不懈。當直之夕。不敢蓐也。每詣賴朝墳。拜于堂下。或曰。盍上。曰。將軍在時。吾未得登。豈死將軍乎。其進四位也。謂人曰。無功進爵。恐不保終。吾將祈之神也。有僧說之曰。建一佛寺。可以治安。曰。糜財蠹民。何治安之有。遂逐其僧。泰時銳意求治。其參政府。先衆而入。躬執勤儉。以率

將士。遇有饑歲。發倉賑之。或設場救濟流民。及其卒。天下惜之。

（六十）儉薄自奉　　賴襄

北條時賴。循泰時式目。內外稱治。而其自奉。多人所不堪。大佛宣時。嘗詣時賴。時已深夜。時賴手一壺酒曰。欲與子共之。顧安所得肴。照紙燭。索于庋。覩碟有殘醬。取而佐酒。其儉薄如此。其用人不拘門地。嘗擢青砥藤綱。爲引付衆。

（六一）君子五樂　　佐久間啓

君子有五樂。而富貴不與焉。一門知禮義。骨肉無釁隙。

一樂也。取予不苟。廉潔自養。內不愧於妻孥。外不怍於衆民。二樂也。講明聖學。心識大道。隨時安義。處險如夷。三樂也。生乎西人啓理窟之後。而知古聖賢所未嘗識之理。四樂也。東洋道德。西洋藝術。精粗不遺。表裏兼該。因以澤民物。報國恩。五樂也。

（六二）義捐建黌　　角田簡

樋口甚藏。筑後人也。家世農。富而好學。其治家。事事有法。尤戒驕奢。寬政七年。久留米始有建學校之議。甚藏聞之。請納建學之費。藩侯喜允之。學校既成。命曰明善堂。其所費以錢數之。凡一百八十萬。皆係甚藏所納也。

一鄕感稱甚藏之義矣。

（六三）足利學校　　青山延于

上杉憲實好學。其在職也、撫民愛士。大得人心。其領邑上野足利、有學校。傳言小野篁之所剏。歲久衰廢。憲實繕收之。爲置土田、以養生徒。又購書籍、以充之。以故生徒日盛。當干戈騷擾之時、藝文掃地。而足利之學校、獨著天下云。

（六四）銃術之傳來　　飯田忠彥

天文八年十二月。島津貴久獻鳥銃於將軍義晴。先是文龜元年、南蠻國送銃筒。未傳其術。是年八月、蠻舶到

大隅種島、繫纜於西村小浦。明儒汪五峯乘舶來。島主時堯子時正、善蠻語。誘入赤尾木湊。時堯厚饗慇問銃術。得傳授。時堯以授貴久。是時紀伊人根來寺杉坊偶來。就時堯學銃術。明年、蠻船又載鐵匠來。傳術于鍛工金兵衛清定。界浦商賈橘屋又三郎、能熟製工。遂遍布諸州。

（六五）以礮換弧矢　　佐久間啓

射有禮射武射之別。然其初也、專爲防禦而設。防禦之事、蓋男子立身第一義也。故其生、桑弧蓬矢以射天地四方。然後敢用穀。亦示第一義也。自銃礮興、弓矢長兵。

皆失其爲利。男子生乎今之世、不知銃礮、其可乎。於其初生、亦宜以礮換弧矢、發於上下四方、以志於其所有事也。

（六六）題西洋城郭圖　　齋藤正謙

自織田氏城於安土、海內城郭之制一變。蓋本西洋云。陋者不知、以爲本邦古制。如此可笑之甚。余嘗於蠻書中見城郭圖。摹其一二、使講築城之術者、有所攷焉

（六七）巴黎　　斌椿

街市繁華、氣局闊大、勝於里昂。聞昂人民六十萬、都城則百餘萬人。陸兵有三十萬。街市到處、棊布星羅、皆黑

衣紅褲。持杖鵠立、看街之兵、往來梭織無間。衣帽鮮明。無一舊者。車聲磷磷、行人如蟻、皆安靜無譁。又至玻璃巨屋。高三十丈。寬廣亦如之。內裝名畫、無數眞繪水繪聲之筆。又西行七八里、爲官家花園。花木繁盛。鳥獸之奇異者、難數於更僕。尤奇者、海中鱗介之屬。均用玻璃房分類畜養。其中藻荇水石、皆海中產也。介蟲之奇者、數十種。房二三千間、分養之。人由旁觀、纖介洞見。洵奇構也。

（六八）倫敦 其一　　斌椿

倫敦。人民之盛、都城中三百萬有奇。地形四面環海。陸

兵十餘萬。水師不過六萬人。足敷防守。非若法國三面界鄰地。需兵較多。若征調則數十萬可集也。都會廣四五十里。人煙稠密。樓宇整齊。多四五層。街道潔淨。車轂擊人肩摩。爲泰西極大都城。街衢弁兵。皆紅衣黑褌。服飾新鮮。馬匹雄壯。各持杖巡守無間。往看花園。鳥獸奇異者甚多。獅子四極大者二。皆吼毛。虎豹犀象之屬。不可勝紀。巨蟒長二三十丈。皆豢養極熟。

(六九)倫敦 其二　　斌椿

水晶宮在都南二十五里。宮在山上。地勢至高。建大廈。高二里。廣三里。南北各一塔。北十一級。高四十丈。皆玻

璃爲之。遠望一片晶瑩。其中造各國屋宇。人物鳥獸。皆肖其國之象。表裏洞明。憑欄遠眺。能見六十里之外。旋遨至宮。坐小樓。三層精彩照人。穿廊咸罩玻璃。繞廊紫藤甚開。紅藥杜鵑皆大于中土。間以雜色花草。綠茵舖地。璀璨可觀。

中等教科漢文讀本卷之一 終

明治三十二年五月五日
文部省檢定濟

明治三十二年二月二十日印刷
明治三十二年二月二十三日發行

定價
一二三四 各金廿錢
五六 各金廿三錢
七八九十 各金廿五錢

版權所有

編者　福山義春　東京市本鄉區追分町十四番地
編者　服部誠一　東京市神田區裏猿樂町十八番地
發行兼印刷者　阪上半七　東京市日本橋區本石町十軒店六番地
活版印刷所　行文堂印行　東京市神田區錦町二丁目四番地

文學士 福山義春
服部誠一 共編

中等教科
漢文讀本
卷二

東京 育英舍

中等教科漢文讀本卷之二目次

(一) 覇府之始　頼襄
(二) 諸侯
(三) 平貞盛誅賊　頼襄
(四) 足利四將軍 其一　頼襄
(五) 足利四將軍 其二　頼襄
(六) 足利四將軍 其三　頼襄
(七) 毛利元就傳　宇津宮三近
(八) 北條氏康傳　宇津宮三近
(九) 伊達政宗傳　宇津宮三近

中等教科漢文讀本卷之二目次　(一)

(十) 蔚山城 其一　青山延光
(十一) 蔚山城 其二　青山延光
(十二) 上杉景虎智謀　飯田忠彦
(十三) 武田晴信謀略　飯田忠彦
(十四) 名將訓言　飯田忠彦
(十五) 佳士赤心　岡田僑
(十六) 信吉諫諍　岡田僑
(十七) 直言之功　頼襄
(十八) 高綱至言　林恕
(十九) 忠勝三辭厚祿　青山延光

(二十) 正信仕舊君 中井積善
(二一) 信綱蔽主過 安積信
(二二) 鬼作左 安積信
(二三) 忠秋放鶉 青山延于
(二四) 康政頓智 安積信
(二五) 奇計蓋世 安積信
(二六) 直孝果斷 安積信
(二七) 寛永三輔 佐藤坦
(二八) 尚儉戒奢 青山延于
(二九) 爲夫甘艱辛 角田簡
(三十) 示塾生 藤澤甫
(三一) 士之二樂 安積信
(三二) 勝高殺身全使命 賴襄
(三三) 豪膽少年 大槻清崇
(三四) 義直容直言 安積信
(三五) 寛仁赦刺客 岡田僑
(三六) 臨別受授兵器 岡田僑
(三七) 活眼相人 原善
(三八) 慶安之變 其一 青山延光
(三九) 慶安之變 其二 青山延光

(四十) 國家之元氣 鹽谷世弘
(四一) 負帝脫虎口 青山延于
(四二) 設疑兵破賊 巖垣松苗
(四三) 平壤之戰 其一
(四四) 平壤之戰 其二
(四五) 平壤之戰 其三
(四六) 臺灣府 青山延光
(四七) 題軍國諸船圖 齋藤正謙
(四八) 蒸氣
(四九) 火輪車 合信
(五十) 電氣 合信
(五一) 電信機 合信
(五二) 觀臓之擧 東條耕
(五三) 甘諸先生 東條耕
(五四) 空氣 合信
(五五) 熱 合信
(五六) 櫻花譜跋 佐藤坦
(五七) 題雲洞山水圖 芳野世育
(五八) 角力 村瀨之熙
(五九) 散樂 村瀨之熙

（六十）熊說　齋藤馨

（六一）駱駝說　齋藤正謙

中等教科漢文讀本卷之二目次終

中等教科漢文讀本卷之二

文學士　福山義春

服部誠一　共編

（一）覇府之始　賴襄

大江廣元建策曰。方今大亂初平。關東倚安帥府。而姦豪伏匿於諸道。隨起隨討。輙發東兵。則勞費不量。民苦誅求。爲今計者。莫若國司置守護。莊園置地頭。所在追捕。則天下可坐而定也。賴朝大悅。遣北條時政護衛京師。因奏請之。且請課畿內及西南四道。每段五升。以充兵食。朝議從之。賴朝薦家人有功勞者。分爲守護地頭。而身統之。世因稱賴朝曰六十六國總追捕使。

（二）諸侯

德川氏之定天下也。大行賞罰。褒貶諸侯。既而其封土過大者。或削之。或移之。隨又擧其族人勳臣而封之。大小侯伯。三百有餘。分爲內外。待遇有差。乃以其舊封者。爲外藩。待以賓禮。以其屬族人家臣者。爲內藩。使執幕政。就中特置親藩。位列藩上。尾、紀、水、三藩是也。海內侯伯。雖各割據。使悉納其質。且設邸第于江都。而隔歲必來就之。謂之參勤。柳營之班。因其爵位。嚴不可犯。世稱之曰大名。

（三）平貞盛誅賊　　賴襄

天慶三年。朝廷任貞盛常陸掾。發兵討將門。將門聞之。率兵索貞盛於常陸。不得。乃散其衆。獨以千餘人至下野。下野有押領使藤原秀卿。世爲大族。及將門起兵。往見之。將門梳髮。捉髻而出。欵接之。命食。共食。飯粒墜前。拾而食之。秀卿知其輕卒不足與有爲也。乃從貞盛。貞盛窺將門無備。與秀卿合兵四千餘人。急襲之。將門遽出拒之。大敗。貞盛乘勝疾攻。將門欲誘之險阻。走據島廣山。貞盛火其營。大戰于山北。將門以見兵四百騎死

鬪。貞盛麾兵蹙之。將門獨身出走。貞盛叱咤追馳。射中其右額。墜馬。秀卿斬其首。

（四）足利四將軍　其一　　賴襄

應永元年。義滿請讓征夷大將軍於長子義持。二年。義滿削髮。號道義。營北山別業。使諸將助役。起金閣。四年徙焉。義持居室町第。而內外之事。取決於北山。義滿性豪侈。而數平逆亂。志益驕。待將帥甚倨。朝臣往來其家者。或以家隷遇之。其削髮之歲。適叡山儀准法皇御幸。又喜土木。創寶幢相國諸禪寺。定爲五山。義持性媮惰。時會京畿無事。以游宴爲事。使三管四職更治具招請。

讓軍職於長子義量。而自削髮。稱道詮。應永三十二年。義量卒。義持再聽政。義持疾作。正長元年正月薨。義圓者。義持第三弟。爲青蓮院僧正。及義持薨。入室町。爲喪主。三月。敘爵。更名義宣。後更義教。

（五）足利四將軍　其二　　賴襄

義教爲人猜暴。以盛氣馭下。義教襲職而三歲。侍女三人有罪賜死。赤松滿祐女與焉。或曰。滿祐怨望有異心。義教聞而囚之。滿祐逃奔播磨。遣兵攻之。滿祐力窮出降。宥之。滿祐形貌矮陋。義教戲呼之曰。三尺入道。滿祐嘗侍宴。醉舞謠曰。軀短勿侮。三國之主。義教愈憎之。義

教畜猴。每滿祐入。輙使人放猴爬其面。滿祐拔刀斬之。心深怨義教。而不形顏色。時幕府多怪。有狐夜鳴屋上。宿直者或闕。空室中見有偶人數十。爲鵜飼。鵜飼者散樂曲名也。義教略不加意。貞村持貞兄子。已壯。寵之不衰。遂欲割滿祐邑予之。將就其第諭意。從容謂滿祐曰。聞汝園之凫乳矣。可一觀否。滿祐佯喜請期。期六月廿四日。嘉吉元年　滿祐從子曰教祐。爲幕府近臣。微聞削邑之議。以告滿祐。滿祐大恚。於是伏甲三百於第中。而請義教。義教即往。置酒高會。觀散樂。樂至鵜飼。時已薄暮。第中有呼曰。廐馬逸矣。因急闔門。門闔而甲發。義教將起。

教康、教祐耦進、執其左右手伏之曰、今日之事、公自取之。渥美（滿祐臣）自屏後出。揮刀斬其首。一坐拔刀起。起者輒見殺。相殺者又數十人。畠山持國與管領細川持之等議、立義教子義勝爲嗣。三年義勝卒。立義勝同母弟義成。後改名義政。

（六）足利四將軍　其三　賴襄

義政喜奢侈。高倉第障子一間、直二萬錢。其他稱之。以故、征賦十倍前代。文明四年十二月、義政讓軍職於義尚。九年十一月、西陣（山名持豐）諸將、各解歸國。東陣（細川勝元）亦解。自應仁元年至此（應仁之亂）凡十有一歲。兩陣兵士、交出焚掠。文武第宅、蕩爲荒野。關白兼良以下、諸公卿散走四方。或遭戕害。歷朝典籍、概罹兵燹。而義政宴詠自若。發使者赴朝鮮、求勘合印信、以購海外珍寶。十一年、遂退居東山、起銀閣、以擬義滿金閣。不以爭亂加意。諸國强臣、往往乘亂奪國。

（七）毛利元就傳　宇津宮三近

毛利元就、姓大江。其先、出於因州刺史廣元。父襲鼻祖之名、曰廣元。元就初微。時領多治比七十貫之地。兄與元之子幸松蚤卒。而元就入嗣毛利之家督。伐吉田刑部、克之。武威漸振。志氣宏淵。有雄略。衆僉推焉。此時尼

子晴久據雲州。將山陰山陽十六州、有幷吞四海之勢。元就以寡敵衆。屢戰得捷。卒殲尼子。又與陶全姜戰藝陽。以奇策間敵君臣。陶大敗北。授首。粤元就領十餘州。指揮諸將。毛利家兵威最爲盛矣。應仁以來、四方擾亂。諸侯不聘。正稅不貢。皇家疲弊。國用無給。元就輸米數千石於官、助踐祚之禮。永祿帝大嘉之、任大膳大夫。子孫綿綿、爲稱號。先是、元就十二歲之時、詣嚴島神祠。而歸、問從者以禱何事。一士答曰、唯懇祈郎君他日知山陰山陽兩道而已。元就聞之、不喜曰、而何禱之小耶。禱君天下可也。其幼有大志。大率類此。

（八）北條氏康傳　宇津宮三近

北條左京兆氏康者、故姓伊勢氏。其祖早雲、初名氏茂。以羈旅之身、一旦以數百之衆、取豆州、居于北條。因以爲姓。或曰、時政裔也。到氏康、振三世之遺烈、耀武隣境。與上杉憲政連戰數歲。天文十四年、戰于河越、大敗之。上杉奔於越後。自此關左八州、入殼中矣。此時、駿府有今川氏、甲陽有武田信玄、越後有長尾謙信。氏康攝强敵之間、士無暇。軍事或戰或和。一張一弛。運籌策數也。列置斥候、嚴烽火、繕甲兵、終得全四境。元龜元年、卒于小田原城矣。氏康平生犒軍士、則效分醪之惠。受降將、

則忘射鉤之讎以故服者日多戰鬪得捷至若愛民薄稅歛境內乂寧到氏直爲秀吉被討五代鴻業一朝爲烏有可惜哉

(九) 伊達政宗傳　宇津宮三近

伊達政宗者奧州人也父祖代代領東奧數郡政宗壯歲而有武毅之名摺上原之一戰廻奇計而破敵軍逐葦名義廣領會津又擊二本松而取其邑與相馬佐竹屢戰且請秀吉渡朝鮮最有軍功慶長庚子之役深志於幕下拔白石城攻福島壘被其恩遇甚渥後任中納言政宗雖生邊鄙之賤地自有中國之風操其意氣慷

慨而攻城野戰之功不可勝計矣講武之暇寄意於歌林慰目於騷筵招諸詞客於仙臺(政宗於宮城郡築城以居焉號之仙臺)令成其事世多傳焉

(十) 蔚山城 其一　青山延光

加藤清正屯蔚山欲營水路諸城赴機張使加藤清兵衛守蔚山蔚山南有島山清正兵守之二城依山爲固勢甚險峻明將楊鎬麻貴等帥兵四萬至慶州清兵衛修蔚山城未畢出居城外夜忽聞銃聲起視則明兵來薄飛矢雨注吹唇沸地我軍大駭清兵衛血戰入城蔚山島山之間有川李方春解生等泛舟而進縱火民家將乘煙入城城兵叢銃擊破敵舟溺死無算方春等僅免我兵有被擒者紿曰清正在城敵益來薄清兵衛白袍躍馬督衆拒守明兵望見以爲清正然衆寡不敵我兵退入島山麻貴乃攻島山城新修以石堅甚明兵仰攻不能遽上我兵禦戰亂拋巨石殺傷甚多

(十一) 蔚山城 其二　青山延光

清正聞報乃命具舟將士皆曰衆寡懸絕請待後援清正曰蔚山吾城也今諸軍遠而蔚山急吾遲廻待援而蔚山不守死有餘辱庸可緩乎遂帥兵五百乘舟赴之舟子望見敵艦鱗次懼而不進清正怒曰罔軍赴死汝

獨畏死乎吾當殺汝舟子乃進清正戴銀兜鍪挾眉尖刀指麾兵士敵艦圍繞欲遏之森本義太夫飯田角兵衛發銃衝突猛氣咆勃敵艦皆靡清正直入蔚山城中銳氣百倍明兵再來攻城兵悉力捍禦矢礮雨下敵不能支謀合長圍以困之時際窮冬風雪裂膚清正知敵無固志日夜發銃碎鐵爲丸用藥煮之中者輒死僵尸相枕已而糧竭殺牛馬食之每造飯先食善銃者衆心危懼清正神氣自若

(十二) 上杉景虎智謀　飯田忠彥

上杉輝虎本名景虎越後人長尾爲景入道二男也小

字猿松丸。初猿松留學淨心寺。九年所。更無染衣之心。迨天文十四年四月。父爲景死于越中。兄六郎繼祀。猿松時十六歲。聞訃憤惋。竊憑宇佐美定行。議復讐。定行亦愛其將器。親昵之。天文十六年正月。猿松十八歲。元服名景虎。稱平三。四月終三年之喪。揭旗據橡尾城。定行及本莊美作爲之輔翼。六郎聞之恚。使姉壻長尾政景率兵七千次橡尾。一日景虎自櫓上望見敵陣曰。今宵敵去矣。可尾擊焉。定行曰。敵歷長途來。胡爲其去矣。曰。我望敵營。莫有輜重。是以識之。定行曰。善。乘夜發兵。掩擊之。政景敗走。追躡到柿碕下濱。六郎亦將兵八千

來擊。定行等奮鬪復破之。六郎歷米山而退府內。景虎揮麾。先驅追尾到米山東坂。而謂。我欲睡頻也。即入路傍民舍而眠。定行驚。謂。方今破竹之勢。得府內如指掌。促之數回。猶不覺。衆相目危懼。景虎意謀六郎兵踰米山爲其三分之一。遽起吹螺搏鼓追登。果如所度。六郎既向下嶺。急追蹤自龜割坂迄麓。死傷無算。定行稱嘆謂。鬼乎神乎。何智謀之傑出也。

(十三) 武田晴信謀略　　飯田忠彥

天文五年十一月。武田信虎督兵攻海野口城。晴信初從軍。平賀入道源心驍勇善拒。時天寒積雪不便。十二

月。信虎回軍。其前宵晴信請殿。信虎哂謂衆曰。敵不能尾。將安用殿。若二郎(信繁)則必不請。晴信固請而後可。信虎先發。相距三十里。晴信兵可三百。夜下令曰。嚴辨戎備。秣馬蓐食。不論能否。飲酒盪寒。人皆不喩其旨。竊相謂曰。還府何用如此。眞癡騃矣。晴信寅刻反兵圍城。時歲已暮。城兵聞甲軍解去。守禦懈緩。或散出村里爲迎年計。源心亦設宴勞兵。事發不意。皆無戰志。城遂陷。馘源心。縱火凱旋。人始服其謀略。

(十四) 名將訓言　　飯田忠彥

北條氏康讓國務於氏政。而後試問其所爲樂。對曰。擇

吏以分能否。氏康曰。善矣。然其業武人之恒也。或諸士擇主者。及與隣國相戰。居常不愛士不惠民。則去而之他邦。求明主而事之。是故愛士惠民。將帥之任也。生飽煖之家。而不知下情。雖有功勞不賞。則懷怨恨。人心如畔離。則臨變雖甘言加之。有誰敢服焉。是故平素不遺寸功。褒稱勵薦。名稱調議。必莫偷士卒之功勞。

(十五) 佳士赤心　　岡田僑

豐臣秀吉在大阪。嘗命德川氏將士習騎。自登千貫櫓觀之。有騎驪馬者。問之曰。成瀬正成。問祿曰。二千石。秀吉曰。佳士。若仕我封五萬石。公聞之。謂正成曰。汝能事

豐臣氏富貴立至。我亦悅焉。正成流涕曰。是何言也。臣雖不肖。豈貪祿忘君乎。願自殺以明臣赤心。後公謂群臣曰。可以託三尺之孤者。正成也。

（十六）信吉諫諍　　岡田僑

德川賴房。稍長。喜任俠。好奇服。裝佩刀以黃金。傅中山信吉數諫不聽。台德公聞之不懌。召信吉。信吉入見閣老曰。殿下所以召臣者。問寡君之事也。以實對。是彰主過也。不對則欺上也。進退維谷。不如屏居竢罪。乃趨出。歸見賴房大諫曰。臣死不足愛也。獨所憾者有三焉。臣不肖不能諷諭。審言以匡君過。一也。先公命臣以輔導

之任。而亡狀至此。深負付託之意。先公而在。何面目見。二也。左右小人。迎君之惡。虧損盛德。臣非不知也。而不能誅之。三也。臣雖死。遊魂不離左右。願君悛之。賴房大感悟。直推金裝刀。脫奇服。賜之左右。謂信吉曰。自今而後。吾能自新矣。

（十七）直言之功　　賴襄

東照公在岡崎。有犯禁者二人。其一弋于囿。其一網于濠。皆被拘繫。牙兵鈴木某欲諫之。未有路。乃故自矯令。取池簿之鯉。煮而食之。他日公觀於池。問守者。守者告故。公大怒。欲手斬鈴木。鈴木入。張目罵曰。噫暗主以禽

魚易人。惡乎得爲天下。公大悟。拋刀而入。遂釋前二人。召鈴木褒之。後語人曰。直言之功。愈一番槍犯敵者。賞可幸犯君者。罰不可測也。

（十八）藤綱至言　　林　恕

青砥藤綱。生而穎悟。覃思讀書。時有行印者。有博學之名。藤綱負笈就學有年矣。聞時賴詣三島社。潛在從者之中。詣三嶋。而隨雜具車歸。及片瀨川。牛涉水中。藤綱笑曰。此牛習守殿（指時賴）之佛事乎。相伴者問藤綱曰。汝言何哉。藤綱曰。頃日不雨。數日田畝葉枯。民皆悲餓。然此牛不涉田畝。涉于水流。而不爲國用。伴者又詰曰。汝言

然矣。何其以守殿之佛事爲譬乎。藤綱曰。鎌倉所在之僧。碩德優才。能持戒律。多皆貧窮臨饑。然今年之供養受施物者。悉破戒無智而富貴之僧也。今此牛足有餘。而無補不足。其理何異。伴者感激其言。二階堂藤行聞之。語時賴。時賴曰。我過矣。於是召藤綱。諮詢政務。藤綱直而無私。敬而愛人。揚善懲惡。儉而不驕。威而不猛。爲身不散財。爲親不隱非。

（十九）忠勝三辭厚祿　　青山延光

酒井忠勝。典樞機三十餘年。爲天下所憑賴。大猷公最親任之。嘗欲封以駿河十八萬石之地。忠勝辭曰。此東

照公菟裘之地也。臣不敢當。後又欲封以甲斐二十四萬石。又辭曰。此武田氏割據之地也。臣不敢當。公遣人諭之曰。卿不欲去若狹。吾當給隣近之地近江二郡。卿勿復辭。忠勝又辭曰。臣之所以辭封者。亦有說焉。自古執柄之臣。祿厚則驕。驕則覆。如本多正純。可以見矣。臣而受厚祿。安知異日之不生侈心。臣縱能恭謙終身。又安知子孫之不招禍。故臣之辭封。非特爲一身也。公嗟歎而止。

(二十) 正信仕舊君　　中井積善

參國一向賊之平。悉逐怙終。本多正信在逐中。犇京師爲松永久秀門客。久秀謂人曰。我閱士多矣。壯武勇邁。不乏其人。唯夫夫匪剛匪柔。年雖尚少。品格已高。異日必成非常之器。已而三好、松永作難。京師益亂。正信轉客賀越十年所。北地一向戰起。正信爲之謀主。及賊衰敗。復屛迹浮遊。始有所悔悟。心懷歸思。東照公亦宥其舊罪。召之。知其可用。復其祿秩。善待之。正信機警聰敏達權變。雖性忌刻有崖岸。而能以國家爲己任。竭力彌綸。自後寵遇日渥。每侍帷幄。參機密。竟以智謀。居開國功臣之列云。

(二一) 信綱蔽主過　　安積信

松平信綱、小字長四郞。年十一。給事世子竹千代公。台德公寢殿有雀巢焉。世子尙幼。令信綱探㲉。信綱辭不獲命。寅夜升屋。誤墮地。公驚起。提刀出視。怪問之。對曰。探㲉也。又問誰使之。曰。臣自爲之。無所使。公怒納之褚中。繫柱。竟不首實。黎明公出視朝。夫人憫之。命侍女胠褚賜餐。又緘之如故。晌午公至。夫人爲謝。然後見原。公目送之。謂夫人曰。渠若不失此心。以至長大。當是竹千代良輔。感嘆久之。

(二二) 鬼作左　　安積信

豐臣秀吉使母氏抵岡崎視女。蓋質之也。東照公令本多重次守焉。西上見秀吉。群臣猶危之。重次於殿側積薪。如邱。侍女怪焉。私招奴。與酒食詢之。奴曰。仄聞。關白若害吾公。或留不遣。則將擧諸侍女。燔殺之。故本多命奴輩日入山伐薪。積諸此而爲之備也。本多性卞急。憤公歸來之晚。數欲縱火。井伊、大久保固諫不果。侍女大懼。相謂曰。彼日來候起居。容貌兇惡可畏。因憶阿義君（家康長子）始謁殿下。侍兒仙千代從。殿下語曰。參河三尹有鬼作左者。侍兒乃其子也。今見之。果猙獰如魑鬼。彼卞急。公不亟還。必燔殺妾等。盍白太夫人請亟還公。相與具言。母氏大駭。寓書報秀吉。無何東照公還參河。而輜耕亦西旋矣。侍女見秀吉泣、愬重次兇悍之狀、乞加誅。秀吉笑曰、德川氏有佳士如此。我亦欲得此輩人爾。

（三）忠秋放鶉　青山延于

阿部忠秋、忠孝篤實、輔政三十餘年、以廉介持身、杜絕請託。嚴有公時、士大夫好養鶉、佳者估極貴重。忠秋亦好之、常置鶉籠於坐隅。時一諸侯購得名鶉、欲因醫官餽以求知。醫官伺間、從容言之。忠秋不應。已而命左右開籠盡縱之。醫官怪問其故。忠秋曰、予備位宰輔、爲人所趨附。不宜有所好。比者好鶉、乃傳播於世如此。自今而後不敢復養鶉。醫官大慚而退。

（四）康政頓智　安積信

石田三成陰召兵、欲襲東照公。諸將多衛邸者。榊原康政適西上。途聞之、星夜兼程而馳、至勢田、設新關不通行旅。行旅塡噎數驛。大坂喧傳、三成以爲東師大至、懼莫敢發。三日而後廢關。行旅一時入京、絡繹相屬。是日康政擐甲散髮、帕首立馬標、入邸上謁。東照公悅甚。康政呼吏、出錢數萬緡于府、付士卒入市買酒食、宣言曰、內府兵六萬俄至、糧食難辨。凡可充食者皆賒之。又使買草鞋、殆盡。曰兵十萬自關東至。於是諸侯黨石田者、畏强大、多叛之。大坂益懼、不敢擧兵。

（五）直孝果斷　安積信

初東照公與伊達政宗約、賜百萬石、封政宗、藏印信。請于台德、大猷二公、並不允。至嚴有公、申請益力。宰執以公幼冲、辭焉。政宗不服曰、東照公印信儼存。雖無請固當賜封、如約。宰執憂之。井伊直孝曰、祖宗所不允、今將奈何。予請任之。乃詣政宗邸、見之曰、子有請于幕府、故來議之。願觀印信。政宗喜、出而示之。直孝覽訖、即扯裂之曰、當時東照公之意、雖倍此且不靳惜。今則世遷勢殊、海內無間地。將於何處賜之。而子歷請于數朝、嘵嘵不已。吾恐子非惟不能得、必將禍于而家。故予爲子裂

之。意氣壯烈、若相剸然。政宗憮然自失。侍臣相視愕眙、畏直孝莫敢動手。既而政宗徐言曰、事既至此、莫可奈何。惟後來國事、子善圖之。直孝曰、諾。

（六）奇計蓋世　安積信

播州明石城中、有人麻呂祠。板倉重宗聞之、使人謂藩主曰、人麻呂以國雅名天下。何不徙祠於海濱爽塏之地、使慕其風者進香。予當寄置銅燈一基。侯許諾、徙之海澨高處。重宗寄巨燈、通夕點之。先之、明石洋船舶夜間遇風雨失方嚮、往往漂蕩。至是認燈爲標識、患遂絕。蓋重宗移祠本起于此、而不敢明言者、不欲露其迹也。

(二七) 寛永三輔　佐藤坦

人臣之事主。雖各有一長。必相協和以爲一體。然後爲之仕。人主之使臣。雖悉知其能。必合併之以爲一體。然後爲之使。夫手資乎足。目待於耳。目之所欲視。耳必注焉。手之所欲執。足必徙焉。其爲一體而相爲用也如此。三輔臣之在當時。以三德爲一體。協和而合併。相待而相濟。嗚呼。有此君而有此臣也。斯可以見君範矣。可以見臣軌矣。

(二八) 尙儉戒奢　靑山延于

台德公時。酒井忠世以元老兼太傅。大猷公襲職。執政如故。資性謙謹。以嚴正見憚。嘗入謁。見泥金藥擣。問之。公赧然曰。此堀田正盛所獻也。忠世曰。正盛年少。席寵怙恩。獻玩好靡麗之具。以蕩君心。罪莫大焉。昔東照公在駿府。近臣有著茶宇袴者。東照公視而大怒曰。今天下初定。民離塗炭。而汝服美服。以敎奢侈。此啓亂階也。夫東照公尙儉戒奢。防慮禍亂如此。而公乃玩淫靡之具。無乃敗度乎。乃取而碎之。

(二九) 爲夫甘艱辛　角田簡

三宅尙齋。見幽於忍。託其妻田代氏。以母及二子。而與黃金二十兩。以爲資。田代氏念夫囚在囹圄。艱辛無量。爲其妻子而晏然煖飽。心不忍爲也。自是冬不穿縕袍。夏不張蚊幬。定省之暇。爲人縫刺澣濯。以給奉養。如此三年。所得二十金。絲毫不費也。迄尙齋見赦。乃出金還之。尙齋怒曰。其如此。奉養必有闕也。田代氏徐語以養姑之故。而言。豫留此金。以備君今日之用。尙齋感嗟久之。

(三十) 示塾生　藤澤甫

余頃訪某氏。某氏謂余曰。子塾何如。余曰。吾塾雖五尺之童。皆能讀書屬文。皆謹言愼行。某氏笑曰。讀之與屬。我不之知。至謹愼二字。似不然也。吾聞子塾。値子出門之後。則長少雜沓。狂劇于此。謾戲于彼。動喧近隣。大率以爲常。如斯豈可謂之謹愼乎。余愧不能答。夫諸生平日繙經史。則論禮義。講忠信。嘖嘖不已。今也某氏之言。姑置之。盍自愧平日之言。若使某氏之言妄歟。天監在上。固無傷於諸生。亦吾塾之幸耳。不妄邪。各反其身可也。是日余又將出門。因書示之。

(三一) 士之二樂　安積信

源正之嘗問侍臣。何所樂也。小櫃與五右衛門對曰。臣有二樂焉。家貧財乏。順天命甘淡泊。未嘗知驕奢之事。一樂也。正之問其二。曰難言也。强叩之。曰臣生不爲諸侯二樂也。公驚問之。曰士庶有師友。過失相規。又自警戒遷善。故資性雖魯。不至於大愚。惟諸侯不然。群臣皆以容悅爲事。不肯忤其意。有善則賛美過實。有不善則回護而遷就之。是以雖有聰明之資絶倫之才。不學無術。卒歸於大愚。故曰。生不爲諸侯。二樂也。正之竦然感起曰善。我當夙夜競惕。求不爲愚人也。

（三二）勝高殺身全使命　　賴襄

武田勝頼大擧攻長篠。築壘于鳶巣山。分兵絶其饟道。奥平信昌與伊昌。勵衆堅守。勝頼攻奪其甕城。益修攻具。鑿地道。環塹柵。攻撃連晝夜。信昌謂其衆曰。孰能出促援兵者。鳥居勝高素倜強。稱強右衛門。進曰。臣請往矣。信昌許之。夜縋而出。至家康營。致信昌命。城兵未疲。鉛硝亦具。所欠者糧耳。不急救之。則信昌自殺。以免士卒。家康慰勞之曰。信長既在途。吾將以明日出。勝高即夜馳歸。將踰柵入城。爲敵邏兵所執。勝頼命解縛諭之曰。汝往語城兵。信長家康不能來。宜速出降也。則吾厚賞汝矣。勝高曰。諾。乃使甲士十餘人露刄擁之。至于城下。勝高仰城大呼曰。諸君努力。大兵來援。不出三日。言未畢。刄叢而死。

（三三）豪膽少年　　大槻清崇

照公攻田中城。（武田氏所據）數月未得志也。城中有西郷伊豫者。屢出挑戰。驍勇無比。照公患之。一夜諸老兵會于大膳菅沼氏。謀所以除之。侍臣朝日千介年十八。進曰。西郷首。臣能取而致之。菅沼叱曰。汝少年何知。渠之剛勇。雖諸老輩。且不易圖。汝乃妄言之。不遜甚。麾之去。千介退而獨語曰。且待明日。其夜深更。竊取菅沼所愛手銃以出。時天將明。照公早在岡部陣。見西郷獨騎率數卒而來。曰。敵復出矣。誰獲西郷首者。言未畢。自路傍竹林中。銃丸一發。射西郷肩。墮馬。有人蹷騰而出。直進斬其頭。獻之公所。則朝日千介也。公嘆賞曰。汝一少年而爲諸老輩所不爲。可謂剛者矣。

（三四）義直容直言　　安積信

德川義直在尾張。有貼匿名書於殿楹者。署藩臣九人姓名。題其尾曰。凡十人。義直異之。遍詢于衆。莫能知也。書記持田治左衛門曰。臣知之矣。然不可顯告執政有司。願因近臣白之。義直使侍臣問焉。對曰。凡此九名。皆姦邪宵人。一藩莫不憤嫉。其一不署名氏者。蓋公也。臣不可口述。願具書以聞。退而錄義直過失十條。以封上。且曰。貼殿楹者臣。莫知其誰。然此十事。士民所怨苦而不敢言者。願改之。義直大怒。傳相竹越曰。持田所諫臣亦知之矣。而畏威怒未能發一語。彼以眇然一書記。顧能爲社稷致忠諫。奮不顧身。臣實愧死。豈非忠勇絕倫之士邪。公宜從其言而奬拔。此尤盛德之事。義直默然良久曰善。

(三五) 寬仁赦刺客　　岡田僑

車善七。佐竹義宣臣車猛虎弟也。義宣之移封于出羽秋田也。猛虎獨留不從。及松平康重撿常陸地。猛虎煽動土民作亂。欲以復佐竹氏舊封。事覺爲康重被捕斬。善七逃匿草野。謂殺吾兄者康重也。令康重殺之者將軍也。吾必爲報讐。將軍者謂台德公也。乃往遊江戶。變姓名入府。爲挐鞋奴。常從。欲刺公者三。手戰而不果。公覺之。執縛親詰善七。具以狀對。公曰義士。能改心事吾乎。善七曰今日之事。惟有死而已。公益義之。卒釋之。善七拜謝曰。小人不自量。敢圖大君。罪不容誅。縱被寬舍。臣豈抗顏與人相齒。請去爲乞人之長。於是善七被髮徒跣。行乞于市。遇衆乞有惠。衆乞悅服。

(三六) 臨別受授兵器　　岡田僑

藪內匠仕中村一氏。屢有戰功。內匠爲人沈深有器局。豐臣秀吉之伐北條氏也。一氏從攻山中。拔之。內匠先登。渡邊了次之。了背旗甚大。秀吉登高望見之。以爲了

先登。賞了以先登之功。內匠不敢爭。既而一氏賜二人祿各三千石。特賜內匠以見米。了心不平。遂致仕去。臨去遣价內匠曰。願與子相見于郊。內匠即諾往。了馬上橫偃月刀。邀內匠勞之曰。吾將遠行。不可不與故人訣。然故人中可爲訣者。獨有卿而已。因捧刀曰。聊寓別意。卿幸善藏焉。言恭而色怒。內匠神色自若。進受刀曰。吾亦且贐卿。乃拔佩刀與之而別。人皆壯之。

(三七) 活眼相人　　原善

熊澤蕃山嘗至某侯。及入見一士人。威儀特秀。骨體非常。相與張目注視良久。遂不交一言。見侯曰。余今見一士。不知仕臣乎。將處士邪。侯曰。渠爲吾講兵書。處士由井氏民部助者也。蕃山正色曰。余熟視其貌以察其意。君勿復近如彼士。他日正雪亦來見侯曰。前日比退朝。見某衣某形人。未知其爲誰。侯曰。渠說吾以經書。岡山臣熊澤次郎八者也。正雪正色曰。余熟視其貌以察其意。君勿復近如彼士。

(三八) 慶安之變 其一　　青山延光

慶安四年秋七月二十三日。弓商藤四郎訴曰。駿河人由井正雪處士丸橋忠彌謀不軌。將火江戶。正雪由井染家子。幼時父欲使之爲僧。不聽。去遊江戶。適有一老

人自云楠氏之後。家傳兵書。正雪從之遊。約爲父子。冒楠氏。以兵法教授弟子甚盛。正雪遂蓄異圖。然深畏備前少將光政。密造提燈。畫池田氏徽號。或潛報之光政。光政方食。投箸而起。直往執政家密議。適會藤四郎上變。謀遂露。時正雪還駿河聚黨。唯忠彌在江戶。二十四日。執政將執忠彌。松平信綱聞其善用槍。恐多傷人。夜遣石谷貞清等圍其家。建呼失火。忠彌登樓望之。衆乃突入擒之。并其弟子三人。

(三九) 慶安之變 其二　　青山延光

執政遣駒井右京於駿河捕正雪。二十六日右京到駿

河。令市中曰。江戶盜有被創逃逸者。市中旅人皆當露索。速錄進其名。遂得知正雪所在。乃遣衆圍之。佯爲驗視將捕之。正雪令從士六人赤體佩刀出見。衆促正雪。正雪佩小刀執杖出謝曰。正雪紀藩士人。不得露形體於衆中。願借輿往市廳。衆許之。正雪入。久之不出。衆怪之突入。則與其徒九人皆已自殺矣。

(四十) 國家之元氣　　鹽谷世弘

東照公嘗欲官一士。問之土井利勝。利勝曰。彼不常來臣家。臣未知其如何。東照公弗懌曰。汝秉國鈞。務在訪人材。材者豈肯附權勢。如汝所言。則知耻好義者將日趣柔媚。知耻好義。國家之元氣也。元氣消亡。則國家衰耗。其能久乎。昔酒井忠世以神谷清正不禮己也。謂我曰。清正眞可用者。因請倍其俸。忠世爲公忘私。奬勵士風。汝輩何不類焉。

(四一) 負帝脫虎口　　青山延于

後醍醐帝與源忠顯謀。佯爲宮人月滿出宮者。夜潛御腰輿出宮。道斥輿徒步。夜暗不知所嚮。帝步履甚艱。忠顯扶之而行。叩路傍人家。問千波港。主人見而憫之。負帝至港。覓舟御焉。舟人知帝非常人。曰。小人幸得執役。敢請所之。忠顯曰。汝已識貴人。我不敢隱。此即當今天

子。出隱岐行宮。急欲幸出雲伯耆之間。指形便之地赴之。異日事濟。必重賞汝。舟人喜。解纜疾馳。佐佐木淸高發輕舸追及。舟人乃匿帝與忠顯於船底。覆以槁魚。兵士上御船。遍搜而不獲。問曰。汝見貴人乎否。舟人紿曰。夜半有船出港。一人著冠。一人著烏帽。今行可十里。殆是乎。追兵轉柁去。已又有敵舸百餘隻追至。會風止。御船不得前。舟人恟懼。須臾風復起。敵舸飄蕩。不知所之。遂至伯耆名和港。

(四二) 設疑兵破賊　　岩垣松苗

後醍醐帝已至伯耆。本國人名和長年擧族應徵。護駕。

至船上山。伐木爲柴。裂布作旗。畫近國諸將記號於其上。設疑兵。破賊將佐佐木清高等兵。賊黨佐佐木彈正陣于山麓。忽有流矢貫眼而死。清高走本國。國人惡之不入。後至近江番場伏誅。天下皆快其報之速。兒島高德亦率族而至。王師方振。山陽山陰之兵大集行在。乃詔中將忠顯率兵入京。討六波羅。

(四三) 平壤之戰 其一

清國與我啓釁也。先派陸兵據要于牙山。尋聚銳于平壤。蓋出於南北相應。要擊我于京城之策也。我軍一擧而陷牙山。兵氣奮振。清軍慴懾。於是莽遣援兵。固守平壤。牙山敗兵亦來投之。左寶貴、豐陞阿、衛汝貴、馬玉昆等將之。其兵不下無慮四萬。抑平壤自古以爲要害地。前繞大同江。碧流汪汪。不可徒涉。後有牡丹臺。突兀聳空。形勝可賴。此所以清軍據以爲牙營也。沿岸要處。堡壘相望。熕礮列門。旗幟滿城。如兵勢甚振。非牙山易攻之比也。我軍以大將山縣有朋爲軍司令官。中將野津道貫爲師團長。明治廿七年。八月廿四日。乃定部署而發。少將大島義昌率混成旅團。進自開城。當敵前面。少將立見尚文亦率一旅團。進自朔寧。衝敵左側。大佐佐藤正率混成支隊。進自元山。襲敵背後。少將大迫尚敏

屯在元山。備於敵迂回來。雖各隊如此異其進路。其要則在三面攻擊。故全軍期其攻擊以九月十五日。

(四四) 平壤之戰 其二

是日昧爽。大島少將先進兵挑戰。砲聲忽起。蓋大島以率制敵兵。使立見佐藤易衝敵背爲其任。故突進挑戰。欲以誘敵。敵果盡銳而來。據壘邀戰。不吝矢石。巨熕轟然。山岳爲震。大礮爆然。天日亦晦。我兵肉薄迫壘。敵兵亂射。飛丸四迸。霶霶霈霈。雨霰不啻。我兵勇悍。唯知有死。不知有生。躍超尸山。截涉血流。奮戰激鬪。繼以突貫。所在堡壘。無攻不拔。其易拔者。則射擊陷之。其難拔者。則突貫崩之。敵亦殊死而戰。伏尸纍纍。堡壘爲堆。我兵死傷亦爲不尠矣。大島少將亦傷左腕。當此戰將酣。忽有報曰。牡丹臺陷矣。立見少將涉上流。猛進。虎躍龍驤。碎壘毀堡。疾馳迫牡丹臺。臺上堡壘堅欺鐵壁。守兵亦不顧死。善防善戰。我兵冒彈雨。衝砲雷。突貫肉薄。遂拔其一壘。敵退據第二壘。我兵吶喊鼓勇。鬪入壘中。又遂拔之。敵辟易不支。堡壘皆陷。敗兵四散。我兵忽進奪牡丹臺。

(四五) 平壤之戰 其三

先是佐藤大佐既陷沿道堡壘。進迫平壤城背。敵自牡

丹臺射擊之。我兵不能進。敵既失牡丹臺。退據乙密臺。於是。立見佐藤並進薄城。使其砲隊射擊。爆彈命中。破碎墻壁。敵勢大挫。銃聲殆絕。是因部將左寶貴中彈丸而殪也。中尉岡部克己淺田丹治等。既進攻玄武門。敵兵敗退。蝟集城內。時有敵騎一隊。向我師團本隊來。蓋欲見機脫遁也。立見少將使其部兵擊之。幾殲之。敵不復敢出。既而敵揭白旗以乞降。我雖不敢信之。而姑容其降。清將尋設辭柄。請緩一夜。蓋欲乘夜潰走也。我豫縱兵扼其遁路。敵果乘夜潰走。我待其至狙擊之。敵之潰兵。應銃聲殪。前者既殪。後者又來。隨殪隨來。比比相

繼。其死傷不可算數。伏尸縱橫。狼藉道路。迨明我軍入收平壤。敵既潰走。不留隻影。實是九月十六日也。

(四六) 臺灣府　　青山延光

明人鄭芝龍來長崎。與代官末次平藏善。及芝龍還明。平藏屢遣商舶於明買絲。其舟嘗泊臺灣。紅毛方據其地。衆夷掩襲。悉掠財物。舟人逃還。平藏憤怒。其友濱田彌兵衛曰。吾能爲子報怨。爲吾具一鉅舶。使一百人從我。平藏素豪富。乃如其言。彌兵衛與弟小左衛門航海至臺灣。紅毛人入其船檢視。惟有耕具。乃問其所以來。彌兵衛曰。此地膏壤。而未嘗墾闢。請給我地。爲諸君墾

之。紅毛人不許。彌兵衛兄弟匿小刄於衣中。行見夷酋。請之。彌兵衛佯爲恐怖。蒲伏而進。突起搏夷酋。衆夷挺劒而進。小左衛門斬其一人。餘皆逃去。彌兵衛抽刀擬夷酋胸曰。汝何爲掠我國商舶。夷酋謝曰。請倍其數奉還。彌兵衛乃曳夷酋。令衆夷速出財物。欲以夷酋還。夷酋請曰。願以吾兒爲質。彌兵衛乃取財物。以其兒還。

(四七) 題軍國諸船圖　　齋藤正謙

船圖七幀。嘗從清水赤城所借寫。一爲官船龍翔丸。文化中於松前所造。有本檣。有尾檣。有大小銃窓。爲防海寇設者。二爲三國丸。船底圖附焉。長崎人奧原某參酌

泰西之製造樣。獻於官府者。三爲九鬼氏官船。卽唐山所謂露橈船者。征韓之役所用云。散圖六幀附。製造之法具焉。四爲車輪船。柳川匠人所造。五爲福州船。天明中漂到熊野浦者。規制壯大。武備志、紀効新書之說。可并考。六爲寧波船。有畧圖。有全圖。有器械圖數幀附焉。七爲無名軍艦。從來本邦所用者也。夫舟楫之用。軍國所必需。有古今之變東西之異。講海防者。不可不留心焉。

(四八) 蒸氣

何爲蒸氣。乃水受熱而化出之瓦斯也。凡從河海江湖。至

氷塊雪片。皆有濕而蒸發。其表面。雖目不能見。溢然放散。不舍晝夜。譬若雨後行潦乍乾。而不留其痕。其隨乾發揚者。乃濕也。然水蒸氣者。非久駐於空氣中者也。更凝縮而爲雲雨。爲霜露。而下。故同量之水。復必歸於海陸。如其蒸騰凝縮。運行相均矣。凡水蒸氣之有益於天地間。抑亦大矣。蒸氣者每覆地球。以爲屏牆。晝則使太陽射光自和。夜則使地熱不放散。若使天空無濕。不唯不免日中乾燥夜間凍徹之患。無雲無雨河川乾涸。動植之物。不能皆得其生也。

（四九）火輪車　　合信

利于水者。既有火輪船之法。利于陸者。又有火輪車之奇。其法大同而小異。特水所以載舟。有水即能行船。故火輪船周遊列國。無往不利。惟陸路則有山川高下之險。火輪車必須藉鐵軌以引之。鐵軌者。以土石砌一長路。路上鑄鐵埒。以銜車輪。平直如線。塡坑谷。堀邱陵。山之大者。㙛隧道以透之。港之深者。建橋梁（或ハ鐵或ハ石）以濟之。工程浩大。每一車路。動費數百萬金。且一路必置二鐵軌。一導以往。一導以回。令二車無相撞之虞。

（五十）電氣　　合信

電氣有二性。一爲孤陰。一爲獨陽。則陰者必合於陽者。陽者必合于陰者。務必彼此會合。一氣調和。如天空二雲。一具電陰氣。一具電陽氣。二雲相近。勢必陰陽傳引。轟擊發聲。見火呼爲電。聞聲呼爲雷。是乃電氣陰陽不和之據也。然傳引電氣。各物不同。有易傳者。有難傳者。易傳者。如金屬、木、水、炭、濕、冰、雪之類。難傳者。如琥珀、玻璃、紫梗、硫礦、松香、石、玉、絲、皮之類。凡易傳之物。一遇電氣。瞬息可傳萬里。若難傳之物。雖隔玻璃小片。亦不能過。其製之之法。用淸水一盃。入礦強水少許。然後放一銅片一白鉛于其中。則精錡與水同化。即有電氣發出。若以鐵線與銅片相連。電氣自傳于鐵線之間。以鐵引

鐵。傳遞無窮。試以物觸其端。即有光點射物。的然爲響。如指彈甲。

（五一）電信機　　合信

英吉利京與佛蘭西京。遠隔千餘里。自有製造電氣之法。兩國聞問。數刻即通。談如覿面。計亦妙矣。其法在英京。建一電氣局。佛京亦建一電氣局。局中各設一電機器。彼是以鐵線相傳。自英國連至佛國。在陸則附于火輪車道。以絲棉等物。纏紮之。百步立杆。每站設堠以接綜引。在海則縋沈于底。製樹津筒套而護之。歷久不銹不壞。其機器之側。設鐘鈴以報聲。機器之上。設羅輪。以

報字。羅輪者、鑿滑木、爲圓板、環列二十六字母。（羅馬字）中鑿圓孔、容樞銜鍼。如時辰鐘錶之面。令鍼可隨電氣旋轉。又法以彎鐵作機較。藉電氣作點畫。亦爲報字妙法。凡臨用之時、先使電氣撞鐘爲號。聽者知有事報。遂執簡而往。隨鍼指寫。輯續成書。快如口授。

（五二）觀臟之擧　　東條耕

山脇東洋以寶暦甲戌歲、請官解斬市者死屍、觀其臟。作文祭之。明辨舊說、著臟志。按觀臟之擧。宋有歐陽範五臟圖。元有王好古臟說考。於吾邦。未曾有之者。或難之曰。醫爲仁術。雖死屍。屠之觀其腑臟。毋寧甚乎。診脉察證。投藥與劑。有資而得效。何必觀臟之爲。東洋笑曰。欲善其術。不能講究不多端。斯擧蓋出不得已。不更與較。自是以後。越前半井伯玄。有臟覽。長崎吉見南岡。有五臟明辨。皆以東洋爲之嚆矢。

（五三）甘藷先生　　東條耕

青木昆陽嘗嘆曰。凡有罪非死刑者。遠放之島嶼。要在使其終天年耳。然諸島少五穀。常以海產、木實給食。是以往往不能免餓死。豈不亦痛哉。即雖種藝之地。遇歲歉。則民不能無菜色。意者百穀之外。可以當穀者。莫如蕃藷也。乃陳官求種子于薩摩。試種之官藥苑中。則極蕃衍。於是以國字著蕃藷考一卷。而演其培植之法。官鏤版併種子。行下諸島及諸州。未數年。無處不種。至今上下便之。雖歲不登。民不溢餓者。實昆陽之惠及無窮矣。題其墓門之碑曰甘藷先生之墓。有以哉

（五四）空氣　　合信

大地體圓如橙。其外有氣以環遶之。如蛋白之包裹其黃也。自地而上。高約一百五十里。人物皆處其中。若魚類之在水。魚賴水以長。人藉氣以生。魚不能離水。人不能離氣。其理相同。

（五五）熱　　合信

熱乃世上最要之物。萬類皆賴以生發者。使地無熱。人類不成其爲人。物產不成其爲物。但其用無形無質。而見慣渾間。人自不察其理耳。西國博物之士。推窮其理。分爲六等。一曰日熱。二曰火熱。三曰電氣熱。四曰肉身熱。五曰化成熱。六曰相擊熱。日熱者。來自太陽。與光並行而不悖。光射所至。熱即隨之。火熱者。其熱起于焚燒之氣。與光並起而不能並射。電氣熱者。乃地與氣感發而成。騰空掣擊則爲電。肉身熱者。乃人畜魚蟲血肉之本熱。其勢爲有限。其性爲無光。化成熱者。乃萬物變化而成。如腐木成菌。三質（實質、水質、氣質）遞變之類。相擊熱者。乃二

物相擊而成。如鑽燧取火、敲石取火之類。

(五六) 櫻花譜跋　　佐藤坦

我櫻之非彼櫻也昭々矣。南橘北枳。土宜則然。乃說者紛紛。曰有曰無。竟不一定。余謂此燕書郢說耳。自非葦而航之、安能判然無疑。雖然、我非往觀矣。而彼寧弗來觀邪。必使彼斷之。是不辨之辨也。則先擧茝亭之詩曰。東來初見此花奇。一句道盡。又擧沙子雨之語曰。此爲海外異種。亦非瞞語。繼而證之。有卽非之詠。有獨湛之圖。並皆無不一見激賞。以爲東海名葩。然後其爲彼之所無者、割然一決無疑也。嘗怪世之以多識自標者、必

欲得彼之名。或充以白櫻桃。或擬以垂絲海棠。又或題以樺。以玉蘂。則誣亦滋甚矣。而未嘗有一人爲明辨之。以雪其寃者。何其名葩之不幸也。是則余能已於言乎。浪華木世肅、嚢爲櫻花作譜。得三十餘品。未成而歿。星峰藤公就其家借之、別錄一通。使余爲世肅題一言。余乃今以無已之言係之。不獨爲世肅也。又不獨爲藤公也。

(五七) 題雲洞山水圖　　芳野世育

奇峰突兀。拔地而立。亂山起伏。環麓而踞。其間煙嵐出沒。老樹蔽虧。綻者邃然瀾激。虛者浩然江澄。一閣倚山

哧。茅亭跨林肩。閣有人焉。嗒焉倚檻而立。乃知知止碩人却鶴書、掃轍迹、考槃以老于斯。水心一艇。二客耦而坐。豈非歸來高士超然飛遯。以混迹于烟波者乎。其境可遊。其人可慕。是越人雲洞畫其心者。其唯畫心。是以逸氣飛動。點畫出畛畦之外。直與古人爲徒。展而對之。使人形身怳然在于山靄水光之間。比之世之求巧于形似點染之末、媚俗眼以售伎者、何啻天淵。嗟乎。李家之衣鉢、其在于斯人耶。

(五八) 角力　　村瀨之熙

角力、拍張、手搏、相撲。力戲也。此云須埋。（俗云須毛）角觝本作

觳觝。通作角觝。相撲亦謂之角觝。然比試材力伎藝者、總名曰角觝。曰觝戲。曰觝角。或以爲雜戲之總稱。不特相撲而已。按月令。七月有相撲節。七月廿六日。上御仁壽殿、觀相撲。此日左與左角、右與右角、各試其力也。廿八日。御南殿、合左右、決勝負。相撲人左右各三十人。烏帽狩衣。徒跣不著袴。有相撲使。隷左右近衛府。掌召募諸國有力之士。

(五九) 散樂　　村瀨之熙

散樂俗謂之能。全淛兵制所謂奴也。樂器有橫笛三鼓。以節歌舞。一曰大鼓。廣於羯鼓、而梲甚短。下有小牀。斜

架置膝前。撃用兩杖。二曰小鼓。似細腰鼓。左手捧在右肩上。以指拍之。作朋肯之聲。三曰横胴。似小鼓而大。挾在左脇下。亦以指拍之。其聲甚震。三鼓竝不詳所始。其制與腰鼓、都曇答臘諸鼓頗相似矣。按杜祐通典。唐散樂用横笛一。拍版一。腰鼓三。今之三鼓。蓋出於腰鼓。差異其制耳。色長曰大夫。副曰呱基師。副末曰狂言師。歌工曰地謳。鼓笛亦各有部。皆雜劇之類耳。

（六十）熊説　　齋藤　馨

西土之獸。猛莫如虎。而我無有也。我之獸號爲猛者熊耳。熊藏於穴。春出冬蟄。人欲捕者。積薪於穴口。熊便怒。

取而移之於尾。復積之。亦如初。久之穴中皆薪。熊無所跧伏。全身皆出。人擒搏之。搗殺之。向使熊深居穴中。則雖有孟賁之勇烏獲之力。孰敢攖之。今乃不勝一怒。致失其所。而死於山野匹夫之手。良可悲已。然彼獸也。無足言者。獨怪世人所爲。亦有類是者。何哉。熊雖死。皮爲茵褥。膽爲藥餌。尚足適用。人死骨朽肉爛而止。是乃熊之不若也。噫。

（六一）駱駝説　　齋藤正謙

駝之爲物。其大倍蓰牛馬。頸長腹脹。背有兩峰。脚三折。長鬣而非馬。岐蹄而非牛也。近西洋人貢之於我。我邦人少見多怪。初駭其詭異。終笑其痴騃。紛然喧於都市云。吾聞駝之在西域。能察熱風。能知伏流。能負千斤之重。日行七百里之遠。其能過牛馬遠矣。西人常資以爲用。唯見其材能。未見其詭異也。今來在此。地殊而用異。徒充詭觀。遂嗤笑之。不亦寃乎。嗟呼以出群之材。居非其地。用違其性。終身默默。不得自效。而爲世人之笑者。皆駝類也。悲夫。

中等教科漢文讀本卷之二終

明治三十二年二月二十日印刷
明治三十二年二月二十三日發行
定價二十錢

編者　東京市本郷區追分町十四番地　福山義春
編者　東京市神田區裏猿樂町十八番地　服部誠一
發行兼印刷者　東京市日本橋區本石町十軒居六番地　阪上半七
活版印刷所　東京市神田區錦町二丁目四番地　行文堂印行

文學士　福山義春
服部誠一　共編

中等教科　漢文讀本　卷三

東京　育英舍

中等教科漢文讀本卷之三目次

(一)三韓之役　頼襄
(二)韓王李氏
(三)鎌足苦心謀匡濟　青山延于
(四)用明天皇崇奉佛法　頼襄
(五)逆臣伏誅　青山延于
(六)清麻呂一言全皇基　巖垣松苗
(七)浮雲掩月光　頼襄
(八)題菅公愛梅圖　齋藤馨
(九)平治之亂 其一　頼襄

(十)平治之亂 其二　頼襄
(十一)富士川對陣　頼襄
(十二)砥浪山之戰　巖垣松苗
(十三)宇治河先登 其一　頼襄
(十四)宇治河先登 其二　頼襄
(十五)粟津之戰　巖垣松苗
(十六)鞆繪美而勇悍　青山延于
(十七)一谷之戰　頼襄
(十八)花篦横笛　巖垣松苗
(十九)逆櫓之爭論　頼襄
(二十)壇浦之戰　頼襄
(二一)功不掩罪　栗山愿
(二二)腰越狀　頼襄
(二三)何爲怯哉　巖垣松苗
(二四)歌舞悽惋　青山延于
(二五)湊川之役　頼襄
(二六)楠氏之偉勳　頼襄
(二七)記江都火災 其一　安積信
(二八)記江都火災 其二　安積信
(二九)東都沿革 並新繁況 其一

(三十)東都沿革 並新繁況 其二
(三一)東都沿革 並新繁況 其三
(三二)刧賊改心　原善
(三三)馬夫守道　原善
(三四)國役義務
(三五)挹翠園記　頼襄
(三六)觀曳布瀑游摩耶山記　齋藤正謙
(三七)五勝樓記　阪井華
(三八)京洛雜記 並勝區 其一
(三九)京洛雜記 並勝區 其二

(四十)跋嵐峽圖卷　賴　襄
(四一)天橋記　新宮　碩
(四二)游松島記　平澤元愷
(四三)示塾生　柴野邦彥
(四四)垂松鷺　安井　衡
(四五)雲喩　齋藤　馨
(四六)水喩　齋藤　馨

中等教科漢文讀本卷之三目次 終

中等教科漢文讀本卷之三

文學士　福山義春
服部誠一　共編

(一)三韓征伐　賴　襄

仲哀天皇二年。行幸越前角鹿。皇后及群臣從焉。帝南至紀伊。會熊襲反。親帥舟師征之。八年進幸筑紫。會群臣議進討。皇后以爲先征新羅。則熊襲自服矣。帝不從。親戰不克。九年。天皇病崩于香椎宮。皇后與諸大臣謀。秘不發喪。令大連率群臣守行宮。而令武內宿禰密奉喪殯于豐浦。終決策征新羅。修船艦弓弩。諭群臣曰。此事不必諉之汝等。吾自當之。事成共其功。不成我獨有罪。於是遣鴨別當熊襲。而自齋戒禱神祇。爲男裝誓師而發。冬十月。至新羅。新羅主波沙寐錦不意我大兵奄至。惶遽出降。后命納質子。申盟約。徵犒師金帛八十船。遂爲歲貢定額。高麗百濟并望風歸款。乃置官司戍兵。凱旋。

(二)韓王李氏

朝鮮建國尙矣。上古當殷亡。其臣箕子避建斯國。相傳九百年。迨準爲燕人衛滿所逐。衛氏相繼。凡八十年。漢武帝滅之後、土壤分裂、三國鼎立。曰高勾麗。曰百濟。曰新羅。又有辨韓、馬韓、辰韓名。故曰三韓。閱年凡七百。新羅滅高勾麗、百濟而併之。其間朴、昔、金三氏。更繼王位。迨王建名國曰高麗。凡五百年。後李成桂者。代高麗登王位。復國號曰朝鮮。今李氏是也。國之地勢。成自半嶋。西臨黃海。北界滿州。東南隔海。與我相對。分其國爲八道。曰京畿、忠淸、全羅、慶尙、咸鏡、平安、黃海、江原。京城在于京畿。城郭市街。摸倣漢土。制度風俗。亦相髣髴。及我邦扶之討淸。萬邦始認其獨立。革新制度。振興文物。將有所觀焉。

(三) 鎌足苦心謀匡濟　青山延于

皇極天皇三年。以中臣鎌足爲神祇伯。固辭不就。鎌足小德冠御食子之子也。博涉書傳。器宇宏遠。智略絕人。及是稱疾退居三嶋。時入鹿專橫。圖危國家。鎌足慨然有匡濟之志。竊察宗室諸王可輔以濟功者。屬心中大兄皇子。然不得通情。一日陪皇子蹴鞠於法興寺槻木下。皇子鞋偶脫。鎌足跪奉之。皇子亦跪受之。由是情好日密。然恐數會人生嫌疑。託學周孔之道於南淵先生。每相往來。密謀于路。鎌足乃勸皇子與蘇我石川麻呂結婚。以爲援。又薦佐伯子麻呂、葛城稚犬養綱田。

(四) 用明天皇崇奉佛法　賴襄

用明天皇二年。帝病。皇子厩戶侍側。祈佛誦經。帝因欲歸佛。以其無例。召群臣議。物部守屋、中臣勝海曰。舍國神而祈蕃神不可。蘇我馬子曰。宜從睿旨。即延僧豐國入內。厩戶握馬子手泣曰。非大臣歸心福田。誰成今日事。馬子叩頭曰。殿下務興佛法。臣以死守之。守屋睥睨二人。意色俱惡。厩戶謂左右曰。大連昧因果之理。禍今且至。馬子遂與厩戶謀殺守屋。守屋乃退居阿都。備兵自衛。厩戶先令舍人迹見赤擣伺間擊殺勝海。夏四月帝崩。繼嗣未定。守屋欲立穴穗皇子。馬子遣兵殺皇子。

遂圍守屋澁川第。(河內) 守屋築稻城拒之。時厩戶年十六。束髮置四天王像于項。與馬子整軍。復進破之。赤擣射殺守屋。衆潰闔族亡。於是建寺安天王像。收守屋田宅資財。悉施捨焉。

(五) 逆臣伏誅　青山延于

蘇我入鹿雙起第宅於甘擣岡。稱蝦夷宅曰宮門。己宅曰谷宮門。稱其子曰王子。構柵門於宅外。傍造兵庫。常使兵士警衛。時蝦夷又造宅畝傍山東。築城環池。每出入。從兵士數十。其僭擬如此。三韓入貢(皇極帝四年)中大兄謂石川麻呂曰。三韓進調之日。卿當讀表。吾欲入誅入鹿。

石川麻呂諾。及期。帝御太極殿。入鹿入侍。入鹿爲人多疑。劔不去身。鎌足使俳優調之。入鹿乃解劔而入。便戒衛門府。閉諸門。中大兄親執長槍。立於殿側。鎌足持弓矢警衛。石川麻呂讀表文。將盡。鎌足促子麻呂。子麻呂畏縮不發。石川麻呂手戰聲顫。流汗沾背。入鹿怪問之。石川麻呂曰。天威咫尺。不覺乃爾。中大兄恐其失機。徑入斫入鹿。子麻呂等繼進。遂斬殺之。中大兄又遣巨勢德太古。誅蝦夷。事平。帝傳位於輕皇子。是爲孝德天皇。立中大兄皇子。爲皇太子。始改元曰大化。年有號始此。

(六) 淸麻呂一言全皇基　岩垣松苗

太宰府主神官阿曾麻呂。阿諛道鏡。託神勅上言曰。禪位道鏡。天下太平。帝乃令淸麻呂詣宇佐奉幣。道鏡厲色語以阿曾麻呂之言。且曰。使予登祚。以卿爲台鼎。不則有劔耳。既出。眞人豊永遇之于途。以言激之。淸麻呂感憤而去。往至宇佐。祝禱通宵。歸復命于朝曰。臣親受神勅云。我邦開闢以來。皇家一系統道鏡何者。敢覬覦神器。大逆無道。帝默然。文武百官在列者。悉失色汗背。道鏡慚忿。奏曰。淸麻呂妄言不敬。更名穢麻呂。竄置于大隅。潛遣人途殺之。會雷雨不果。百川護救之。分俸資給。

(七) 浮雲掩月光　賴襄

醍醐帝覲宇多法皇於朱雀院。相議。左右大臣幷執朝政。無所統一。乃召道眞。密諭使關白庶政。如藤原基經故事。道眞固辭不受。且奏召臣無事。人必怪之。因命題賦詩。以獻。賜御衣而罷。延喜元年。貶右大臣菅原道眞爲太宰權帥。以大納言源光爲右大臣。中納言藤原定國兼右大將。初道眞已受殊遇。以格君致治爲己任。知無不言。綜理政務。裁決如流。天下想聞風采。左大臣時平年少氣銳。固執不相下。道眞不欲每事立異。常竊嘆之。時平及聞關白密旨。益不懌。光爲帝舅。與定國皆以

門地高。愧位道眞下。式部少輔藤原菅根。道眞所薦。嘗忤意被怒脚之。時平因與三人相結。譖道眞於帝。誣其欲廢帝立齊世親王。親王道眞女婿也。帝震怒。下勅貶謫道眞。憂悶無以自白。作和歌哀訴法皇。法皇驚欲見帝申救。菅根戒門者不通。道眞男女廿三人。流徙各異處。天下寃之。

(八) 題菅公愛梅圖　齋藤馨

菅公愛梅。至於西謫之日。詠國歌以憶之。輒致梅花千里飛至。此事也固出於世俗流傳。而實不必有。然余以爲此不必有之事。而理之所必有也。何也。公仕延喜帝。

與三善清行並朝而立。帝賢君也。清行賢臣也。其於公也。宜推薦信任之至。而今信讒不疑。視讁不救。則其不知公亦甚矣。此二賢而不知公。擧世無復知公者。公安得不獨以知已視梅花耶。梅之爲花。高標逸韻。超然於歲寒霜雪中。而花愈潔。香愈遠。與公明德之馨。節操之高。默契冥合。莫逆其心。是知公者天下獨有梅耳。梅而能然。宜公思之。發於吝嗟咏歎之餘也。而自梅視之。亦以菅公絶世之賢。而蒙此知遇。將何以報。乃不遠千里。而飛。亦將有以慰公。所謂士爲知已死。梅爲知已飛。何足疑哉。

(九) 平治之亂 其一

賴襄

源義朝視平氏聲望出己上也。心常嫉之。藤原通憲娶清盛女爲婦。亦與義朝有隙。通憲參與大議。多所釐正。帝授位太子。是爲二條帝。而後白河上皇仍聽政。政在於通憲。上皇嬖人曰藤原信頼。求爲近衛大將。上皇欲聽之。通憲不可。因圖唐安祿山事跡。上焉以諷之。信頼慚恨。乃與義朝深相結納。陰謀作亂。藤原經宗。藤原成親。藤原惟方等。皆與其謀。謀既定。而畏清盛。不敢發。平治元年冬。清盛重盛率筑後守家貞等五十人。詣熊野。行至切部。六波羅使者來告曰。昨夜信頼義朝與源頼

政源光基等。率兵五百。圍三條殿。火之。並火少納言第。殺傷無算。遂幽上皇及主上於禁内。少納言亦遭害矣。衆愕然。清盛曰。爲之如何。宜到熊野計之乎。重盛曰。武臣赴天子之急。何猶豫爲。清盛曰。如無甲何。家貞曰。臣豫慮有此事矣。開其擔。出甲冑五十。器械弓箭稱之。衆乃結束北還。已而聞源氏兵要阿部野。清盛曰。彼衆我寡。我且避之四國。以謀再擧。重盛曰。機不可失。失今不伐。彼將先我。我寡而敗。何恥之有。今日之事。有死而已。清盛曰。我志決矣。率衆疾馳。未至阿部野。遇一騎。衆意源氏使也。騎至曰。臣至自六波羅。六波羅之兵迎駕見

在阿部野。請速歸。衆相喜慶。踴躍入京師。

(十) 平治之亂 其二

賴襄

帝召清盛。命討賊。且戒之曰。宜佯退走。誘賊出宮。莫使宮闕罹兵燹也。清盛對曰。臣誅逆賊。如指之掌。勿以勞天心。至如後命。臣甚惑焉。雖然不敢不盡心。乃勒兵八千騎。令重盛教盛頼盛將之。分路赴大内。賊開昭明建禮二門。闢陽明待賢郁芳三門。樹白旗二十餘旒守之。我兵望見色動。重盛勵衆曰。年爲平治。地爲平安。而我平氏也。天示吉兆。獲勝必矣。汝輩努力。乃分其兵爲二。留一于大宮巷。以其一傅待賢門。大呼挑戰。信頼怖墮

馬。重盛排門而入、至大庭椋樹下、與源義平大戰紫宸殿前。七匝櫻橘。出至大宮巷。杖弓以息。平家貞目之曰。可謂平將軍再生矣。重盛更兵復入。義平呼曰。我源氏嫡子。公平氏嫡子。宜與決死也。重盛曰。諾哉。乃進戰且退。與二卒景安家泰俱走。義平及鎌田政家追之、至二條濠。重盛踰濠。政家射之、中肩及背。甲堅不入。射馬。馬倒而冑墜。政家薄之。重盛扞以弓、取冑被之。景安至搏仆政家。爲義平所殺。重盛怒、欲親鬪。家泰進與義平相搏。爲政家所殺。重盛得間走。

(十一) 富士河對陣　　賴　襄

源賴朝乃合諸軍進。與維盛夾富士河而陣。初維盛遇行旅自東來者、問賴朝兵數。對曰。八州草木、無不風靡。無山無河皆其兵也。已而賴朝至河東。白旗林立。望之無際。維盛召齋藤實盛、問曰。汝知東事者。度賴朝兵挽强如汝者幾人。曰。弓五箇力。箭十五拳。以貫甲七札若是者。一隊不下二十人。人畜五六馬。馳山谷如平地。戰而喪親、踐尸而進。如臣者。斗量箒掃。不足數耳。如我畿內西國兵。么麼尫弱。託喪稱創。動輒欲退。而所乘皆駑。豈可與彼輩較哉。蓋實盛與藤原忠清議事不合。既對維盛、遂辭而西。一軍恐怖。維盛以忠清爲先鋒、進至河岸。河水方漲。兩軍相持未戰。武田信光爲我先鋒。遣使平氏營、與約戰期。平氏不答。信光乃潛兵由間道夜出西軍後、徑大澤。驚鳴鶩起。西軍大驚潰走。

(十二) 砥浪山之戰　　岩垣松苗

壽永二年八月。源義仲將攻平氏。城於越前火燧山。使六千餘騎守之。平氏發兵擊之。僧齋明通志平氏、誘其軍入城。城陷。衆遁走加賀。平氏諸將維盛、通盛、忠度、經正、清房、知盛等。率十萬餘騎進營于志保山。（國界加能）義仲自將五萬餘騎。抵砥浪山。（國界加越）伏兵山中凡五處。自登黑阪峯而建白旗。平軍亦進、與源軍相隔僅二百步許。

義仲據險、僅出輕卒、不敢急戰、以待日暮。平將危懼、亦不挑戰。及昏班師。於是五處伏兵齊起。鼓譟而進。平軍驚亂、互相蹂躪。人馬悉沒於具利伽羅谷。死者七萬人。尸埋深谷。諸將僅以身免。退陣加賀篠原。義仲乘勝進兵而戰。平軍復敗。齋藤實盛俣野景久等死之。初實盛屬源義平。後事平氏。及賴朝起兵。以爲源氏復興之秋也。然數改志。勇士所愧。戰死以報平氏之恩耳。至是又謂我齡已踰六旬。身猶矍鑠。而恐人慢白頭。乃染鬢髮。作後生以勇鬪。

(十三) 宇治河先登 其一　　賴　襄

徴兵聚者六萬。乃盡委之於範頼義經。因令曰、木曾阻
我兵、必於宇治河。皆具善馬。可以騎渡。頼朝有駿馬。曰
池月、曰磨墨。梶原景時有寵。其子景季年少鋭勇。於是
請得池月。以先登。頼朝曰、乞焉者多。吾不與也。顧範頼
等戰不能克。吾且親往。此吾乘也。乃賜磨墨。諸將士皆
發。明日佐佐木高綱自近江來。謁頼朝。問曰、聞汝在近
江。盍直從軍入京乎。高綱對曰、臣如從軍、不敢期生。欲
一見君訣別。且奉指揮也。馳三日乃達。臣唯一馬。罷不
可用。故後期在此。頼朝喜。因謂之曰、汝能爲我先登於
宇治乎。曰、能。臣居河上。識其淺深也。於是遂出池月賜

之。高綱感喜謝曰、君聞高綱未戰而死、則不能先登也。
聞未死而戰、則先登者高綱也。拜舞而出。頼朝呼返戒
之曰、景季等乞焉。而不與。汝記之。對曰、諾。

(十四) 宇治川先登 其二　頼襄

時大軍陣于浮島原。景季覰群馬。無過磨墨者。牽而上
高丘。誇示於衆。已而有大嘶聲。畠山重忠曰、池月聲也。
何以至此。已而高綱僕牽池月至。過丘下。景季問曰、誰
乘。僕曰、佐佐木氏之乘也。景季大慍曰、不圖。公之覰彼
險我。我寧與彼死。使公喪二良。即扣刀要路而待。高綱
望見之、謂其騎曰、彼非梶原耶。公之囑我。殆爲是也。漸

近。景季呼曰、四郎久濶。彼乘公所賜乎。高綱哂曰、否。吾
患無善馬。欲就公厩借之。聞磨墨已賜於子矣。池月不
得命矣。子且然。況於高綱乎。然君事急。不遑顧慮。遂誘
厩人竊之矣。後有責問。子幸救解之。景季色解、笑曰、悔
我不竊也。乃與倶西。範頼向勢多。義經向宇治。義仲聞
之、議戰守。根井行親楯親忠拒宇治。撤橋板、樹柵、張繩
於水中守之。義經乃令。二萬人中、必有善泅者。直前嘗
之。我勇士緣橋架防敵。勿使敵射我泅者。泅者爭釋甲、
而沒。刀截其繩。有二騎鞭馬亂流而進。先者景季、後者
高綱。高綱自後紿景季曰、子之馬條慢矣。景季駐馬約

條。高綱則超乘而過。上岸自名。景季踵至。義經上功簿。
高綱爲先登第一。景季爲第二。

(十五) 粟津之戰　岩垣松苗

元暦元年正月、頼朝聞義仲擾京。使二弟範頼義經大
舉討之。二將岐兵而進。義仲使兼平行親等拒之。勢多
宇治。義經向宇治。行親敗而還。義仲覰不利。將挾法皇
奔西海。法皇不肯。東兵已逼。義仲乃親戰冒陣。義經縱
兵撃之。義仲率殘卒至法皇宮。閉門不納。東兵連射。義
仲又走。義經追躡撃之。義仲且戰且走。縱横自當。所向
披靡。時兼平爲範頼敗。引兵而還。會義仲於粟津濱。義

仲執手、喜泣曰。我崎嶇至此。但冀與汝一面。今而死。無復遺憾。既而散卒稍聚。東兵亦大至。四面撃之。義仲兵或逃或死。唯兼平從焉。於是顧指松林曰。僕請拒追者。將軍至彼而決。義仲曰。我必欲與汝同死所。有倶進已。兼平曰。將軍已疲。若隕命於卒伍。豈不汚威名乎。義仲乃單騎橫截水田行。時日將暮。馬陷於泥。策之不動。會流矢中其面。眩而伏馬背。遂爲追騎所殺。時年三十一。

(十六) 鞆繪美而勇悍　青山延于

源義仲有妾曰鞆繪。中原兼遠女也。美而勇悍。善武技。每戰別將一部。北國之戰。屢破敵兵。及義仲敗走。東兵追撃。鞆繪距戰甚力。東兵披靡。義仲至四宮河原。從騎裁七人。鞆繪在焉。時遠江人內田家吉膂力絕人。與鞆繪接馬交搏。鞆繪直捉其首斷之。持視義仲。義仲憫然曰。是子以勇名冠八州。命之窮也。爲女子所獲。吾亦不知死誰手。異日人將謂義仲臨死猶携女子。適足累名。汝自此去。鞆繪固請從。義仲不許。鞆繪嗚咽而去。

(十七) 一谷之戰　賴襄

平氏專防東西二門。而不圖義經。義經之向鵯越也。路險夜黑。令辨慶索鄉導。辨慶認火光。得一人家。見翁嫗對坐。告以故。翁曰。小人以獵爲業。諳知山路。而今老矣。

有一兒。膽氣可用。呼起從辨慶謁義經。義經執火視之。長身高顴。持獵弓矢。問其齒。曰十七。義經爲冠之。命姓名曰鷲尾經春。給鎧仗以爲鄉導。問鵯越如何。經春曰。太險人馬不可行。唯鹿能踰之。義經曰。鹿四足。馬四足。等耳。先衆馳之。至鵯越則天明。瞰視城中。二門戰方酣。義經欲急應之。而懸崖數百仞。如經春所言。衆相目莫敢進者。乃試驅鞍馬二下之。一傷一達。義經曰。可下矣。乃屈其所騎馬後足。一鞭而下。三千騎皆倣之。冑鞍相觸。直達城後。大呼而入。平氏軍駭擾。自相撃刺。敎經等敗走。義經縱火乘之。煙焰漲城。範賴實平破東西門而入。三面合撃。斬平通盛等十人。擒平重衡。宗盛奉乘輿。航海而逃。衆攀舟爭乘。斷臂滿舟。遂奔讃岐。倚田口成能之衆。保于屋嶋。

(十八) 花箙横笛　岩垣松苗

源範賴麾下梶原景時一族。進入城中力戰。既退而休兵。不見子景季。復進求之而出。景季是日折梅插箙。與敵八人戰。花盡飛散。諸平公子賞曰。花箙。

平敦盛年甫十六。源軍士熊谷直實既擒之。憐其貴公子年少。欲縱之。而無活路。問名及年。則與己子直家同齡。愈憐不堪。乃曰。吾能爲公修冥福。遂揮淚斬首。得其所携名笛。直實昨夜在一谷城外。聞平氏奏管絃而感傷。至是益嘆不已。乃遂師法然。爲僧蓮生是也。

(十九) 逆櫓之爭論　　賴襄

源義經數請征南海。後白河法皇以京師多賊黨不許。先遣其將校。義經奏曠日彌久。範賴糧盡東歸。而鎭西兵士寢屬平氏。則勢難拔也。乃許之。義經乃戎服抵法皇宮。白曰。自平氏奔竄關西。奪官稅。亂官民。三年于此。臣既奉追討之命。鬼界高麗。究其所至。塈之而後已。否者不復入王城矣。二月（文治元年）發京師。艤于渡部。東兵不習水戰。人人自危。梶原景時曰。請爲逆櫓。義經曰。何謂逆櫓。曰。舳艫皆設櫓。進以舳。退以艫。義經曰。求進而退。兵之通患。乃欲求退乎。曰。宜進而進。宜退而退。良將也。有進而無退。野猪而介者耳。義經變色曰。猪乎。鹿乎。吾不自知。吾唯知進而勦敵爲快而已。公若爲大將。逆櫓千百。聽公所爲。若義經則不欲也。衆目笑景時。景時慚恚。

(二十) 壇浦之戰　　賴襄

平宗盛欲赴鎭西。範賴以三萬騎軍豐後。平氏不能入。還泊壇浦。兵艦凡五百艘。熊野湛增河野通信。皆來附。義經。明日（文治元年三月廿四日）義經以兵艦七百艘。大戰海上。西兵殊死戰。我兵少卻。義經勵衆進。和田義盛挺進而射。箭軼二百步。及平知盛舟。知盛使新居親淸答射。箭汰義盛冑。傷其後騎。我軍羞之。義經命安田義遠還射。義遠按其箭曰。幹短且弱。請以我箭。乃注十四拳箭。洞親淸胸而過。海三十步。義遠義定弟也。義盛慚憤。迫敵亂射。殺傷甚多。義經以成能（平氏將而通款者。即田口氏）言。知宗盛等所在。麾軍萃之。令成能爲內應。西軍大敗。敎經怒。入我船。薄義經。義經躍入別舟。敎經不能及。乃赴海死。知盛以下六人。前後皆死。二位尼懷養和帝。投海。平太后繼投。我兵搭得之。義經使徇曰。赴海者貴人也。我兵勿得辱。於是奉太后以下于其船。遂生擒宗盛。塈平氏軍。海水爲之赤。

(二一) 功不掩罪　　栗山愿

平治己降。王室不靖。當高倉安德二帝之間。上之君主遭幽。下之元元塗炭。賴朝攘一臂。而天下響應。救蒼生於溺。援神器於危。上下咸受其賜。微管仲。誰保衽之不左也。而其巧譎百端。束縛馳驟。遂擅兵馬之權。殆擬端拱之重。使天下後世。惟知有作殺作生之斧鉞。不復知有賜爵授官之袞冕焉。於是賴朝之功。不得以掩其罪矣。

(二二) 腰越狀　　　賴襄

源義經東獻俘鎌倉。至腰越驛。賴朝不許入。使時政出受俘。義經乃寄書於大江廣元。自訴曰。義經代征討之勞。上夷國賊。下雪家恥。心竊期褒賞。不圖忽蒙讒言。嚬日於此。莫以自明。徒涕泣爾。將永違恩顏骨肉誼絕。自非先人之再生。誰爲分疏焉。義經幼孤。從母逃匿。流寓諸國。爲氓隸所役。未嘗一日安居焉。然而幸慶忽會。至忝重任。或策馬峻坂。或凌風大海。不敢顧軀命。欲以慰寃魂伸宿憤。豈有他哉。既辱五位尉。榮顯何加。而忽遭此厄。憂深悲切。敢上誓書。要之百神。而威猶不霽也。不得不仰公之救護。伏願。乘間進說。庶幾亮其無他。卒被恩宥。得享終身之安。不報。義經怏怏而西。

(二三) 何爲怯哉　　　岩垣松苗

源賴朝進兵攻泰衡。平泉壘。泰衡敗走。泰衡家人由利八郎墜馬。天野則綱生獲之。賴朝召見叱曰。吾先將軍使泰衡之祖守奧羽。今何苦反乎。且奧羽天下彊國。帶甲數萬。乘騎數千。眾支十年。而不能一月防戰。何爲怯哉。八郎瞋目罵曰。勝敗則兵家之常。大不必制小。智不必勝愚。乃父義朝爲關東十六州都督。手握天下之重兵。而平治之亂。平公自熊野還。而攻之。不能一日防戰。

挺身出亡。終爲忠致所誅。亦何爲怯哉。且義經素無罪也。汝信讒相鬩。故間行投我國而已。無他謀。汝強令殺之。吾主既函送其首。今汝反以殺己弟爲罪。俄然發兵伐我。其名何耶。賴朝不能對。顧左右曰。壯士也。乃赦之云。

(二四) 歌舞悽惋　　　青山延于

源義經有妾曰靜。本京師之倡也。以善白拍子得寵。義經及義經去京師。從匿吉野山。義經與之金寶。使人護送京師。送者奪金寶而去。山僧捕靜送京師。賴朝召致鎌倉。問義經所在。靜固陳不知。賴朝以其有身留之。政子聞其善歌舞。欲召而觀之。稱疾不至。既而賴朝與政子詣鶴岡祠。召靜命舞。靜固辭不可。賴朝強之再三。靜乃黽勉起舞。其曲詞意。無非思慕義經者。觀者感歎。一日鎌倉幕僚訪其旅舍宴飲。梶原景茂乘醉戲之。靜垂涕曰。豫州將軍之弟也。豫州若在。卿曹豈得見我面乎。景茂愧而退。居無何。生男子。賴朝命安達清經沉之由比浦。放還靜於京師。

(二五) 湊川之役　　　賴襄

足利尊氏將水軍。直義將陸軍。陸軍稱五十萬。正成率手兵七百。陣于湊川。以當之。義貞以三萬騎陣于和田崎以扞水軍。水軍先鋒過而東。義貞拔軍循之。而尊氏全軍已上。和田崎矣。正成顧謂正季曰。我腹背受敵。不可遁也。先破前者。而後援背者如何。正季曰。然。於是兄弟並突入陸軍。七離七遭。欲獲直義。直義馬傷而墜。我兵垂及。有一敵將遮鬪而逸之。尊氏亦分兵來援。包我軍後。正成兄弟回馬當之。血戰十六合。盡亡其騎。所餘七十三騎。猶可以潰圍。而正成心不欲生。乃走入湊川北民舍。坐釋鎧。身被十一創。顧謂正季曰。死而何爲。曰。願七生人間以殺國賊。正成欣然曰。是獲我心。耦刺而死。正成年四十三。宗族十六人從士五十四人悉死之。

(二六) 楠氏之偉勳　賴襄

余數往來攝播間。訪所謂櫻井驛者。得之山崎路。一小村耳。過者或不省其爲驛址。蓋經足利織豐數氏。世故變移。道里驛程隨輙改耳。余於是低回不能去。顧望金剛山。嶷立雲際。想見公擧義之秋。及其子孫據以扞護王室也。觀公詣行在陳天子曰。臣而未死。賊不患不滅。夫以一兵衛尉而居然以天下之重自任。豈非感激値遇。以身許國哉。故能以赤手障江河。回天日於既墜。何其壯也。公聚北條氏精銳於一城之下。而使新田足利之屬。擣其空虛以殪其渠魁。帝之復辟。酬爵任職。宜以

公爲首。而纔能與結城名和輩比肩。其失於擧措。足以知中興之無成矣。

(二七) 記江都火災 答芳川波山別紙其一　安積信

近日都下舞馬之災屢起。上下騷然。想亦賢兄已傳聞。定軫高念。故曲陳如左。本月七日午下。火起於神田佐久間巷。時北風方厲。飛焰直踰柳原堤。須臾蔓延。勢疾犇馬。闔都蒼黃如狂。持械器救火者。搬出家具者。乘屋防飛熛者。堵立而觀者。投罅而偸筐匱者。呼羣者。哀號者。負且走者。蟻簇蜂屯。街衢塡咽。不容跬步。炖勢益熾。神田諸術未燬盡。而火道遠在兩國濱街之間矣。紅光

數里。夜明如晝。翌曉始熄。北自泉橋。南至中橋。東自淺草門內。西至本街。其他小網巷靈巖嶋八町堀皆燼。斯已大災矣。越九日。火又起於檜物巷。延燒至西河岸。有街卒數人。乘土庫防之。火忽自庫中發。即皆翻身投河水。復上岸極力防之。其狂勇類如此。翌十日。西北風甚劇。揚沙捲塵。天日翳晦。人人自危。卓午火果發宮津侯之邸。邸在郭內。所謂大名小路者。隣竝皆列侯第宅。非復區區市廛之比。鬱攸既暴。加以飛廉之威。烈焰競起。煙焼漲天。闔都防火將卒爭來救之。而燎原之勢不可嚮邇。呼號吶喊之聲。與刮刮爆爆相雜。風益怒。火益激。

松本、西尾、岩村、岡山、津山、高知侯、諸邸飛甍鱗鱗摩天者。猶束稿而爇之。直及德嶋侯邸。堂廡樓閣。尤爲宏壯。俄頃紅燄騰上。如炎崑岡。先是德嶋侯承三緣山防火之命。故雖延燒已及邸。舊而不顧。部勒士衆。從煙焔中突出。隊伍齊整。意思閑雅。曾無幾微憂恤之色。所謂公事忘私。國事忘家。吾邦忠勇之風。非漢人所夢見也。恨不使賢兄觀之耳。

（三八）記江都火災 答芳川波山別紙 其二　　安積信

是時飛熛既星散郭外。炎炎而上。分爲二道。一自鍛冶橋至築地。一自數寄屋橋至芝口仙臺邸。竝極海澨而止。火光照波。作殷血色。布帆驚走。如蛺蝶翾飛於桃花林。甚至帆檣爲飛焰所燬。舟人恇駭。泅海而遁。凡三日大災。諸侯邸第。商賈闤闠。天下所稱爲繁華殷賑熱閙之區者。一時化爲赤土。但見焦瓦燼材。縱橫礧磈數里相接。長橋平梁或燒斷。或存其半。高門穹闕僅有遺礎耳。其餘大刹若西本願寺藥師堂。亦爲烏有。人畜死傷。固不可以悉計。洵爲未曾有之變矣。乃戲門生曰。予與子生於昇平。未知干戈。今也大災屢起。朝夕倥傯。不異戰國。夫火猶奇兵也。防之東而發於西。備之北而起於南。神幻鬼詭。每出於人之所不虞。猶吳之肄楚。隋之於

陳。使吾將卒疲於奔命矣。

（三九）東都沿革 並新盛況 其一

東京昔日稱之江都。係文祿二年。德川氏所經營。舊城趾在于丘脈窮處之西端焉。雖地不甚高。一帶地勢凸起。丘脈蜿蜒連湯嶋岡。成高地處。宜築城郭。丘脈之下。總屬平原。一望豁然。無遮眼者。墨田之水。貫其中央。溶溶南流入海。不俟斧鑿。自成都形。市街可開。舟路可通。此所以德川氏奠柳營于此也。舊牙城趾在其高處。謂之本丸。嘗將軍住焉。支城在其南。世子所居。謂之西城。所謂二重橋。所架其濠之橋也。西城之下。劃成一郭。是爲內郭。設三樓門。曰和田倉。曰馬場先。曰櫻田。今皆存舊樣焉。劃之以濠。濠外乃外郭也。嘗侯伯列第處。故稱曰大名小路。此其概況也。凡江都之大。爲方四里。南自品川。東至千住。西經四谷。連新宿驛。是爲甲州道。北過本鄉。接板橋。中仙道是也。行衢區劃。以日本橋爲其中心。縱橫碁布。張翼四方。誰思此都元係蕪蕪曠原。古歌所謂。月亦出自草又入草之武藏原也。自德川氏創覇業來。不唯以大廈巨屋。塡盡曠原。塡海埋沼。崩丘夷陵。屋宇櫛比。甍瓦鱗次。西南連海。東北仳郡。四顧豁如。幾無際涯。於是乎。市之繁盛冠于全國。在陸則人家稠密。

犬牙相接。車馬絡繹。來往如織。衣香扇影。行人埋路。至水則大小船舶。輻輻輳輳。入者出者。泝者下者。舳艫相銜。欸乃相和。于水于陸。熱鬧如沸。眞爲大都會矣。

(三十) 東都沿革 並新盛況 其二

維新更始。車駕東遷。奠首都于江都。更名曰東京。百揆一新。都風亦變。幕府末年。牙城罹災。唯遺石礎。後又西城殿宇。雖遭回祿。無幾皇宮起礎。造營既成。其結構壯嚴。雖不敢記。非舊觀之比也。牙城之下。更起巨閣。規模宏大。石壁鐵柱。甍瓦聳空。白堊映日。內閣在焉。官廳在焉。城內之美不俟言也。大政豹變。廢藩置縣。三百侯伯。

皆列華族。崩樓門。毀第宅。大名小路。變爲街衢。雖不復觀干旄孑孑。鹵簿騤騤。更致新大殷賑。馬車縱橫。蹴紅塵去。腕車絡繹。如縫馳走。非昔日僅聞籃輿呷軋之比也。至新土木。不遑屈指。巍巍乎而聳立于櫻田門西者。參謀本部也。峨峨乎而突起于日比谷原者。法廷法衙也。政廨官舍皆起巨閣。規模之大。建築之美。無觀不驚人目。與廨舍相頡頏。其建築壯大者。黌舍也。帝國大學。則巨棟摩天。甍瓦突兀。連亘于本鄉臺上。學習院。則稱巨擘于四谷門外。慶應塾。則置宏礎于三田高地。凡專門黌。不問公私。無不宏大。文運之盛。可以推也。

(三一) 東都沿革 并新盛況 其三

都下公園之數。可亦僂十指。其最大者。爲忍岡公園。雖地不甚高。東南崖上。眺望開豁。下坊市街。萃於眼下。品川之海。總房之山。亦皆來入指顧間。此地係舊寬永寺域。老杉古松。蔚蒼成林。挾以櫻樹。花時最佳。樹林之間。層樓崛起。是爲博物館。森羅万象。無不蒐集。又有動物園。內外動物。皆善飼養。咆哮起風者。獅虎也。蟠蜒吐焰者。蚺蟒也。鶴唳報祥。鵲聲呼晴。獸類禽族。不遑枚擧。美術音樂二黌在其左傍。圖書館亦屬其域內。境廣大可推以知。亞上野者。淺草公園也。此地屬靈域。有大悲閣

焉。賽者陸續。不斷其跡。域內設場。售觀街技。喚呼如沸。眞爲熱地。昔時江都八百八街。人口百萬。今也住民倍蓰。舊域不足以容之。於是毀舊第宅。開新市街。又塡田疇。伸其羽翼。街數凡一千三百七十餘。分爲十五區。區內人戶稠比密接。街上又敷設鐵路。馬車載客。來往如織。不停其蹄。仰望蒼空。電線縱橫。如蜘張網。傳信送話。多少煙突。林立其間。工業之盛。可亦以知也。人口戶數。年增一年。世人稱以爲東洋大都。豈其過稱哉。

(三二) 刧賊改心

原 善

伊藤仁齋嘗夜行郊外。刧賊四五人。當路立。各按劍曰。

吾徒不醉不樂。今無酒資。客若欠腰纏。則自脫衣裳供之。仁齋神色不少動曰。今日適無棄錢。敝縕袍脫以遺之耳。且問汝輩常以何爲業邪。曰。昏夜橫行。掠奪以自給。是其業也。仁齋曰。以若所爲爲業。吾何拒焉。輒脫衣以授之。將去。於是賊止。仁齋曰。吾儕草竊爲衣食數年。未嘗見擧止如客者。抑客何爲者。曰。儒者也。曰。儒者爲何事。曰。以人道教人者也。所謂人道者。孝於親。悌於弟。不可一日無者也。人而無道。禽獸焉耳。言未畢。賊皆頓首涕泣曰。噫君與吾。鈞是人也。而事業之迥異如是。吾甚恥。願君宥吾儕罪。今而後飲灰洗胃。謹奉教于門下。

遂皆改心自勵云。

(三三) 馬夫守道　原善

熊澤蕃山初負笈上京。求良師未得其人。共投宿者一人語曰。往日余爲主遠行。時懷金二百兩。卽主之所使齎也。途跨驛馬。出金繫鞍。日暮忘收之而宿。困頓就枕。半夜始覺。乃覺遺金。則茫然猶疑爲夢寐。既而神乃定。痛心疾首。千思萬慮。求之無術。一決死。雉經。戚然自嘆。不爲天所弔恤。逢此悲凉。時聞剝啄聲甚急。問之。則稱馬夫某。因丞出。渠卽出金曰。小子歸家將洗馬。及解鞍得之。是君之所遺。故來還呈。封完如故。吾驚喜不知所措。腰纏別有十六兩。卽解以謝之。馬夫不受曰。君之物付君。奚謝之有。然爲冒夜來此。顧賃得二百文足矣。吾曰。孽自作。微汝發義心。吾無得生之地。所謂生死而肉骨也。不腆黃物。非敢云報。聊以表寸心。馬夫愈辭。乃減八兩。亦不受。稍稍減纔至方金二。馬夫執益確。曰。君毋溷我。予有所守也。吾歎問曰。淡於欲者。今之世不多見。至其以義爲利。如汝則絕不可得。所謂所守者何事也。曰。賤役糊口。豈不思利乎。而有中井與右衞門者。教授里中。嘗聞其言曰。誠正以修其身。事君致忠。事親盡孝。毋以貧濫。毋以賤枉。今若以所賜利之。則欺此心也。言

畢去。噫澆世安得有此人乎。蕃山傾聞者良久曰。馬夫一鄉鄙人耳。素不知道之爲何物。則趨利若鶩。何義之思。而其廉潔不愧古之君子者。必教育所致也。所謂中江氏者。其德與學。可想見也。方今之世。捨此人而誰適從。是日卽束裝往謁。請受業於門。藤樹辭以不足爲人師。蕃山益請不置。二夜寢其廡下。藤樹母見之。謂藤樹曰。人自遠方來。懇請如此。傳之其所習。誰謂好爲人師。於是始接容。時寬永辛巳。蕃山年二十三。

(三四) 國役義務

凡有國家。則不可無三權之設。既有三權之設。則不可

不使其運轉滑也古來有國家而所以能保其社稷則
以唯有三權鼎立而運轉亦滑也何謂三權曰立法曰
行政曰司法是國家之大權也治國之樞器也今欲使
其運轉滑則不可無爲之糧爲之膏者也於是乎有國
役焉國役之於三權亦猶燃料之於火輪車也若欠之
則將何以能活動乎此所以有國家則必使其民分其
所得以供諸公費也謂是國帑國帑不支則國家不立
也國家不立則民亦何由以立乎教化則開發人智之
道也人智開發而後民業可興也兵備則保護社稷之
具也有社稷而後可安息也文化愈盛而民業愈興兵

備益嚴而國威益揚此行政權之所致也有立法權而
定制度法律有司法權而護生命財産其所司雖異皆
無非所以使國民安息也故可知人皆服國役則不外
自護吾身也

何謂國役曰納稅曰兵役是也而稅有二種曰直稅謂
直納諸國庫也曰間稅謂間納之也如地租産稅暨所
得稅則直稅也如賣藥稅印紙稅則間稅也其他有地
方稅稱之謂納稅義務乃不過以令供公費也兵役之
制則出於使國民自護吾國之義也吾國古昔有賦兵
之制當國家有緩急則使國民皆起而執干戈迨兵權

遷武門兵役亦歸其任武人以外不復執干戈因襲既
尙矣抑兵備之要在乎保護國家而國家則國家之國
家也故不可不使國民均就其役也其理章章而明矣
譬如吾軀當自護之兵備之爲事不過唯張皇之也設
有仇將有加害則誰不防之乎於國家亦然矣此所以
目兵役以亦爲國役也

(三五) 挹翠園記　賴襄

藝備之海多灣曲非佗海國太豁露者比而尾路爲最
焉島嶼與陸對者喚之可應屋瓦如鱗帆檣如林與山
光水色相出沒邑人往往因地勢治園莊而熊谷氏之

挹翠園推爲第一焉歲甲戌余省鄉而還園主士晉要
余遊焉園在邑東北踞山枕野方十餘畝其東面而敞
者曰春曦堂連其後者曰麥浪軒下軒北行左右皆花
艸曰百花逕逕盡得松林林中可憩者曰松濤亭自亭
南行抵山麓山泉所注環以楓樹曰秋錦池循池而登
山石錯列曰伏虎巖巖之上栽梅十餘株曰香雪坡下
坡而東蒙密崎嶇得稍平者爲花圃曰擷芳塢塢之下
卽堂也坐堂而望所謂如鱗如林者皆在几席下士晉
敦實喜文自其父祖修治此園久而不廢故其覩深杳
渺俯仰可樂非他家所及也士晉請余記之諾而歸京

會余移居銅駝坊。塵事蝟集。因循不就。忽匝一歲。士晉數以書來促。嗚呼余自來京師。凡三移居。皆僦屋。街巷中無隙地可栽竹木。朝夕所見。紫陌紅塵。車馬綺轂而已。乃回首西望。想見園之山光水色。欲挹其一片翠。以灑吾心目。寧易得哉。遂書此以答士晉。且謝余之宿諾非得已也。

(三六) 觀曳布瀑游摩耶山記　齋藤正謙

癸巳晩秋。余有攝播之游。二十二日。將從兵庫還大阪。早發入謁生田社。社樹老蒼。使人肅然。遂欲觀曳布瀑。右轉上砂山。崎嶇十餘町。攀一邱。得茶店。呼爲望瀑臺。

瀑當其前。壁頂瀉下。如匹練掣曳。此其所以得名。但邱上平臨。不甚奇觀。乃躡巖角。降就瀑底。仰觀壁面。有石突出。瀑下垂至石。輙怒駭珠騖玉。餘沫霏散。漲空而下。如驟雨至。衣巾盡濕。呼快者久之。乃反從阪下右折。又有一瀑。比前者稍小。土人呼爲雌瀑。而以前者爲雄。此瀑已見伊勢物語平治物語等書。其爲名勝久矣。左轉一里。取路靑谷。上摩耶山。崖樹紅黃相間。稜疊可愛。然路甚險。一步一喘。纔及山門。門內尤峻。石磴掠面而起。數百級。僧坊夾磴。皆砌石爲基。高數十仭。層層向上。儼如城郭。進至絕巓。佛殿宏壯。榜曰忉利天上寺。俯瞰連日所經歷。皆在履下。海瀞一碧。諸州之山。圍繞其外。至紀阿之際。兩間不相合。如大環缺。從缺而望。鵬程萬里。杳渺無際。出門就正路。盤折而下。呼爲七曲。太平記所載赤松圓心敗六波羅軍處。行樹多猴。纍纍掛枝。見人驚叫而去。半里至上野。路漸夷。經西宮尼崎而還。顧望摩耶山。宛然在雲表。步步惜別。山亦搖光馳碧。送至大阪乃止。

(三七) 五勝樓記　阪井華

藝府南七十里。爲音門。兩山對立。海流其間。相傳本爲一山。平相國淸盛疎鑿。以通舟楫之利。地有相國碑焉。

居民數百家。商漁雜處。其稍富者。皆臨水築樓。以占景致。而今田氏之樓爲最勝。丙戌之秋。主人大明迎余遊。且屬記。樓在碑北數百步。規制宏麗。觀望極美。其勝之目有五。曰樓下潮聲。舟直到岸。岸直登樓。憑几而坐。高枕而臥。隱隱之聲。如風雨驟至。疑身未離舟中。曰波上晨輝。天曉烟消。上下一碧。旭光流金。亂無定彩。平看飛鳥。俯窺游魚。樂意洋洋。覺憑欄之非我矣。曰檻外帆影。危檣如林。依岸候潮。潮應風發。千帆齊張。有疾者。有徐者。有欹者。有正者。征人歸客。各異其情。而擧在目前。曰松間明月。返照已收。暝烟四合。水風颯然。淸寒襲人。仰看前山。一輪如氷。突出松樹間。不覺絶叫稱奇。傾數太白矣。曰浦口漁火。夜深月黑。四顧寂寥。唯見寒影數點。映波明滅。而水禽悲鳴。遠近相答。使人酒醒形靜。悄然有思歸之情。此五者樓之所以得名。而余所親見也。其餘烟雨風雪空濛皎潔之狀。想皆可喜焉。而限以五者。蓋節之也。太抵海樓之勝。以空濶無際爲常。而斯樓不然。左右指顧。不出十數里。不費於目。不勞於神。山如假山。水如池水。疑相國之疎鑿。或爲斯樓設斯勝。而不專爲舟楫之利。此其所以爲最勝也。大明好學。有騷思。而子丹霞三歲。畫竹書大字。皆不負斯樓之勝。

(三八) 京洛雜記 并勝區 其一

山城之地。山脈蜿蜒。丘陵起伏。因以名焉云。京師在其中央。翠嶂蒼巒。成墻爲屏。山水明媚。勝地頗多。東有淨土。鹿谷。南禪等山嶺。背負粟田。清閑。熊野諸山。以連宇治。此一帶山脈。稱之曰東山。勝景向此地而最多焉。南界紀伊。葛野二郡。西接大內。七條朱雀。東北隔鴨水。連愛宕。其延袤東西二里餘。南北一里半。分之爲二區。三條以北爲上京區。三條以南爲下京區。戶數六萬。人口卅萬。桓武奠鼎以降。閱年一千有餘年。歷朝七十有二。其間雖有幾多變遷。山水依然。不失明媚。市街繁華。比之東京。蓋雖輸一步。至風景閑雅。天下無其比。比叡之山聳然衝空。翠嵐滴瀝。可以洗襟。鴨川之水。潺湲清冷。一掬溢掌。可以濯纓。山間之月。川上之風。亦皆可收以爲詩。爲歌。況又雨之淡粧。煙之濃抹。寫出一幅水墨。不待倪黃之筆。而後知山水之美也。此川又宜於納涼。宜於觀雪。近者疏琵琶湖。引之以注諸鴨川。其水雖不甚多。利用之妙。能起電氣。可以行車于鐵路。可以點燈于街頭。都下一層添其繁華。蓋非富山水則不能也。仰拜皇居。宮殿依然而存焉。尊嚴肅然。非可敢記也。內裏之地。分郭內外。東自寺坊。西至烏丸。南界丸太街。北帶今

出川。乃稱之外郭。昔日縉紳第宅所在也。遷都以降。全歸廢趾。今夷之以爲游園。博覽會塲測候所等。點在其中。係舊九條氏邸處。有剩水。有假山。樹木扶疎。奇石起伏。頗有雅致。是爲御苑。可盤桓以涉也。

(三九) 京洛雜記 并勝區 其二

京都之地。又多靈域。其最鳴于世者。祇園清水乃是也。祇園社在于東山麓。世稱曰八坂神社。祠宇壯嚴。境域甚廣。所屬小祠二十餘宇。每年七月。擧行例祭。曰祇園會。山車扮裝。競美鬪華。其壯觀使人驚。清水寺稱之音羽山。在于清水坂東。古來以爲洛東第一靈塲。其名嘖

嘖嘖于遐邇。嘗案其緣起。係僧延鎭開基阪上田村麿造營堂宇。結構宏大。建築雄偉。距今一千有餘年來之大古刹也。本堂倚懸崖架之。前設舞臺。其高數仞。上臺放眸。天地豁然。河之金剛。認之於髣髴間。淡之諸山。望之於糢糊中。其高可知也。有飛泉懸崕壁。所謂音羽瀧是也。水雖不多。掛水晶簾。其觀頗奇矣。凡洛之內外。勝地之多。雖不遑枚擧。其以爲勝中勝者。圓山也。境接八阪神社。在其東端。明治初年。鑿地得一鑛泉。因而築三層樓于東山半腹焉。內設浴槽。外疊泉石。稱曰圓山溫泉。泉頗澄徹。宜取一浴。上樓一望。眼界迢遞。闔都之景。萃於雙眸中。西南之山。落於指顧間。眺矚之佳。莫過此地。是所以其名噪于遐邇也。游于洛者。不徒勞脚。先抵圓山。而假一望。幾多勝景。不招自來。不異披一大活圖而觀之也。東山山水之眞美。於圓山而觀焉。

(四十) 跋嵐峽圖卷　　賴　襄

嵐峽。山與水十八焉。花二而已。而花開則山倍、艷。水倍、麗。無處不可觀。非如芳野初瀬所觀唯花。一覽可盡也。無奈去城稍遠。花期易誤。即得其期。辨酒糾伴。至則日在花梢。絲竹雜沓中。酒數行而暮色蒼然。蹣跚而還。城門塵起。何暇盡領其勝。余奉母數遊。皆信宿溪店。或隔水目逆。或循山回盻。或泛舟左右視。或燒燭蹋月細觀之。自幸以閑散人故得爾。今觀紀君倩工作圖。已寫全峽。又寫各處。如畫美人全影。更狀耳目、口頰、面背、正側。紀君忙人。故欲領之圖畫中耳。如余不必用也。觀畢題數語返之。

(四一) 天橋記　　新宮　碩

凡天下之勝。嘖嘖於人口者何限。特若奥之松嶼藝之嚴島。與我天橋。實天造之妙境。宜其名甲天下也。余皆獲嘗一遊而觀焉。而天橋屬我生里。最悉之橋之所在。其海曰與謝。砂聚而爲堤。截然劃水。橫列海口。自北而南亘一里。其幅二十餘步。白砂皎麗。萬松鬱茂。有矗而如騰者。有如蟠者。有如躍者。奇趣淸絕。不可擧而狀。居然謂之造物者之浮橋可也。橋之東。淼漫無際。漁舟漕舶。風帆相逐。水光與天一色。此爲與謝海。橋之西。湛碧爲小湖。如瓶之有口。口狹二十步。舟楫潮汐之所來去呑吐也。西岸有禪刹。門閣殿宇。巍然可仰。扁曰五臺山。堂上祀文殊像。香火日盛。前有茶店。最佳眺覽。遊者皆憩焉。寺三面臨湖。藍水澄瑩。瑠璃徹底。天橋之蒼翠。與水相醮。浦雲渚雨之明滅。落霞與孤鶩。萃於目睫。眞爲高爽脫塵之境。屹然起於橋北者。成相山也。山腹有寺。

攀躋半里而近。正面建觀音堂。幽邃古朴。爲千年之靈場。民祈冥福。絡繹不絕。踞而臨天橋。如蒼龍伏波。文珠與謝之諸勝。點點碁布在乎屝履之間矣。環湖而三邊。皆山也。山麓。漁家民廛沿水。斷續爲村。粉壁瓦屋錯落厠其際。雨暘晦明。雪朝月夕。四時變態不同。宜於釣宜於網。魚鰕如土。村醪亦可以醉。君子遊此間高趣雅致。可併而攬。於夫嚴島松嶼。不知其優劣果如何也。余以其勝。屢語之平塚士梁。士梁素有煙霞之癖。一遊既盡其觀。三井牧山爲士梁之友。聞而羨之。癸卯三月決計。携畫師雅喬遊焉。使寫其眞景。裝爲一卷。所謂縮天下之勝於咫尺之中。以領於坐臥俯仰之間。豈不愉快乎。囑余記之。余去鄕四十年。忽觀此圖。昔遊恍然在目中。嘗有月夜泛舟之一律。乃欣然把筆。併書其尾。

(四三) 游松島記　　平澤元愷

發鹽竈村。舟行十餘里。乃抵松島。松島在島之灣。灣之幅員。十有二里。總名曰松島。碁布星列。洲嶼之麗不億。鬱鬱然磊落。其間者。蓋八十洲云。民家作村里者十數。洲名號最著者。爲雄島。爲籬島。爲御嶋。爲寒潭。爲宮戶。爲楊柳洲。爲冠子洲。若夫蟾蜍、小蝎、舞鶴、浮龍。以形得名者也。其餘似鼻似耳似枅似圈。種種不遑枚擧。一皆

松樹楚楚茂立。是其所以得名也。右接左應。此對彼往。名號且不能悉記。記之鄙陋不足擧錄也。御嶋有橋而通。嶋中有古碑。宋僧一山所筆也。相傳日本武尊東征之日。次于此嶋。故其名最著。與御嶋相對。崢嶸于水次者曰落雁峯挂鐘島。藤秀衡治水軍之處。觀月墩有邦君游息之居。名曰觀瀾。舍舟而登。則有佛寺。曰瑞巖禪寺。最巨麗。三都所罕見也。行而登富春之山。山距松嶋村可有十五里。有寺曰大仰。記云。大同年。田村藤公所創也。既至。日已西落。因請宿。翌復。煙瘴晦塞。望之洲嶼明滅。若存若亡。悵然多時。俯仰一室。悶亦已甚。日已亭午。寺僧告曰。可望矣。遽登佛殿以觀焉。煙歛雲開。一覽萬狀。嗚呼海內之巨觀。天造之妙境哉。蓋東方日月精華所凝。抑是耶。上古神聖所宅。抑是耶。前日所見。碧玉盤之上。今則點點錯落。如碁勢相爭。然其間魚龍出沒。凫雁翺翔。雨暘晦明。陰陽晝夜。變化倏忽。不可端倪者耶。宮戶寒潭諸大洲之外。淼淼無際。海舶來湊。以通有無。則蒼生之利用有焉。富乎此山。土人艷稱松嶋風光咸聚于此山矣。信矣。近瞰林麓。懸崖萬仭。索度尋橦。有時乎施焉。亦寰外之想耳。若夫風伯怒號。海若盪涌。波浪如山。洶洶然與松濤相答。夜破旅客之夢。亦令人夢

寐不忘哉。余宿富山。僅記其萬一者如此。是日四月十有七。

（四三）示塾生　柴野邦彦

籠養小鳥者。捕獲鶯雛。患其聲澁濁。就老鶯善鳴者。使學其聲。俗謂之附子。雛初在籠。遷躍上下。躁然無少頃靜。忽聞老鶯一哢。便戢翼凝立。如諦聽者。越時始能動身。既而低弄。如學之者。又如羞澁怕人聞者。如此一兩日。乃能放喉縱囀。音響劉喨可愛云。嗚呼微彼小禽。尙思好其聲。而知希賢。可以人而不如鳥乎。癸卯二月十三日。聞之神川生。書以示塾生。

（四四）垂松鷲　安井衡

飫肥之南五里。曰垂松。地枕于海。而江滙其內。衆鳥聚焉。有鶚鳩。每日出扇海。攫浮魚。冲空悲鳴。須臾有鷲來。盤于下。鶚鳩候其至于下。投所攫魚。鷲仰受之以去。率以爲常。鷲或不能承。誤墜之海。鶚鳩直下。擊之。鷲不敢校。甘受一擊。斷然而往矣。鷲鷙鳥之至猛者也。當其下擊之時。非力不能與之校。蓋彼盡其心力。忍朝饑以供我。而我則誤墜之。其曲在我。若又恃力以刼之。彼將奮翰遠擧。以滅其踪。安所朝朝享其利哉。故寧忍小辱。以伸其氣。使彼畏不敢懼懷。不敢狎以効其功於我。嗚呼智矣。而道寓焉。而鶚鳩亦能忘鷲之勢。敢規其過。不再猷以啓貪。不違命以買罪。雖受制於鷲。而因其威以自尊於衆鳥之間。亦小蟲之矯矯者也。

（四五）雲喩　齋藤馨

物之往來聚散。漠然無心者。莫雲若也。雲縷縷然出岫。而紛紜彌漫。爲人物。爲鳥魚。爲屋宇樓閣凡百諸狀。及其散也。蕩然無迹。不復知其所之也。見者亦曰。是雲之恒耳。而不以爲怪焉。雖然雲亦有時乎不若此而已。不見夫五六月之交乎。天旱無雨。田如龜背。民咸引領而望曰。何雲之不起也。將使吾苗槁矣。於是油然之雲。倏

忽彌天。沛雨從至。苗則興矣。民乃相與抃於野曰。噫是雲之賜也。而雲不自以爲功。飄然一散。至於不知其所之而止。等是雲也。或者澎湃於山林泉石之間。而或者光被乎城野衆庶之上。亦時則然也。雲豈有心于其間哉。嗚呼吾出處進退之道。於雲乎得之矣。

（四六）水喩　齋藤馨

莫非水也。一杯之水。與江海之水無異。故在杯則吾知其爲杯水。投諸江海。則見江海之水耳。欲復求杯水。而不得。有曰。油者猶之水也。而注一點油于水中。汎汎然若舟之在河。經數日而未嘗或混也。蓋二者同其形。而

異其性。故不相容也如此。噫是可取以喩人矣。均是人也。而其心則君子小人分焉。君子有寛裕。有強毅。有狷介和厚之不同。而其與小人居。則必君子與君子相合。而偕拒小人者。其性則然也。然則君子之性水也。小人之性油也。油之不見容于水。固宜也。而今水之與水。或反眼相視曰。彼一杯水也。我江海之水也。彼安及我耶。將且忘其與已同類。而以油視之。不知油之笑於後也。吾故爲說。以戒天下之爲水者。

中等教科 漢文讀本卷之三 終

明治三十二年二月二十日印刷
明治三十二年二月二十三日發行
定價二十錢

編者　東京市本郷區追分町十四番地　福山義春
編者　東京市神田區裏猿樂町十八番地　服部誠一
發行兼印刷者　東京市日本橋區本石町十軒居六番地　阪上半七
活版印刷所　東京市神田區錦町二丁目四番地　行文堂印行

文學士 福山義春
服部誠一 共編

中等教科 漢文讀本 卷四

東京 育英舍

中等教科漢文讀本卷之四目次

(一) 武門武士之稱 賴襄
(二) 桶峽之戰 中井積善
(三) 論桶峽 佐藤楚材
(四) 川中島之戰 嚴垣松苗
(五) 志津嶽之戰 其一 青山延于
(六) 志津嶽之戰 其二 青山延于
(七) 黃海之戰
(八) 山田長政戰艦圖 鹽谷世弘
(九) 海防 佐久間啓
(十) 林子平傳 其一 齋藤馨
(十一) 林子平傳 其二 齋藤馨
(十二) 高山彥九郎傳 其一 賴襄
(十三) 高山彥九郎傳 其二 賴襄
(十四) 讀文天祥正氣歌 芳野世育
(十五) 兵要 佐久間啓
(十六) 陪騎觀放礮記 其一 齋藤正謙
(十七) 陪騎觀放礮記 其二 齋藤正謙
(十八) 威海衛之役 其一
(十九) 威海衛之役 其二

（二十）虎狩記　鹽谷世弘
（二一）貓狗說　賴襄
（二二）進學喩　其一　柴野邦彥
（二三）進學喩　其二　柴野邦彥
（二四）習說　尾藤孝肇
（二五）遊大瀧記　齋藤馨
（二六）日光山行記　佐藤坦
（二七）南遊雜記　其一　安積信
（二八）南遊雜記　其二　安積信
（二九）大阪殷賑　其一

（三十）大坂殷賑　其二
（三一）從大坂至須磨明石記　其一　齋藤正謙
（三二）從大坂至須磨明石記　其二　齋藤正謙
（三三）耶馬溪圖卷記　賴襄
（三四）題赤壁圖後　安積信

中等教科漢文讀本卷之四目次終

中等教科漢文讀本卷之四

文學士　福山義春
服部誠一　共編

（一）武門武士之稱　賴襄

有事則下尺一之符、數十萬兵馬立具。而平時散歸、卒伍爲之將帥者、或自文吏出、臨兵陣、畢事而歸、脫介冑而襲衣冠。未嘗有所謂武門武士者也。及藤原氏以外戚世執政權、卿相之位、非其族人不擬。官論品流、因習成俗、庶僚百揆、概世其職、而將帥之任、每委源平二家。

於是乎始有武門之稱焉。光仁桓武之朝、疆場多事、寶龜中廷議汰冗兵、殷富百姓才堪弓馬者、專習武藝、以應徵發。其羸弱者皆就農業、而兵農全分。至貞觀延喜之後、百度弛廢、上下隔絕、奥羽關東之豪民、以軍功至六衛舍人者、或坐制鄉曲、不勤宿衛、而守令莫之能制。清行所謂非六軍貔虎、而爲諸國豺狼者、所在皆是。平居藏甲蓄馬、儼然自稱武士。於是乎始有武士之稱焉。

（二）桶峽之戰　中井積善

永祿三年夏五月、今川義元大擧伐尾、步騎四萬、次池鯉府。東照公時次岡崎、以其甲會之。十九日進攻丸根。

作間盛重邀戰。我師奮擊走之。獲盛重。追亡薄寨。縱火拔之。駿先鋒朝比奈泰能拔鷲津。焚之。斬飯尾定宗。義元謂左右曰。大高當尾衝。而守備罷弊。我欲代之。孰可者。僉曰。松平藏人威武亡前。乃馳使命之。義元益驕。親巡敵寨曰。是蟻封之地。我當一蹋平夷焉。遂移麾下于桶峽。織田信長聞丸根警曰。大學不可失矣。投袂而起。左右能屬者。十餘騎矣。步騎千餘。及于熱田。行合諸砦兵。得三千。先鋒佐佐隼人等。馳駿師而死。駿人獻其首。義元笑曰。尾人當殲於是役。乃張宴酣飲。信長望丸根鷲津之煙。令軍中曰。轉取山路。偃旗鼓。直衝中堅。時風砂撲面。雷雨暴至。諸將或諫止。弗聽。梁田出羽呼曰。奇策必有奇勝。師競攀山踰巓。則址即桶峽矣。皆鼓譟而下。駿麾下驚擾。義元親出帳叱之。尾士服部小平太望見而輅之。義元拔刀斫其膝。毛利秀高鎗刺義元。獲其首。駿師大敗績。尾師追擊。斬首二千五百級。駿宿將大臣咸死。

（三）論桶峽　佐藤楚材

夫元龜天正之際。天下瓜分。英雄割據。無日不戰。大小不下數百戰。而戰捷之快。莫快於桶峽間之一戰。今川義元率駿遠參數州之兵。西上。將欲一掃沿道諸侯。觀

威京師而覇天下。當此時。織田信長首當其鋒。衆咸危之。勸其迎降。信長不聽。大築鷲津丸根善照寺丹下中嶋諸城。以拒之。及東軍之來攻也。攻一城。輒陷。又攻一城。輒陷。獨最後一城。堅守不拔。於是義元大怒。叱咤發縱。風馳電逝。擧軍赴之。當是之時。義元軍四萬。而麾下所餘。不過二千。會土人獻酒來賀戰捷。上下沾醉。信長諜而知之。急率輕鋭三千襲之。義元授首。一敗塗地。嘗聞孫子論兵曰。勝可知也。不可爲也。而至於論虛實之計。則曰。勝可爲也。蓋勝不可爲者。言其常也。如能虛實之計。則勝敗之政。唯吾所欲。故曰。勝可爲也。今夫義元之兵衆。而信長寡。義元實而信長虛。然而呼吸之間。彼之實變而爲虛。我之寡變而爲衆。所謂神而明之者。信長其人也。宜其戰如以碬投卵也。余嘗經桶峽間。徘徊顧瞻。當驛道之南。亂山邐迤。岡脊相連。問之土人。西兵之襲義元。草山而來。自西而北。繞出其後。自高而下。勢如風雨。以擣其虛。斯其所以不及一戰而敗也。雖然。義元亦有取敗之道。夫禍生於所忽。難起於所恃。義元視信長甚小。以爲不足一戰。而自恃其衆。以爲天下無敵。是以陷信長計中。而不自知焉。然則非信長能勝義元。義元自敗也。後之爲將者。可以爲殷鑒矣。

(四) 川中嶋之戰

岩垣松苗

永祿四年。八月中旬。上杉謙信率兵一萬三千。入信濃。軍西條山。二十四日。武田信玄自甲府至川中嶋。對雨宮渡軍。以絕要路。越後軍如在於括囊中。衆皆憂恐。謙信顏色不變。言笑自若也。居五日。信玄却濟廣瀨。入海津城。諸將勸謙信歸。弗聽。九月九日。信玄與愛將山本道鬼謀。分作二軍。先遣卒一萬二千。攻西條山。自將卒八千。軍川中島。謙信山上望見炊煙。知其將來戰。召諸將謂之曰。天文丁未之歲。余年甫十八。信玄二十七。初與構兵。每爲彼據勝地。不得逞一戰者。十有五年矣。今既軍死地。明日之事。吾知信玄所圖。彼遣前軍擊我營。勝敗皆期於吾軍濟水而退。與後軍夾擊也。今我宵濟。吾軍出彼不意。比彼前軍未還。急擊其本軍。躬自與信玄擊剚矣。越師之在於此也。每早作食。必餘三日之糧。故炊烟不起。既度水。甲人猶未之知。日昇霧散。則大軍既在近。衆皆大愕。信玄使浦野某往觀。還報曰。敵退。信玄異問其狀如何。曰。謙信以次廻匝各隊。望犀川而去。信玄曰。汝言過矣。是車陣也。彼將自來決戰。即成列以待。既而兩軍鏖戰。衆隊各咸當敵。不得相顧援。信玄之弟信繁及隊將諸角某、山本道鬼、初鹿源吾等戰死。長子義信被創而却。甲軍騷擾。信玄與年貌相肖甲袍同裝者六人。並據胡床不動。忽有白布裹頭。著綠衫。乘赭白馬。提太刀者。直來斫信玄。信玄擧鐵團扇接之。起脫被二創。衆士來援。得免焉。原大隅持大將螺鈿鎗。刺綠衫者。不中。馬驚逸而去。後聞知其人即謙信也。鐵扇有八刀痕云。既而前軍歸。夾擊越軍。大破之。長坂調閑獲謙信所乘之名馬放生駿者也。謙信獨從一騎。遁歸越後。後不復敢入信濃。

(五) 志津嶽之戰 其一

青山延于

天正十年十一月。織田信孝忌秀吉威名。潛圖滅之并除信雄。秀吉聞之。來攻。信孝素與柴田勝家通謀。會越前大雪。不能出兵。信孝請行成。秀吉解兵而還。勝家素恃門閥。忌秀吉暴居己上。欲遂除之。與瀧川一益謀曰。秀吉擁立幼主。身任輔相。志在篡奪。不如除之。遣使與丹羽長秀謀之。長秀曰。信孝若疑秀吉。宜遷幼主於岐阜。不宜信浮言以開釁端也。勝家不聽。十一年春正月。羽柴秀吉伐瀧川一益。分衆七萬。三道並進。柴田勝家使佐久間盛政將兵二萬。軍木本。分兵守諸砦。秀吉至志津嶽。與盛政對壘。自率十餘騎。陰覘敵軍。曰。攻之不可猝拔也。留諸將分守。退次于長濱。夏四月。織田信孝擧兵應勝家。秀吉將兵攻岐阜。山路將監謂盛政曰、秀吉攻岐阜。宜出兵赴援。盛政曰、吾欲救之。阻以大山。勢不可進。將監耳語曰、敵營皆堅。第中川清秀壘去諸營頗遠。並余吾湖襲之。秀吉在大垣。不得赴援。破之必矣。盛政以其計告勝家。勝家喜曰、我分兵備諸砦。汝趨攻清秀。捷則趣還。愼勿遲回。盛政帥兵一萬。並湖徑進。清秀兵飮馬湖邊。見敵兵來。進還報清秀。清秀與高山友祥出距之。盛政縱火焚營。清秀軍大亂。盛政進擊破之。友祥走木本。清秀退去。盛政乘勝尾之。清秀帥數十騎復戰。衆寡不敵。將入保城。盛政罵曰、見敵而退。何其怯也。清秀回轡。力戰殪敵數人。遂死之。盛政迻首勝家。遂陣志津嶽。勝家召還之。不聽。

(六) 志津嶽之戰 其二　　青山延于

秀吉聞之。大喜曰、我得大捷。在指顧之間也。乃選健步三十人。人持炬先行。發沿道民。持炬登嶺。絡繹相屬。又選二十人遣之。具酒食芻牧。令軍中曰、我軍得利。在是役。宜速發矣。留堀尾吉晴備大垣。馳至柳瀨。進軍志津嶽。丹羽長秀將兵入保志津城。盛政兵見炬火星繁。部伍驚擾。俄而秀吉來攻。弓銃亂發。敵兵披靡。福嶋正則、加藤清正、加藤嘉明、平野長泰、脇坂安治、片桐直盛、糟

谷武則、提槍冲陣。所向無前。世稱之曰柳瀨七槍云。丹羽長秀覘之曰、時可矣。麾兵進戰。遂大敗之。柴田勝政戰死。盛政逃還。勝家陣東野。聞盛政敗。衆皆驚潰。麾下僅三千。勝家欲收散兵決戰。毛受勝助諫曰、敗衄至此。命之窮也。臣代君效死。君宜入北莊自殺。勝家乃走北莊。秀吉進圍之。勝家酌酒。與其族訣別曰、使猴奴成名。死有遺憾矣。遂火城自殺。

(七) 黃海之戰

明治二十七年九月。我水師與淸師戰于黃海而大破之。初淸之欲啓釁於我也。派遣陸兵。據要于韓。尋派艨艟以要擊我艦于韓海。我艦有備。邀擊破之。燬其二隻。獲其一隻。又碎其載陸兵將赴韓者。僅免者走而遁于渤海。是實水上開戰之始也。淸師爲我失守于牙山。復敗于平壤。退守九連城。據鴨綠江而拒我師。然其守不甚堅。於是使其艦隊載陸兵而赴援。我水師偵知之。欲扼其歸路而擊之。彼亦擧水師而戒備。提督丁汝昌帥之。鐵艦之數。不下十隻。如其鎭遠濟遠。則以巨大堅牢。鳴于世者。舳艫相銜。噴黑煙來。其勢如不可當。蓋欲有所雪韓海之耻也。我艦乃扼之。中將伊東祐亨在牙艦而指揮焉。其隻與堅。雖輸一步。至敵愾力欲呑海洋。其

勝敗不聞礮聲而後知也。敵艦稍近。其大如岳。海面數里。艨艟成堡。我艦乃奮前。蹴怒濤。截逆浪。鯨跳鼉躍。將迫敵艦。敵艦辟易。亂發熕礮。轟然雷起。爆然霆奔。徒颺海波耳。我艦未輒發。及戰機到而發。彈皆命中。幾無虛發。勇戰奮鬭。自午至晡。硝煙漲天。日色爲暗。砲聲覆海。馬御亦潛。我艦赤城。以小艦衝敵隊。殆爲其所圍。艦長坂本八郎太。緣桅麾兵。遂中敵彈而死。及戰已酣。敵復來圍我西京丸。此船雖成艦裝。素商舶也。中將樺山資紀。監軍而在焉。將一躍衝圍。敵薄而發水雷二。皆不中。遂衝圍而出。我勇概如此。是戰欲殲敵艦。或燬或碎。覆之沈之。漂尸埋海。可蹈而涉。敵竟敗衂。前如岳者。爲粉虀。丁氏纔引殘艦而走。我艦追跟。深入渤海。終殲之于威海衛。

(八) 山田長政戰艦圖

塩谷世弘

山田長政。駿府市人也。少有大志。好讀書。演武技。慶長初。出奔暹羅。是時我商舶數來往。海賈及逋徒亡卒。成一聚落以居。名日本街。長政亦寓焉。會有外寇。國主下令。募能戰者。長政首糾合逋卒。爲本邦軍裝。宣言大兵自日本來援。擊寇却之。國主大悅。賞以采祿。後屢積功。累進爵邑。終封逸比留國。元和七年。上書我執政。貢方

物。後五年。駿河人有如暹羅者。長政見之。囑以戰艦圖。曰。吾與子同州。生於岳神祠下。今至以武功享茅土。豈是日本刀之末光。亦神之所祐也。子還請以此揭神廟。以表吾報賽意。其人齎歸。如其言。相傳題字係長政手蹟。其六舶龕以安嶽神云。天明八年十一月。祠遇災而亡。客歲。津田君平朝臣。爲駿城加番。聞摹本藏神庫。求而獲之。因謀復舊。命臣清宮秀堅。囑高島千春寫之。予爲之記。展而觀之。其兩桅而排大砲者。彼國陣艦也。被甲冑。帶雙刀。或把銃。或把弧者。我逋逃卒也。金牟綵鎧。披扇以指揮者。仁左衞門尉長政也。察其狀。鶻擊鷹揚。勢欲飛風霆。蓋其戰捷之實蹟。非虛構也。夫卒烏合之衆。雜彼我之器而兼用之。俾生熟俱靈。進止如意。非有智勇絕人者。安能如此。方今西夷烏然。海警日棘。而世之以武夫自名者。視夷卒如虓虎。視夷之器械。如神造鬼作。言及夷防。輒茶然無人色。比諸長政。其智愚勇怯爲何如。津田君以閥閱右族。守東海之要鎭。擧廢事。而及賤氓遺蹟。其亦有所深感歟。乃衍其意而爲之。

(九) 海防

佐久間啓

曩予偕一二友生。爲鎌倉之遊。遂泛海。過荒岬。抵城島。泊三崎。歷松輪。宿宮田。次浦賀。上猿嶼。觀於金澤。出本

牧而還都。其往來所由、設防堵、備海寇、無慮十餘所。而錯置皆不得法、無一可當防截之選者。至是不覺仰天浩歎、拊胸流涕者久之。夫江都天下之咽喉也。富津洲嘴、雖稱曰天險、海口猶濶。非有戰艦水軍、固難以遏敵人侵攘窺伺。今是之不務、設爲擬堵呆堞、高揭之於海表、此示我無謀於海外也。頃年東西諸蕃、寄舶遊偵。豈不開輕我之心哉。吏員庸流、固不足議。其金鞍華韉、綾衣肉食、自謂高出等類者、不知天下之大計、糜國財用、以爲此無益之務。抑何歟。有如虜舶馳突、將何以折衝禦侮。因欲上疏論海防利病、冀以裨時勢之萬一。其草。請之先公。先公不許、遂止。是嘉永庚戌之首夏也。後四年、果墨舶之事起。當時先公尼予上書者、蓋懼觸忤抵罪也。其蓋覆之仁、亦大矣。今日使先公在世、知予拘囚、則其爲憂勞、又當何如。

(十) 林子平傳 其一　齋藤馨

仙臺有奇士、曰林子平。父源五兵衛、名良通。仕幕府有故削籍。而姉既聘爲本藩側室。故子平及兄嘉膳、皆受藩俸。然子平倜儻有大志。常見人之酣豢於富貴、飽暖自安者、以爲是遭變故、則不堪其用也。於是寒素自給。雖襤褸糲食不厭。自視猶在兵陣間。性健步。好遊四方。

靡遠弗至。行輒躡屐、如往來隣里者。人不知其行千里之遠也。所過風土之美惡。地勢之利害。政刑民俗之得失。皆諳知之。尤注心於邊防。前是寓藩醫工藤球卿家。球卿素有邊防之議。子平論與之合。於是從鎭臺再遊長崎、接異邦人、諮詢海外諸國情狀、益知邊防之爲急。適淸商在館者、激事忤命。鎭臺命子平及諸士勦之。子平奮鬪先衆。生虜數人。曰。吾知西人之技倆矣。既東歸。遂著海國兵談若干卷。大意以爲。西北諸蕃。概以奪地拓疆爲務。威力日强。必且朶頤於我。而彼長航海。洪波大濤。視如坦途。我環國皆海。近自日本橋。至鄂羅斯阿蘭陀、同一水路、無有阻隔。彼欲來即來、而我拱手無備。亦已危矣。必也節國用、修兵備、瀕海要地、設臺置砲。數年而沿岸皆壘、儼然成一大長城矣。然後一旦有變、以逸待勞、庶可無患。而尤可慮者、我南北諸嶋、委而不顧。彼或據之、是異日之大患也。因著三國通覽、以論諸島之形勢。二書既上梓、海內未嘗知外寇之如此也、咸謂諸蕃之來、商舶耳、漁船耳、曷有他志。彼張皇無根之事、不過爲釣名計。幕議亦以爲然。命毀梓、且禁錮于仙臺。時寬政壬子五月十六日也。

(十一) 林子平傳 其二　齋藤馨

先是閑院宮贈諡未決。物議騷然。子平見樂翁公。公談及其事。子平笑曰。天朝之於幕府。是一家事。縱令有變。亦猶夫妻衽席之爭耳。不至失家也。若夷虜。則是在外之大盜。苟不爲慮。必至併家奪之。安可不憂哉。蓋其以邊防爲憂也如此。至是子平作六無歌。自號六無齋主人。實以寓逍遙自適之意焉。時輒爲子弟談兵。罵世之講兵。主一家曰甲曰越者曰。彼何適用。苟欲適用。不若讀古戰記錄。而察其勝敗之由。爲有得也。又見子弟之讀書者曰。讀書可也。然足迹遍天下者。然後讀書。亦足以爲用。卿輩足未嘗出里閈。何足爲用哉。歲嘗饑。爲藩老佐藤伊賀著富國策。以爲東海多鯨。苟能捕之。亦足以助國用。其他陳省費濟財之術。雖不行。識者知其可用焉。又著父兄訓。蓋謂前是童蒙有訓。然今之世。父兄亦不可無訓也。隨筆雜記有數卷。皆居常聞見所得。巨細盡載。亦多裨人者。同時高山正之蒲生秀實皆以奇士稱。然不與子平合。初子平在京師。謁中山亞相。亞相盛稱正之慷慨。論時事。涕隨言下狀。子平曰。彼有泣癖耳。今時昇平。奚以泣爲。即可憂者。唯邊防。而彼一泣外。計無所出。公亦以彼爲善。不知一旦外寇之變。將坐待神風于萬一耶。秀實亦嘗訪子平。行裝甚野。子平一見

罵曰。何物措大。鄙野乃爾。秀實亦忿曰。田舍翁之慢人。亦至此耶。不交他語而去。子平既廢閟。歲沒。其後十餘年。東陲果有鄂虜之變。秀實服其先見。上閣老書曰。祭子平之墓。而謝其靈可也。及幕議修邊防。蓋亦有取於其言。追賜赦。姪某始封其墓。事在天保壬寅。距其死凡五十年。子平名友直。子平其字也。

(十三) 高山彦九郎傳 其一　賴襄

高山正之。上野人也。字彦九郎。家世農。正之生而俊異。喜讀書。畧通大義。爲人白皙精悍。眼光射人。聲如鐘。有奇節。母死。廬於冢側三年。饘粥不給。骨立如枯木。事聞。官欲旌之。其鄕俗喜博奕健訟。素嫉正之所爲。誣告於吏。繫之獄。獄胥食之。弗食。已而得出。即辭家遊四方。求豪雋奇傑之士交之。江門人江上關龍。豐前人梁又七輩。最親善。天明季年。歲飢。所在盜起。上野亦不靖。正之奮袂起曰。不可使吾鄕有此不良事。欲往理之。辭於關龍。關龍欲援之。正之不欲。贐以衷甲。受之獨行。至板橋驛。時已夜矣。有二男子。在橋上相轡臥。兩尻高而頭凹。正之念不蹋不可行。患之。已而曰。是官道也。彼塞之無狀。蹋可。蹋凹處而過。其人蹶起。竝呼曰。誰蹋吾頭者。拔刀連鋒追擊。正之顧而睨曰。喝。其人辟易不敢迫。遂往。

未至其鄕過一旅店有喧呼飲酒者則闕龍與又七帥徒殊途先往會事平會飲也呼正之同醉俱還後官獲劇賊渠帥自語平昔未嘗遇雖當漢嘗在板橋要人行刧遇一眇小丈夫瞋目呵我憶之今猶股栗也闕龍善劒每謂正之曰子雖以氣服人不熟武藝遇眞英雄乃窮矣正之不服闕龍罵曰彥九無用男子能死斬我正之憤然欲拔刀闕龍以手壓刀欛笑曰止焉正之啞啞終弗能拔也於是折節學劒每夜自試至千返乃寢

(十三) 高山彥九郎傳 其二

賴　襄

正之又喜交文學士聞人說孝子義僕事雖遠輒往問

之轉述之於人殷殷淚隨聲墮談古今君臣順逆跡慷慨如已與同時闕其事少入平安至三條橋東問皇居何方人指示之卽坐地拜跪曰草莽臣正之行路聚觀怪笑不顧也遊京郊過足利高氏墓數其罪惡大罵鞭之三百故平時見人惡疾之如仇一權人專利中外愁怨而不敢言正之與同志語攬涕曰噫公上百不知也今接故紙爲幟樹山廟門外號召立可得千許人於誅豎子何有聞者掩耳其後弊事悉革每聞一號令出喜形於色正之遊道極廣公侯時招致之不辭嘗抵一侯與政路者兩童子穿澣濯衣袴褶饋食甚謹侯指曰是

小兒輩欲長者敎誨之正之聞之逡巡侯曰勿然雖余有闕失願聞之也正之拜曰然則有所敢言往年某處民兄弟復父讎者護送之同囚徒是等事關風敎願加意焉侯謝曰一時指揮不到後當謹之其爲世所重而直己不阿如此然正之在東不得意西游至筑後過一闕闕吏呵止正之歸館自刺館主人驚問故不答曰吾館子子自及死無他證又不知其故吏來撿尸何辭答之願勿殊以待正之曰諾刺及于腹與劇談至夜分吏來秉燭撿之又問故不答固問曰狂發而已乃拔刀突入尺餘卽死臨死館主問所欲言正之曰寄語海內豪

傑好在而已正之既死事傳三都莫知其所以死或曰受闕吏辱懣憤死也闕龍曰吾數罵人試之眞欲斬我者獨正之渠已果於殺人故亦果於自殺耳又七聞之曰否否彥九蓋有所感於夢寐中爾噫渠雖夢猶能死者也

外史氏曰予幼聞先人善語彥九郎先人亦嘗數相逢三都間記其鄕貫係新田郡細谷村人先世蓋屬南朝者其好義不無所自云嘗與客語及元弘帝逃伯耆事爭其地名訓讀正之曰吾嘗再赴伯耆訪土人識之客不復能爭其人確實類此先人嘗欲爲之傳不果近讀

或書正之事。疑爲不軌之民。冤矣。予故畧敍所聞。如此。

(十四) 讀文天祥正氣歌　　芳野世育

文以氣爲主。其不然乎。文天祥正氣歌。凜凜耿耿。語發忠誠。字含雨霜。洵足以扶綱常振民風矣。其衣帶贊曰。孔曰成仁。孟曰取義。天祥以此養之。極其剛大。其始卒莫不出於此者。偶發言於土窖耳。方夫宋之末造也。嫠婦弱息。徒抱空名。而延一線之喘于江南半壁之地。其不可爲也。昭昭乎明矣。天祥乃曰。父母有疾。雖甚不可爲。豈有不下藥之理。慷慨唱義。困踣萬狀。以庶幾萬一焉。及趙孤葬魚腹。悲憤浩歌。從容就義。雖天非其天。而

天祥之天則全。孟子曰。養而無害。則塞于天地之間。如天祥。可謂養而無害者矣。唯養之。是以正氣所發。煥乎成章。與三辰爭光。雖無意以文名。而終不得無名焉。後之作文者。非養氣之有素。求巧布置琱繪之末。欲以追蹤千古之作者。嗟亦難矣。

(十五) 兵要　　佐久間啓

漢土兵家之書。莫高於孫子。而其爲書。空言無事實者過半矣。未可以治兵也。何以言之。曰。善戰者。先爲不可勝。以待敵之可勝。其不可勝。何以致之。善守者。藏於九地之下。善攻者。動於九天之上。其藏於地下。動於天上。何以得之。善戰者。先立於不敗之地。而不失敵之敗。其立不敗之地。何以能之。如此之類。吾未覩其有事實也。而世徒眩其文。不求其實。萬古一致。稱爲兵法。而不疑。吾甚怪之。趙括讀父書傳。縱談兵事。以天下莫能當。而卒喪趙軍。其亦有以也耶。至閱漢書藝文志。孫吳子兵法有圖九卷。乃知其事實。蓋有在焉。而今亡矣。可勝惜哉。然兵之性。革也。明理察事。因時而革。亦猶天道之於曆也。故曆而不革。不足爲曆。兵而不革。不足爲兵。至歐羅巴諸國。發揮火礮。以爲元戎。務於攻伐呑幷。兵制大革。設令孫子圖傳於世。亦惟存古法耳。何補於今之事

實哉。故當今之時。求得兵之事實。莫若學洋兵。其科有五。一曰。將略。二曰。陣法。三曰。器學。四曰。守國。五曰。軍用。將略者。其言類加孫吳司馬所道。陣法者。有步、騎、礮之別。有步、騎、礮之合而戰術存焉。器學者。以操敎爲主。而器械之制。與其得失之辨。莫不備焉。守國者。築城壘。鑿溝池。善保其民之術也。軍用者。糧食硝彈。兵甲戰具之屬是也。凡此五者。莫不有事實。而操敎尤爲當務之急。令勇者不能獨進。怯者不能獨退。非操敎不能也。擊其首而尾至。擊其尾而首至。擊其中而首尾俱至。非操敎不能也。故曰。有制之兵。無能之將。不可以敗。無制之兵。

有能之將不可以勝。故良將之於操敎也盡心焉耳矣。蓋不以操敎而易言之以能濟其事者。自古及今未之有也。趙括之敗可以鑒矣。

(十六) 陪騎觀放礮記 其一

齋藤正謙

夫行遠。莫若馬。威遠。莫若礮。我公盖有見於此最以此二者爲急。屢率群下馳騁於郊外以慣衝突。屢演放大礮於山麓海濱以試格度。今玆丁未。十月之初。新鑄忽礮數門成。越二十三日。天氣朗淸。往試之於城西長谷山。兼欲習騎。預戒老臣以下七十餘人皆騎從。謙亦與焉。早晨。先遣鹵簿儀物。偃月長刀・大小棨戟。往至山下。

騎皆駐於內城門前。單列而立。竢駕出。既而喝道之聲。徹耳而至。衆拜伏。號柝一下。乃起騰鞍。各被髹笠。執金銀鞭。短衣急裝。親贏糧。雖公亦然。已出城門。自八町松原。取路於參駟坡。向分部村。促轡馳驟。騂、白、驪、黃。頭尾相銜。瞥然轉換。逐次而驅。日方加巳。鞭絲笠影。五色炫爛。使觀者不能正視焉。山距城門僅一里半・瞬息而至。皆下馬。步至礮場。場在山麓。設布帿於山腹。仰而射之。彈皆重五十餘斤。或墜入地七八尺・彈有名曰業列拿杜者。噴發四迸。雨於山上。又有葡萄彈。一發數十丸。皆重一斤。散墜水田。如驟雨。至聲震動山谷。自近至遠。轟

然良久而歇。技既盡奏。徒士二人趨至幄前。吹螺奏凱而退。衆乃喫糧少憩焉。

(十七) 陪騎觀放礮記 其二

齋藤正謙

復同上馬。迂路由鹿毛村。出淸水村。謙之乘頗駿。一喝鼓鐙。卽便奮然奔放。進踰五六騎。前行者顧叱曰。何躐等之甚。謙曰。非敢進也。馬不後也。乃勒轡就列。入納所村。繞出來路。上八町堤。復揮鞭而馳。公乘鐵驪。號曰千里。最駿。奔軼絕塵。衆騎瞠若。不能隨。比至城門前。能屬者不過十餘騎。而謙在焉。已罷。客來謂謙曰。此行始出以律。可謂堂堂矣。及還奪路貪進。無復隊伍。正犯兵法

之忌。兵法不言乎。百里趨利者。蹶上將軍。五十里趨利者。軍半至。行軍如此。得無馬邑之敗歟。謙應之曰。唯唯。否否。子知其一而不知其二。兵法有正有奇。不一而足。故料敵而進。有不待全軍以獲大勝者。判官之屋嶋。右府之桶峽。皆是物也。獨信玄濱松之捷。整軍而進。失敵入城。爲右府所笑。今日之行。一正一奇。是豈非兵法之妙耶。然如謙。不堪忸怩也。昔吾家別當涅髮赴軍曰。老者與年少輩爭先。人其謂之何。今謙亦老書生。殆犯別當之戒。恐不免衆人揶揄也。雖然是亦出於我公之鼓舞。不能自已耳。嗚呼。老怯如謙者。猶能如是。况壯且强

者乎。宜哉。閭藩文武之業。蔚然大興也。且今日行遠之法。與威遠之術。并講之。一擧而兩得焉。可不謂盛乎。客壓服而退。乃書其言以爲記。

(十八) 威海衞之役 其一

我征淸第二軍。登遼東而屠金州城。陷旅順口。雖扼渤海咽喉。尚有威海衞未歸我有。直隷灣狀。宛如左翼已折。右翼猶健。且北洋艦隊。盤桓其港內。欲有見機復起。我非奪其港殲其艦。則未能水陸併進而衝北京也。於是講自海路入山東而攻威海衞背後。與海軍相應陷之之策。乃合第二師團與第六師團。以編成一軍團。使

之屬第二軍。大將大山巖爲其司令官。中將佐久間左馬太將第二師團。中將黑木爲楨將第六師團。少將山口素臣、貞愛親王、大寺安純等。各率其部兵屬之。少將井上光、中佐伊知地幸介等。爲之參謀。其軍三萬餘。分載諸五十餘船。以二十八年一月十日發。越十七日。集于大連灣。水師護之而航。二十日。抵山東榮城灣。登岸直進。入榮城縣。敵不敢抗。到處風靡。不異行無人地。我分軍爲二。左縱隊則取路南方。右縱隊則進自北方。左右聯絡。攻威海衞。敵據摩天嶺砲臺而邀擊我。敵艦定遠鎭遠等。亦近岸發巨熕。以應援陸兵。水陸連射。彈丸

雨下。其勢頗猛烈矣。我右縱隊張其左翼。以使當之。摩天之山。雖不甚高。秀出群山。聳然可仰。敵設砲臺于其頂其腹而守之。胸壁相連。屈折繞嶺。其險要可據也。敵又與艦隊相應射擊我。揚峯嶺砲臺亦頻放熕礮。轟轟殷殷。山岳震動。我兵不屈。奮進薄壘。竟陷摩天砲臺。大寺少將躍上砲臺。督其部兵。會敵彈來爆發其側。中碎片而斃矣。

(十九) 威海衞之役 其二

是時。敵聚其銳于揚峯嶺而砲擊我。勢甚猛烈。欲碎天地。我亦登摩天嶺。列砲門而戰。奇哉。我彈命中其火藥

庫。轟然爆發。敵兵爲之動搖。我乘機猛進。突入砲臺。敵不能支。爭先逃走。我追擊之。殺傷無算。敵艦覗其急。縱水兵登岸。欲以復砲臺。其兵勇悍善戰。我兵狙擊。殆殲其半。今也摩天揚峯皆既陷。敵兵所恃。唯有百尺崖所砲臺耳焉。先是。我左縱隊張其兩翼進。自溫泉湯已至虎山所在堡壘。比比皆陷。進及摩天嶺下。欲與右縱隊相應攻之。是時摩天嶺既陷。敵皆向威海衞附近而逃。於是大山大將下令。使擧軍攻威海衞附近堡壘。敵既失摩天揚峯之要。軍氣沮喪。纔戰忽逃。百尺崖所亦以一擊陷之。敵皆沿海而北。我追擊之。飛丸如瀉。敵雖欲

避。無一掩翳。應銃聲殪者。不知其數。清水師提督。視陸兵敗走。悲憤激昂。屢縱水兵。雖使赴援。不及。陸兵之敗。如決大河。非可能禦也。我尾擊之。入威海衛。敵兵狼狽。不知所爲。清將戴宗騫。視威海失守。部下望風潰走。憤慨不堪。遂仰藥而死矣。敵既棄營潰走。威海附近。不復見敵影。於是司令官打電報捷。二月十八日報至。特賜勅語賞之曰。威海衛與旅順口相須。以爲清國關門。汝等曩拔旅順。毀其半扉。今又陷威海衛。全破壞敵關畢矣。朕深嘉尚之。

(三十) 狩虎記

鹽谷世弘

征韓之役。豊公下命薩侯曰。欲得虎肉以資藥。須獵以貢之。書以文祿四年正月至軍。時積雪埋山。不可得而獵焉。三月八日。薩侯與世子。乘船於唐嶋。至昌原。明日。勒隊圍山。終日無所見。其翌。披荊棘躡險阻。深入數里。列卒數千。分曹吶喊。峰壑爲震。俄而雨降。煙霧濛密。有虎走出。將衝圍。安田次郎兵衛者。嶋津守右衛門尉彰久之臣也。舞刀逐之。虎還顧迎噉。安田刺其口殪之。須臾二虎跳躍飛走。直逼麾下。世子恐其迫父也。將身當之。舍人上野權右衛門。揮刃邀擊。虎蜚騰咥之。牙投可五步。負嵎大嗥。帖佐六七急鶩斫頭。刀三下。虎怒噬其

股。側有老松。枝條下垂。蹈永助十郎捽尾。纏枝。極力逆曳。永野助七郎進擊斃之。其一遂遁。六七亦病瘡死。於是薩侯狀其事。獻獲于肥前行臺。豊公大悅。下手書褒賞。世傳之以爲虎狩云。夫暴虎馮河。夫子以警子路。袒裼暴虎。詩人以危。共叔皆戒其誇力冒危也。若薩士奉君命以狩。與敵愾赴戰。無以異焉。其猛毅趫捷。足立懦振怠者。千古豈有偉于此者哉。舊有薩人所作虎狩文。余更歌之以詩曰。

豊公眼孔宇宙高。旌旗十萬蹴壯濤。欲吞朝鮮噬明國。汝王我犬虎是猫。就中薩軍尤精悍。投石超距氣麃麃。時惟三月雪方釋。圍山三匝隊幾曹。鼓鼙動天天欲坼。老虎驚駭循谷逃。逐之者誰安田氏。一閃忽見鮮血澆。須臾雙虎踴躍出。鳴牙來迫中軍旄。以身蔽君其名權。泰山一擲輕鴻毛。三士繼之相掎角。一攫虎尾一相邀。無是常山長蛇勢。一正一奇符兵韜。驍武兼見忠與智。何比馮婦鄉曲豪。吾讀虎狩文。拔劍起呼號。當時奇勇人人是。四夷八蠻視如猱。萬里横行無抗敵。天地那邊留氛妖。嗚呼太陽攸初照。生氣何時不熇熇。勿謂世降兵鋒鈍。千秋不磨日本刀。

(三一) 猫狗說

賴襄

猫捕鼠于內。狗警盜于外。各有職以事主者也。然諺曰。畜猫三歲。三日忘惠。畜狗三日。三歲不失。而人常愛猫而疎狗何哉。以其形體。則狗之粗。不若猫之膩也。以其聲音。則狗之厲。不若猫之嬌也。以其性情。則狗之剛。決不若猫之善柔便辟也。是以猫之於主人。不離其左右。出入其閨閫。食有魚。寢有褥。而狗則寢於土而食於餕。終歲不得望見主人之面。認盜而吠無賞。縱鼠而不捕無罰。可悲也夫。

(三) 進學三喩 其一

柴野邦彦

甲午春。予省親南國。以未知攝播勝概。欲因以窮之。

乃陸路直赴室津。中路偶有感。得進學之方。書以自警。且以喩二三友人。

三月二十二日。詰旦輕裝。取路東寺南。暮春天氣。風日和煦。加以西山吉峰大士像啓龕。都人士女。相將行香。與者。騎者。步者。負者。抱者。絡繹載路。吾以獨行。心孤。設與路人問語相勞。乞火吹煙。分果醫渴。行相詼謔。以自慰。但予以前途遼遠。心遑。脚忙。不能與近郊遊人差馳逍遙。與一人言未了。又及前者語。如此數人之後。顧初與言者。既在數里之後。不復可辨眉目也。半日後。則山轉林蔽。杳不見影響也。吾思與儔數人。擧足進步。校之

一步之間。其所爭雖多不能以寸。惟積數分之多。漸進而先也。初其數十百步之相前後。亦便旋佇立之頃。猶可一蹶而及焉。半日後。非復一蹶之可庶幾矣。如此而至十日之後。則雖有輕車駿馬。將無所可企望也。我羸弱難於步。而彼非皆老幼婦女也。然而吾所以能漸先彼而進者。何也。此無他。彼之所期。在十數里之內矣。故其心怠也。吾之所期。在數百里之外矣。故其心勤也。我於是曉學之方焉。請諸君期於數百里之外。而無忽一步之功也可。

(三) 進學三喩 其二

柴野邦彦

勝尾山。出大士殿門。而有二道。其左者。達箕尾瀑。右者。山路也。時方營佛殿。取材山後。右者因以廣坦。其左者低入谷中。蕪穢不似正路。余惑欲待人來而問。俄而大坂二賈人至。一僮子挑擔而先。輕輕就右路。粗不置疑。余號而問之。云。欲適箕尾。行歌不顧而去。余謂是習於此者。乃從之行。二里許。遇山脊路又岐。左從其稍夷者。既轉山腰。則欹側茅塞。不可遂進也。乃反取山脊右路。入林。路益分益細。縱橫如線。無適可從。顧問賈人。云皆始來于此者。吾於是知爲所誤。俯聽谷底。如聞水泉潺潺。余嘗聞人言。山行失道。當沿水而下也。乃不復謀賈

人。直尋水聲而下。下盡峽間成淵。淵涸無水。沙土之上。如微有人行跡。石岈岈如劒戟。榛莽又蒙其上。不可容步也。諸人皆欲反。余叱曰。迷既遠矣。反之更勞。使奴甘草擠荊棘而先。余勇奮從之。枝之針刺見擠者挺而來。勢如風雨。急避之。石稜嚙蹠者毒於砭。上護頭目下虞脾脚。仆而起者八九。體膚被鉤刺皆見血。顧視賈人色如土。亦相踵而進。顚頓狼狽。數十折。始得小澗橫前。遂循澗數里。僅得復正路。至箕尾。此日欲盡西攝勝投兵庫驛宿。以失道之故。不達十餘里。至西宮驛。則既昏黑矣。余因思初寺前不有新路曠坦。則余與賈人固不迷矣。又賈人童子。若能知疑而問。則余亦必審而後由焉。又不迷矣。惟新路既可悅。又以童子妄自信。遂誤人至此。使余有前路十餘里未達之歎也。嗚呼人壽幾何。轉眴成翁。學誤失正路。雖則能不遠而復。亦一日迷。則後來造詣。必有一日之未達矣。一年迷。則其造詣亦必有一年之不達矣。臨死必有不勝其悔者也。諸君請務從古人所由。無為輕俊快意之言所誤。枉費精神功力。臨死而有悔也可。

(二四) 習說　尾藤孝肇

攀絕壁蹈懸崖而眩焉。乃人之情。而山中之民不眩也。

涉狂濤歷驚瀾而懾焉。乃人之情。而海上之民不懾也。夫絕壁懸崖衝天。且欲顚。狂濤驚瀾捲地。且忽倒。彼奚為而不眩懾也。習使之然也。故習而熟之。山海之險猶可夷視。況事之近于人情者乎。然世之為學者。孜孜矻矻。非不勤焉。而言行才藝百職之務。終不能充其志者。何也。是豈非以習之不熟耶。嗚呼山中之民善其事。而吾不能也。海上之民善其事。而吾不能也。即其孜孜矻矻。惡在其為習也。是以君子其考也洽。其思也精。循循不已。繹繹其達。無不明焉。無不察焉。而言行才藝百職之務。凡其所習。無之而不自得焉。乃可以攀絕壁。可以蹈懸崖。可以涉狂濤。可以歷驚瀾。天下之事。何不可為之有。此君子之所以為習也歟。抑亦君子之所以不器也哉。

(二五) 遊大瀧記　齋藤馨

仙臺府城之西八九里。峯巒相接。溪水盤迴。皆可以遊覽。而秋保大瀧為最勝。大瀧發於羽山之麓。而為名取川之源。凡此間境僻而勢阻。幽潛隱逸之士所樂也。相傳往時平氏將士。西海沈沒之餘。或晦迹於此。子孫相繼。不與世接。閱數百年。始入我藩版圖。世以比之於漢土武陵桃源焉。余以天保某歲往遊。某日出府。至湯本宿。翌沿名取川而行。坂路崎嶇。乍上乍下。經二驛。曰長袋。曰馬場。山愈、深。地愈、僻。得不動祠。祠北迤邐而降。忽聞洶洶有聲。如海濤驟作。驚而顧之。四山環翠。萬木參天。陰寒晦冥。如入奇鬼毒龍之窟。其西石壁竦立。瀑布懸焉。直下二十餘丈。廣三之一。如簾垂。如玉碎。如銀河落天。其初尚小。中間觸石。一激而大。再激而倍、大。再激之後。散爲雲霧。紛紜混蒙。碧潭在其下。窈然無底。激賞之際。淸風乍至。飛沫濺人。衣襟爲之淋漓。毛竦髮竪。如穿蒼海之底。而登雪山之頂。余又欲排林樾。踰巉巖。近就瀑下。彷徨縱覽。以悉其勝。而天方暮。溪路陰惡。無由

措步。悵然而歸。

(三六) 日光山行記　　佐藤坦

十八日雨間止。欲觀中禪湖。約伴若干人。既定。不敢爲雨廢。沿大谷川。可半里。抵大日堂。土人嘖嘖。稱其園池。及過觀。則盆景不足賞。余笑曰。巖棲人狎視名山。不知其爲美。反以人工小園爲佳耶。怱怱去。行半里。得淸瀧祠。祠背巖懸小泉。又一里。面前崔嵬。曰馬回。山險如名。過棧道者五。度翏彴者三。山愈、深。景愈、奇。見兩巖對峙屹然者。過則得一碫。曰劒峰。架棧下臨不測。棧北有二瀑。各、出巖頂。斜相對。在右而遠者。曰方等。瀑在左而近者。曰般若。瀑。山皆霜葉。如行彩雲中。而男體戴雪。歸然高。更一層。如寶白根。又峙其側。雨方霽。殘雲來往於紅樹間。殆如與我相後先者。過橋右。躋石路。迤聞隱隱有響。知是華嚴瀑不遠。左入側徑。愈、近愈、轟。既至薜崖峭絕處。乃見一巨瀑。直下五十餘丈。勢躍玉龍。響奔鐵騎。使人目眩氣奪。俯瞰之。窈然雲深。底竟不可得見。遂攀援樹根。至瀑口。則流不甚急。掬飲極淸。別自一幽境也。復前路。左折數十百步。濶然得大湖。湖壖有梵刹。即中禪寺。一境之勝萃焉。湖大。南北餘三里。東西半之。男體聳在寺背。如寶白根諸山。高低環擁。倒影鏡中。有嶼嵵

然。曰上野嶋。寺背有華表。即男體麓。不許人常登。側有勝道上人碑。釋空海文。繚石欄。不得近。一境靜寂。人籟都絕。間聞山鳥與梵磬。使人悅然。如造異境。徙倚耽戀。不能回踵。及晡時乃去。比抵劒峯。則雲絲縷縷出谷。須臾膚合。鞋下皆白。嚮者紅葉化爲煙海。雨驟至。疾走下山。稍霽。聞阿含瀑不遠。欲過觀之。既黃昏。衆皆有難色。余作氣先之。抵荒澤則日沒。爇炬認瀑聲爲導。竭蹷行。此瀑以觀背得名。絕壁架棧。直瀑背。乃躡亂石下窄蹊。上則巖溜滴下。則雨水注。惴惴乎惟懼足踏而炬滅。遂造棧掀炬觀之。但見一片大玉簾而已。既而簾中欻現

一大丈夫勢欲攫人衆皆怖徐而察之炬火在背後丈夫即我耳可謂奇絶矣蓋至奇絶處即至危険處也夜半歸寓憊甚

二十日晴稍喧行三笠赤倉外山之麓里餘得一阜登之東南山缺潤然平土遥見田疇如海筑波加波足尾鼎峙如三島佳景也北下阜入壑左見瀑泉曰霧降踞石仰望壁成五層高可九仞餘頂窄趾豊瀑懸之層層相激飛沫如霧所以得名也乃就瀑下襟裾皆濕從者燒枯楉燎衣且瓶汲瀹茶頗適歸路歴漆園過律院是夕教城敬公見贈斧折木三株苔桃一筐苔桃惟男體

山有之苔之結實者大如豆色紅味微酸善解醒

(二七) 南遊雜記 其一　　安積信

九十九里古里程也有新開古所諸村總謂曰九十九里大約準今十五里壺碑所記及七里濱亦皆類之按輿地圖此海東絶無邦國所謂太瀛海者出東金數里已聞澎湃鞺鞳之聲至則雲濤茫無涯涘神魂飛動欲往觀而衆謂日將墮須待明朝予不能自禁獨馳去平砂迢曠鳧雁翔集魚莊蜑舍隱見青松白葦之間波濤洶湧來如奔馬去如遊龍立如翠壁崩如雪山響激萬雷意恢胸豁不知身在何境眞天下之偉觀也洋中無島嶼無礁石惟水與天空灝相涵忽見布帆向東過當是數千斛舟而小如蘆葉遠霞晃漾輕煙浮動疑有蜃樓仙山出沒其間心目爲之搖奪信足而步不覺失來路將還有川横前不得津逮暮色蒼然予素豪於是不能無悸見蜑子拾蛤就詢之便前導從下流渉雖不深而距海咫尺雪浪噴薄益悸僅達彼岸雨霏霏下及歸逆旅已黄昏矣

(二八) 南遊雜記 其二　　安積信

鋸山爲房総第一勝地山勢自海岸起走于東南其尾與清澄小湊諸山相接以劃斷房總房陽而總陰遠望

之群峰刻峭齟齬如鋸片故名焉從保太登數里老松生於危崖磐石之上根悉露筋脈怒張如萬小蛇攢綴嫖動前隔大壑群峰矗矗刺天向之所謂鋸牙者甚高壯其中三峯絶壁千仭純骨無肉略似金洞山案下岩礅錯出堂閣隱見樹梢神觀灕爽骨戛青玉有入武陵洞想再登數里則仁王門焉門内古鐘傳言自海中出閲欵識元亨元年下野佐野應龍寺所鑄復登則日本寺焉係神龜元年行基菩薩刱建寺後梅花盛開過寺躡磴則通天窟焉欄楯皆石製造極精置行基菩薩像又登數十歩青松列植崖下即梅林俯視花頂極有佳

致。又東迤百餘武。三峯屹然。已在頭上。怪巖突出相屬如行。簷底。一巖尤怪詭。疑怒猊張吻磨牙。人傍其吻而行。夔夔恐噬。巖下列置石佛。凡千二百餘軀。小者咫許。大者亦不踰四五尺。碍眼戟趾。名山爲之減價。所謂規方竹杖。而髹之者歟。路亦鑿石通之。忽下臭如入井。其口方正如函。俯入數步。豁然天朗。石欄橋長丈許。微泉自絶壁瀉滙而爲潭。老松倒生壁上。蔭之作獮猴捉月狀。又旋曲而登。窟中安釋迦及十六羅漢石像。甚精緻。窟外穿洞門者三。草閣立懸崖上。負峯面海。白波青嶂。俱廊廡間物。曰呑海樓。陸務觀入蜀記載金山絶頂有呑海亭。取毛呑巨海之意。登望尤勝。此樓蓋倣之。而勝亦應不讓焉。尼媼瀹茶烹野蔌以供。從閣東復登八九里。兎徑一線。榛莽離離。沒人甚險。絶頂稍夷。可坐數人。而下臨無底之谷。俯視則兩脚俱痠戰矣。是日天氣清霽。遠眺絶奇。自品川金川。以連于三浦三崎。煙波汪洋。如環玦線肪。浦賀最近。林樾廬舍。依約可辨。箱根足柄天城諸山。佛螺姝眉。稠疊攢蹙。而岳蓮巍然。氣壓萬山。如神聖之拔萃。豆房諸島。磊落橫陳。小者若髻。大者若帽。遠者若魚鬪波。近者若黿負山。鬱若翠。赤若斸。殊態奇狀。競秀獻巧。衣袂以之淋漓。襟懷爲之清壯。寺僧稱爲十州一覽峯。誠天下之偉觀也。

(三九) 大阪殷賑 其一

天下說城郭者。必先屈指於大阪。大阪之城。不唯堅牢。結構之偉。規模之大。幾如出於天巧。自非千古豪傑。不能經營也。抑築之者誰耶。豐公也。嗚呼豐公度量之大。可徵之於大阪城也。且夫大阪之地。屬關西咽喉。可臨中國而操縱天下群雄也。蓋是所以豐公卜地于此也。凡欲創偉業者。無不必先擇其所據。據不得其地。雖豪傑其人。竟不能爲也。以毛利元就之知勇。伊達政宗之豪邁。而竟不能伸其驥足者何耶。蓋其所據。不得其地。也。可謂如豐公則得者也矣。大坂之地。既屬關西咽喉。四方貨物自來集焉。天下商賈隨亦輻輳焉。於是乎有商業起。況舟路之便。運輸之利。天下無出其右。地澱川之水。溶溶汪汪。可從流而下。可泝流而行。是水宜以利也。凡都會之地。雖得形勝。水利不通。不能致其繁盛也。是以大坂城成也。使東西穿溝。縱橫架橋。無行所不通。舟路得運搬之便。既如此。是所以其商業逐年益盛也。澱水入海處。謂之川口。船舶蝟集。帆檣林立。以船塡水。輻輻輳輳。水不見其面。亦可以觀其盛況也。且溝渠之多。際一朝有事。奪舟撤橋。亦可以爲要也。皆是出於豐公卓見。至市街區劃整然得序。亦不見他有其比也。唯其所欠。孱水耳焉。從來汲澱水。鬻諸戶戶。其不便可想也。輓近投巨費。以謀疏通。引澱上流。鐵管分之。闔都無復告乏於飲料之憂。

（三十）大坂殷賑　其二

此地有良港門。而不能以容大舶。可惜也。浪華之灣。雖非不廣。澱水噴砂埋嘴。海底甚淺。大舶膠砂。隨渫隨塡。無所底止。故非遷其地位。更築良港。則都門前途未可期其隆盛也。於是有開新港築阜頭之擧焉。至早晚竣其工。可必致一層繁盛也。可謂浪華之都至此而完矣。

然而浪華之人。概業互市。故如擲萬緡。鬪俠氣。其所不敢辭也。於菅廟祭而觀焉。菅廟在于北區大工坊。祠宇壯麗。金碧灼爍。使人自崇敬。況菅公之德赫赫不朽乎。每年期六月廿五日。例行大祭。是日艤華舫。載神輿。而渡水上。隨行之舟。舳艫相銜。彩幕換篷。毬燈繞舷。或奏戲曲。或唱邪許。舞踏者觀呼者。皆於舟中焉。衆皆華裝。心氣亦熱。三伏之日。不知暑侵。殷賑沸然。河伯亦驚。際夜川中處處揚篝。團火焰焰焦天。映水眞以爲奇觀矣。神輿所過。送者迎者。皆必溢舟。闔都水路。以舟塡了。不知凡幾萬隻。船舶之多。既如此。亦可以窺其繁華一斑也。且此地自古。以演劇鳴焉。名優往往輩出。競演出妙技。其設劇場處曰道頓溝。其數有五。互鬪新劇。蓋梨園之技。以大坂爲其鼻祖云。亦是浪華繁盛之一也。因以記之。

（三一）從大坂至須磨明石記　其一

齋藤正謙

癸巳晚秋。余乞暇遊大坂。訪諸友。皆遠遊未歸。乃圖往謁楠公墓。旁探諸勝。鄉人早崎子信適遊學在此。乃與俱。二十日蓐食西出。渡神崎川。武庫郁李摩耶諸山駢列雲表。嫣然相迎。三里至尼崎。又二里至西宮。有蛭子祠。廟屋宏麗。稍進路岐爲二。右曰本路。左曰濱路。濱路

稍近。乃就近者。過東明村。有處女冢。處女事見萬葉集大倭物語。綺艶之談耳。但延元中。新田氏士小山田高家。救其主之急。戰死於此。是所慨慕焉。憑弔而去。微雨至。被襏襫行。過敏馬祠。自西宮濱海五里。至兵庫。曰灘浦。夾道皆釀家。航輸四方。號灘酒。酒香拂拂。過者不飮而醉矣。至湊川。楠公墓在焉。碑面八字。大書深刻。天下人所徧識。余齡未齔。既已誦之。欽其忠烈。今始得拜其墓。頓顙抵地。頭面盡受汚泥。不顧也。過川則爲兵庫。瓦屋櫛比。日已晡。乃就宿焉。二十一日雨晴。欲往觀須磨明石。早發過長田神祠。此間古墳累累相望。皆爲平氏

將士。死壽永之役者。至須磨。戸戸垂簾。云是行宮遺風。未知然否。入觀祥福寺。號曰須磨寺。堂宇古朴・守僧勸觀平氏遺物。余疑其僞贋。不肯而去。堂下西轉有古墳。榜曰平敦盛首冢。據平家物語。則知其爲僞妄也。數百步至一谷。兩岸峻絕七八丈。西崖上頗廣平。爲行宮之墟。其西爲二谷。又其西爲三谷。路傍有一石塔。相傳亦爲敦盛墓。鐵枴鉢伏二峯。傾翠臨谷。源判官當日之威。猶有存者。余與子信相顧慨然。

（三二）從大坂至須磨明石記 其二　　齋藤正謙

稍進則攝播分界。有川曰界川。至垂水謁日向神祠。倩村婆導往觀千壺。壺環埋高阜之腹。其口纔露。古色蒼然。上古葬貴人。明器多陶。則此阜之爲陵墓明矣。但或以爲葬仲哀帝處。非也。按延喜諸陵式。仲哀陵在河內惠我長野。不當在此。或謂書記所云。仲哀之子忍熊王所僞造者。意然。至舞子濱。松林連翠。下則白沙。望淡島於波間。相距可一里。隱隱認民舍。酒店一憩。憑欄酌飲。酣暢乃去。至明石。謁人丸祠。地勢高敞。俯瞰海面。島嶼盡露。布帆往來其間。甚有佳致。余髫齔以來。誦人丸歌。知其爲絕唱。今來此間。益知其語之妙也。觀止矣。且聞屬者。播中土寇大起。行旅畏途。余亦不敢進。復路而還。

至兵庫。此日。往反十里。日未昃。乃使奴稅擔。昨宿處。往觀平相國石塔。塔旁爲萱御所之墟。左轉十餘町。展和田神祠。渡前橋。則爲御崎。延元之役・本間孫四郎射水禽處。崎觜斗入海八九町。青松被之。北顧經島。人煙稠密。舟船如織。並相國所築。土人利之。到今戴相國。不敢斥其名。相國之暴。而得之於民可異也。余嘗謂秦始之長城。隋煬之漕渠。雖病當時。而永利於後世。不得以人而廢功。今於平相國之築島亦云。

（三三）耶馬溪圖卷記　　賴襄

余嘗讀昔人畫。疑其山貌太奇峭。恐非天壤間所有。畫人一時興到。鼓舞其筆墨耳。及覩豐耶馬溪。乃知造物奇怪。畫手亦有寫不到者也。歲戊寅。遊鎭西。過海。南望彥山於雲際。已覺其有異矣。既經二肥薩隅。還寓豐後隈邑。臘月五日。入豐前。過一水北來。蓋發源彥山者。沿焉而東數十里。昏黑覺左右峯巒皆非凡。山溪相迫處。鑿山腹爲道。又穿牖取明。余買炬以入。過牖窺見月在溪水。朗然。宿民家。翌大霧。待霽乃發。復沿溪東。愈東愈奇。群峯夾水。攢竦如春筍矗出。有土戴石者。石挾土者。全石者。全石破裂成洞穴者。兩石相鬪。其一欲仆者。石數層累。成夏雲狀者。而樹自石罅。橫生縱生倒生而上指叢生蔽石。如與石爭勢而欲勝之。石又自樹中奮躍而出。而石蔭皆苔紫綠相間。或沒石半面。或沒全身。又如援樹攻石者。大抵峯勢石皴。如董巨刻意圖。時窮冬。多老木葉脫。槎牙瘦古。皆倪黃筆法。而苔枯蹙蒼渴者。王叔明也。古人筆墨。不吾欺也。至柿坂憩孤店。店面石壁數丈。飛泉懸焉。仰則更有高峰。不知其幾十丈。余急釋所佩酒瓢。命爆之。竈突蕭然。會一獵夫新獲豪猪。割而煮之。肪脆如水。連引數太白。又行。溪又數曲。隨峯勢上下。或激雷噴雪。或停膏凝碧。峯影爲之或碎或全。似水姤山而亂其影也。至屈知林。溪稍開。有小村。過一橋。

自此行。溪北闢者益開。數十里詣古城正行寺。寺主含公。余故人。竢余既久。余先詑曰。君州山水太奇。含公曰。更有奇者。使子目之。居二日。與含公南行。行田塍間。至仙人巖。巖石突立山頂。含公指示余。余不甚賞其明。又徑田塍至羅漢寺。寺据山鑿山作洞壑橋梁狀。安五百像。余復不甚賞。宿寺前逆旅。挑燈而談。余曰。山不得水不生動。石不得樹不蒼潤。所以余賞馬溪而不賞仙巖。至於羅漢。則人工耳。然皆馬溪之支裔矣。且馬溪。溪山相迫。無田塍礙目。而其路坦夷。眞可遊也。然爲二豐通道。過者慣看。況公等生長此土。宜不覺其奇也。余則再

遊不可期。將復溯之。諦觀之。含公奮袂與偕。早發過一水北出馬溪口。峯容樹色。忽覺迥別。自淺入深。自平入奇。泝前數曲者。一曲奇於一曲。比諸前遊更可喜也。復至絕壁下孤店。店主識余面。驚曰。是前喫猪客也。有何幹再來此耶。余曰。欲看山耳。曰。山有何好看。吾不禁子看也。遂席溪畔。與含公傾瓢。一醉宿山寺。明雨。借轎西還。山峰得雨。皆變幻作態。或前以爲一山者。分爲數峰。如群仙駢肩。露其半身。萬松振鬣。鼓濤於雲中。又如廿五菩薩奏樂而至也。還至屈智林。含公慮吾酒盡。預戒家僮。馱樽於馬來。取醉宿阿保村。翌歸寺。又三日辭去。

踰海東歸。自海雲中顧望鎭西山岳。其屬豐前者。皆有別態。彥山其尤大者耶。馬山脈水理。蓋皆自彥山發。故獨絕耳。余足跡幾半海內。弱冠東遊。得妙義山。以爲無雙。今馬溪百里。如妙義者。不知幾十峰。謂之海內第一。或不誣也。己卯之臘。胠槖得爾時寫山粉本數紙。戲以意接屬之。爲橫長一卷。又記其由。併錄所得詩九首。余詩文笨拙。不足狀其髣髴。況畫乎。後有能者如董巨倪黃之流者。踏其境而補成之。庶幾不負此山水。然目此山水。爲海內第一者。乃自賴子成始。圖爲含公取去。備後故友橋元吉亦好山水。請爲寫一本。諾而未果。今茲

巳丑。護母至尾路。留旬日。乃踐前約。而舊圖不在。尋諸胸臆。冥搜默運。覺山精水神或來助我。遂能成此。屈指已十二年矣。憶當時歸帆外。豊山依依如相送者。今猶在目中也。

（三四）題赤壁圖後　安積信

天下何地無月。何處無風。而赤壁獨以風月聞者。非以有蘇子文章耶。夫文章非有金石之堅也。非有山嶽之重也。發諸心。形諸言。著諸篇翰爾矣。而金石可泐。山嶽可崩。惟文章赫赫然。映照于宇宙之間。月爲之加明。風爲之加清。江山爲之加高壯。所謂不朽之盛事者。非耶。

彼周郎竭智力。以精兵三萬。破曹瞞數十萬之衆。可謂千古奇功矣。而蘇子乃提三寸不律。詠風月於盃酒談笑之間。使百世之下。讀其文想見其人。吟諷贊嘆不已。而善畫者又摸寫之。以傳。則蘇子三寸不律之功。反出于周郎精兵三萬之上矣。文章之盛如此。況聖賢君子道德之懿。映照于宇宙者哉。

中等教科漢文讀本卷之四終

明治三十二年二月二十日印刷
明治三十二年二月二十三日發行

定價［illegible］錢

編者　東京市本郷區追分町十四番地　福山義春
編者　東京市神田區裏猿樂町十八番地　服部誠一
發行兼印刷者　東京市日本橋區本石町十軒居六番地　阪上半七
活版印刷所　東京市神田區錦町二丁目四番地　行文堂印行

文學士 福山義春
服部誠一 共編

中等教科
漢文讀本
卷五

東京 育英舍

中等教科漢文讀本卷之五目次

(一) 請修史書 塩谷世弘
(二) 上樂翁公書 頼襄
(三) 與青山總裁書 藤田彪
(四) 贈桑名大夫吉村君序 野田逸
(五) 送安井仲平東游序 塩谷世弘
(六) 詩仙堂志序 柴野邦彦
(七) 東湖遺稿序 林長孺
(八) 洲崎八景卷序 安積信
(九) 元寇紀略序 大橋順
(十) 得月樓記 篠崎弼
(十一) 遊千綿溪記 松林漸
(十二) 杉田村觀梅記 佐藤坦
(十三) 五鬣館記 野田逸
(十四) 月瀨記 齋藤正謙
(十五) 霧嶋山記 安積信
(十六) 呑山樓記 古賀樸
(十七) 春雨樓記 藤森大雅
(十八) 御馬說 安井衡
(十九) 紙鳶說 野田逸

(二十)虛心平氣說　尾藤孝肇
(二一)書群芳譜後　川田剛
(二二)名辨　安井衡
(二三)題村上義光碑陰　鹽谷世弘
(二四)題楠中將畫像　齋藤正謙
(二五)題擲冤服圖　川田剛
(二六)畑六郎左衛門碣　安積信
(二七)井上竹笣翁墓碣　森田益
(二八)菅公神廟碑　藤森大雅

中等教科漢文讀本卷之五目次終

中等教科漢文讀本卷之五

文學士 福山義春
服部誠一 共編

(一)請修史書 上水野越前守

鹽谷世弘

臣嘗謂。國家人材之多。雖海外大洲。無少讓焉。而獨有一大闕典。近代史官之廢絕是也。漢土三代。則姑置焉。秦漢以下。人才之富。以三國及趙宋爲稱首。而三國多出於武人。而趙宋則出於文臣者尤衆。蓋其時治亂之使然也。我邦元龜天正之間。名將謀臣。猛士忠烈之多。

優彼三國。而慶長元和以來。明主良臣。奇材鴻儒。賢哲孝義。簇簇輩出。正與彼趙宋類。擧漢土幅員萬里。千載不世出之人。集之於六十餘州三百年之間。筭而較之。豈不我大勝於彼乎。然而三國則有陳壽志。有裴松之注。趙宋則有本史。有新編。事蹟赫赫。照萬世之後。而我邦元、天以來之事。載之者。皆野乘雜錄。猥瑣卑屑。莫足傳者。獨源筑州藩翰譜。澁井孝德國史。中井積善逸史。賴襄外史。頗足稱信史。然藩翰譜。簡而不該。逸史、外史。體取於編年。年止元和。國史。則收將軍於本紀。稱天朝以西都。體例失宜。文辭不工。不可傳諸久遠。則是使三百餘年俊傑英豪、仁人義士之美談芳躅。劄劄乎沈沒。豈非千載之遺憾乎。當今承平日久。文運休昌。可謂丕治極盛之時矣。不迨斯時修實錄。將何時之俟。故臣以爲。公宜創開史局。以編織豐以來覇朝之志也。蓋史錄之事重矣。臣不敢遠引漢土。且以國史明之。日本書紀者。皇子舍人親王所手撰。續日本後紀者。太政大臣良房公所總裁。文德實錄者。以右大臣基經公總之。而綴辭者爲都良香。三代實錄者。以左大臣時平公總之。而修文者爲大藏善行。夫以皇子若三公。修天朝之史。則公之以幕府之執政。編覇朝之史。蓋事體之得宜者也。

所恨者。臣陪隷側微。而才學謭薄。文章拙劣。以位則非博士其官。以筆則非都、藏其人。而猥自當操觚之任。可謂僭且妄矣。第僭允是請。事固私撰。非官修也。則臣僭官之責。有所逭焉。而狂妄不自量之失。則臣將自今而後補之。臣去不惑年尚遠。才識未定。學術未成。而年少銳氣未全衰。倘得蒙允。再入昌平學。專研史學。修文辭。且學且撰。期之以歲月。則所云三長者。未必無寸進也。鄙語云。一寸之蟲。尚有五分之精靈。臣年十八九時。已有志於修史。以爲修史者。非善文章不可。而藝之至者不兩能。於是。詩賦書數之類。一切廢絕之。而壹專精於

叙事文。弱冠經遊關西。觀江山。問都邑。搜城墟、戰場、古墓、陳迹。天下形勢。與英雄之所經緯。略有所歷覽。藏之胸次。以待時焉。今公資兼文武。銳意輔治。文事戎備。百廢俱興。臣所待之時至矣。臣向者奉命。作丙丁烱戒。今繕寫告成。而進呈。言有緣由。以故建議至此。臣又嘗著小早川隆景蒲生氏卿等傳。今幷附呈。若賜淸閑寓目。亦足以知臣之志於修史。非一日也。瀆冒威尊。恐悚無已。臣世弘再拜。

(二) 上樂翁公書　　賴襄

布衣賴襄。謹再拜白少將樂翁公閤下。襄嘗讀宋蘇轍

上韓魏公書。愛之。以爲自昔進言於當世王侯者。大抵有求而自售。識者所醜。獨轍偉魏公人物。比之名山大川。欲接其言貌。以養己作文之氣。言雖近狂。其澹泊無求。可知也。雖然。魏公是時猶當路秉權。人將疑轍之有求焉。閤下今代之魏公也。而勇退高踏。久處閑地。使襄學轍所爲。可以無嫌矣。特貴賤懸絕。不啻如轍於魏公。則徒仰而心嚮之而已。今茲尊嫡君侯。膺幕命。入朝謝大拜之恩。襄伏在草莽。側聞盛事。而不圖邸吏帶閤下之命。來就襄家。取所著私史。欲賜覽觀。禮意殷勤。愧悚交至。夫襄不敢求於閤下。而閤下求於襄。襄之榮大矣。

復何所嫌而辭避乎。雖未接謦欬。聞其詞命。亦可以自壯。於是。忘其蕪穢。出以納下執事。又敢有所瀆告。轍書稱史遷文有奇氣。他日自作古史。則論遷之疎畧輕信。淺陋無識。夫遷官太史。總領天下文籍。猶不免疎畧之譏。況如襄。以寒陋一書生。獨力罔羅古今。其不自揣。而招大方嗤笑必也。然少小嗜讀國乘。每病常藩史之浩穰。又恨其有闕。至近代之事。與夫隆治之所由。非無先輩撰著。又未有晰其端緒。綜各家終始者。於是。私倣遷史世家。而加詳備。斷自源平氏。至於今代。間以中興諸將及割據群雄。關係治亂者。家別紀之。或錯而合之。要

覽其成敗盛衰之狀。與臣屬謀戰忠邪之跡。取其大體最明確者。若夫博引旁搜。辨析錙銖。世自有其人。以爲非襄輩所及也。至其義例。蓋亦有貽淺陋之嘲者。事繫一姓之下。而不有統紀以總之。列將家。而雜以雄長。學今代。而稱謂論說。如欠尊崇者。是自有說焉。夫右族迭興。甲起乙仆。以成海宇之沿革。而事不必關於王室者。我中世以還之國勢也。故依實創體。以形世變。而其中貫以帝系年號。以表條理。至大義所繫。必用特書。雖厠權豪於元帥。隨成敗次第。而因署題以見總屬。而載之事實。名分截然。讀者自能見之。至若今代稱謂。則謹據

奕葉名爵。天下公行之稱。名實輕重。按跡可知。不敢私撰名號以黷今代。而眯後世耳目。閱首至尾。睹其得失之相形。明其分裂統合之所漸。則今日無前之功德。有不待言者。又不敢喋喋頌贊。使人疑其諛與諂。自謂敬之至也。凡是襄區區撰述之本意。不可不爲閤下一言之。野人朴直。以所謂無求之心著書。取其簡約。自便省覽。始非謀公之世也。所以引据剪裁。皆成一家私乘之體。至寫錄體貌。又一倣古史。不肯學輓近之文縟。是以拮据二十餘年。藏之篋笥。未嘗示人。今乃得閤下之寓目。以取信於天下後世。眞意外之幸也。襄雖無求於今

日。而不無求於千百載。非經大賢之鑒識。不足以保其傳也。然苟得流傳。不別今與後。其損益於世道人心。尤不可不加謹。襄也病羸。不能効力父母之邦。況敢望有益於世。然生遭此極盛之運。以其庸陋之筆墨。裨補萬一焉。則不負爲太平之民也。蘇轍謂。魏公苟以爲可教。而教之則幸矣。閤下其亦有以教襄焉。冒瀆尊嚴。惶懼無已。

(三) 與青山總裁書　藤田彪

六月二十九日。彰考館編修藤田彪再拜。致書雲龍青山總裁座右。彪聞。大丈夫之在世也。有進而行其道者。

有退而樂其道者。坐于廟堂。進退百官。施一事也。社稷享其福。出一言也。生靈賴其利。功業立於當時。名聲播於後世。此進而行其道者也。優遊田園。謝絕人事。爵祿不能羈。勢利不能誘。抱膝長嘯。超然自得。此退而樂其道者也。故易稱。君子之道。或出或處。或語或默。蓋出處語默。因時異用。顧義之所在何如耳。方今之制。仕者皆世官世祿。士之子常爲士。大夫之子常爲大夫。賢不必貴。愚不必賤。則其進也徒任一職。供一事耳。固不能以福社稷。利生靈。而士皆聚居府城。生死於其間。一委質者。不得復去。則其退也。亦徒就閑散守貧賤耳。亦不能

以優遊田園。謝絕人事。唯其時勢之異。進退亦不同跡。故今之進而任職事者。古之所謂出也。今之退而就閑散者。古之所謂處也。雖其跡則異。而若其意。則未嘗不同也。然則可以進而進。可以退而退。可以言而言。可以默而默。夫然後事君之大義了。而出處之節。可以無愧於古人矣。頃者有司傳旨。使彪攝本館總裁之職。夫總裁之爲職。官守言責兩兼之。則雖曰假攝。而其任亦重矣。彪也年少學淺。徒以先人餘蔭。叨接武史林。其居散員。猶屬忝竊。今亦蒙斯命。將何以勝其任。是豈非可以退者哉。乃將懇懇陳情。辭職而後止。然方今館局之勢。

駸駸乎日就衰替。擧措施設。蕩然靡有義公之舊。公論正議。索然無復往時之盛。其他背理傷道者。往往有之。是亦非可以言者哉。彪雖不肖。一日居其職。則有一日之責。義不可以默默無言。於是乎。奮然感興。將及其未退。以有所建白也。然欲陳之君上。則狂言唐突。不易遽達。欲辨之有司。則文網繁密。議論難悉。區區之心。抑而不發者。月餘於茲。旣而翻然喜曰。我總裁在焉。何患於正議之不達。迺敢布腹心。總裁幸聽焉。伏惟。總裁以宏才博學。得君上之寵遇。居兩館之首位。握一國之文柄。館局輕重。文運盛衰。唯在總裁之擧措何如耳。向者。總

裁之擢。而至江邸也。有志之士皆曰。總裁之爲職。任重責大。方往時文學之盛。一國之大政。或咨詢焉。今也世移風變。總裁之任。雖不復若往時。而猶陪侍經筵。親近左右。出入風議。獻替可否。則彼人而居其職。則其事必將有大可觀者也。傾耳以竢者。亦旣數年矣。而至今淡然無聞者。其故何哉。豈總裁姑息摸稜。遷延歲月。可言而未之言耶。抑雖旣言之。而時不可爲。猶隱忍苟且。可退而未退耶。然則有志之士。望於總裁者。亦有所謂能料於前。而不能料於後者耶。夫可言而不言。則失語默之節。可退而不退。則害出處之義。譾劣如彪者。猶知羞

之。豈謂總裁之賢。而反莫之慮乎。以彪觀之。其漠然無聞者。蓋亦有所待也。今以總裁之才學。遇君上之賢明。言聽計用。豈亦非易爲之時哉。處易爲之時。而所爲果何事。彪恐歲月易遷。時機靡常。所待遂不可期。而館局之衰替。不可復振也。迺敢忘固陋。論著館局大弊五事。以致諸左右。曰心術不正者。不宜預館職。曰正人實學。不宜廢棄。曰攝職之選。不宜在彪。曰史業督責。不宜迫蹙。曰虛文粉飾。不宜助長。凡此五者。大之虧國家之政體。小之傷館局之紀綱。關涉不細。則彪豈可默默無言哉。總裁苟以彪之議爲是。則言之君上。辨之有司。斷然施行。以更張館局之紀綱。以裨補國家之政體。使義公之舊復見於今日。則豈啻副有志之望。古之所謂進而行其道。功業立於當時。名聲播於後世者。亦可以庶幾。豈不盛且偉哉。若勢有不可。時有不可爲。則解其職。罷其事。抱膝長嘯。超然自得。與彪等退而樂其道。不亦善乎。彪年少氣鋭。不揆時勢。不避嫌疑。妄陳狂瞽之說。自知爲時論不容。而猶奮然言之者。不啻畏默默之罪。誠由區區愚忠不能自已也。且彪自退之計既決矣。非一毫有進取之念。苟使其言行。則雖身蒙重譴。亦所甘心也。義公之靈。鑒臨在上。何假多言。伏惟諒察。

(四) 贈桑名大夫吉村君序　　野田逸

事有爲之主。仕而爲大夫。相其君。以爲政於天下。此豈非大丈夫平日之願哉。方今之世。能得至乎此者。吾獨於桑名吉村大夫見之也。夫熊澤了介之於備前芳烈公。近時堀平太竹股美作之於肥後靈感公米澤鷹山公。事有爲之主。仕而爲大夫矣。而謂之相其君爲政於天下。則未也。蓋如芳烈公。以有爲之才。施於有政。闔國戴之如神明。而其治止一國而已。如靈感鷹山二公。亦以有爲之才。型家以率國人。人迄今稱其美。而其治亦止一國而已。如我桑名羽林老侯。則不然。侯之未出。權相弄柄。綱紀頽弛。苞苴公行。士風之衰極矣。幕朝求丕新之治。時選老侯。驟加老職。委以天下之重焉。當是之時。國家之治忽盛衰。侯肩之於一身。渙發號令。剪剔弊蠹。興廢擧墜。寬猛得宜。而後三百列侯麾下八萬之士。知崇禮節。而重名教。士習一新。虢々改觀。號稱中興之英輔。雖以山農野老馬夫牛卒之無知。亦能踊躍詠歌。讙呼鼓舞。以不及爲恐。以老侯視諸芳烈靈感鷹山三公。其有爲之才。固不敢妄議軒輊。而其業則晰然可辨也。設使老侯居三公之地。則其業或不過爲三公。而今之業。非三公之所能望者。此特非以其居有爲之地耶。

而能使老侯然者。未必不由大夫之晤贊冥輔焉。所謂
相其君。以爲政於天下者非耶。視諸熊澤諸人。彼豈無
愧色哉。雖然。熊澤諸人之業。則闔國至今遵奉不敢失。
而大夫之業。則天下奉之止於老侯執政之日。而其存
于今者蓋無幾也。豈國易而天下難乎。抑亦所以維持
之。無其人而爾也。然則果無其人乎。嗣君今公。其人也。
而任其翊贊者。大夫今日之責也。大夫何以贊之。亦惟
以老侯之所爲。律諸今公而已。果能其孚信之布於上
下。異日必躋老侯昔日之位。有以繼其志。振厲風教。而
寬政之政可再見於今日耶。則其德業聲猷之美。後先

相照。而大夫之業。亦不唯使熊澤諸人有愧色而已也。
不然。老侯之業。止於一時。而大夫之責。有所不盡也。抑
大夫既能翊贊老侯矣。豈復有不能翊贊今公者哉。夫
大夫之才之美。若在他邦。便將激贊之不暇。而今吾不
敢者。何耶。今公有爲之才。媲美於老侯。亦將必有有爲
之地。與有爲之業矣。大夫既事有爲之主。居有爲之職。
可以無有爲之業而止耶。或曰。大夫則侯藩之大夫也。
而責之以天下之任可乎。曰。傳有之。君子不出家。而成
教於國。今也。不出國。而成政於天下。又曷不可哉。

(五) 送安井仲平東游序

鹽谷世弘

嘗觀於當今之學徒。其在庠校。孜孜勤苦者有矣。及退
庠則倦焉。退庠而不倦者有矣。及畜妻子。則衰焉。畜妻
子而不衰者有矣。及獲祿位。則廢焉。獲祿位而不廢者
有矣。逢一患嬰一災。則挫焉。蓋其退庠而倦者。其志小
者也。畜妻子而衰者。其器狹者也。獲祿位而廢者。其意
滿者也。逢一患嬰一災而挫者。其氣不剛者也。吾觀於
當今之學徒衆矣。其能退庠而不倦。畜妻子而不衰。獲
祿位而不廢。逢災患而不沮不挫。若我安井仲平者。未
多覯也。仲平飫肥人。眇然小丈夫。狀貌陋甚。歲之甲申。
來入昌平學。居三年。矻矻不少懈。讀書眼透紙背。識慮

高卓。議論出人意表。予深畏事之。歸鄉後。歲數次必有
書至。大率激憤慷慨。以僻壤乏師友爲言。其藩士之來
于東者。僉云。仲平少時。孤介短於容人。今則直而平。方
而恕。接衆諧和。事長有禮。闔藩敬信。至參預國事。致身
奉公。所建白皆切時務。有著績可傳述。而講學則益勤
矣。間從其君。祗役江戶。所居舍湫隘褊陋。塵埃滿席。而
讀書之燈常烱烱。時從師友。出其新得。輒即驚人。戊戌
歲。遂辭官挈家。來就學於江戶。居無幾而逢火。資財蕩
盡。未踰年。季女又病痘夭。仲平自降祿爵。離桑梓。孑然
僑居乎三千里外。竈突未黔。累逢不虞之難。人倫之變。

皆人所不能堪。而志氣不少撓。讀書日必盈寸。作文年可以囊計。齡垂五十。俛焉刻厲。不知頭之將蒼。此豈今世之士哉。仲平巧心計。自言吾於數術。不學而能焉。以予觀之。其禀於天者。於智特深。古人云。性敏者多不好學。仲平以最敏之質。嗜學甚於食色。故格致日新。識度日躋。治家善審出入之計。不虞之變。待之有備。推而至邦國天下。其於利病得失。確有成筭。咸可施行。謂之非今世之士。非譽也。予賦性鈍。百事皆拙。而於筭最瞶。以故治產無撿。終歲栖栖。精神殆乎耗。自有妻孥。業覺日退。而事君無狀。未能涓埃益乎國。居恒觀於仲平以自

勵。然惟恐其終身不能及也。今玆季夏。仲平欲濟刀禰河。登日光山。還軼北總。游于水府。觀名公賢佐之所經綸。然後東入陸奥。縱覽金華松洲之勝。與衣川高館之陳蹟。壯其意氣。以益爲進學之資。其驚人者。將滋不可測也。嗚呼可畏也哉。

(六) 詩仙堂志序

柴野邦彦

詩仙堂者。石川翁丈山之隱居也。丈山初名重之。仕爲東照公侍臣。身長九尺。膂力絶人。大坂之役。單騎奪門。横貫敵城。提二甲首而出。氣蓋前列。既以犯軍令。其功不錄。遂以見黜。乃飄然遠引。就洛東山。作此堂以居焉。選。漢魏至唐宋。詩人三十有六人。詩。扁列楣間。日吟詠其下。以自樂。類不復知世所謂榮辱者果爲何物焉。後水尾帝聞而高之。欲徵見之。翁上和歌一首。以誓不渡鴨河。辭焉。帝亦嘉歎不强。嗚呼。以翁才武。際於艸昧風雲。使少貶其志。則萬石之封。未爲難也。今一蹶乃棄而不顧。使聞者洒然有脫塵之懷。又嘗戒子姪曰。忠義所在。上意有所不顧。亦足以見其志節矣。可以廉頑與惰焉。翁既沒。所謂詩仙之堂。其門人安宅者。繼而守之。後又僧住者二世。今則尼姑燈宗居焉。中間守僧不謹。遺物頗散亡。隨又討還粗如原數云。以享保中。靈元院上

皇。嘗一臨幸。遂列爲洛東名勝焉。邦彦、不肖。景慕遺範。非一日。嘗閑放在京。月必一率生徒而詣焉。嘯詠升降於月樓梅關間。誦其詩。讀其書。撫其遺琴。劍。扇。拂。所謂六物者。慨然永懷。因顧而視尼姑。乃孤貧單薄。將不任奉守焉。懼賢者遺蹤或終飄散。爲之顧戀徘徊。泫然泣下。後奉幕檄而東。每煙朝月夕。未嘗不往來於懷也。幕僚有三橋君子弘者。風流人也。其志操有契翁韻度。入衛二條城。亦嘗一遊賞。摸取其手澤遺物。成志四卷。來索予言。夫物成毀聚散。蓋皆有數焉。雖以萬乘之力。而有不能必保之數百載之後者。況此落莫者。安能保異

日必如今日哉。今賴此志。而翁之流風餘韵。將不墜於天地之間。則可以少安余前日之懼也。無其督索。固將相助張之。獨老病相仍。公事紛集。因循七年。子弘沒。其嗣子晋。能續父志。欲以公之。以工既成。乃撥百冗以言此。子弘諱成烈。蕭然恬退。博學善和歌。子晋名成方。剛直侃侃。幕僚之望也。三橋君父子。其處身事國。所得於翁者多矣。宜哉。於翁之事眷眷也。邦彦之尸素于此。既不能奮諤益國。又不能高踏自適。苟然日又一日。是又所以自慨也。

（七）東湖遺稿序　　林長孺

水戸藤田君東湖。學識高邁。才畧卓拔。遇忠孝大義事。輒感奮激厲。常欽諸葛武侯、岳武穆之爲人。烈公奇君才。擢用勿貳。其明良相遇。世稱蛟龍之得雲雨也。既而烈公以嫌疑得罪。君坐此幽囚。雖再起復職。不得大施以終。可謂不幸矣。天之報善人何如邪。頃者。令嗣彊卿。鈔君遺文。將繡梓公于世。以余與君交誼最厚。來徵叙言。固辭不可。乃曰。士之幸不幸。天也。然天與之而復奪之。或奪之而復與之。其剝復乘除。皆有成數。而幸不幸之運。一定不易者。天實命之。人莫能得而前知焉。抑先主於武侯。委國託孤。高宗於武穆。寢閣召命。若二公者。

皆可謂遭遇希匹。然武侯中道不得志而沒。武穆冤死於莫須有之獄。不能無疑於天報之嗇也。則於東湖亦何怪之。雖然。天之命二公。豈偶然哉。昔人云。武侯出師表。與伊訓、說命相表裏。武穆奏表諸文。亦與出師表相上下。由是觀之。其文與聖經竝。而有功人心世道。赫奕千萬世之下。可謂幸矣。其抑欝於一代者。是天欲與之。而先奪之耳。孰謂天命出偶然哉。今東湖之文。余雖未知果與伊訓、說命相表裏乎否。然忠義之心。與浩然之氣。相觸成文。凌厲雄健。悲壯淋漓。所謂龍蛇虎豹。變現而出沒者。使人一讀感奮興起。視之二公之文。豈有慙色。然則天之所以報東湖者。可謂厚且幸矣。其志雖屈乎當時。其文章垂乎不朽者。即一時之奪。而萬世之與。天算無遠。人皆不能前知也。余以其遭遇終始。與二公相似也。併論以爲序。明治十年丁丑五月。

（八）洲崎八景卷序　　安積信

洲崎。江東一佳區也。南望房嶺。翠黛縹眇。雲煙映帶。疑其爲蓬壺。西盼蓮峰。天半朗出。晴雪凝華。如鮮苞之倒披。秀蒨閑眉。殆不可狀。東則沙村迢曠。遠樹依微。具元暉畫致。北接深川。闤闠櫛比。碧瓦鱗鱗。欲流。而天妃宮適當其中。尤爲遊覽勝處。宮主某上人。嘗分其勝爲八景。使畫工貌之。徵都下名流詩若文。連成卷軸。蓋傚瀟湘八景云。按宋度支員外郎宋廸。工畫善爲平遠山水。其得意者。有平沙落雁遠浦歸帆等八景。人謂之無聲詩。僧惠洪。爲各賦一首。人又謂之有聲畫。則八景。原自宋廸、惠洪起。遂以播於天下。於是。凡一山一水。較有登覽之美者。輒目以八景。而天下不勝其夥涉矣。吾邦尤著者。爲近江八景。其他相摸倣。至不可僂指。未知孰爲眞爲僞。贏輸究何在也。雖然。月無別光。雁無別聲。遠峰之戴雪。遥嶂之含嵐。與夫夕照之明媚。帆影之縹眇。斯可以供耳目之觀。而怡悅性靈者。未始有東西彼此之異也。況乎上人究心佛典。洪纖一視。八荒皆闥。彼須彌之高。瀛海之深。猶且納之芥子毛孔。而無所礙焉。又何足較輕重辨優劣於其間哉。然則茲景謂之近江。可也。謂之瀟湘。亦可也。且有聲之畫。無聲之詩。均之未離色相。上人則圓融洞然。出乎聲臭之表。遊乎色相之外。其視詩畫。不啻如雲烟過眼。即將併與八景而忘之。而規規然論其起於畫與起於詩。特小乘耳。第上人之於茲景。昕夕玩賞。如見熟友。如對玄侶。未必無脩證之助焉。而其淸曠遼廓。亦足以澡遊觀者之心垢。使之洒然有所隨喜。則稱號之美。庸詎可闕乎。故上人設此方便。頓

中等教科漢文讀本　卷之五

使八景暴著於世。此亦津梁之一端。非僅主張風月。以自娛而已也。於是乎序。

(九)元寇紀略序　　大橋順

天之所覆。地之所載。萬國森羅。而華夏蠻貊分焉。何謂華夏。四時行百物生。彝倫叙而風俗醇。是爲人之人也。何謂蠻貊。其所載之天。五氣不順布也。其所履之地。五穀不並生也。其食則腥羶。而其服則左衽。輕賤君父。崇重貨利。篡弑相踵。爭奪不絕。是爲人之物也。人之人與人之物。其尊卑妍醜之相懸。不亦彰然著明乎。維我神聖之域。據帝出之震位。鍾乾元之精華。淳厚成俗。忠武爲道。而君臣之義。猶父子之親。是以皇統一姓。鴻基不動焉。求之萬國。未有如斯之美且正者。猗歟盛矣哉。然世有汚隆。道有顯晦。當聖明在御之時。一彼此於胸臆。欲取堯舜周孔之教。以修潤我神聖之道。乃有乞經肆文之事。始與隋唐通。而未嘗自貶比外藩。必以抗禮者。固宜然也。及世紀漸降。皇綱解紐。則豪族私遣使介。受封爵。貪虛名。以壞損國體者有焉。邊隅逋逃之民。載方物而颺逝。或事貿易。或稱朝貢。以不顧醜辱者有焉。於是乎。蠻貊往往生慢侮之念。以朶頤於華夏。豈非可惡之甚耶。當龜山、後宇多二帝之間。蒙古忽必烈。奮起朔

中等教科漢文讀本　卷之五

漠之濱。長驅深入。并呑趙宋。九夷八蠻。悉在馭内。遂挾其强大之勢。欲使我懾服。致使寄書。諭以招撫之意。鎌倉執權北條時宗。惛其驕傲。不答。又執其使誅之。而大嚴沿海守備。竟殲其十萬師於西陲。以絶蠻貊覬覦之患。是其英風偉烈。千歲之下。尙凜凜有生氣。則眞足以興頑而振懦矣。苟欲淬勵正氣。扶植綱常。以助邦家隆盛之運者。可不激讃稱述。而慕效之哉。頃者。余臥病數旬。偶有所感念。中夜耿耿不能寐。乃欲觀北條氏殲寇始末。探諸書展閲。則間見錯出。茫如泛烟海。獨塙氏、小宮山氏、長邨氏所纂。博引旁證。條理秩然。洵爲佳編。而

彼此牴牾。眩心目者。亦間有之。於是。竊不自揣量。以三家書爲底本。更稽之群籍。訂紕繆。補遺漏。參伍錯綜。鉛槧數次。始克成編。名曰元寇紀畧。起於文應庚申。訖於正安辛丑。其間四十有餘年。凡可以見當時情狀者。亘細精粗。會稡無遺。寧過於繁蕪。不失於芟削也。但余素譾劣謏聞。家又乏鄴架。則承訛襲舛。亦所不得而免。聊以爲學者稽古之資云耳。豈敢謂寓憂世濟時之志乎。雖然。孔子有曰。載之空言。不如見諸行事之深切著明。蓋以使人有所觀感也。世之讀是編者。果能慨然激昂。歆慕北條氏偉烈。冥契神交於千載之上。則宣文揚武。

以播華夏之光於蠻貊者。何必有古今之異哉。夫然後北條氏不能擅美於百世。而吾儕小人之感念。亦可以付之雲霧氷雪矣。

(十) 得月樓記

篠崎弼

播之今市。在覓川西南。覓川岐流爲濯川。近海而有洲。民戸數百。望之莽蒼。今市也。鈴木周卿世家焉。以豪富聞。其先世築石起樓。高且敞。下臨清流。名曰得月。蓋取諸宋人蘇麟詩句。近水樓臺先得月也。丙戌之冬。余往遊焉。與主人飲酒樓上。樓西南面。自洋中諸嶋。至播備遠邇諸山。一顧眄可盡。然其東南壁而不牖。無由眺望。

則雖近於水。不可先得月也。余異之。問其所以得名。主人亦惑焉。請余爲之說。無說則更名焉。既醉而寢。夜半夢驚。窓明如晝。開而瞰之。沙白樹蒼。四顧凄然。而缺月一輪。印水之中央矣。乃蹶然呼起主人曰。嗚呼。是非子之先世所以名此樓也耶。子亦知得月與取月之別乎。取者得之有意也。得者取之無意也。余視世人之作樓。宇必南向。仰面回頭。以候月出。皆取月耳。而何待乎水也。水者月之所映也。月出於東。必映水於西。乃無意而得月者。則此樓是也已。赤水之遺珠。智者索而不得。明者索而弗得。象罔索而得之。其得失亦在有意與無意

也。故此樓之得月、亦象罔類也。以此推之、人之於富貴利達。其心不亦當如此乎。吾聞蘇麟恨已之不遇。乃獻此詩於范文正公。雖爲公所憫。恐非知此意者。子之先世、其有達於此乎。稼穡廢著。能殖其產。固與麟之不遇異。而其所以遺子孫使守而不失者。營築向背之間。命名取義。亦有不與麟之詩意同。而深意存焉。豈可更哉。主人悅。乃爲之記。

(十一) 遊千綿溪記　　松林漸

千綿溪。在千綿村北一里。距治城四里而近。先是人莫知其勝者。雖或知之。而莫發之於詩文者。是以其勝未

大顯。其大顯者。實自吾老公始。余少小出鄉。未嘗遊也。今茲己未歸鄉。以十月之望。與友人三四名遊焉。是日陰晴無常。到松原雨大下。遂投江串。翌早倩土人爲導。右折入山。此間白茅沒路。高與人等。導者亦失路。縱橫信足而步。忽得一徑。徑盡。大石從人面突起。水潺潺鳴脚底。左折而下。則得龍頭泉矣。兩山環圍。圍之合處。缺爲凹字狀。有雙瀑懸焉。中欲合。復觸凸處而分。飛沫散空。如雪如霞。如亂絲。如散珠。日光映射、心目爲眩。夫綿溪之水一也。懸而爲瀑。滙而爲潭。爲湍爲瀨。奇態百出。蜿蜒屈曲。如龍臥地。而瀑爲其源。龍頭之目不虛。木葉不浮潭。在龍頭南數十步。四面皆石、屛水一泓。深碧隕籜不浮。疑有蛟龍蟄其中也。潭之東。有徑入山。匍匐而上數百步。復出于溪。縱横行亂石間。石有斜欹不受趾者。眞一步一悚。行里許。左岸突出。有松孤生其上。水至此爲岸石所蹙。更作勢而落。余俯臨之。則斷壁千尺。噴薄激盪。響如奔雷。兩岸皆欲動。毛髮森竪。不能久立。所謂蓮華潭者是也。大凡潭之爲數。四十有八。然此二三潭爲最奇。他不遑記也。每潭有名。皆刻石標之。係老公所建。聞老公在位之日。延招四方文儒。嘗携善庵、淡窓諸先生遊此。稱爲一時唱和之盛。曾幾何時。今則所建

之石。或有仆者。恨吾生也晚。不及見其盛也。己未十月望後一日。

(十二) 杉田村觀梅記　　佐藤坦

余幼時陪家君杖履。遊杉田村觀梅、今二十餘年。恍乎如夢。思再往而未能。去歲從天瀑林公。訪金橋櫻花。其爲偉觀。不獨吾武罕媲。而雖佗州。亦或無之。特謂吾武乏勝槩。惟有杉田與金橋。以花爲勝。是不可以無記。因備記其遊矣。杉田則猶有竢焉。今春冰霜早解。天氣和鬯。於是觀梅之興動。乃拉三谷恂甫、平出濟士。以正月八日發。投宿金川驛。是日朝雨。霽而尙曀。薄暮西北風

起。逆旅主人曰。此風盡夜而歇。盍買船。杉田距此四里而遠。不如一葦航之之近且便。謀諸二子。議不諧乃止。翌早風未歇。發抵程谷驛。左折曰石灘阪。氷笋沒鞋。阪盡。原田豁如。回顧不二山。積雪與朝暾輝映。成淡紅色。右泰左笥。屹然對峙。亦一青一白。殊爲佳觀。迤邐下原。歷太田村。井戸谷村。抵大岡村。遇農夫問路。農夫曰。自闞村而入。二里而遠。徑赤穗山。險而捷。乃就捷徑。果險。造其嶺。樹木轇轕。茅茷蒙密。穿數百武。蜿蜒而下。則倏軒豁。東南見海。左爲錦屛。右爲金澤。山麓爲森村。次中原村。稍南爲杉田村。可目歷而指數。風已歇。海面如熨。

於是。知逆旅主人之言不吾欺。然得此佳境。勞亦可償也。既抵森村。田間往往見梅。幽馥時來。襲人衣裾。左見禪宇。曰林香庵。又數百武。爲中原村。野水分流。淸澈可鑑。而梅花掩映之。度橋南百餘武。是爲杉田村。得一巨刹。曰東漸寺。多梅。有鐘永仁六年鑄造。實五百年外物。銘亦奇古可玩。余曩聞村有老農曰善惡居士。頗解韻事。既出寺。路遇一禿翁。因就問之。翁、即居士也。喜甚引至其廬。環廬皆梅。不知其幾數株。居士曰。公等暫解裝。逍遙村中可也。田家無可供者。晚將炊梅花飰。幸一宿以觀夜梅。頗足淸賞。余謝之。乃出穿林間。先攀妙觀寺

後山。至山腹回瞻。伽藍埋沒於梅花中。一村皆白雪世界。極其嶺俯瞰。花光雲影。遠近相含。而海灣晶晶然。磨一大鏡。漁艓往來於其間。誠爲絕景。不獨在梅花而已。既下山而南。有小塢。置八幡祠。祠外百步。左右皆梅。有石華表。表外即農戸。園圃相鄰。其梅皆奇絕。有徑可歷觀。一家所植。凡四五十株。老樹一痕七八幹。根圍過合抱者。卒六七章。有仆而復起。起而復仆。成虬龍狀者。有半身枯而花尙繁者。有長條倒水。如山猿伸臂爭掬淵泉者。有全幹蒼蘚。不露樹皮者。有根株蟠屈。如獰獸者。有鐵枝百出。如兵戟相交者。其餘種種異狀。不勝具擧。

至於花之冷艷。與香之馥郁。固不可得而名狀。村南有寺。曰妙法寺。照水梅一株。蟠梅一株。皆老。野梅亦無數。又南百數武有山。水繞其麓。淙淙然入海。水汭一農戸。老樹殊多。花最稠。是爲一村盡處。遂左沿海濱而返。居士候門曰。何晏也。飰熟已久。乃入就地爐環坐。少頃童子具饌。香氣薰然。不問而知其爲梅花飰。飰製蓋梅花去蔕。漬以鹹水。和飰炊之。色微黃。極爲異味。健啖數椀。又設村醪、海參腸、蘿菔羹。皆土產。既而月光破昏。林間玲瓏。於是興復發。席樹下煮苦茗。二子拈韻搆思。而余亦漫作賦一篇。賦成月亦沈。乃入臥其廬。翌拂曉。起步

林間清馥滿園殊有佳致頃之居士來促曰僻陬之境歸路易迷老馬之智可用也吾既具焉余與二子皆耽戀不能去既而日漸高將辭去因寫賦并詩留之居士亦折花數枝贈余二子遞抱持之燮燮然如奉盈如執玉惟恐顚越而壞之余則騎而先焉踰山回顧忽爲一抹霞天豈秘靈境者歟抵程谷驛舍騎而步路歷蒲田村亦名梅二子欲留觀之余掉頭曰否否既飽於太牢矣復有所下筯耶不顧而去二子追躡遂以薄暮歸是夜亦月清瓶挿數枝對花作記于以配金橋遊記時文化四年王月初十日也

(十三) 五鬣館記

野田逸

五鬣何以名也館有松焉葉皆生五鬣也何人之館也北越勝山藩大夫林君季梁也夫以季梁闔藩之大臣也奇草異木之可喜可愕者可輦以致之於其庭而何獨取於五鬣以扁之也吾聞越之爲地密邇北海奇寒折膠惡風裂銅至其大雪埋地則地高與屋齊屐屣之聲聒在頭上當此時五鬣輪囷蟠庭貫堅氷而益秀載積雪而不重鬱然獨逞後凋之色是季梁之所以取於五鬣也歟今夫世之生於豪門右族者槩多恃其門地猖狂無賴蒙譴奪職覆宗絕嗣其能保百年者十無二

三焉其幸而僅存者沈沒下僚逐逐隨行群群追隊而已耳其能不忝祖先者幾何季梁則不然自乃祖法林君以驍勇建勳閲於鋒鏑之間爵列大夫奕世濟美與國同休繩繩二百有餘歲于茲視諸五鬣之後凋果何如也抑五鬣之爲狀嶔崎磊砢龍拏虎跛其可畏則然矣無乃不可愛乎然至其蒼蒼迎素月謖謖起清風則使人愛慕不能已矣季梁史傳之精文章之雄加之天資骯髒不以辭色假人議論激昂磯而愈出雷霆轟于頰舌俾人畏而不可敢近迨其議罷論畢天宇新霽風月如洗人唯見其灑落可愛耳夫五鬣樹中之大夫也

猶能得逞後凋之姿棟明堂而梁大厦矣季梁者人中之一大夫也其臨下威而雷霆愛而風月宜其供國家棟梁之用也然則吾安不爲季梁記之以慶國之有五鬣哉

(十四) 月瀨記

齋藤正謙

昏黑還入院欲候月升復出觀花也余平生想溪梅月夜之奇欲一游併之每歲春有人自伊來者輒詢之花之開謝與月之虧盈每齟齬不相合遲之七八年至於今歲欲以今月望前來然以地在山中著花殊晚其盛開常在春分前數日而春分在今月之末如其無月何

忽思邵康節詩云、看花切莫見離披。私謂及半開則可。何待爛漫。遂以望後三日來。豈意花開已七八分。或將十分。實望外之喜也。獨奈日已落。黑雲覆天。意殊悵悵。張燭欲飮。此行、購得樽容五升者、滿貯酒。命奴負荷。呼取之。酌不數巡而竭。怪詰之。乃知奴醉墜地致傾覆。益悵悵。買村酒得數升來。洗盞更酌。雖甛不適口。亦自醺然。文稼（姓服部、伊賀上野人）風流士。公圖（名緯、號星巖）以詩名海內。而半香（名信、字吉人）善畫山水。餘人亦皆吟咏揮灑。少慰愁悶。俄而小奚來報曰。雲破月出矣。衆驚喜欲狂。捨盞走出。時將二更。月色清朗。步抵眞福寺。枝枝帶月。玲瓏透徹。影盡橫斜。寶鈿玉釵。錯落滿地。水流其下。鏘然有聲。覺非人境。傍岸西行。前望月瀨。水清如寒玉。漾月影。蹙作銀鱗。而兩山之花。倒蘸其上。隱約可見。一棹中流。山水俱動。吾平生之願。至是酬矣。

花月之賞已畢。還就宿。夜已過三更。疲甚一睡到曉。覺則奇寒沁骨。紙窗甚白。起推戶見雪積平地三四寸。連呼奇。又呼酒。滿引大酺。與同人出。復赴眞福。到昨夜翫月處。雖溪山不異。丹崖碧巖。悉化爲白玉堆。花亦加素彩。如粉傅何郎之面。其美更增。一俯一仰。入目皚然。獨溪光益碧。作縹玉色耳。梅溪之清。於是爲極矣。古人論梅、謂饒雪三分白。然雪以白勝。梅以艷勝。各有佳趣。韓退之詠雪梅云、彩艷不相因。是可爲定論已。此行既收花月之奇。今又并雪梅之清。天之賜我何厚也。欲往覽前路之勝。以步履艱而止。

舟中卽覽尾山諸谷。又欲西觀桃野。纔轉棹則北岸所未見之山。突兀躍出。樹石雜焉。蚪龍虎豹。譎詭夭矯。有一石。如人之冠而立。曰烏帽子巖。水益駛激。搏碬磊。稍緩處。俯而窺之。澄徹見底。游魚可數。花片點波。輒就唼之。無所得而逝。爲之一笑。仰見桃野在前。地勢陡絕。黃茅數家。縹渺現出於梅花爛漫間。如瑤宮瓊闕在白雲中。可望而不可卽也。篙夫云、此溪每夏月、躑躅花開。水變作猩血色。亦爲奇絕。故名爲躑躅川也。嗚呼。此溪之奇。一何多也。恨一時不能併觀焉。記之以俟他日。

(十五) 霧嶋山記　安積信

霧嶋山、在日向州。高四十里。周廻三百六十里。相傳鴻荒之始。諾冊二神、從天橋俯視。見海霧中有小嶋。乃以鉾探之。遂降臨。因以名焉。其鉾至今倒立山頂。世稱之天倒鉾。誠神聖之靈蹟。邃古之遺器也。但峰巒崇峻。巖谷深岨。多風火雷電之異。登者往往失所在。故能極其巓、而覩所謂倒鉾者少矣。南溪、遊西州、抵麑嶋。因欲登觀焉。而非有膽力者。不可偕。會一少年乞結伴。意氣甚可壯。乃以仲冬初八發。大抵日、薩、隅三州。瀕南海。氣候溫暖。雖嚴冬不見氷雪。是歳最暖。惟御一綿衣。經水陸二日。始達山下。陟八里許。有廟甚宏麗。晩投祝史家。詰朝倩嚮導俱登。喬木摩天。蔭翳晝晦。惟蹊導者之跡而進。直上十五里。童然無草樹。四望空濶。三州諸山。環拱起伏如翠浪。遥見海水汪洋中孤峯突起。儼然瑠璃盤上一點螺也。導者云。是薩之櫻嶋山。又登十五里。山益峻。燒石大如栗者。撒布路上。天忽晦冥。暴風揚沙。怪雨霎々。自谷底倒捲而上。不覺毛髮森竪。又登八九里。路稍夷。而左則絕壑萬仞。雲烟密布。黜不見其底。右亦浚谷數十丈。中間通人處。如行馬鬣上。曰馬脊越。稍進燒石隨步崩下。磬磬有聲。須臾猛火炎爁。發于谷中。雷電殷輷。山鳴谷應。腥臭之氣撲鼻。或玄雲如潑墨。澎湃匝地。咫尺不辨。往來翕霍。倏聚倏散。作鬼神佛陀諸靈異之狀。或白虹一道。自脚底起。直上天半。或光怪閃鑠。天地變爲黃金色。步武變幻。不可方物。蓋硫黃芒硝之氣。鬱積谷中。陽火自燃。陰氣應之。爆然震激。現種種變怪爾。特可畏者。橫風時來。勢如奔馬。稍不愼則爲所捲去。頓爲火坑鬼。所謂登者失所在。皆是物也。導者切加警

戒。每風至。即全體俯地。既過復起行。如是者數次。心悸骨驚。疑入阿鼻獄。少年尤震懼。五色無主。蹢步不能前。導者曰。此子震懼如是。不亟返。禍不可測矣。遂扶掖而下。僅三里許。天氣淸朗如初。相與探橐中摶飯啖之。少年色始定。南溪、獨咄咄。以不觀天鉾爲至憾。因問從此至絕頂幾里。曰不過十里。南溪笑曰。是不難到。子與少年待之可也。投袂獨往。抵馬脊越。天色俄變。震電發作滋甚。備歷辛艱。遂以達于巓。果有物焉。質如精鐵。大如鉅竹。長丈餘。倒立地中。其鐓鏤若鬼面者。碧鏽沈蝕。古色可掬。雖未可必其爲太古遺器。而決非五百年來者也。巓無堂宇。無草木。徘徊四顧。天朗日麗。碧漢萬里。凡數州山川城邑。攢簇沓甃。若覆箕。若聚米。神氣洪然。有羽駕凌雲之懷。但靈境不可久駐。急覓來路而歸。過馬脊越。數百步。遥見導者與少年。地坐偶語。長僅寸餘。如畫中所覩。既至。皆欣幸加手於額。相扶下山。大都天下名山。刋木通路。自役小角、釋泰澄。始故爲緇流所占據。梵唄之聲相屬。獨此山以諾册二神。爲開山祖。眞天下之靈境也哉。山中多奇樹異草水精之屬。大池五十餘。池畔多蚺蛇。聞人語。出噬之。雖樵夫畏而不敢過。多野馬。形極詭異。鬃鬣長委地。多大蝦蟇大蜘蛛焉。

（十六）呑山樓記　　古賀撲

人之里居。祖先所貫籍。無塵囂之雜。而有風俗之美。田園之入。足以裕伏臘之用。近市之貨。足以供周身之須。山秀水清。足以備據梧之觀。長林曠野。足以取散策之適。郷友足以講習。禽魚足以弋釣。撫遺愛之卉石。享餘慶之福澤。是仲長公理之所歆羨而詡稱。豈非高士之所願也邪。并之數者而有之。可以悅生。可以盡年者。金井生呑山之樓爲近之。生、上野州嶋村人也。挾策遊敝塾三年。天姿溫雅。有俊才。而好文辭。所學驟進。爲倫儕所心儀。歲中將歸而幹家蠱。出其家呑山樓圖。乞余記之。審圖。樓之四至。皆名山川。南爲武甲秩父諸峯。以其形勝悉入樓。故命此名。山與樓相距百餘里之中。皆沃衍地。竹樹村落。蔽虧隱見。烏川之流。發源於榛名妙義。既而分爲兩股。復合爲一道者。在其間。樓於雪月雨暘皆宜。而於夕霽最宜。東則筑波騰翠。然後蜿蜒起伏。接於日光山。西則碓氷之山。鬱然蟠踞。而朝熊之嶺。奮躍出於其上。臨左右巒巘。有孩撫而垤視之勢。利根之川。浩蕩渤潏横亘。其北烏川。東迤入於利根。以達於江戸。糧艘商船。風帆上下。無有虛日。百穀萬貨。不假夫擔馬駄。輻湊而塡溢於此。故邑里之間。無復用匱價沸之患。

地雖僻乎。距江戸不過二日程。日光祖廟奉幣使。往來之孔道屬境村。境村與島村。相違咫尺。侯伯緡纓。輿駕仗隊。經由歇泊。歲不知幾次。河潤九里。聲光霑被。故其俗朴而不鄙。文人韻侶。吟嘲雪月。捜剔巖壑。踵繼武接。來問塗於此。故其風質而涉文。自祖先卜築。至今蓋百有餘年。役使佃戸雇工。收廢著耕穫之贏。飭躬裕家。世之得善人之稱於郷里。暇則撫流峙之奇。尋邱壑之幽。于于魚魚。以適其適。遵奉遺戒。不蹈世路之嶮巇。爲計得矣。貽謀臧矣。然里居之喧靜奢儉。皆外物也。君子之擇里。固欲去喧奢而就靜儉。而身之所遇。有時乎不得所欲。則行其所當行。而泰然處之而已矣。外物所以奉身也。客也。心所以宰身也。主也。故此樓之所重。則在居者之心。而不在樓。今記此樓。請以樓喩。樓之觀雖廣敞。設使一樹枝一堵牆之障蔽。當其前。則千仞百里之山野。不可復見。我心之光明。如日月。廣大如天地。不啻如此樓。設使好名貪利之穢。翳於方寸之地。則横目所見。顚倒昏迷。皆足以疚己。當是之時。所以奉其身者。雖有王侯之富。而極天下之美善。無分毫之益。況其下焉者乎。心無障蔽。然後樓之廣敞。可得而樂。呑山之實。於是乎可以副其名矣。不然。則呑山之名。大而無當。往而不反矣取於斯樓。

(十七) 春雨樓記

藤森大雅

嘉永乙未歲。予再來江戸。一貧如洗。無以營居宅。僦屋數椽於城東槇坊以寓焉。固商賈闤闠之區。車塵馬蹄。喧囂雜遝。加之朝歌夜絃。醉呶之聲。雜錯乎室廬之傍。家人苦之。寓有小樓。理以爲讀書之所。未有以名焉。時方春也。細雨如油。燈火烱然。於是隱几而坐。朗吟好雨知時節之什。久之四隣人定。車馬聲絶。遶檐點滴如琴筑。雖絃歌之響未全歇。聽之深沈。不異雲外仙樂。恍然忘身在塵囂之境。怡然心樂之。既而詑曰。昔者陸放翁

中等教科漢文讀本 卷之五

宦成都。後歸田園。聽雨有作云。憶在錦城歌吹海。七年夜雨不曾知。夫放翁、在成都繁華之地。歌吹喧聒。亂耳動心。其不知夜雨之奇。亦宜矣。余之在土浦。非成都繁華之比。而十餘年。亦未嘗覺夜雨之奇臻于此也。吁其故何也。豈人之性情哀樂之感。有各異邪。曰非然。蓋人之靜躁。繫於心。非以其境也。放翁之在成都。周旋簿書期會之間。而民社之責。好爵之求。雜然萃於方寸之中。故其心躁。心躁則其聽不聰。其不知夜雨之奇。非以歌吹。而官守累之心也。余之在土浦。雖非有官守。主人延爲西席。附以毓英之任。以非才膺恩遇。後又重以正民

俗。聽訟獄之事。是以夙夜勞瘁。自竭駑力。唯其付託無効。而失其明。是懼。後謝病來江戸。無所累於心。雖在塵囂之間。不異寬閑之野。靜而聽之。所以覺其奇也。然則人之哀樂。初未相異也。於是自幸自謂。人生之樂。莫樂於無累於心。今雖貧且病矣。擺脱塵累。俯仰一樓。得聽春雨而樂之。豈非人間之清福邪。遂以名吾樓焉。其明年。又爲貧所驅。不能安其居。移寓於城西麴坊之傍。地隘陋無樓居。越明年。一二知己。憐余清貧。爲買宅於三絃溝之西。宅傍有隙地。可起小樓。然不欲多累人。故未敢議也。今茲乙卯夏。遊於下毛。鄕人謬聞余之虛名。乞

中等教科漢文讀本 卷之五

書者沓至。輙贈金爲潤筆。獲十餘金。既歸自謀。是意外之獲。皇天將以成吾樓邪。乃召工命之。不日成之。丹雘不飾。方僅十笏餘。上可列坐數人。亦匾曰春雨樓。永矢不諼吾樂也。是歲重九。瀹蔬賖酒。請所常往來。明山公子、羽倉君、及安井仲平、芳野叔果、藤田贇卿、塩谷毅侯、田口文藏。而落之。既卜其晝。繼之以燭。明山公子、羽倉君、藤田贇卿。以夜半散去。其餘四子。則或吟哦。或敲棋碁。各罄其歡。達明朝而罷。是亦閑者之一適。故於記其樓。并識之。

(十八) 御馬說

安井衡

有善騎者。駑則逸。悍則馴。終日騎。而馬有餘力。當其驅駿鞭驥。倏忽百里。前無嶮路。而馬不喘汗。人不軒輊。鞍上平穩。安於坐席。或怪而問之。答曰。我亦不知也。然我正吾志。不悖其性。故駑我激之。至駿與驥。任其所爲。而我不與焉。鞍我據之而已。未嘗攻其脊。轡我按之而已。未嘗擾其口。務適馬性。而不盡其力。而馬之與我。相忘於轡鞍之間。如此而已。或聞而歎曰。子之言道也。進於技矣。苟學子道。而施之民。天下無窮民矣。

(十九) 紙鳶說

野田逸

紙鳶、非鳶也。而及依人手乘諸順風也。隨而颺。隨而高。翰飛戾天。震雄聲於雲間。方此時。眞鳶亦不能過之也。逆風忽起。則細線中斷。骨折肉飛。傾覆流離而下。或落泥沙。或困于葛藟于臲卼。忽而雲霄。忽而糞土。其不可測者如此。夫順逆無定者。天上之風也。因其無定之風。爲其身之安危。爲紙鳶。不亦難乎。蓋依人而成事者。不得不因人敗矣。待物而得勢者。不得不因物失矣。今夫紙鳶。身不能自飛。待風以飛。身不能自騰。依人以騰。一上一下。一安一危。莫非待風依人也。甚矣。其與權相相肖也。夫權相之登顯職。致身於靑雲。高牙大纛。叱咤風生者。是順風之紙鳶也。一旦鼎折覆餗。刑剭繼之者。是

逆風之紙鳶也。何其終始懸絕。一至於斯乎。抑彼之所依者。皆人也。亦不得不因人失也。彼之所待者。皆物也。亦不得不因物敗也。是必然之勢。奚足怪焉。不見彼眞鳶乎。雄姿横發。自得於冥冥。勢不可。則卑飛斂翼。翱翔於林木之間。一上一下。唯意是從。豈如彼紙鳶之依人待風者然哉。不見彼眞人乎。不依人。不待物。高而不忘卑。卑而不忘高。達則伸冲天之志。一擧淸四海。不達則脩然斂迹。優游於環堵。樂以忘憂。一屈一伸。唯意是從。豈如權相之依人待物者然哉。嗚呼。余觀眞人之不異於眞鳶。而有以益信權相之不異於紙鳶矣。紙鳶、玩器也。一敗而可復製也。一敗而不可復製者。可不畏歟。

(二十) 虛心平氣說

尾藤孝肇

讀書偶獲一說。質諸古人而協焉。徵諸今世而弗悖焉。欣然自喜以爲至理也。他日無事。獨坐窓下。倏思之。協焉者。猶有不協也。弗悖焉者。猶有悖也。是何其見之瞭乎後。而眊乎前哉。論事偶獲一義。考諸古人而合焉。驗諸今世而弗謬焉。快然自足以爲至道。他日無事。獨坐窓下。倏思之。合焉者。猶有不合也。弗謬焉者。猶有謬也。是何其知之昭乎後。而昏于前哉。嗚呼我知之矣。蓋心不虛則蔽。氣不平則蕩。當其獲之之時也。欣然快然者。

其氣爲之蕩也。以爲至理。以爲至道者。其心爲之蔽也。他日能覺之者。其心虛。其氣平也。今夫水之性。眞清可鑑。而有土汨之。方圓之不能察。苟心蔽氣蕩。寧不謬紫於朱乎哉。是故。舍其所執而讀之。無讀不通。忘其所持而論之。無論不當。優柔厭飫以之。講習切劘以之。凡書之微旨。事之得失。莫不氷釋理順焉。譬諸出於荊棘。觀於平原。正路與傍徑。宛在目中。豈難於擇而由之乎。豈不誠欣然快然乎。橫渠先生曰。濯去舊見。以來新意。夫唯虛乎。可得而來之。

(三) 書群芳譜後

川田剛

有花斯有實矣。開遶其候而不實者。謂之唐花。書稱鹽梅。詩詠有蕡。論語嘆不實。則花固可愛。宋人句云。曇花至小能爲子。桑葉雖柔解吐絲。堪笑牡丹如許大。不成一事只空枝。苟不成一事。花王富貴。顧有愧於曇與桑焉。女婿杉山三郊。年少就官。卜居東臺山下之櫻巷。時方春矣。公餘會友。評紅品白。較鬪詞華。因贈以群芳譜。佩文參廣群芳譜。蓋二書所載。草木菓蔬。數百千種。其花大實小者。爲蓮。爲百合。爲芍藥。爲罌粟。花小實大者。爲梨。爲柿。爲柘榴。爲橘柚。花實兩美者。杏花、李柰、是也。實而不可食者。梧桐、山茶、南天燭、是也。而根深者枝茂。

幹強者花榮。培養得失。要在人力。勿愛唐花。勿折空枝。斯可矣。壬午花朝。識於東京城西百日紅園之南軒。

(三) 名辨

安井衡

世有恒言。曰名利。嗚呼名者。非所以配利也。自有天地。則有是物。有是物。則有是實。有是實。則有是名。名也者。天地之所不能遺也。故聖人貴之。有過於塗者。呼之以禽獸。其人必怒而罵之。無他非其實也。今我行忠孝仁義之道。而獨忌其名。秘其事。微其跡。又從而掩蔽之。以期乎湮滅無聞。此豈人之情也哉。自古其實有大過人者。必有彰著顯赫之名。未嘗聞世鄙其人。其生也。聞而慕之。其死也。思而哀之。百世之下。儼然若在。仲尼曰。君子疾沒世而名不稱。不其然乎。獨莊周則惡名。其言曰。作惡勿近刑。作善勿近名。蓋周、生於亂世。思所以自全。謂凡材與名。皆足以害身。故其言如此。是或一道也。今我處清世。學忠孝仁義之道。而至名則獨宗周惑矣。然名有眞有僞。君子惡夫僞之害乎道也。於是乎。名利之說興焉。然是利也。非名也。黠者之於利也。無所不用其智。故知名之可以致利也。規規焉求名。知弗近名之可以致名也。陽避而陰牟之。忠其言。莊其色。堯揖而舜趨。漫然欺世。以求其所欲。利得而行損。位進而道衰。庸人孺子。皆羞稱其事。安在其爲名哉。君子則不然。擧世稱之。不以爲喜。擧世非之。不以爲阻。卓然自立。以適於道。出處語默。皆足以絕乎世俗。而標乎後世。雖或屈於時。而其道久而愈顯。是之謂眞名也。夫物湮滅期乎盡。而我獨不朽。父母以顯。子孫榮之。是不亦足貴乎。曰。孟子陋好名之士。然則孟子非矣乎。曰。孟子疾夫激而求之者也。激則僞矣。故曰好。

（三三）題村上義光碑陰　　鹽谷世弘

使君在播州乎。據摩耶而捍賊者。烏知非在君而不在赤松氏耶。使君在船上山之傍乎。翼帝而衞之者。烏知非在君而不在名和氏耶。然是尙有其人也。方兵部王之幽土窖。使君設在焉。則烏知不取王而保之耶。又烏知不伺賊奴之弑王。捽而厝之耶。君中道死也。之數者皆不可得。豈不惜哉。世或以漢紀信比君。然信死而劉氏賴焉以帝。則信死之日。猶生之年也。君則先死以活王。而王亦抱大寃以死。君之目其得瞑於地下乎。雖然。君之死。予竊謂之幸矣。中興之業不終。非臣下之力所能回也。以新田公之雄勇有衆。其終乃中流矢。殪於一無名賊兵之手。夫同一死也。中流矢殪於一無名賊兵之手。孰若當大軍之鋒。赫然稱皇子以死。而中興之事暫擧乎哉。

（三四）題楠中將畫像　　齋藤正謙

數百年來。天下之爲忠爲孝。爲豪傑英雄。爲大賢君子者。一歸楠公。公一出焉。天地立矣。日月明矣。梯航所通。文書所行。聲敎所曁。凡有口有耳者。莫不聞其事。而誦其名。是以公之神常在天下。莫所不之也。尙何以像爲。像者所寄瞻仰也。瞻仰而禮拜之。敬慕之心。油然而生。而天下之爲忠爲孝者進矣。像之設。亦豈容已哉。天保六年五月二十五日。爲公卒之五百年忌辰。吾友平松子愿與同志之士。設像奠之。余慕於公非一日。嘗過湊川、櫻井、金剛山下。憶其勤王之忠。諭子之節。致命之烈。憑吊低回不能去。今其像儼然在前。得不涕隕之乎。慨然泫然者。久之。遂題。

（三五）題擲冕服圖　　川田剛

旣敗李如松矣。何懼而受册封。旣受册封矣。何怒而擲冕服。豈其不學無術。不知册封爲何物耶。將欲解兵結好。而至於此。而意遽變耶。不然一懼一怒。何其擧動之狂且妄也。是有說焉。昔者孫權拒曹操。將士往往有懷疑懼者。權乃按劍斫案曰。敢言迎操者。有如此案。豈公之擲冕服。實類於是矣。何則公之征朝鮮。意不在朝鮮。

而在明氏。抑明之與朝鮮。土地兵馬。固相倍蓰焉。而又其國遠在鴨綠江外。我提羈旅無繼之兵。入萬里不測之域。其難爲有甚於吳之抗魏者。是以碧亭一捷。敵師膽落。而我將士亦不能無歸思。公知其然矣。故夫行長等之請事也。姑曲從其意。和云則和。册封云則册封。及一朝册使至。大會天下牧伯。見諸伏見城。待衛叱咤。黃幄方開。使者股慄膝行。捧金印而進。當是時。公氣既吞全明矣。雖無封日本國王之語。冕服固不免毀擲。然且待讀册而後敢發怒者。特欲聳動諸將耳目。以示其志不可回耳。不然。彼自避位。而王我其國。世固無此理。公雖不學。獨有不知之者哉。或曰。子說有所據乎。曰有。曰何據。曰據豐公言。初公之出師也。或請以善漢文者從。公曰。吾直使彼用我文耳。惡用漢文爲。文且不用。況冕服乎。况册封乎。嗚呼。世之論者。以千古無前之快擧。與一恭獻所爲。同日視之。公而聞之。即笑而謂之狂且妄耳。

（三六）畑六郎左衞門碣　安積信

精忠峻節。可以動天地。可以感鬼神。可以鼓舞萬世之人心。故雖其身蹈患難以沒。必流慶於子孫。此理昭然不可誣也。當元弘建武之際。新田羽林公。揭義旗滅北

條氏。又與足利氏戰。而麾下有熊羆之士。不貳心之臣。相與翊贊勳業。及其邪正相軋。天道未定。公遂爲國家授命。則亦皆致忠節以死。若畑君。其尤傑出者矣。君諱時能。姓丹治。畑其氏。稱六郎左衞門。世爲武藏名族。姿貌魁岸。有神力。幼好角觝。八州壯士莫能抗。及長。遷信濃。喜遊獵。策馬馳騁巖壑。迅捷如飛。後仕羽林公。大小百餘戰。所向莫不摧靡。其搴旗斬將之功。不可勝計。羽林公戰沒。弟義助使君守越前湊城。是歲。禀義助命。攻金津、長崎諸城。皆陷之。斬首八百餘級。退守鷹巢城。敵將斯波高經。以三千餘人圍之。是時南朝益不振。北國官軍皆敗亡。獨君以區區之衆守孤城。內無斗糧之儲。外無蚍蜉蟻子之援。徒以忠義激士卒。屢乘夜斫營。敵軍震慴。呼曰。畑將軍。各潛賂遺。請勿襲我營。遂力戰走高經。而君亦中流矢沒。實曆應元年十二月二十五日也。其精忠峻節。可以動天地。感鬼神。嗚呼不亦偉哉。十世孫時義。稱勘太郞。生于勢州。仕木造長政。天正中長政亡。仕富田信高。後退居于備中早島。子孫相繼至秀重。秀重仕戶川安倫君。寬政中。扈從巡蝦夷。享和中。安倫君爲蝦夷奉行。又從之。三至箱館。天保中。從嗣子安清君赴長崎。明年安清君除長崎奉行。卽擢爲室老。宗

族繁衍。或居江戶。或在備中。蓋天之所以報忠臣者。至是益炳如也。今茲天保九年。丁君五百年忌辰。秀重追慕其忠烈。建碣於武州目黑最上寺中。屬予爲之文。予謂。今人奉其身甚厚。而不知追遠報先之爲義。秀重顧能追慕祖先。建碑以祭之。可不謂孝乎。且歷事二主。東極蝦夷。西抵長崎。千里跋涉。致匪躬之節。洵無愧於爲忠臣之後矣。乃爲叙其梗槩。使刻焉。

(二七) 井上竹笣翁墓碣　　森田益

古松數十株。列植門前。蔚然蓋屋者。井上竹笣翁之居也。余嘗寓其種龍樓歲餘。善知翁。翁爲人。可率洒落嗜酒。其待客不屑屑於禮遇。舉動往往出人意表。一夜三更。余就眠。翁手携一壺酒。大聲呼曰。先生寢否。余蹴衾而起。翁推窓指示明月躍松間曰。有此好下物。豈可不共一杯乎。乃對酌談玄徹曉。如此者數矣。已而余歸鄉。數歲之後。再訪翁。翁已沒。登其樓。風景依然如故。而其人則亡矣。悲夫。翁諱惟重。字子威。通稱武仲。太竹笣其號也。本姓上野。爲井上春房君所養。井上氏世仕於備中淺口郡福島邑。通貨於邑主龜上侯。侯擢爲勘定組頭格。小原氏生二男。長德嗣家。季堅分居。三女皆適人。翁性好禪理。醉則進膝曰。有一發耳。一發者頓悟也。余觀世之豪族。大抵不免俗。求脫塵如翁者。不可得也。翁以嘉永四年九月念四日沒。享年六十有四。乃葬于屋後之山。松林深處。銘曰。屋前屋後。皆無不松。生住松林之下。死葬松林之中。余弔翁月下。墓上有淸風。

(二八) 菅公神廟碑　　藤森大雅

嗚呼。大節明天地。至誠孚萬世。若我菅公者。窮海內。亘古今。一人而已矣。蓋公發跡於儒林。一朝陞居勳戚之右。當是時。幼主踐祚。公任重勢疑。嫌謗易生。況姦臣搆讒於內。而諛臣又隨媒孽之乎。外公之不終。宜哉。然危疑之間。人或勸退。公奮而不顧。欲上爲天子。除百年之積弊。下爲萬世。明君臣之綱常。易有之。蹇之九二曰。王臣蹇蹇。匪躬之故。公之進也。蓋用之矣。及公獲罪去。姦諛遂得志。乾綱之不振。職此之由。而公忠愛之念。抵死不渝。眷戀闕庭。思慕君父。往往見之於歌詠。毫無怨懟之意。易有之。乾之文言曰。不見是而無悶。公之退也。蓋用之矣。是所謂道理貫心肝。忠義塡骨髓者。實人臣之大節。非至誠而能之乎。夫誠之至感神明。況於人乎。是以凡在中國者。戴髮含齒之類。莫不尊親。廟食遍於海內。千載猶一日。豈不盛哉。豈不盛哉。桐生之人。尤尊親公。奉祀爲鄉社。蒸嘗不懈。有事必祈。天正十九年。東照公下教。置祀田二十石。越九年。關原役起。欲多張旗幟以盛軍容。初八幡公過此郷。命民上絹及竹竿。取以作白旗。遂平奥賊。公乃遣主計頭平岩親吉。援八幡公例。下令於五十四邑。刻日織旗絹。盡所獲數。併旗竿上之。獲絹二千四百一十匹。郷民各持所織。會於神廟。祈戰勝。併符章上之。軍遂大捷。乃命歲貢旗絹。依其數爲額。併除所採旗竿竹林稅。民亦必會神廟。爲幕府祈隆運。併符章上之。歲以爲常。寛永中。更命代絹以錢。納若干。嘉永五年壬子。爲公九百五十年忌辰。邑民以爲梅花。公平生所愛。乃集同志。勠力鬪園於祠側。多栽梅花。亦

尊親之一端也。其明年。余遊桐生。石原義章、吉田某。欲碑祠廟所由。以示永久。乞余文。乃爲書之。係以詩。

中等教科漢文讀本巻之五 終

明治三十二年二月二十日印刷
明治三十二年二月二十三日發行
定價二十五錢

編者　東京市本郷區追分町十四番地　福山義春
編者　東京市神田區裏猿樂町十八番地　服部誠一
發行兼印刷者　東京市日本橋區本石町十軒居六番地　阪上半七
活版印刷所　東京市神田區錦町二丁目四番地　行文堂印行

文學士福山義春
服部誠一 共編

中等教科 漢文讀本 卷六

東京 育英舍

中等教科 漢文讀本卷之六目次

通鑑擥要

(一) 齊侯封即墨大夫烹阿大夫 周烈王六年
(二) 蘇秦相六國 周顯王三十六年
(三) 秦趙會澠池 周赧王三十六年
(四) 秦白起坑趙卒四十萬 周赧王五十五年
(五) 秦伐魏公子無忌敗之 自東周滅後三年
(六) 秦初幷天下更號皇帝 秦王政二十六年
(七) 燒詩書百家語 始皇三十四年
(八) 陳勝自立爲王 秦二世元年

(九) 項籍攻破函谷關遂屠咸陽 漢王元年
(十) 漢王以韓信爲大將 漢王元年
(十一) 韓信背水陣 漢王三年
(十二) 漢韓信擊破楚軍 漢王四年
(十三) 漢王圍項籍垓下 漢王五年
(十四) 將軍周亞夫 漢文帝後六年
(十五) 蘇武使匈奴 前漢武帝天漢元年
(十六) 疏廣疏受請老 前漢宣帝元康三年
(十七) 伏波將軍馬援 後漢光武帝建武二十四年
(十八) 曹操與卓兵戰於滎陽 後漢獻帝初平元年

(十九) 公孫瓚攻袁紹。以劉備爲平原相。 後漢獻帝初平二年
(二十) 王允使中郎將呂布誅董卓。 後漢獻帝初平三年
(二一) 曹操擊呂布殺之 後漢獻帝建安三年
(二二) 劉備見諸葛亮於隆中 後漢獻帝建安十二年

本邦史論

(二三) 源義家論 齋藤馨
(二四) 源頼朝論 安積信
(二五) 源義經論 阪井華
(二六) 楠正成論 賴襄

(二七) 北條早雲論 青山延光
(二八) 甲越論 中井積德
(二九) 毛利元就論 青山延光
(三十) 織田信長論 鹽谷世弘
(三一) 豐臣秀吉論 安積信
(三二) 伊達政宗論 岡田僑

明清文

(三三) 羣居課試錄序 歸震川
(三四) 前後入蜀稿序 唐荊川
(三五) 送史大梅君應召序 王遵巖
(三六) 秋水集序 朱彝尊
(三七) 白渡汎舟記 魏禧
(三八) 洞泉記 王遵巖
(三九) 匏齋記 朱彝尊
(四十) 竹溪記 唐荊川
(四一) 耐齋記 歸震川
(四二) 棣華堂記 宋學士
(四三) 人虎說 宋學士
(四四) 招魂章碑 王遵巖

(四五) 相臣論 魏禧
(四六) 六國論 沈德潛
(四七) 三國論 吳成佐

中等教科漢文讀本卷之六目次 終

中等教科漢文讀本卷之六

文學士 福山義春
服部誠一 共編

通鑑擥要

（一）齊侯封即墨大夫烹阿大夫（周烈王六年）

齊威王召即墨大夫。語之曰。子居即墨。毀言日至。及視即墨。田野闢。人民給。官無事。東方以寧。是子不事吾左右以求助也。封之萬家。召阿大夫語曰。子守阿。譽言日至。及視阿。田野不闢。人民貧餒。是子厚幣事吾左右以求譽也。是日。烹阿大夫及左右嘗譽者。於是。群臣莫敢

飾詐。齊國大治。

（二）蘇秦相六國（周顯王三十六年）

洛陽人蘇秦、說秦惠王。以兼天下之術。不用。乃去說燕文公曰。燕之所以不被兵者。以趙之爲蔽其南也。願王與趙從親。則燕必無患矣。從之。說趙肅侯曰。秦不敢伐趙者。畏韓、魏之議其後也。若一韓、魏、齊、楚、燕、趙。爲從親以擯秦。相約。秦攻一國。五國各出銳師以撓秦。或救之。有不如約者。五國共伐之。則秦甲必不敢出函谷以害山東矣。肅侯大悅。厚賜賚之。以約於諸侯。說韓、魏、齊、楚。亦許之。於是。以秦爲從約長。幷相六國。初秦、說秦不用。大困而歸。妻不下紝。嫂不爲炊。父母不與言。及相六國。北報趙王。路過洛陽。昆弟、妻、嫂。側目不敢仰視。秦笑謂嫂曰。何前倨而後恭也。嫂曰。見季子位高金多。秦曰。人生世上。勢位富厚。蓋可忽乎哉。使我有負郭田二頃。豈能佩六國相印乎。

（三）秦趙會于澠池（周赧王三十六年）

秦、趙、會于澠池。酒酣。秦王請趙王鼓瑟。趙王鼓之。藺相如請秦王擊缻。秦王不肯。相如曰。五步之內。臣請得以頸血濺大王矣。左右欲刃相如。相如張目叱之。左右皆靡。秦王爲一擊缻。趙王歸。以相如爲上卿。位在廉頗右。

頗曰。我有攻城野戰之功。相如徒以口舌。位加我上。我必辱之。相如聞。每避頗。其舍人皆以爲恥。相如曰。以秦之威。而相如廷叱之。獨畏廉將軍哉。顧吾念之。秦所以不敢加兵於趙者。以吾兩人在也。今兩虎共鬬。勢不俱生。吾所以爲此者。先國家之急。而後私讐也。頗聞之。肉袒負荊謝罪。遂爲刎頸交。

（四）秦白起坑趙卒四十萬（周赧王五十五年）

秦伐韓。上黨守馮亭、以其地歸趙。平陽君豹曰。此欲嫁禍於趙也。不如弗受。平原君請受之。秦使王齕攻上黨。拔之。上黨民走趙。齕因伐趙。趙將堅壁不出。秦相應侯、

使人反問曰。秦獨畏馬服君之子括爲將耳。趙王遂以括代頗將。藺相如曰。王以名使括。括徒能讀其父書傳。不知合變也。括母亦上書言括不可使。王弗聽。秦乃陰使起爲上將。而齕爲裨將。令軍中弗泄。括至軍。悉更約束。出兵擊秦。起佯敗走。張二奇兵以刧之。括乘勝追造秦壁。壁堅拒不得入。而秦奇兵絕其後。趙軍食絕四十六日。括自出搏戰。秦射殺之。卒四十萬人皆降。起挾詐盡坑之。遺其小者二百四十人歸趙。

(五)秦伐魏。公子無忌敗之。（自東周滅後三年）

蒙驁帥師伐魏。魏王使人請無忌於趙。無忌畏罪不肯還。客毛公薛公曰。公子所以重於諸侯者。以有魏也。今魏急而公子不恤。一旦夷先王之宗廟。公子何面目立天下乎。語未畢。無忌趣駕還魏。魏王以爲上將軍。諸侯聞之。皆遣兵救魏。無忌率五國之師。敗驁於河外。追至函谷關。秦兵不敢出。時無忌威振天下。秦王患之。乃行金萬斤於魏。令毀無忌。魏王聞毀。果使人代將。無忌乃謝病不朝。與賓客爲長夜飮。竟病酒而卒。

(六)秦初并天下。更號皇帝。（秦王政二十六年）

辛未十七年滅韓。癸酉十九年滅趙。丙子二十二年滅魏。戊寅二十四年滅楚。己卯二十五年滅燕。是年滅齊。

齊后勝爲相。與賓客多受秦間金。不修戰備。王賁攻齊。民莫敢格。齊王建遂降。處之松柏之間。餓而死。秦王自以爲德過三皇。功高五帝。乃更號曰皇帝。命爲制。令爲詔。自稱曰朕。制曰。死而以行爲謚。是子議父。臣議君也。自今除謚法。朕爲始皇帝。後世以計數。二世三世至於萬世。傳之無窮。

(七)燒詩書百家語。（始皇三十四年）

李斯言。諸生不師今而學古。聞令下。則各以其學議之。入則心非。出則巷議。臣請史官非秦記皆燒之。偶語詩書者棄市。所不去者。醫藥卜筮種樹之書。有欲學法令。以吏爲師。制曰可。

(八)楚人陳勝吳廣起兵。（秦二世元年）

勝陽城人。字涉。廣陽夏人。字叔。涉少時。嘗與人傭耕隴上。曰。苟富貴。無相忘。傭者笑曰。若爲傭耕。何富貴。涉曰。燕雀安知鴻鵠之志哉。王侯將相。寧有種乎。與廣起兵攻蘄。蘄下。自立爲王。號張楚。郡縣苦秦法。爭殺長吏應之。

(九)項籍攻破函谷關。遂屠咸陽。（漢王元年）

沛公遣兵守函谷關。無內諸侯軍。籍至大怒。攻破之。范增說籍曰。沛公志不在小。吾使人望其氣。皆爲龍成五色。此天子氣。急擊勿失。會、籍季父項伯素善張良。夜馳告之。良因固要伯。入見沛公。奉卮酒爲壽。約爲婚姻。曰。吾所以守關者。備他盜耳。日夜望將軍到。豈敢反乎。願伯明言。伯許諾曰。旦日不可不早自謝。伯還告籍。且曰。人有大功。擊之不祥。不如因善之。籍許諾。沛公旦日從百餘騎。來見籍鴻門。籍留飲。增數目籍。擧所佩玉玦示之者三。籍不應。增出使項莊入舞劍爲壽。因擊沛公。伯亦拔劍舞。以身翼蔽沛公。樊噲聞事急。乃持盾直入。瞋目視籍。頭髮上指。目眦盡裂。籍曰。壯士。賜之卮酒。彘肩。噲既飲酒。拔劍切肉盡之。籍曰。能復飲乎。噲曰。臣死且

不辭。豈特卮酒乎。且沛公先入咸陽。暴師霸上。以待大王。大王今日聽小人之言。與沛公有隙。臣恐天下解心疑大王也。籍默然有頃。沛公起如厠。從間道歸霸上。留良謝羽。因獻白璧。籍受之。又獻玉斗。與增。增怒撞玉斗曰。唉。豎子不足與謀。奪將軍天下者。必沛公也。居數日。籍引兵西屠咸陽。殺秦降王子嬰。燒宮室。掘始皇冢。收寶貨婦女而東。秦民大失望。韓生說籍曰。關中阻山帶河。四塞之地。可都以霸。籍見秦宮室皆已燒殘。又思東歸曰。富貴不歸故鄉。如衣繡夜行耳。韓生退曰。人言楚人沐猴而冠。果然。籍聞之烹韓生。

(十)漢王以韓信爲大將 漢王元年

初淮陰人韓信家貧。釣於城下。有漂母。見其飢而飯之。信曰。吾必有以重報母。母怒曰。大丈夫不能自食。吾哀王孫而進食。豈望報乎。淮陰少年侮信曰。能死刺我。不能死。出吾袴下。信俛出袴下。市人皆笑爲怯。及項梁渡淮。信仗劍從之。梁敗。數以策干籍。不用。亡歸漢。爲連敖。坐法當斬。滕公釋之。言於漢王。爲治粟都尉。信數與蕭何語。何奇之。王至南鄭。將士多道亡者。何獨追信曰。諸將易得。如信國士無雙。王乃欲拜信爲大將。何請設壇具禮。諸將皆喜。人人自以爲得大將。至拜乃信也。一軍

皆驚。禮畢。王曰。將軍何以教寡人。信曰。項王喑噁叱咤。千人皆廢。匹夫之勇耳。見人恭敬慈愛。言語嘔嘔。婦人之仁也。逐義帝。所過無不殘滅。百姓不親附。名雖爲霸。實失天下心。大王誠能反其道。任天下武勇。何所不誅。以天下城邑封功臣。何所不服。以義兵從思東歸之士。何所不散。且大王入關。秋毫無所害。除秦苛法。秦民無不欲得大王王秦者。今大王擧而東。三秦可傳檄而定也。漢王大喜。自以爲得信晚。遂部署諸將。留何收巴蜀租。給軍糧食。擧兵出陳倉。定三秦。張良遺項王書曰。漢王失職。欲得關中。如約即止。不敢東。又以齊梁反書遺

之。項王以故無西意。而北擊齊。

（十一）韓信背水陣 漢王三年

韓信、張耳擊趙。廣武君李左車說餘曰。臣聞。千里餽糧。士有飢色。樵蘇後爨。師不宿飽。今井陘之道。車不得方軌。騎不得成列。糧食必在後。願假臣奇兵三萬。絕其輜重。不十日。而兩將之頭。可致麾下。餘自稱義兵。不用左車策。信、夜選輕騎二千。持赤幟。戒曰。趙見我走。必空壁逐我。若疾入趙壁。拔趙幟。立漢赤幟。乃使萬人先行。出背水陣。趙開壁擊之。大戰良久。信、佯走水上軍。趙果空壁逐之。水上軍皆殊死戰。不可敗。信、所出奇兵。即馳入

趙壁。拔趙幟。立漢赤幟。趙軍還壁。見幟大驚。遂亂遁走。漢軍夾擊。破趙。斬陳餘。禽趙王歇。信、以千金募。生得左車。解其縛。師事之。問曰。僕欲北攻燕。東伐齊。何若而有功。左車曰。臣、敗軍之將。不可語勇。何足以權大事乎。信曰。向使成安君聽子計。僕亦爲禽矣。左車曰。足下虜魏破趙。威震天下。然欲擧倦敝之兵。頓之燕堅城之下。欲戰不得。攻之不拔。曠日持久。糧食單竭。燕既不服。齊必距境自彊。不如按甲休兵。北首燕路。遣辯士奉書於燕。燕必不敢不聽從。燕從而東臨齊。雖有智者。亦不知爲齊計矣。信、從其策。燕從風而靡。遣使報漢。請以張耳王

趙。漢王許之。

（十二）漢韓信擊破楚軍 漢王四年

信、東追齊王。楚使龍且救齊。或曰。漢兵不可當。且曰。信寄食於漂母。無資身之策。受辱於袴下。無兼人之勇。不足畏。進與信夾濰水而陣。信、夜令人囊沙壅水上流。且引兵渡擊且。信、佯敗還走。且、喜曰。吾固知信怯也。遂追之。信、使人決壅囊。水大至。且軍太半不得渡。急擊殺且。虜齊王廣。齊相田橫、自立爲齊王。灌嬰擊走之。

（十三）漢王圍項籍垓下 漢王五年

漢王追籍至陽夏南。與韓信、彭越。期會擊楚。至固陵。而

信、越之兵不會。楚擊漢軍。大破之。漢王入壁自守。張良曰。君王能與共天下。可立致也。捐楚、梁地。以許兩人。使各自爲戰。則楚易破也。漢王曰。善。乃發使告信、越。信、越引兵來。籍、壁垓下。兵少食盡。漢及諸侯兵。圍之數重。籍夜聞漢軍四面皆楚歌。大驚曰。漢皆已得楚乎。是何楚人之多也。起飲帳中。有美人名虞。常幸從。駿馬名騅。常騎之。乃悲歌忼慨。自爲詩曰。力拔山兮氣蓋世。時不利兮騅不逝。騅不逝兮可奈何。虞兮虞兮奈若何。歌數闋。美人和之。籍、泣數行下。左右皆泣。乃乘駿馬。從八百餘騎。直夜潰圍南出。馳至陰陵。迷失道。問一田父。田父紿

曰。左。左乃陷大澤中。復引兵而東。至東城。乃有二十八騎。於是。籍欲東渡烏江。烏江亭長艤船待曰。江東雖小。亦足王也。願大王急渡。籍笑曰。籍與江東子弟八千人。渡江而西。今無一人還。縱江東父兄。憐而王我。何面目見之。縱彼不言。籍獨不愧於心乎。乃自刎。楚地悉定。獨魯不下。漢王欲屠之。至城下。猶聞絃誦之聲。謂其守禮義之國。爲主死節。因持籍頭示之。乃降。以魯公禮葬籍於穀城。封項伯等四人爲列侯。賜姓劉氏。漢王還至定陶。馳入齊王信壁。奪其軍。

(十四) 將軍周亞夫 漢文帝後六年

亞夫次細柳。劉禮次霸上。徐厲次棘門。以備胡。帝自勞軍。至霸上及棘門軍。直馳入。已而之細柳軍。先驅不得入。曰。天子且至。軍門都尉曰。軍中但聞將軍令。不聞天子詔。帝使使持節詔將軍。開壁門。門士請曰。將軍約。軍中不得馳驅。帝乃按轡徐行。至營。亞夫持兵揖曰。介胄之士不拜。請以軍禮見。帝改容式車。出曰。此眞將軍矣。曩者霸上棘門軍。若兒戲耳。月餘。匈奴遠塞。拜亞夫爲中尉。

(十五) 蘇武使匈奴 前漢武帝天漢元年

帝遣武送匈奴使留在漢者。既至。單于使漢降人衛律召武。誘以富貴。武不應。律曰。不聽吾計。後欲復見我。尙可得乎。武罵曰。汝爲人臣子。不顧恩義。爲降虜於蠻夷。何以汝爲見。律白單于。乃幽武置大窖中。絕不飮食。天雨雪。武齧雪與旃毛并咽之。數日不死。匈奴以爲神。乃徙武北海上。使牧羝曰。羝乳乃得歸。

(十六) 疏廣疏受請老 前漢宣帝元康三年

皇太子年十二。通論語孝經。太傅廣。謂少傅受曰。吾聞知足不辱。知止不殆。即日俱上疏乞骸骨。帝皆許之。加賜黃金。公卿故人。設祖道。供張東都門外。道路觀者皆曰。賢哉二大夫。廣受歸鄕里。日令其家賣金共具。請族

人故舊賓客。與相娛樂。或勸以爲子孫立產業。廣曰。子孫賢而多財。則損其志。愚而多財。則益其過。且富者衆之怨也。吾既無以敎化子孫。不欲益其過而生怨。又此金者。聖主所以惠養老臣也。故樂與鄕黨宗族共饗其賜。

(十七) 伏波將軍馬援 後漢光武帝建武二十四年

武陵蠻寇臨沅。遣將討之。不克。援請行。帝愍其老。未許。援據鞍顧眄。以示可用。帝笑曰。矍鑠哉是翁。遂遣行。軍至臨鄕。擊破蠻兵。初援嘗有疾。虎賁中郎將梁松來候之。獨拜床下。援不答。松意不平。諸子問曰。梁伯孫。帝壻。

公卿以下。莫不憚之。大人奈何獨不爲禮。揆曰。我乃松父友也。雖貴何得失其序乎。

(十八) 曹操與卓兵戰於滎陽(後漢獻帝初平元年)

袁紹等諸軍。畏董卓之彊。莫敢先進。操曰。擧義兵以誅暴亂。一戰而天下定矣。遂引兵至滎陽。遇卓將徐榮與戰。操兵敗。爲流矢所中。馬亦被創。從弟洪、以馬與操曰。天下可無洪。不可無君。遂夜遁還酸棗。

(十九) 公孫瓚攻袁紹。以劉備爲平原相(後漢獻帝初平二年)

瓚破青州黃巾。威名大震。時關東州郡。務相兼幷以自彊大。袁紹、袁術亦自相離貳。術、遣孫堅擊董卓。未返。紹、遣周昂。襲奪堅陽城。堅、引兵擊昂走之。術、遣公孫越。助堅攻昂。越、爲流矢所中死。瓚怒曰。余弟死。禍起於紹。遂出軍屯磐河。數紹罪惡。進兵攻之。冀州諸城多畔從瓚。備、涿郡人。中山靖王後。少孤貧有大志。嘗與瓚同師事盧植。因往依瓚。至是瓚、使與其將田楷徇。青州。有功。因以爲平原相。備、少與河東關羽、涿郡張飛友善。以羽、飛爲別部司馬。分統部曲。常山趙雲、爲郡將兵詣瓚。備、見而奇之。深加接納。雲、遂從備至平原。爲備主騎兵。

(二十) 王允使中郎將呂布誅董卓(後漢獻帝初平三年)

允、與司隸校尉黃琬、僕射士孫瑞。密謀誅卓。布、膂力過

人卓、信愛之。誓爲父子。嘗小失卓意。卓、拔手戟擲布。布、見允言狀。允、因以誅卓之謀告之。使爲內應。布曰。如父子何。曰。君自姓呂。本非骨肉。擲戟之時。豈有父子情耶。布、遂許之。允、使瑞書詔授布。及卓入朝。布、伏勇士於北掖門刺之。卓、傷臂墜車。大呼呂布何在。布曰。有詔討賊臣。應聲持矛刺卓。趣兵斬之。即出懷中詔版。以令吏士曰。詔討卓耳。餘皆不問。吏士皆稱萬歲。

(二一) 曹操擊呂布殺之(後漢獻帝建安三年)

布、復與袁術通。遣高順、張遼攻備。虜備妻子。備、單身走。操、擊布。圍下邳月餘。布、困迫乃降。布、見操曰。明公之所患。不過於布。今已服矣。若令布將騎。明公將步。天下不足定也。操、命緩布縛。備曰。不可。明公不見布事丁建陽、董太師乎。操、頷之縊殺布。

(二二) 劉備見諸葛亮於隆中(後漢獻帝建安十二年)

亮、瑯琊人。寓居襄陽隆中。每自比管仲樂毅。備、訪世事於司馬徽。徽曰。識時務者。在乎俊傑。此間有伏龍鳳雛。備問爲誰。曰。諸葛孔明、龐士元也。徐庶亦曰。諸葛孔明者。臥龍也。將軍願見之乎。備曰。君與俱來。庶曰。此人可就見。不可屈致。由是備、遂詣亮。三往乃見。因曰。漢室傾頽。姦人竊命。孤不度德量力。欲信大義於天下。君謂計

將安出。亮曰。今曹操、擁百萬之衆。挾天子以令諸侯。此誠不可與爭鋒。孫權、據有江東。國險民附。此可與爲援。而不可圖也。荊州用武之國。其主不能守。殆天所以資將軍也。益州險塞。劉璋、闇弱。智能之士。思得明君。將軍、帝室之胄。信義著於四海。若跨有荊益。結好孫權。内修政治。外觀時變。則覇業可成。漢室可興矣。備曰。善。與亮情好日密。關羽、張飛不悅。備、解之曰。孤之有孔明。猶魚之有水也。

本邦史論

(三)源義家論

齋藤馨

源義家過藤原賴通。語陸奥軍事。大江匡房、隔座聞之曰。惜未知兵略耳。從者告之。義家謂其或有之。遂就學兵書。吾嘗怪之以爲義家之用兵。得於天性。而成於百戰練磨之餘。當時將士無敢議者。而彼匡房者。何人哉。家世業文。未嘗一操兵。而僅抱一卷兵書。自以爲知兵。是亦不過趙括之兵耳。而義家遽服其言。遂從而學之。何其義家之自輕也。曰非自輕也。即自重也。昔者張良從異人受書。先儒論之曰。異人所教。在意不在書。今匡房之教義家。吾以爲亦然也。義家身爲將帥幾年。所向無敵。天下神明視之。其心因以爲無復足畏者。方與賴通語之際。或有鋒鋭太露。偃然自是之色。是匡房之所聞而惜之也。蓋自是者。任意而行。不敢用人言。其終必至于一敗塗地而止。故匡房折之。將以成就之也。不然。以搢紳執笏。未嘗一操兵之人。而折宿將名帥於一言之下。以未知兵。是從者之所以慍而告也。爲臣者且慍。而義家夷然不敢慍。即待其出禮之。是其虛心聽之之速。不待如良之納履約往。而後可教矣。蓋義家嘗自以爲是矣。及聞此言也。欿然自歉之心忽生。自歉則臨事

而懼。慮勝而進。必不以輕忽敗事。匡房所謂兵略。不在書而在此也。及後三年之役。義家見營外鳥亂。曰。有伏。探之果然。因謂人曰。是兵書所謂飛鳥亂行有伏也。若不學則殆。是亦義家審地勢。不敢直進。故能然已。不然。悍然勇往。不暇顧書中語。而伏兵既環視而起矣。唯義家有學以知之。故此役三年而成功。使其不學。則將見其至於十數年而不已也。由是觀之。義家之所自重。以功名終。由受匡房一言之教。故曰。是義家威重天下。也。雖然義家有希世之功。而朝廷不酬其勞。至斥以私鬪。是在他人。則不勝忿忿之心。而義家終始一節。不肯

少怨。然則匡房之所教。豈獨兵略哉。

(三四) 源頼朝論　　安積信

治亂盛衰之機。非一朝而發焉。其所從來者遠矣。雷霆之震。人聞其轟轟然起于天半。以爲暴發。而不知陽氣久已鬱積于地中。乃乘時而出也。大山之崩。人見其暴風劇雨之震盪。以爲其所致。而不知土壤已朽。釁隙欲裂。風雨動其機也。王室之衰。兵權之移。亦已久矣。頼朝投其機而得之耳。何以知其然也。昔者皇朝以文武爲一途。有事則天子親率大軍征之。或大臣受節刀以討之。天戈所指。莫不摧靡。可謂盛矣。自釋氏之説盛行。乃

以殺爲戒。凡戰鬪之事委將帥。而武威始衰矣。自有遣唐使。倣李氏制度。禮樂、典章、文物之美雖備。而文武之官始分矣。左右近衛大將、即武官之長。而任之者。不諳韜略。其討叛亂。皆差遣下僚武人。不肯親監臨。其弊遂貴文賤武。惟以詩歌、絃匏、蹴鞠相尚。此亦襲漢土風習。而武威益衰矣。夫兵、凶器也。戰、危事也。執凶器臨危事。天下之大難也。今公卿峩冠長裾。趨蹌于殿陛之上。視武人如奴隷。一旦有事。則使之踏湯火冒矢石。犯天下之大難矣。其成功而歸也。不過加一階半級。此豈人情所樂也哉。平將門之叛。平貞盛、藤原秀卿之功大矣。而

褒賞不過四位。平忠常之叛。源頼信討平之。而亦不過四位。猶之可也。至若頼義父子征陸奥。則前後十四年。百戰而僅克之。尤爲殊勳。竟亦不過四位衛尉。甚者至朝廷吝賞。而將卒不沾一爵。其不重武臣。率如此。故保元、平治騷亂之餘。平清盛自武臣起。位極人臣。而頼朝遂得專兵馬之權。此理勢所至。非一日之積也。抑頼朝之興。又有所從來矣。其祖頼信以來。三世相繼東征。輙率關左將士。與之同苦樂。施恩信。將士感戴如父母。故頼朝擧兵檄八州。三浦義明、讀檄揮涙。使子孫致死力事之。其他八州豪傑。群起應之。如迅雷一震。百蟲啓戸

而出焉。此祖宗遺澤所淪浹者。亦非一日也。不然。頼朝雖智。安得勃興于旬月間哉。善不積。不足以成名。惡不積。不足以滅身。爲人主者。觀古今治亂盛衰之理。可以自警矣。

(三五) 源義經論　　坂井華

義經英武絶倫。用兵如神。遂誅義仲。滅平氏。興復源氏之業。而頼朝乃忌其成功。俾之流離狼狽無所容身。賞不酬勞。恩不施親。天下皆知惡頼朝之虐。而不知責義經之罪也。義經在西海。不遵頼朝節度。既克平軍。竊奸建禮門院。是其所以爲罪耶。曰不然。將在軍。君命有所

不受。奸院之事。暧昧不明。皆不足以罪義經。義經之罪。在于迫天子請院宣而討賴朝。夫義仲所以滅平氏之所亡。皆由迫脅天子。而得罪於天下。故義經奮起。得以聲其罪而致其討。其所以戰勝攻取。成功於瞬息。雖出乎用兵之妙。抑亦有名義爲之資也。今賴朝未有可討之事。而天子亦無討之之心。乃兄弟私怨。圖相殺害。欲强天子以其所難爲。名不順。而爲義不直。嚮之所以討於義仲、平氏者。一旦取而加其身。固既足得罪於天下矣。且賴朝之於義經。以親則兄弟。以義則君臣也。縱使之有罪。固非義經之所得而討。况於無罪乎。兵戈搶攘

之際。人固不屑於順逆曲直之名義。若其心。則未嘗不欲去逆而就順。違曲而順直。特迫於勢而不能耳。今賴朝之義。得以誅義經。而其勢又足制義經。於是乎。擧天下皆其敵矣。以故西走則行綱要之。東奔則泰衡圖之。扶桑萬里。無所託足。安得不去而投絕域無人之境。是所以世俗有蝦夷遁逃之說也。其本出於請院宣而討賴朝。請院宣誠有罪矣。果使之不請。賴朝不得而誅耶。是亦不然。賴朝之欲誅義經。非一日也。但其奸計深至。必欲得其罪而誅之。故俟院宣而後發耳。蓋賴朝視同氣如路人。苟有害於已焉。誅鋤無擇親疎。範賴之死可

覩已。範賴素賴朝之所愛。其討平軍。未嘗失賴朝之意。乃一言之謬。隨以重誅。無佗焉。彼亦會誅義仲。滅平氏。而聲威頗暴天下。故惡而除之耳。况義經。智勇無雙。新有大功。而承天子之寵任。其所忌害。莫甚於此。假令其事事遵賴朝之意。豈能置而弗問哉。是義經有罪亦死。無罪亦死。其勢不得不挾天子而自重。所以有院宣之請也。然則請院宣者。義經也。使之請院宣者。賴朝也。勸妻使奸。奸則責以其奸。教子使盜。盜則罪以其盜。義經之不弟。即賴朝之不友也。義經之不臣。即賴朝之不君也。我之所以深罪義經。乃所以深罪賴朝也。

(三六) 楠正成論　賴襄

我大儒某氏。嘗議楠公曰。俗人以正成比武侯。非也。武侯。懷抱道德。三顧而起。正成。則應召即出。武侯。用三代節制之師。正成。則權謀奇譎。行佹求成。正成。不免爲功名之徒。安得比武侯。予始聞之人。即曰。是非某氏之論也。已讀其書信矣。則每讀之。未嘗不切齒。夫使公在亮之地。則亦如亮。亮之時。天下瓜分。而公之世。則天下皆一王赤子也。狗鼠之賊。辱我父母。何得不狂奔盡氣。持挺逐之。雖不召而出可也。食君之土。爲君之臣。當君之急難。則深坐高視。據案披策曰。我懷抱道德。君不三顧

我。我不肯出。也。然後始免爲功名之徒邪。豪傑作事。因機制變。以少摧衆。轉弱爲强。唯我所長是視。權謀可也。奇譎可也。行危求成可也。亦何所擇。當公之時。必以其千百疲卒。而分天地風雲龍虎鳥蛇之伍。雍容指麾。以臨北條。足利百萬敵。日是我三代節制之師也。有機會而棄之曰。君子不臨危也。然後始免爲功名之徒邪。設使爲此論者當公之時邪。其所成可觀已。我嘗論。公之忠與亮不相下。而其才不可同日論也。亮。三分天下而有其一。東連强吳。則又有其二。有其二而不能勝其一。孰與公以千百疲卒。奪六十州於賊手。而授諸天子哉。亮。上有專任之主。下有用命之將。子午以南。南海以北。尺地寸艸。無不從其號令。掃蕩而北出者六。終不能制曹丕一豎子之命。足利尊氏之雄略。萬萬曹丕。而延元帝之任人。不望先主之萬一。公乃以河泉之卒。受新田義貞之節度。而尊氏二十萬兵。遇公一擊。則京無人影矣。故使公居亮之地。則尺組係曹丕頸。而獻諸洛陽。如剌韮矣。木牛流馬。無以爲也。而延元帝。不知用諸我以定七道。命也。吁。其遇多難。間關百折。垂成社稷大功。則賊尊氏。賊清忠。耦而陷之。想夫含憾入地之時。其心固何如也。而後人亦安坐緩頰。欲以議其失。天地之間。何

多尊氏清忠之黨。而少公之徒也。

(三七)北條早雲論

青山延光

擁土地人民之富。保數百年之久。豈偶然哉。祖先必有所倚。子孫必有所守。故能上下輯睦。國家之勢。盤結膠固而不可拔也。雖其子孫有暴肆昏凶以取禍者。而其祖先之遺澤。淪浹於民心者。有所未盡。則賴以興復。亦爲不難也。吾觀鎌倉北條氏之據天下。其智術不爲不巧。然其所以待源氏者。極天下之慘毒。而子孫相繼不墜其業。九世而後滅者。蓋有以也。夫關東。天下勁兵之處。而鎌倉聚關東勁兵。譬猶養虎豹。有不易制者。而諸國之吏。亦皆用武夫。譬猶驅虎豹。牧駒犢。有不易馭者矣。而北條氏之立國。天下有事。則投袂而起。身先士卒。跳盪奮呼。毫無沮撓。雖梟將如和田者。亦有所不避。天下之至猛也。而其所以待民。則孤窮必恤。寃枉必察。天下之至厚也。威猛足以懾伏豪傑。寛厚足以撫綏人民。豪傑畏其威猛。故不敢縱暴其民。人民服其寛厚。故不復離心。無事則八州之民。可安坐而治也。有事則八州之豪。可一麾而聚也。是北條氏之家法。而子孫世守之。此其所以保九世之久歟。其後伊勢氏。據伊豆。冒北條氏。遂雄於關東。余觀其所爲。蓋襲鎌倉北條之故智矣。

何則關東之民。固嘗苦高時之橫虐。相與殄滅之。則冒其氏者。宜深惡之。而今反愛戴之。安知非泰時、時賴之遺澤哉。夫高時橫虐。不得不亡。而後之有關東者。竟無有寬厚慈惠。如泰時、時賴者。則其政蹟之美。國人有不忍忘者。而又困於武人之虐政。則其所以念北條氏者。愈久愈深。亦自然之勢也。早雲之興。實乘此機。而襲其故智。故人民欣然歸心。早雲之言曰。君者父也。民者子也。安有父焉而不愛其子者耶。何其仁厚也。而其取伊豆。取小田原。又何其飄暴迅疾也。時人所謂。獰猛如神。慈厚如佛者。即北條氏家法。而早雲之襲之也亦明矣。

後世子孫。徒學其武猛。日夜攻戰。以爭尺寸。而不知祖先之所以立國者自有道。安得不覆亡哉。

(二八)甲越論

中井積德

世之言兵者。莫不尸祝乎甲越二公矣。二公。固當時之傑。不能相左右者也。今謂二公不知兵也。聞者則不罵爲狂。必憫爲愚矣。嗟乎。此豈可與俗士言哉。議者或疾二公。以并呑混一之業。此猶規模之小耳。吾聞。古者良將之行兵也。戰必克。攻必取。二公。果能必克必取歟。蓋良將所以能必克必取者。以其弗戰於弗克。而不攻於不可取也。二公。則不能克而戰焉。不可取而攻焉。謂之知兵可乎。二公所長。特在於結陣之熟。器械之選。法令之嚴而已矣。其所短。在於胸無勝算。不審彼此。先戰後謀。乃恃其三長。冒昧爲鬪。不亦危事乎。其不至大敗幸已。今不論其他。論二公相與治兵者。川中是也。長與長競。短與短敵。故一日而十有餘戰。迭贏迭輸。殺傷相當。謂智有勝算可乎。謂之何。世俗傳川中戰圖。越之馬。甲之椅。一刀一扇。如犬羊相觝噬然。可復謂之將帥乎哉。吾竊爲二公恥之。嗟乎。使二公知兵耶。必不相與戰也。其必講和締盟。一東一西。各戰於其可克。而攻於其可取。則疆土日闢。威風月揚。天下可指揮而定焉。此謂知

兵。此謂并呑混一之業也。二公之後。蓋有行之者。盍以鑒焉。二公不知出于此。斷斷焉徒競勇力相觝噬。嗟乎。信不知兵哉。

(二九)毛利元就論

青山延光

毛利元就攻出雲。七年而擧之。可謂久矣。然兵鋒不挫。財用不匱。糧食不竭。國人不苦。古今奇之。夫七年之久。戰不能無利鈍。年不能無豐凶。元就何術而如此也。尼子氏雖衰弱哉。然藉累世之儲蓄。城守七年。亦已壯矣。則攻之者。安保士氣之不耗竭。而敵人之不乘釁。元就又何術而如此也。豐太閤帥天下之兵。以圍小田原。不

拔者數月。而兵鋒頗衰。元就子隆景。進休兵鼓勇之說。然後能克之。隆景之策。蓋出於元就。則元就之取出雲。果用此術歟。抑亦有奇謀祕策。不可得而測者歟。曰不然。元就蓋有一術。而當時不知其術。非佗。以寬惠收人心耳。方尼子氏之城守也。其所憂者。非士卒之不精。則城壁之不堅也。非糧食之不多。則器械之不利也。而元就務撫恤降附。以收其民心。民心日離尼子氏。而七年之久。愈益問其病苦。恤其孤窮。故尼子氏之於元就。防禦非不力。謀慮非不深。唯其民日離而國日孤。所以不免淪滅。尼子氏非至愚者。淪滅而不悟。亦有由矣。應仁

以來。天下分裂。何年無兵。何地無戰。亦唯以力相轢。以譎相傾。而未有能收民心者。能收民心者。東有早雲。西有元就耳。尼子氏之不悟。亦宜矣。何以知其然也。元就嘗從大內氏。攻出雲。進策曰。宜先撫納而後力攻。大內氏不從。敗而還。夫他人之攻出雲。元就猶欲試是策。即其自用之於他日。亦明矣。人心苟歸我。則兵鋒何緣而挫。財用何緣而匱。糧食何緣而竭。國人何緣而苦。故取人之國。莫善於先收其民心。元就晚年。出雲嘗亂矣。尼子勝久。以驍武之姿。據其故土。而輔以山中幸盛之雄猛。宜其盤結不拔。而毛利氏之兵一出。則所向無前。勝久曾不能保立錐之地。此可以見民心之不復思尼子氏也。其所以不復思尼子氏者。豈偶然哉。

（三十）織田信長論　　鹽谷世弘

織田信長之爲明智光秀所弑。由其懈備也。所謂備者。當於館本能寺之日歟。於命西征之日歟。於强酒鼓頭之日歟。抑於以森蘭丸爲之婿。而不聽之時歟。將於令還稻葉氏之亡臣。而不奉命之時歟。此數者皆非也。然則如何。曰醫之良者。視未形之病。君之明者。知未萠之禍。右府之備光秀。必也其於取秦秀治之日乎。魏文公使樂羊伐中山。中山執樂羊之子。烹以作羹。贈之樂羊。

樂羊啜之盡一杯。既克中山。文公賞其功。而疑其心。夫五倫一也。厚於親者。必厚於君。薄於君者。必薄於親。未見愛其親。而不愛其君者也。未有忍其親。而不忍其君者也。羊之食子。雖出於撓敵厲己之術。然察其中。必有陰鷙乖狠。爲人情之所不能忍者。此文公之所疑而疎之也。光秀之取秦氏。遣母爲質。以招降之。既降而殺之。母遂爲敵所磔。夫貪區區之地。恬然倭母而不顧。光秀之爲心。可知也已。古之人有親放麑以知其仁者。有因剖股以料其不情者。今殺母之人。親來佐吾之傍。爲之君者。烏可無以備之哉。右府則不但不備之。又隨而慢

罵陵辱之。慢罵陵辱之不足。命之以其所大不欲。幾何其不起而剸及我腹也。然則備之之道如何。曰盍觀我東照公之待伊達政宗乎。政宗之父輝宗。與二本松某爲仇。某嘗造伊達氏。猝抱輝宗。某有力。輝宗自計可危。大呼謂政宗。必斬之。莫顧我。政宗召兵攻某。某被斬。而父亦死。是其不仁。與光秀无以異也。東照公蓋聞而惛之。是以其平素待之以禮。撫之以恩。嚴而遠之。不敢復狎。世傳。東照公畏政宗。以爲有覇天下之器。政宗豈覇王之器哉。疑乎其心。而敬於其貌焉爾。是以政宗終身無所逞其毒。由御之有道也。向使東照公以右府之所待光秀者。待政宗。則或效光秀之跡。使右府以東照公之所御政宗者。御光秀。則焉有本能寺之事哉。雖然。東照公之事尚矣。非右府之所能及也。吾獨惜其不悟蘭丸之言耳。先叛數日。蘭丸具光秀叛狀言之。當此時。爲右府者。亦宜少自省。以右府之明。豈不能及之哉。誠以爾時五畿已定。甲信已平。毛利氏自送死。大業殆成。意滿志得。而其明有所蔽也。苟意滿而明蔽。禍敗之事必如蝟毛而起。雖後光秀。安不亡也。孔子曰。滿而不溢。傳曰行百里者。半九十。右府蓋未之察也。可勝惜哉。

(三一) 豐臣秀吉論　安積信

覇天下者。非必有攻取戰勝之勇也。非必有運籌出奇不窮之智也。要在於攬群雄之心而已矣。苟攬群雄之心。而發縱指示。使其當勍敵陷堅陣。天下不足平也。若恃我智勇。與群雄較勝敗於戰鬪之間。群雄皆爲吾敵。天下將何時而定耶。然則攬群雄之心。何爲而可。土地金帛。可以攬之乎。高位重爵。可以攬之乎。曰不可。夫徒以土地金帛高位重爵爲餌。吾餌有限。而群雄之心無限。以有限供無限。如沃焦釜。灌漏巵。擧天下。不足給之。且以此爲餌。是所以待鄙夫纖人。而非所以待群雄也。士固有得千金之利而不喜。而能殺身於一言之下者。何則有信義焉以感之也。故信義之所感。不頒土地金帛而喜。不與高位重爵而服。既喜且服。驩然以我爲可伏而不可叛。然後隨其有功。而賞之以土地金帛。寵之以高位重爵。彼益喜而愈服。此馭群雄之道也。豐臣秀吉。嘗說美濃大澤某降之。織田氏疑其詐。欲殺之。苦諫不聽。乃退告大澤使亡去。而以身當其怒。美濃豪傑聞之。皆爭屬豐臣氏。而雲蒸之勢。自茲始矣。其與毛利氏相待。京師變起。秀吉不秘。即告以實。而毛利氏和立成矣。迄于平北陸。上杉氏未服。秀吉從十餘騎。直入越後。而上杉氏約忽成矣。夫毛利、上杉。蟠據十餘州。帶甲數萬。士馬精强。非竭數年之力。不易服。而太閤定之立談之頃。何其壯也。其征小田原。會諸將指地圖部署。眞田昌幸在下座。秀吉進之曰。吾以汝爲山道先鋒。昌幸退而謂人曰。殿下一言。榮於百万石矣。蓋此時。天下久罹騷亂。人情危險。雖有父。安知不虎。雖有兄。安知不狼。倪倪然惟恐其叛而噬我也。況乎敵國外患。相欺以詭謀。相擠以機穽。而秀吉獨披肝膽。示信義。或暴白大事於勍敵。或挺身入悍獷不測之地。此其所以鼓舞籠罩天下之群雄。而定大亂於數年之間者也。雖然秀吉信義。乃覇者之徼權。假爲而營其私。與聖賢作爲。逈然不侔。

嗟夫。此秀吉之所以爲秀吉也歟。

(三) 伊達政宗論

岡田僑

關原之役。天下諸侯。往往持兩端。觀望成敗。而伊達氏首通款東照公者。不獨明事機。亦由其嘗爲豐臣氏所忌。數削封貶還。後又坐關白秀次之獄。得公營救而釋焉。此伊達氏之所以決向背也。而豐臣、德川二家之所以興廢。亦係於此矣。夫當天下擾亂之時。群雄馳逐。負險割據者。不可勝數。唯明君能待之以恩信。安反側。令得其所。凡宿怨細故。一切蕩滌。與之更始。故天下一定。而不復亂。姦雄之君則不然。天下漸定。則生猜防之心。

恐後世復分裂。貽子孫之憂。於是謀誅除其所憚者。以防後患。而天下復騷然。至相率而倍叛。太閤末路是已。及秀次獄起。天下群雄。人人自危。相顧恐葅醢。不獨伊達氏也。如最上、細川諸將。亦將不免。東照公爲救之。各得保全。而天下亦陰被其庇。懷蘇來之望。此太閤、爲公驅天下群雄也。古人受一飯。猶不忘其恩。況彼救我於水火中。我安得不爲彼盡死力哉。及庚子之役。伊達氏與義光。俱掣上杉氏。使之不西其兵。而忠興姻戚皆應公。則關原之軍未合。而成敗之機已決矣。故余謂。伊達氏之向背。實豐臣、德川興廢之所係。視之當時汗馬鏖

戰先登諸將。其輕重果何如哉。

明清文

(三) 羣居課試錄序

歸震川

乙未之歲。余讀書于陳氏之圃。圃中花木交茂。開門見山。去廛市僅百步。超然有物外之趣。從余遊者十餘人。陳氏之子壻在焉。悉年少英傑。可畏人也。每環坐聽講。春風動幃。二鶴交舞于庭。童、冠濟濟。魯城沂水之樂。得之几席之間矣。諸生間以誦讀之暇。執筆請試。求如主司較藝之法。余謂考較非古也。昔人所謂起爭端者也。

雖然。吾觀諸子之貌。恂恂然務以相下。其必不至於色喜而怨勝已也。於是。定爲句試法。試畢錄其言之雅馴者。蓋勸勉之意、寓其間。且以稽其前後消長之不一。廣諸君相師相友之風云耳。間有雄才陵轢。而不束於格。亦予錄之所不棄也。

(三四) 前後入蜀稿序　唐荊川

山澤好奇之士。往往以極幽遐詭譎之觀。博搜山川、草木、鳥獸、變化之情狀爲快。然其耳目有所滯。而不能徧。於是。有側身四望之思。宦游羈旅之士。其力足以窮懸車束馬之徑。凌跕鳶挂猿之阻。然其情志有所累而不能遣。於是。有懷鄉去國之憂。情志與耳目常相違。而山川之與人。常不相值。惟蜀僻在西陲。古所謂別爲乾坤者也。雪嶺大江之雄渾。峩巫青城之窈麗。仙靈之所窟宅。其勝甲於天下。然陸則拒以飛崖斷棧。水則阨以驚江急峽。鬪雷霆而翳日月。其險且遠。亦甲於天下。自古好奇之士、慕其勝。而以其險遠。不能至。於是。有夢而游。寤而嘆焉者。自非游宦與羈旅。終其身。無因而一至焉。其至者怵於險。而忘其爲勝。於是。羈臣遷客之思深。而輕擧冥搜之好移。變衰搖落之感生。而雄渾窈麗之觀改。蓋昔人所賦。側身西望阻岷峨者。既足以著山澤好

奇。繾綣顧慕。不能自遂之情。而其所記。峽州至喜堂者。亦足以盡宦游羈旅。憔悴無聊。不能自遣之狀。夫雖幸爲耳目之所接。而奪於情志之所不快。與雖幸爲情志之所快。而限于耳目之所不接。其耳目所不接者。既不能使景就乎情。而工爲鑿空揣懸之言。其情志之所不快者。又不能使情就乎景。而洩其和平要眇之音。於是。大夫缺於登高能賦之義。而騷人奇士。縱欲原本山川。極命草木。亦無所憑焉以聚其精。而發其辨博噫嘻。此春山公前後入蜀稿。所以爲可諷也。公自郎官出爲郡守。自郡守遷按察副使。先後皆在蜀。其爲郡守也。於重慶。蓋陸走棧。水浮峽。而後至中州之人、所謂險且遠。其爲副使也。於建昌。則在靈關大渡。瘴雨蠻烟之外。雖蜀人。亦素憚以爲險且遠者。而公皆恬然安之。政事之暇。方且披巉巖。踐霜雪。穿猩、鼯、豺、虎之窟。俯江妃、水仙之宮。以窮其勝。而猶若未足。故其險無所不涉。則其勝無所不窮。其所歷與所窮。一切可愕可喜。則無不見之乎詩。蓋其大者。關政理謠俗之故。其細者。足以牢籠百物、山川、草木、鳥獸、變化之情狀。其敍險也。既可以使人欷歔慘慄而如墮。其敍勝也。又可以使人颯爽飛動而如躋。向非公以其宦游旅寓之跡。而兼乎山澤奇士之好。

情志之所快。與耳目之所接。適然遇合。固不能摹而寫之若是。公詩既刻爲二卷。其子于德。請序于余。余以謂。使好奇之士讀公之詩。可以不俟涉險。而坐窮其勝。于庭戶燕閑之間。宦游羇旅之士。讀公之詩。且將悅乎其勝。而忘乎其險。頓然釋志于驚江絕棧之上也。然則不能自遂。與不能自遣者。皆將于公之詩乎有得也。余山澤人也。蓋慕蜀而不能至者。亦將于公之詩乎有得也。遂不辭而序之。

（三五）送史大梅君應召序　　王遵巖

今之仕者。所謂政事之勤勸可知已。俛首朱墨之間。日

出坐堂上。左律右牒。羣吏環擁。鴈行以進。旰不得食。勞不得休。日決獄幾何。歲徵賦幾何。牘有可書之功。庭有可記之蹟。顧其塵容俗狀。拘迫齷齪。而中乾外強。翰墨之游。適不知爲何物。雖時去其四境。而宿莽餘垢。獨縈帶於輿馬之下。峯巒之奇秀。泉石之怪幽。過焉而漠無所覩。吁亦俗矣。間有一二好事之士。矯其爲彼。而以吟詠之藻績爲工。登覽之意況自足。然情高韻遠。而跡於臨聽。非惟不能免苛譏峻督。而滯獄逋賦。亦何以自酬其職也。所謂不俗者。其失若此。而彼又不免於俗。豈不難哉。以吾所聞。松溪尹史大梅君。蓋能異乎今之仕者矣。君以奇才起東南。藻妙擢發。出於靈誘。而維揚。故東南一名都會也。古文異書。家而有之。君皆得繙閱其間。六經之元本。莊、老之玄虛。屈、宋之悲悼。史、漢之雄深。宋、齊、梁、陳之艷靡。泛涉而該獵之。東南一時綴文之士。皷行竹素之場。倡和推挽。必有君在焉。未登第。而文名已盛行於中朝。竟授松溪。人莫不謂非君所處。且恐君之未有以宜之也。君在松溪。百廢具舉。庾有餘粟。圄無淹人。以政最獨冠於諸縣。而時出其芳標逸致於山水佳勝之頃。一觴一詠。絕去俗吏之態。其才之兼美如此。頃者璽書下徵。蓋以風憲需之者也。夫文章之士。如漢嚴

助、枚皋、司馬相如、吾丘壽王。登金門。直玉堂。優游親近。陪後車之乘。出入芬華。可謂榮遇。然羣臣面折廷諍。只稱汲黯。漢武亦憚之。與諸狎昵宴遊者不同。君之才視嚴、枚輩。不知如何。然不得預於文詞親近之列。今以諫爲職。其得爲汲黯時也。君尙以拾遺補過爲忠。務爲朝廷之所憚。而無羨於嚴、枚輩之寵也哉。

（三六）秋水集序　　朱彝尊

錫山之泉。居水品第二。自揚子中泠水莫得其眞。而衆水皆出是泉之下。縣治萬家。負郭之廛相比。富者飾樓榭亭池。以恣游衍。士雖貧。山茨水檻。亦必有竹樹交映。

清江淡茫。濱溁門戶之外。其人多倜秀自好。所爲詩文。每以眞意取勝。無淩厲叫囂之習。信夫。山水之足以益人情性也。處士嚴蓀友、生于其鄉。以工詩聞。書畫兼臻其妙。來游京師。公卿薦紳。爭爲矜譽。予特愛其古文辭。澹然而平。盎然而和。雍容紆裕而不迫。庶幾可入古人之域。視世之鏤琢字句。以眩人耳目者遠矣。蓀友、聞予言。欲然不足。既而曰。子盍爲我序之。曰。子之以秋水名集也。何所取諸。取諸有源也。與源之見于地也。下則湧而爲濫。上則懸而爲沃。仄者汎。旋者過。辨順道而行。空明而不滯。小波淪。大波瀾。石激之而鳴。風盪之而怒。雷霆車馬。神物怳忽。水豈有意爲奇變哉。決之不得不趨。鼓之不得不作。亦隨所遇而已。文之有源者。無畔于經。無窒于理。本乎自得。抒中心所欲言。固不在襲古人以求同。離古人以自異也。蓀友、其可與言文也矣。譬諸水。近乎海則鹹。近乎鹵則苦。甘者爲醴。濁者爲醪。火可以然。而湯可以浴。夫人皆能辨之。至投以茗荈。別其上下。析及苗髮之微。則必山林寂寞之士若陸羽者。而後知之。蓀友、無取乎公卿薦紳之言。獨命予爲序。其有意也夫。

(三七) 白渡汎舟記　　魏禧

丁巳四月。予訪蕭子孟昉于白渡。舍龍眠陳子之室。門臨清溪。平坡曼衍。綠草延緣。洲渚迴間。黃犢烏犍。散牧其間。或嚙或飲。或寢或犇。隔岸有高樹斷林。屋瓦上下。隱隱見大江遠山黛橫平截天末。予甚樂之。獨恨未有亭閣足游憩。五月八日。晴天無雲。江水倒入。浸灌坡陀。綠頂微出。明日大張。東西瀰漫。勢合大江。極目所周。不下千里。五抱之樹。叢篠瓠蔓。植半水中。孟昉、方營膝寓。予薄暮過之。登黛橫樓。以觀漲水。周虎落樓在中央。孟昉曰。月出風微。與子汎舟乎。予大喜。於是。牽野航。懸蹻板而坐。浮乎中流。波平如綎。人影在江。余謂孟昉曰。吾性甑花月。觸緒紛來。不能自定。唯臨流水則忘憂。孟昉曰。人生適意爲樂耳。苟能自樂。何往非水。吾明年六十。其何不自解天之茂爲。詩曰。子有酒食。何不日鼓瑟。且以喜樂。且以永日。宛其死矣。他人入室。時同汎者。孟昉二子。從濱、從沛。弟子從泓。妹壻陳子則象。白水僧寂聞。孟昉、乃指二子。而謂予曰。詩所謂他人。匪他此即是也。人苦樂不相代。如食木果。甜酸自知耳。既夜。舟子迴船鼓枻。予扣舷而歌曰。山杳靄兮月霏微。水澹澹兮吾何之。洞庭無風兮彭蠡不波。吾徜徉兮風吹衣。

(三八) 洞泉記　　王遵巖

尙書戸部郎中鎭遠錢君。圖其所居之山。條爲六景。表以嘉號。而約之曰洞泉。蓋鎭遠之山最多。玆爲最勝。君愛其勝。擇而居之。泌泉崎石。嵌巖裂磵。立壁谺谷。懸瀑淲池。紛形異趣。各極其美。靈草奇木。佳卉繁葩。散被巓崖林麓之上下。山下之田。鱗塍綺阡。善播而多獲。宜居與遊。君之攬挹吸咀於是山之勝。皆盡其所有。而尤有取於幽洞之泉。故析其景。而總之以斯名。君既仕。行遊四方。耳目日廣。其攬挹吸咀乎天下之勝。又多矣。顧未嘗忘洞泉。圖以爲册。挾與偕行。一日出以示予曰。始吾藏修於洞泉之居。自顧其荒遐深阻。無以冀上國之盛

明。所謂嵩、華、岱、恒、衡、霍、河、濟、江、漢、淮、海。名山大川。雄據華夏。岳宗鎭止。而經流宇宙。爲源爲委。南紀北戒。此爲稱義。每側身思望。意未嘗一日不在中土。今耳目之所及。幸徧於四方。昔日之所竦企而心勞者。奄得於睹聞。博觀而約取之。則吾洞泉之遠且小。其與岳鎭之巍巍。源委之浩浩。度高挈深。未始有讓焉。蓋形勢氣象之不可强齊者。誠大有別。至其眞粹神情。獨立而常行。遇於耳目。超乎睹聞。則吾未別其爲彼爲此也。故洞泉之樂。無以復踰。異日休於四方之事。將終老於斯。無所羨乎彼。而斯名且不易焉。甚哉。錢君之賢也。夫守乎故。而不能即乎新。斯狹陋者之卒以自蔽。駭於新。而奪其故。又夸毗者之無以爲本。故巉巖之下。寂寞之濱。出而用之。有不可。而廟廊之崇嚴。都邑之鉅麗。卷而懷之。亦非其所能。丘壑泉石之載。形於天地。非獨舍而去之者之不有其樂。而終身栖息。徘徊戀顧。而不忍釋者。猶爲不知其趣也。君之所得如此。胡必異日歸休。老於其中。始爲有得於洞泉。方縮章紆綬。從經營之務。而縻祿爵之榮。固灑然其常在幽洞之曲。寒泉之涘也。於是。每呼錢君洞泉山人云。

(三九) 匏齋記　朱彝尊

匏之爲物。其葉苦。其莖弱。其形咢然。非若瓠可以燔。瓜可以菹。世遂以無用目之。然制爲器。可以象天地。虛其中。可以受物。截之則蠡。筐之則樽。剡以爲笙。大者巢。小者和。挈竽而吹。則爲衆音之長。匏非無用也審矣。當秋霜既降。咢然者堅。水出其前。罟杓之不施。艕舠之不設。揭者。涉者。厲者。泝洄上者。泝游下者。潛行而泳者。正絕流而亂者。咸濡首滅頂是懼。試腰以浮諸水。則雖江湖。可以無沒。其有濟于人。爲功甚鉅。今刑部主事德州謝君方山。取以名其齋焉。君質直好學。所爲歌詩無懦響。金聲玉振。若笙竽之悅耳。悉中法度。飮酒百觚不醉。君

之所以自託。非以是與。雖然。殆有濟物之思焉。夫二尺四寸之律。取象于坎。民之陷于法也。如溺于淵。覆育者。虛其中以服念。則深者可以綆出。漏者可以袽塞。譬置匏于河。隨所溺而拯之。車有時而滯。舟有時而覆。充匏之用。無過涉之患。而有共濟之功。則凡經義之紛綸賓坐之論說。得之一室。而施之萬事者。何莫非君之匏也。于是。其友秀水朱彝尊。釋匏之義。廣之作記。書諸壁。

(四十) 竹溪記　唐荊川

余嘗游於京師侯家、富人之園。見其所蓄。自絕徼海外奇花石。無所不致。而所不能致者惟竹。吾江南人。斬竹

而薪之。其爲園亦必購求海外奇花石。或千錢買一石。百錢買一花。不自惜。然有竹據其間。或芟而去焉曰。毋以是占我花石地。而京師人、苟可以致一竹。輒不惜數千錢。然纔遇霜雪。又槁以死。以其難致而又多槁死。則人益貴之。而江南人、甚或笑之曰。京師人、乃寶吾之所薪。嗚呼奇花石、誠爲京師與江南人所貴。然窮其所生之地。則絕徼海外之人視之。吾意其亦無以甚異於竹之在江以南。而絕徼海外。或素不產竹之地。然使其人一旦見竹。吾意其必又有甚於京師人之寶之者。是將不勝笑也。語云。人去鄉則益賤。物去鄉則益貴。以此言

之。世之好醜。亦何常之有乎。余舅光祿任君。治園于荊溪之上。徧植以竹。不植他木。竹間作一小樓。暇則與客吟嘯其中。而間謂余曰。吾不能與有力者爭池亭花石之勝。獨此取諸土之所有。可以不勞力。而蓊然滿園。亦足適也。因自謂竹溪主人。甥、其爲我記之。余、以謂。君豈眞不能與有力者爭。而漫然取諸其土之所有者。無乃獨有所深好於竹。而不欲以告人歟。昔人論竹以爲。絕無聲色臭味可好。故其巧怪不如石。其妖艷綽約不如花。孑孑然有似乎偃蹇孤特之士。不可以諧於俗。是以自古以來。知好竹者絕少。且彼京師人。亦豈能知而貴

之。不過欲以此鬪富。與奇花石等耳。故京師人之貴竹。與江南人之不貴竹。其爲不知竹。一也。君生長於紛華。而能不溺乎其中。裘馬、僮奴、歌舞。凡諸富人所酣嗜。一切斥去。挺挺不妄與人交。凜然有偃蹇孤特之氣。此其於竹必有自得焉。而舉凡萬物可喜可玩。固有不能間也歟。然則雖使竹非其土之所有。君猶將極其力以致之。而後快乎其心。君之力、雖使能盡致奇花石。而其好固有不存也。嗟乎。竹固可以不出江南而取貴也哉。吾重有所感矣。

(四一) 耐齋記　歸震川

萬安劉先生。來教崑山學。學有三先生。而先生所居稱東齋。先是。兩齋之衙。皆在講堂東偏。近乃徙之西。頗爲深遠清閟。先生至。則扁其居曰耐齋。予嘗訪先生於齋中。於時秋風颯然。黄葉滿庭。戸外無履跡。獨一卒衣皂衣。承迎左右。爲進茗漿。因坐語久之。先生曰。吾爲是官。秩卑而祿微。月費廩米三石。具饘粥養妻子。常不給。爲耐貧。上官行縣。吾於職事無所轄。往往率諸生郊迎。至則隨令、丞、簿。拜趨唯諾。爲耐辱。久任之法不行。官無崇卑。率以朞月。遷徙速化。而吾官常不遷。爲耐久。有是三耐。吾是以名吾齋。予既別去。一日使弟子沈孝來求齋

記。昔孟子論。士不爲道。至於爲貧而仕。惟抱關擊柝爲宜。夫舍學者之職業。而爲抱關擊柝。蓋亦有甚不得已者矣。惟近代學官。與書院山長之設。以待夫士之有道而不任職者。蓋爲貧與爲道。兼行而不悖。此其法足以優天下之學士。爲特愈於前世也。故當時號博士官。爲清高。雖然。求爲清高。而其間容有不能耐者。夫使其不能耐。則雖博士官。不可爲矣。使其能耐。如孟子所謂抱關擊柝。可也。楊雄有言。非夷齊。而是柳下惠。首陽爲拙。柱下爲工。士之立身。各有所處。夫使其能耐。雖至于大臣宰相。可也。因書其說。使孝歸而質之先生云。

(四三) 棣華堂記

宋學士

盱江黄氏。有昆弟之賢者三人。曰松軒。曰竹所。曰梅庭。松軒、嗜學善屬文。而於法律家尤深。訓三子皆爲儒。遂以子貴。追贈泰和州判官。竹所、好談辨。出史入經。霏霏若吐玉屑。人爭樂聽之。梅庭、獨淬礪力戰。集有力少年。陰授之擊刺坐作進退之法。且曰不久兵將起。吾以衛我宗也。松軒、既沒。四方果大亂。江右受禍尤慘。死喪相枕籍。孰不畏之。梅庭、同竹所。聚兵爲屏蔽。卒獲無虞。及今四海平定。而二君子、且歸然老矣。厖眉皓髮。相映於殘山剩水之間。自相謂曰。同氣而生者三人。伯兄、墓木

已拱。所存者。唯我與兄耳。春花秋月。可不隨時而作樂乎。於是。日具籩豆。飲酒以爲歡。人見其雍雍然和。怡怡然悅。似不可以幾及。取詩中常棣之語。名其堂曰棣華。松軒之子子邕。請予記之。夫常棣之詩。召公所作以親夫人之兄弟者也。故首章有云。常棣之華。鄂不韡韡。凡今之人。莫如兄弟。箋者謂。鄂足傅華之光明。則韡韡然盛興者。喩弟以敬事兄。兄以榮覆弟。恩義之顯。亦韡韡然。二君子、生於簪紳之家。漸濡詩書之澤。兄弟之間。下承上覆。彰明光顯。固無失詩人之旨。然而兵戈之際。各携其妻孥。西東竄奔。視兄弟如棄涕唾。而二君子、乃如

形影相戀。不使跬步之睽違。則二章所謂。死喪之威。兄弟孔懷者。得不爲有合乎。及至喪亂既平之後。從容燕飲。以洽其和孺之情。朝斯夕斯。唯恐不足。則六章所謂。儐爾籩豆。飲酒之飫者。又不爲尤有合乎。常棣之詩。何其多與二君子類也。蓋兄弟之情。本乎秉彝。無古無今。同一至理。雖去之二千餘載。固當無甚相遠也。名其室以棣華。誰曰不宜。抑予聞。世之人有以桂名軒者矣。有以椿名室者矣。徒欲歆艷乎科目之榮。企望乎耆頤之年耳。其於飭勵之益。則蔑乎未之有聞也。二君子、名堂之義。誠可爲不令兄弟之勸。厚人倫。美教化。移風俗之道。將於是乎在。子邕、位躋法從。爲時名臣。而其伯、仲、叉多能文辭。子邕幸相率發爲聲詩。勒成篇編。如唐之李叉、華萼集故事。二君子、升堂獻酬之際。時出一二章。歌以侑觴。人之聞其詩者。寧不油然而興起矣乎。不知子邕、又以爲何如也。

(四三) 人虎說　　宋學士

莆田壺山下。有路通海。販鬻者由之。至正丁未春。民衣虎皮。鍛利鐵爲爪牙。習其奮躍之態。絕類。乃出伏灌莽中。使偵者緣木而視。有負囊至者。則嘯以爲信。虎躍出。扼其吭殺之。或臠其肉爲噬齧狀。裂其囊拔物之尤者。

餘封秘如故。示人弗疑。人競傳。壺山下有虎。不食人。惟吮其血。且神之。已而民偶出。其婦守巖穴。聞木上嘯聲急。意必有重貨。乃蒙皮而搏之。婦人質脆柔。販者得與抗。婦懼逸去。微見其蹤。人也。歸謀諸鄰。謀逐之抵穴。獲金帛無算。民竟逃去。嗚呼。世之人虎。豈獨民也哉。

(四四) 招魂章碑　　王遵巖

泉之爲郡。東南履海。延袤迤邐。盡岸爲疆。如循衣裾。緣岸曲折蟠屈。人營其間以居。對視列島。隱見出沒煙濤雲浪間。錯落若置碁聚塊。皆蠻人邑國也。無重關穹壁、斷蹊絕坂之限。舟浮水面。負巨颿而行。日可踔數百里。島外諸國。皆有奇產異物。珍瑰怪詭。邀利忘生之夫。枕席大險。以牟鉅贏。故泉之盜患。莫劇於海。嘉靖二十二年夏五月。盜犯深滬鎮。深滬於緣岸之居。聚人爲衆。而據地爲固。民相率糾義以禦之。吾郡別駕陳侯少華。方司郡徼督捕。至海上。聞深滬之民。將率義禦賊。檄而許之。民既奮於義。以相保聚。比得侯命。益堅且奮。盜、鬬不能勝。獲其魁首。殲其黨。奪其舟兵。盡島外諸蠻也。吾民鬬而死者二人。傷者亦若干人。侯、親爲撫循勞定。振護賙給。民皆洗瘢刮瘃。迅踊而起。忘其爲創也。又哀死者之不幸。爲賦招魂二章。以祭之。民之鬬而不死。與不在闘而存者。雖有智有愚。於所賦之義。或觧或不觧。莫不感誦嗟歎。激於脾肺。播於齒頰。謂侯之能用我也。自農不爲兵。而攻刺擊殺之事。不任於民。而死者。又人之所甚惡。難者其所難犯。世之患盜者。固以爲無可用之民。視盜之猖披潰決。莫能措一籌其間。其亦未覩今之事乎。庠生陳邦奇。深滬人也。所謂智而能觧其義者也。將萃侯之賦。刻諸堅石。以繋其民不忘之思。而乞記於予。侯詩詞閎富妙麗。絶出一時。所謂招魂之章。酷似楚人。當別行於風騷之場。予故不論。而獨著其能用民以備禦者。以授陳生。使歸刻焉。

(四五) 相臣論　　魏禧

相臣者。天子之下。一人而已。相臣賢。則可使天子之不賢者從而之賢。相臣不賢。則天子雖有勵精圖治之心。其力能抑塞之于上。而其黨援足盤踞扞格于其下。且夫居官守職。奉法無罪。百執事之賢也。天下治安之日。攝然無事。恒有大難大疑出耳目智慮之外。此二三小臣。所不及知。知之而不敢言。言之而不能斷然行之。以豫天下之患。而定其變。此其事不得不責望于相臣。天地之所不得爲。則君爲之。君之所不得爲。則其相爲之。相臣上參天子之柄。下可以達百執事。國家之利害。苟迫于所不得已。則雖逆天子之法。犯群臣之怨。冒天下之大不韙。必且毅然爲之。而有所不敢避。姚崇以十事要玄宗。僞命之議不行。而李忠定、免冠求去。蓋不如是。則不可以爲相也。昔者漢丞相權最重。當時賢人所以自效。猶爲近古。曹參、繼酇侯之後。國之大事不擧者。不可勝數。而日飮醇。無所事事。此謂之庸相。可也。宋之名賢。動稱法祖。積漸至于衰弱而莫之振。安石以紛更壞天下。終宋之世。不敢復言變法。則因循以須亂亡而已矣。孔子曰。如有周公之才之美。使驕且吝。其餘不足觀也已。世之有才者。輒以忮求剛愎自敗。此聖人所以重

之惜之。方且欲使之善全其美。使天下後世誠有如周公者。皆得而見其才也。洪武中。懲胡惟庸之亂。遂削宰相之官。然人才庸下。視宋加甚。李賢、張居正。其才足任。乃又以驕吝失之。嗚呼。此三百年之所以無相業也。

(四六) 六國論　　沈德潛

昔蘇秦合六國之從以拒秦。約曰。秦攻一國。五國各出銳師以撓之。有不如約者。五國共伐之。後儒謂。合六國之異以爲同。聯天下之踈以爲親。從散約解。勢有必然。然當此時。秦人併呑之勢已成。爲六國計。應無舍合從。而別求他策者。獨惜當時但知合從之利。而不知所以

一天下之勢。今有人同舟遇風。舟中之人。各持篙檝。而無人爲之操其舵。以靜鎭之。則人愈多。張皇愈甚。未有不至於覆舟者。六國之勢。何以異是。秦之心一。諸侯之心六。秦之號令出於一。諸侯之號令出於六。彼欲戰。而此欲守。彼欲退。而此欲進。擾攘參錯。迄無主見。不待開關延敵。而六國之勢。已先携矣。然則所以一天下之勢何在。曰莫如尊周。烈王時。齊田和來朝。天下與之。卒能大治其國。强於天下。顯王之去烈王。一傳而已。人心未遽大失也。使爲六國謀者。告以合則勢一。離則勢分。有主則一。無主則散。使齊楚燕趙韓魏退就臣禮。然後挾天子。以討强秦。此卽涉風濤者。得一人以操其舵。而江湖千里。履如平地者也。而謂秦人之不義。不屈於諸侯之大義者。未之前聞。夫當漢之末。如孫吳之强。蜀漢之智。加以諸葛亮魯肅諸臣。爲之輔佐。宜可以屈曹操而鞭箠之矣。而卒不能有加於操者。彼以天子號令天下。其所居者勢重而名號正也。豈操能制吳蜀。而六國獨不能制一秦哉。且夫秦莊襄以前。所忌者尙在周也。愼靚王五年。張儀請伐韓。謂三川周室。勢所必爭。而司馬錯以攻韓劫天子。爲惡名而止之。赧王十七年。秦自號西帝。遣人立齊爲東帝。齊受二日而去之。秦亦旋去。

則首惡之名。秦猶不敢顯然冒之者。乃有可乘之機。而坐失之。卒使橫人勢成。六國離散。日侵月削。以至於亡。亦無識之甚也已。宋蘇氏父子。或咎六國之賂秦。或咎不能厚韓親魏。使秦人得出入於其間。其論非不切於事情。而所以一天下之勢者。卒未之及。彼所尙者。戰國策士之習。而尊周制秦。視爲踈闊而無當者也。抑知六國之計。莫出於合從。而合從之不至於解散者。固在奉一共主。以正名號。而居最重之勢哉。後赧王五十九年。王入秦。而宗周以滅。又二年。韓始朝秦。而魏趙楚燕齊相繼滅亡。嗚呼。六國之存亡。視乎周之存亡。奈何不爲之所也。

(四七) 三國論　　吳成佐

古之除豪强。幷僭僞。而一天下者。必有天下之量。又有天下之識。兼之天下之才。有其量。無其識。不足與有爲也。有其識。無其才。不能以有成也。竊嘗以此論之。三國之君。先主有天下之量。而無天下之識。孫權有天下之識。而無天下之才。曹操有天下之才。而無天下之量。何以言之。劉表之卒。其子琮不告備而降操。或勸備攻琮者。備不忍。荊州臨亡之託。背信以自濟。及其敗於當陽也。衆從之十餘萬。或勸備速行保江陵者。備曰。濟事以人爲本。今人歸吾。吾何忍有去。大哉王言。其量誠足以容天下也。而昧於恩義之分。緩急之勢。強弱大小之形。屈伸變化之用。舍曹氏君國之深仇。而爲關羽報仇於吳。幸而魏不乘之爾。使魏助吳以伐蜀。蜀之亡。可企足以待。即魏因蜀之勢以攻吳。吳亡而蜀亦隨之。此晉人取虞虢之勢也。能不爲之寒心。而謂有天下之識乎。曹操之敗劉備也。擧八十萬之衆。以臨江東。勝負之勢已分也。強弱之形易見也。安危之理不待決也。在庸人。無不震驚恐懼。急陳玉帛犧牲。犒師於境。以冀一日之安。者。況張昭輩之復紛紛擾人意哉。權獨聽魯肅周瑜之

言。決計拒操。卒敗操於赤壁。使操心膽墮地。不敢復東向發一矢。以成鼎足之形。可不謂有天下之識乎。而終固守江東。不能復意中原。且稱臣修貢。所以畏魏者。無所不至。則天下之才不足也。操起軍校卒。以敗黃巾。擊袁術。摧袁紹。定劉表。幾一天下。以諸葛武侯之才。而言其智慮殊絕。用兵彷彿孫吳。是其才誠有以高天下者。然不能乃心王室。恃其功能。而萌非分之心。使天下豪傑得以藉口而討之。是其量之不能容也。當其降劉琮。走劉備。乘勝而前。天下無敵。乃不能致謹於垂成之功。而志驕意滿。以虛張誇誕之辭。欲以懼識深慮遠之寇。何其謀之疏。而智之淺哉。蓋人之量如其器焉。或以容升。或以容斗。或至於釜庾。而不止焉。無他。其器不同也。操之量止於操爾。使操遂能取東吳。幷西蜀。封劉備以列侯。任孫權以偏將。其功高於伊呂。而其業竝乎高光。操之量何以容焉。故曰。無天下之量也。夫用已之長者。可以制人之短。三國之主。則各挾其短長。以相制者也。其不能成混一之功。宜哉。使有天下之量。又有天下之識。而兼之天下之才者。則三君者。皆不足平也。夫有天下之量。有天下之識。有天下之才者。非光武。吾誰與也。

中等教科漢文讀本卷之六 終

明治三十二年二月二十日印刷
明治三十二年二月二十三日發行

定價二十三錢

編者　東京市本郷區追分町十四番地　福山義春
編者　東京市神田區裏猿樂町十八番地　服部誠一
發行兼印刷者　東京市日本橋區本石町十軒居六番地　阪上半七
活版印刷所　東京市神田區錦町二丁目四番地　行文堂印行

文學士福山義春
服部誠一　共編

中等教科
漢文讀本
卷七

東京　育英舍

中等教科漢文讀本卷之七目次

資治通鑑

(一) 三晉滅智氏 周威烈王二十三年
(二) 三晉爲侯 周威烈王二十三年
(三) 六國合從 周顯王三十六年
(四) 長平之戰 周赧王五十五年
(五) 邯鄲之圍 周赧王五十七年
(六) 荀卿論兵 秦昭襄王五十二年
(七) 韓非說秦王 秦始皇十四年
(八) 陳勝唱亂 秦二世元年

(九) 群雄競起 秦二世元年
(十) 昆陽之戰 後漢淮陽王更始元年
(十一) 王莽伏誅 後漢淮陽王更始元年
(十二) 白馬之戰 後漢獻帝建安五年
(十三) 赤壁之戰 後漢獻帝建安十三年
(十四) 肥水之戰 晉孝武帝太元八年
(十五) 玉壁之圍 梁武帝中大同元年
(十六) 貞觀之治 唐太宗貞觀年中

中等教科漢文讀本卷之七目次 終

中等教科漢文讀本卷之七

文學士 福山義春
服部誠一 共編

資治通鑑

(一) 三晉滅智氏 周威烈王二十三年

初智宣子將以瑤爲後。智果曰。不如宵也。瑤之賢於人者五。其不逮者一也。美鬢長大則賢。射御足力則賢。伎藝畢給則賢。巧文辯慧則賢。彊毅果敢則賢。如是而甚不仁。夫以其五賢陵人。而以不仁行之。其誰能待之。若果立瑤也。智宗必滅。弗聽。智果別族於太史。爲輔氏。趙

簡子之子。長曰伯魯。幼曰無恤。將置後。不知所立。乃書訓戒之辭於二簡。以授二子。曰。謹識之。三年而問之。伯魯不能擧其辭。求其簡。已失之。問無恤。誦其辭甚習。求其簡。出諸袖中而奏之。於是簡子以無恤爲賢。立以爲後。簡子使尹鐸爲晉陽。請曰。以爲繭絲乎。抑爲保障乎。簡子曰。保障哉。尹鐸損其戶數。簡子謂無恤曰。晉國有難。而無以尹鐸爲少。無以晉陽爲遠。必以爲歸。及智宣子卒。智襄子爲政。與韓康子魏桓子宴於藍臺。智伯戲康子而侮段規。智國聞之。諫曰。主不備難。難必至矣。智伯曰。難將由我。我不爲難。誰敢與之。對曰。不然。夏書有

之。一人三失・怨豈在明。不見是圖。夫君子能勤小物。故無大患。今主一宴。而耻人之君相。又弗備。曰。不敢興難。無乃不可乎。蚋蟻蜂蠆・皆能害人。況君相乎。弗聽。智伯請地於韓康子。康子欲弗與。段規曰。智伯好利而愎。不與。將伐我。不如與之。彼狃於得地。必請於他人。他人不與。必嚮之以兵。然後我得免於患。而待事之變矣。康子曰。善。使使者致萬家之邑於智伯。智伯悅又求地於魏桓子。桓子欲弗與。任章曰。何故弗與。桓子曰。無故索地。故弗與。任章曰。無故索地。諸大夫必懼。吾與之地。智伯必驕。彼驕而輕敵。此懼而相親。以相親之兵。待輕敵之人。智氏之命。必不長矣。周書曰。將欲敗之。必姑輔之。將欲取之。必姑與之。主不如與之。以驕智伯。然後可以擇交而圖智氏矣。奈何獨以吾爲智氏質乎。桓子曰。善。復與之萬家之邑一。智伯又求蔡皐狼之地於趙襄子。襄子弗與。智伯怒。帥韓魏之甲。以攻趙氏。襄子將出。曰。吾何走乎。從者曰。長子近。且城厚完。襄子曰。民罷力以完之。又斃死以守之。其誰與我。從者曰。邯鄲之倉庫實。襄子曰。浚民之膏澤以實之。又因而殺之。其誰與我。其晉陽乎。先主之所屬也。尹鐸之所寬也。民必和矣。乃走晉陽。三家以國人圍而灌之。城不浸者三版。沈竈產鼃。民

無叛意。智伯行水。魏桓子御。韓康子驂乘。智伯曰。吾乃今知水可以亡人國也。桓子肘康子。康子履桓子之跗。以汾水可以灌安邑。絳水可以灌平陽也。絺疵謂智伯曰。韓魏必反矣。智伯曰。子何以知之。絺疵曰。以人事知之。夫從韓魏之兵以攻趙。趙亡。難必及韓魏矣。今約勝趙而三分其地。城不沒者三版。人馬相食。城降有日。而二子無喜志。有憂色。是非反而何。明日。智伯以絺疵之言告二子。二子曰。此夫讒人。欲爲趙氏游說。使主疑於二家。而懈於攻趙氏也。不然。夫二家豈不利朝夕分趙氏之田。而欲爲危難不可成之事乎。二子出。絺疵入曰。主何以臣之言告二子也。智伯曰。子何以知之。對曰。臣見其視臣端而趨疾。知臣得其情故也。智伯不悛。絺疵請使於齊。趙襄子使張孟談潛出見二子。曰。臣聞。脣亡則齒寒。今智伯帥韓魏以攻趙。趙亡。則韓魏爲之次矣。二子曰。我心知其然也。恐事未遂而謀泄。則禍立至矣。張孟談曰。謀出二主之口。入臣之耳。何傷也。二子乃潛與張孟談約。爲之期日而遣之。襄子夜使人殺守堤之吏。而決水灌智伯軍。智伯軍救水而亂。韓魏翼而擊之。襄子將卒犯其前。大敗智伯之衆。遂殺智伯。盡滅智氏之族。唯輔果在。

臣光曰。智伯之亡也。才勝德也。夫才與德異。而世俗莫之能辯。通謂之賢。此其所以失人也。夫聰察彊毅之謂才。正直中和之謂德。才者德之資也。德者才之帥也。雲夢之竹。天下之勁也。然而不矯揉。不羽括。則不能以入堅。棠谿之金。天下之利也。然而不鎔範。不砥礪。則不能以擊彊。是故才德全盡。謂之聖人。才德兼亡。謂之愚人。德勝才。謂之君子。才勝德。謂之小人。凡取人之術。苟不得聖人君子而與之。與其得小人。不若得愚人。何則君子挾才以爲善。小人挾才以爲惡。挾才以爲善者。善無不至矣。挾才以爲惡者。惡亦無不至矣。愚者雖欲爲不

善。智不能周。力不能勝。譬如乳狗搏人。人得而制之。小人智足以遂其姦。勇足以决其暴。是虎而翼者也。其爲害豈不多哉。夫德者人之所嚴。而才者人之所愛。愛者易親。嚴者易疎。是以察者多蔽於才。而遺於德。自古昔以來。國之亂臣。家之敗子。才有餘而德不足。以至于顚覆者多矣。豈特智伯哉。故爲國爲家者。苟能審於才德之分。而知所先後。又何失人之足患哉。

(二)三晉爲侯 周威烈王二十三年

三家分智氏之田。趙襄子漆智伯之頭。以爲飲器。智伯之臣豫讓。欲爲之報仇。乃詐爲刑人。挾匕首。入襄子宮中塗厠。襄子如厠。心動。索之獲豫讓。左右欲殺之。襄子曰。智伯死無後。而此人欲爲報仇。眞義士也。吾謹避之耳。乃舍之。豫讓又漆身爲癩。呑炭爲啞。行乞於市。其妻不識也。行見其友。其友識之。爲之泣曰。以子之才。臣事趙孟。必得近幸。子乃爲所欲爲。顧不易邪。何乃自苦如此。求以報仇。不亦難乎。豫讓曰。既已委質爲臣。而又求殺之。是二心也。凡吾所爲者。極難耳。然所以爲此者。將以愧天下後世之爲人臣懷二心者也。襄子出。豫讓伏於橋下。襄子至橋馬驚。索之得豫讓。遂殺之。襄子爲伯魯之不立也。有子五人。不肯置後。封伯魯之子於代。曰

代成君。早卒。立其子浣。爲趙氏後。襄子卒。弟桓子。逐浣而自立。一年卒。趙氏之人曰。桓子立。非襄主意。乃共殺其子。復迎浣而立之。是爲獻子。獻子生籍。是爲烈侯。魏斯者。魏桓子之孫也。是爲文侯。韓康子生武子。武子生虔。是爲景侯。魏文侯以卜子夏田子方爲師。每過段干木之廬。必式。四方賢士多歸之。文侯與群臣飲酒樂。而天雨。命駕將適野。左右曰。今日飲酒樂。天又雨。君將安之。文侯曰。吾與虞人期獵。雖樂豈可無一會期哉。乃往。身自罷之。韓借師於魏。以伐趙。文侯曰。寡人與趙兄弟也。不敢聞命。趙借師於魏。以伐韓。文侯應之亦然。二國

皆怒而去。已而知文侯以講於己也。皆朝于魏。魏於是
始大於三晉。諸侯莫能與之爭。使樂羊伐中山。克之。以
封其子擊。文侯問於群臣曰。我何如主。皆曰。仁君。任座
曰。君得中山。不以封君之弟。而以封君之子。何謂仁君。
文侯怒。任座趨出。次問翟璜。對曰。仁君。文侯曰。何以知
之。對曰。臣聞君仁則臣直。嚮者任座之言直。臣是以知
之。文侯悅。使翟璜召任座而反之。親下堂迎之。以爲上
客。文侯與田子方飲。文侯曰。鐘聲不比乎。左高。田子方
笑。文侯曰。何笑。子方曰。臣聞之。君明樂官。不明樂音。今
君審於音。臣恐其聾於官也。文侯曰。善。子擊出遭田子

方於道。下車伏謁。子方不爲禮。子擊怒。謂子方曰。富貴
者驕人乎。貧賤者驕人乎。子方曰。亦貧賤者驕人耳。富
貴者安敢驕人。國君而驕人。則失其國。大夫而驕人。則
失其家。失其國者。未聞有以國待之者也。失其家者。未
聞有以家待之者也。夫士貧賤者。言不用。行不合。則納
履而去耳。安往而不得貧賤哉。子擊乃謝之。文侯謂李
克曰。先生嘗有言曰。家貧思良妻。國亂思良相。今所置。
非成則璜。二子何如。對曰。卑不謀尊。疏不謀戚。臣在闕
門之外。不敢當命。文侯曰。先生臨事勿讓。克曰。君弗察
故也。居視其所親。富視其所與。達視其所舉。窮視其所

不爲。貧視其所不取。五者足以定之矣。何待克哉。文侯
曰。先生就舍。吾之相定矣。李克出。見翟璜。璜曰。今者聞
君召先生而卜相。果誰爲之。克曰。魏成。翟璜忿然作色
曰。西河守吳起。臣所進也。君內以鄴爲憂。臣進西門豹。
君欲伐中山。臣進樂羊。中山已拔。無使守之。臣進先生。
君之子無傅。臣進屈侯鮒。以耳目之所睹記。臣何負於
魏成。李克曰。子言克於子之君者。豈將比周以求大官
哉。君問相於克。克之對如是。所以知君之必相魏成者。
魏成食祿千鍾。什九在外。什一在內。是以東得卜子夏。
田子方。段干木。此三人者。君皆師之。子所進五人者。君

皆臣之。子惡得與魏成比也。翟璜逡巡。再拜曰。璜鄙人
也。失對。願卒爲弟子。吳起者衛人。仕於魯。齊人伐魯。魯
人欲以爲將。起取齊女爲妻。魯人疑之。起殺妻以求將。
大破齊師。或譖之魯侯曰。起始事曾參。母死。不奔喪。曾
參絕之。今又殺妻。以求爲君將。起殘忍薄行人也。且以
魯國區區。而有勝敵之名。則諸侯圖魯矣。起恐得罪。聞
魏文侯賢。乃往歸之。文侯問諸李克。李克曰。起貪而好
色。然用兵。司馬穰苴弗能過也。於是文侯以爲將。擊秦。
拔五城。起之爲將。與士卒最下者同衣食。臥不設席。行
不騎乘。親裹贏糧。與士卒分勞苦。卒有病疽者。起爲吮

之卒母聞而哭之人曰子卒也而將軍自吮其疽何哭
爲母曰非然也往年吳公吮其父疽其父戰不旋踵遂
死于敵吳公今又吮其子妾不知其死所矣是以哭之

(三)六國合從 周顯王三十六年

洛陽人蘇秦說秦王以兼天下之術秦王不用其言蘇
秦乃去說燕文公曰燕之所以不犯寇被甲兵者以趙
之爲蔽其南也且秦之攻燕也戰於千里之外趙之攻
燕也戰於百里之內夫不憂百里之患而重千里之外
計無過於此者願大王與趙從親天下爲一則燕國必
無患矣文公從之資蘇秦車馬以說趙肅侯曰當今之

時山東之建國莫彊於趙秦之所害亦莫如趙然而秦
不敢擧兵伐趙者畏韓魏之議其後也秦之攻韓魏也
無有名山大川之限稍蠶食之傅國都而止韓魏不能
支秦必入臣於秦秦無韓魏之規則禍中於趙矣臣以
天下地圖案之諸侯之地五倍於秦料度諸侯之卒十
倍於秦六國爲一并力西鄕而攻秦秦必破矣夫衡人
者皆欲割諸侯之地以與秦秦成則其身富榮國被秦
患而不與其憂是以衡人日夜務以秦權恐愓諸侯以
求割地故願大王熟計之也竊爲大王計莫如一韓魏
齊楚燕趙爲從親以畔秦令天下之將相會於洹水之

上通質結盟約曰秦攻一國五國各出銳師或撓秦或
救之有不如約者五國共伐之諸侯從親以擯秦秦甲
必不敢出於函谷以害山東矣肅侯大說厚待蘇秦尊
寵賜賚之以約於諸侯會秦使犀首伐魏大敗其師四
萬餘人禽將龍賈取雕陰且欲東兵蘇秦恐秦兵至趙
而敗從約念莫可使用於秦者乃激怒張儀入之於秦
張儀者魏人與蘇秦俱事鬼谷先生學縱橫之術蘇秦
自以爲不及也儀游諸侯無所遇困於楚蘇秦故召而
辱之儀恐念諸侯獨秦能苦趙遂入秦蘇秦陰遣其舍
人齎金幣資儀儀得見秦王秦王說之以爲客卿舍人

辭去曰蘇君憂秦伐趙敗從約以爲非君莫能得秦柄
故激怒君使臣陰奉給君資盡蘇君之計謀也張儀曰
嗟乎此吾在術中而不悟吾不及蘇君明矣爲吾謝蘇
君蘇君之時儀何豈言於是蘇秦說韓宣惠王曰韓地
方九百餘里帶甲數十萬天下之彊弓勁弩利劍皆從
韓出韓卒超足而射百發不暇止以韓卒之勇被堅甲
蹠勁弩帶利劍一人當百不足言也大王事秦秦必求
宜陽成皐今茲効之明年復求割地與則無地以給之
不與則棄前功受後禍且大王之地有盡而秦求無已
以有盡之地逆無已之求此所謂市怨結禍者也不戰

而地已削矣。鄙諺曰。寧爲鷄口。無爲牛後。夫以大王之
賢。挾强韓之兵。而有牛後之名。臣竊爲大王羞之。韓王
從其言。蘇秦說魏王曰。大王之地方千里。地名雖小。然
而田舍廬廡之數。曾無所芻牧。人民之衆。車馬之多。日
夜行不絕。輷輷殷殷。若有三軍之衆。臣竊量大王之國。
不下楚。今竊聞大王之卒。武士二十萬。蒼頭二十萬。奮
擊二十萬。廝徒十萬。車六百乘。騎五千匹。乃聽於羣臣
之說。而欲臣事秦。故敝邑趙王。使臣効愚計。奉明約。在
大王之詔詔之。魏王聽之。蘇秦說齊王曰。齊四塞之國。
地方二千餘里。帶甲數十萬。粟如丘山。三軍之良。五家

之兵。進如鋒矢。戰如雷霆。解如風雨。即有軍役。未嘗倍
泰山。絕清河。涉渤海者也。臨淄之中七萬戶。臣竊度之。
不下戶三男子。不待發於遠縣。而臨淄之卒。固已二十
一萬矣。臨淄甚富而實。其民無不鬭雞走狗。六博蹹鞠。
臨淄之途。車轂擊。人肩摩。連袵成帷。揮汗成雨。夫韓魏
之所以重畏秦者。爲與秦接境壤也。兵出而相當。不出
十日。而戰勝存亡之機決矣。韓魏戰而勝秦。則兵半折。
四境不守。戰而不勝。則國已危亡隨其後。是故韓魏之
所以重與秦戰。而輕爲之臣也。今秦之攻齊則不然。倍
韓魏之地。過衛陽晉之道。經乎亢父之險。車不得方軌。

騎不得比行。百人守險。千人不敢過也。秦雖欲深入。則
狼顧。恐韓魏之議其後也。是故恫疑虛喝。驕矜而不敢
進。則秦之不能害齊亦明矣。夫不深料秦之無柰齊何。
而欲西面而事之。是羣臣之計過也。今無臣事秦之名。
而有彊國之實。臣是故願大王少留意計之。齊王許之。
乃西南說楚威王曰。楚天下之彊國也。地方六千餘里。
帶甲百萬。車千乘。騎萬匹。粟支十年。此霸王之資也。秦
之所害莫如楚。楚彊則秦弱。秦彊則楚弱。其勢不兩立。
故爲大王計。莫如從親以孤秦。臣請令山東之國。奉四
時之獻。以承大王之明詔。委社稷。奉宗廟。練士厲兵。在

大王之所用之。故從親則諸侯割地以事楚。衡合則楚
割地以事秦。此兩策者相去遠矣。大王何居焉。楚王亦
許之。於是蘇秦爲從約長。并相六國。北報趙。車騎輜重。
擬於王者。

(四) 長平之戰 周赧王五十五年

秦左庶長王齕。攻上黨拔之。上黨民走趙。趙廉頗軍於
長平。以按據上黨民。王齕因伐趙。趙軍數戰不勝。止一
裨將四尉。趙王與樓昌虞卿謀。樓昌請發重使爲媾。虞
卿曰。今制媾者在秦。秦必欲破王之軍矣。雖往請媾。秦
將不聽。不如發使以重寶附楚魏。楚魏受之。則秦疑天

下之合從。媾乃可成也。王不聽。使鄭朱媾於秦。秦受之。王謂虞卿曰。秦內鄭朱矣。對曰。王必不得媾而軍破矣。何則天下之賀戰勝者皆在秦矣。夫鄭朱貴人也。秦王應侯必顯重之。以示天下。天下見王之媾於秦。必不救王。秦知天下之不救王。則媾不可得成矣。既而秦果顯鄭朱。而不與趙媾。秦數敗趙兵。廉頗堅壁不出。趙王以頗失亡多。而更怯不戰。怒數讓之。應侯又使人行千金於趙。爲反間。曰秦之所畏。獨畏馬服君之子趙括爲將耳。廉頗易與。且降矣。趙王遂以趙括代頗將。藺相如曰。王以名使括。若膠柱鼓瑟耳。括徒能讀其父書傳。不知

合變也。王不聽。初趙括自少時學兵法。以天下莫能當。嘗與其父奢言兵事。奢不能難。然不謂善。括母問其故。奢曰。兵死地也。而括易言之。使趙不將括。則已。若必將之。破趙軍者必括也。及括將行。其母上書言括不可使。王曰。何以。對曰。始妾事其父。時爲將。身所奉飯而進食者以十數。所友者以百數。王及宗室所賞賜者。盡以與軍吏士大夫。受命之日。不問家事。今括一旦爲將。東鄉而朝軍吏。無敢仰視之者。王所賜金帛。歸藏于家。而日視便利田宅。可買者買之。王以爲如其父。父子異心。願王勿遣。王曰。母置之。吾已決矣。母因曰。即如有不稱。妾

請無隨坐。趙王許之。秦王聞括已爲趙將。乃陰使武安君爲上將軍。而王齕爲裨將。令軍中有敢泄武安君將者斬。趙括至軍。悉更約束。易置軍吏。出兵擊秦師。武安君佯敗而走。張二奇兵以刼之。趙括乘勝追造秦壁。壁堅拒不得入。奇兵二萬五千人。絕趙軍之後。又五千騎絕趙壁間。趙軍分而爲二。糧道絕。武安君出輕兵擊之。趙戰不利。因築壁堅守。以待救至。秦王聞趙食道絕。自如河內。發民年十五以上。悉詣長平。遮絕趙救兵及糧食。齊人楚人救趙。趙人乏食。請粟于齊。王弗許。周子曰。夫趙之於齊楚。扞蔽也。猶齒之有脣也。脣亡則齒寒。今

日亡趙。明日患及齊楚矣。救趙之務。宜若奉漏甕。沃焦釜。然。且救趙。高義也。却秦師。顯名也。義救亡國。威却彊秦。不務爲此而愛粟。爲國計者過矣。齊王弗聽。九月趙軍食絕四十六日。皆內陰相殺食。急來攻壘。欲出爲四隊。四五復之。不能出。趙括自出銳卒搏戰。秦人射殺之。趙師大敗。卒四十萬人皆降。武安君曰。秦已拔上黨。上黨民不樂爲秦而歸趙。趙卒反覆。非盡殺之。恐爲亂。乃挾詐而盡坑殺之。遺其小者二百四十人歸趙。前後斬首虜四十五萬人。趙人大震。

(五) 邯鄲之圍 周赧王五十七年

五十七年正月。王陵攻邯鄲。少利。益發卒佐陵。陵亡五校。武安君病愈。王欲使代之。武安君曰。邯鄲實未易攻也。且諸侯之救日至。彼諸侯怨秦之日久矣。秦雖勝於長平。士卒死者過半。國内空。遠絕河山。而爭人國都。趙應其内。諸侯攻其外。破秦軍必矣。王自命。不行。乃使應侯請之。武安君終辭病。不肯行。乃以王齕代王陵。趙王使平原君求救於楚。平原君約其門下食客文武備具者二十人與之俱。得十九人。餘無可取者。毛遂自薦於平原君。平原君曰。夫賢士之處世也。譬若錐之處囊中。其末立見。今先生處勝之門下。三年於此矣。左右未有所稱誦。勝未有所聞。是先生無所有也。先生不能。先生留。毛遂曰。臣乃今日請處囊中耳。使遂蚤得處囊中。乃脫穎而出。非特其末見而已。平原君乃與之俱。十九人相與目笑之。平原君至楚。與楚王言合從之利害。日出而言之。日中不決。毛遂按劍歷階而上。謂平原君曰。從之利害。兩言而決耳。今日出而言。日中不決何也。楚王怒叱曰。胡不下。吾與而君言。汝何爲者也。毛遂按劍而前曰。王之所以叱遂者。以楚國之衆也。今十步之內。王不得恃楚國之衆也。王之命懸於遂手。吾君在前。叱者何也。且遂聞。湯以七十里之地王天下。文王以百里之

壤。而臣諸侯。豈其士卒衆多哉。誠能據其勢而奮其威也。今楚地方五千里。持戟百萬。此霸王之資也。以楚之彊。天下弗能當。白起小豎子耳。率數萬之衆。興師以與楚戰。一戰而擧鄢郢。再戰而燒夷陵。三戰而辱王之先人。此百世之怨。而趙之所羞。而王弗之惡焉。合從者爲楚。非爲趙也。吾君在前。叱者何也。楚王曰。唯唯。誠若先生之言。謹奉社稷以從。毛遂曰。從定乎。楚王曰。定矣。毛遂謂楚王之左右曰。取雞狗馬之血來。毛遂奉銅盤而跪進之楚王曰。王當歃血以定從。次者吾君。次者遂。遂定從於殿上。毛遂左手持盤血。而右手招十九人曰。公等相與歃此血於堂下。公等錄錄。所謂因人成事者也。平原君已定從而歸。至於趙曰。勝不敢相天下士矣。遂以毛遂爲上客。於是楚王使春申君將兵救趙。魏王亦使將軍晉鄙將兵十萬救趙。秦王使謂魏王曰。吾攻趙。旦暮且下。諸侯敢救之者。吾已拔趙。必移兵先擊之。魏王恐。遣人止晉鄙。留兵壁鄴。名爲救趙。實挾兩端。又使將軍新垣衍間入邯鄲。因平原君說趙王。欲共尊秦爲帝以却其兵。齊人魯仲連在邯鄲。聞之往見新垣衍曰。彼秦者棄禮義而上首功之國也。彼即肆然而爲帝於天下。則連有蹈東海而死耳。不願爲之民也。且梁未睹

秦稱帝之害故耳。吾將使秦王烹醢梁王。新垣衍怏然
不悅曰・先生惡能使秦王烹醢梁王。魯仲連曰。固也。吾
將言之・昔者九侯、鄂侯、文王。紂之三公也。九侯有子而
好。獻之於紂。紂以爲惡。醢九侯。鄂侯爭之彊。辯之疾。故
脯鄂侯。文王聞之・喟然而嘆。故拘之牖里之庫百日・欲
令之死。今秦萬乘之國也。梁亦萬乘之國也。俱據萬乘
之國。各有稱王之名。奈何睹其一戰而勝。欲從而帝之。
卒就脯醢之地乎。且秦無已而帝。則將行其天子之禮。
以號・令於天下。則且變易諸侯之大臣。彼將奪其所不
肖。而與其所賢。奪其所憎。而與・其所愛。彼又將使其子
女讒妾爲諸侯妃姬・處梁之宮。梁王安得晏然而已乎・
而將軍又何以得故寵乎。新垣衍起再拜曰・吾乃今知
先生天下之士也。吾請出不敢復言帝秦矣。初魏公子
無忌仁而下士。致食客三千人。魏有隱士曰侯嬴。年七
十。家貧爲大梁夷門監者。公子置酒・大會賓客。坐定。公
子從車騎。虛左自迎侯生。侯生攝敝衣冠。直上載公子
上坐。不讓。公子執轡愈恭。侯生又謂公子曰・臣有客在
市屠中。願枉車騎過之。公子引車入市・侯生下見其客
朱亥睥睨。故久立與其客語。微察公子。公子色愈和。乃
謝客就車。至公子家。公子引侯生坐上坐・徧贊賓客。賓

客皆驚。及秦圍趙。趙平原君之夫人。公子無忌之姉也。
平原君使者冠蓋相屬於魏。讓公子曰。勝所以自附於
婚姻者。以公子之高義。能急人之困也。今邯鄲旦暮降
秦。而魏救不至。縱公子輕勝棄之。獨不憐公子姉邪。公
子患之。數請魏王。勅晉鄙令救趙。及賓客辯士。游說萬
端。王終不聽。公子乃屬賓客。約車騎百餘乘。欲赴鬭以
死於趙。過夷門見侯生。侯生曰。公子勉之矣。老臣不能
從。公子去。行數里心不快。復還見侯生。侯生笑曰。臣固
知公子之還也。今公子無佗端。而欲赴秦軍。譬如以肉
投餒虎。何功之有。公子再拜問計。侯嬴屏人曰。吾聞晉
鄙兵符在王臥內。而如姬最幸。力能竊之。嘗聞公子爲
如姬報其父仇。如姬欲爲公子。死無所辭。公子誠一開
口・則得虎符。奪晉鄙之兵。北救趙。西却秦。此五伯之功
也。公子如其言。果得兵符。公子行・侯生曰。將在外。君令
有所不受。有如晉鄙合符而不授兵・復請之。則事危矣。
臣客朱亥。其人力士。可與俱。晉鄙若聽大善。不聽可使
擊之・於是公子請朱亥與俱至鄴。晉鄙合符疑之。擧手
視公子曰・吾擁十萬之衆。屯於境上。今單車來代之。何
如哉。朱亥袖四十斤鐵椎。椎殺晉鄙。公子遂勒兵・下令
軍中曰。父子俱在軍中者。父歸。兄弟俱在軍中者。兄歸。

獨子無兄弟者。歸養。得選兵八萬人。將之而進。王齕久
圍邯鄲。不拔。諸侯來救。戰數不利。武安君聞之曰。王不
聽吾計。今何如矣。王聞之怒。彊起武安君。武安君稱病
篤。不肯起。五十八年十月。免武安君爲士伍。遷之陰密。
十二月。益發卒軍汾城旁。武安君病未行。諸侯攻王齕。
齕數却。使者日至。王乃使人遣武安君。不得留咸陽中。
武安君出咸陽西門。十里至杜郵。王與應侯羣臣謀曰。
白起之遷。意尙怏怏有餘言。王乃使使者賜之劒。武安
君遂自殺。秦人憐之。鄕邑皆祭祀焉。魏公子無忌。大破
秦師於邯鄲下。王齕解邯鄲圍走。鄭安平爲趙所困。將

二萬人降趙。應侯由是得罪。公子無忌既存趙。遂不敢
歸魏。與賓客留居趙。使將將其軍還魏。趙王與平原君
計。以五城封公子。趙王掃除自迎。執主人之禮。引公子
就西階。公子側行辭讓。從東階上。自言辠過。以負於魏
無功於趙。趙王與公子飮。至暮口不忍獻五城。以公子
退讓也。趙王以鄗爲公子湯沐邑。魏亦復以信陵奉公
子。公子聞趙有處士毛公隱於博徒。薛公隱於賣醬家。
欲見之。兩人不肯見。公子乃間步從之游。平原君聞而
非之。公子曰。吾聞平原君之賢。故背魏而救趙。今平原
君所與遊。徒豪擧耳。不求士也。以無忌從此兩人遊。尙

恐其不我欲也。平原君乃以爲羞乎。爲裝欲去。平原君
免冠謝。乃止。平原君欲封魯連。使者三返。終不肯受。又
以千金爲魯連壽。魯連笑曰。所貴於天下士。爲人排患
釋難解紛亂而無取也。即有取。是商賈之事也。遂辭平
原君而去。終身不復見。

（六）荀卿論兵 秦昭王五十二年

楚春申君以荀卿爲蘭陵令。荀卿者趙人。名況。嘗與臨
武君論兵於趙孝成王之前。王曰。請問兵要。臨武君對
曰。上得天時。下得地利。觀敵之變動。後之發。先之至。此
用兵之要術也。荀卿曰。不然。臣所聞古之道。凡用兵攻

戰之本。在乎一民。弓矢不調。則羿不能以中。六馬不和。
則造父不能以致遠。士民不親附。則湯武不能以必勝
也。故善附民者。是乃善用兵者也。故兵要在乎附民而
已。臨武君曰。不然。兵之所貴者。勢利也。所行者。變詐也。
善用兵者。感忽悠闇。莫知所從出。孫吳用之。無敵於天
下。豈必待附民哉。荀卿曰。不然。臣之所道。仁人之兵。王
者之志也。君之所貴。權謀勢利也。仁人之兵。不可詐也。
彼可詐者。怠慢者也。露袒者也。君臣上下之間。滑然有
離德者也。故以桀詐桀。猶巧拙有幸焉。以桀詐堯。譬之
以卵投石。以指撓沸。若赴水火。入焉焦沒耳。故仁人之

兵。上下一心。三軍同力。臣之於君也。下之於上也。若子之事父。弟之事兄。若手臂之扞頭目。而覆胸腹也。詐而襲之。與先驚而後擊之一也。且仁人用十里之國。則將有百里之聽。用百里之國。則將有千里之聽。用千里之國。則將有四海之聽。必將聰明警戒和傳而一。故仁人之兵。聚則成卒。散則成列。延則若莫邪之長刃。嬰之者斷。兌則若莫邪之利鋒。當之者潰。圜居而方止。則若盤石然。觸之者角摧而退耳。且夫暴國之君。將誰與至哉。彼其所與至者。必其民也。其民之親我。歡若父母。其好我芬若椒蘭。彼反顧其上。則若灼黥。若仇讎。人之情雖

中等敎科漢文讀本　卷之七

桀跖。豈有肯爲其所惡。賊其所好者哉。是猶使人之子孫。自賊其父母也。彼必將來告。夫又何可詐也。故仁人用國日明。諸侯先順者安。後從者危。敵之者削。反之者亡。詩曰。武王載發。有虔秉鉞。如火烈烈。則莫我敢遏。此之謂也。孝成王臨武君曰。善。請問王者之兵。設何道何行而可。荀卿曰。凡君賢者其國治。君不能者其國亂。隆禮貴義者其國治。簡禮賤義者其國亂。治者彊。亂者弱。是彊弱之本也。上足卬。則下可用也。上不足卬。則下不可用也。下可用則彊。下不可用則弱。是彊弱之常也。齊人隆技擊。其技也。得一首者。則賜贖錙金。無本賞矣。是

事小敵毳。則偸可用也。事大敵堅。則渙焉離耳。若飛鳥然。傾側反覆無日。是亡國之兵也。兵莫弱是矣。是其去賃市傭而戰之幾矣。魏氏之武卒。以度取之。衣三屬之甲。操十二石之弩。負矢五十箇。置戈其上。冠冑帶劍。贏三日之糧。日中而趨百里。中試則復其戶。利其田宅。是其氣力數年而衰。而復利未可奪也。改造則不易周也。是故地雖大。其稅必寡。是危國之兵也。秦人其生民也陿隘。其使民也酷烈。劫之以勢。隱之以阨。忸之以慶賞。鰌之以刑罰。使民所以要利於上者。非鬭無由也。使以功賞相長。五甲首而隸五家。是最爲衆彊長久之道。故

中等敎科漢文讀本　卷之七

四世有勝。非幸也。數也。故齊之技擊。不可以遇魏之武卒。魏之武卒。不可以遇秦之鋭士。秦之鋭士。不可以當桓文之節制。桓文之節制。不可以當湯武之仁義。有遇之者。若以焦熬投石焉。兼是數國者。皆干賞蹈利之兵也。傭徒鬻賣之道也。未有貴上安制綦節之理也。諸侯有能微妙之以節。則作而兼殆之耳。故招延募選。隆勢詐。上功利。是漸之也。禮義敎化。是齊之也。故以詐遇詐。猶有巧拙焉。以詐遇齊。譬之猶以錐刀墮泰山也。故湯武之誅桀紂也。拱挹指麾。而彊暴之國。莫不趨使。誅桀紂若誅獨夫。故泰誓曰。獨夫紂。此之謂也。故兵大齊。則

制天下。小齊。則治鄰敵。若夫招延募選。隆勢詐。上功利之兵。則勝不勝無常。代翕代張。代存代亡。相爲雌雄耳。夫是謂之盜兵。君子不由也。孝成王臨武君曰。善。請問爲將。荀卿曰。知莫大於棄疑。行莫大於無過。事莫大於無悔。事至無悔而止矣。不可必也。故制號政令。欲嚴以威。慶賞刑罰。欲必以信。處舍收藏。欲周以固。徙擧進退。欲安以重。欲疾以速。窺敵觀變。欲潛以深。欲伍以參。遇敵決戰。必行吾所明。無行吾所疑。夫是之謂六術。無欲將而惡廢。無怠勝而忘敗。無威內而輕外。無見其利而不顧其害。凡慮事欲熟。而用財欲泰。夫是之謂五權。將所以不受命於主有三。可殺而不可使處不完。可殺而不可使擊不勝。可殺而不可使欺百姓。夫是之謂三至。凡受命於主而行三軍。三軍既定。百官得序。群物皆正。則主不能喜。敵不能怒。夫是之謂至臣。慮必先事而申之以敬。愼終如始。始終如一。夫是之謂大吉。凡百事之成也。必在敬之。其敗也。必在慢之。故敬勝怠則吉。怠勝敬則滅。計勝欲則從。欲勝計則凶。戰如守。行如戰。有功如幸。敬謀無曠。敬事無曠。敬吏無曠。敬衆無曠。敬敵無曠。夫是之謂五無曠。愼行此六術五權三至。而處之以恭敬無曠。夫是之謂天下之將。則通於神明矣。臨武君

曰。善。請問王者之軍制。荀卿曰。將死鼓。御死轡。百吏死職。士大夫死行列。聞鼓聲而進。聞金聲而退。順命爲上。有功次之。令不進而進。猶令不退而退也。其罪惟均。不殺老弱。不獵禾稼。服者不禽。格者不赦。奔命者不獲。凡誅。非誅其百姓也。誅其亂百姓者也。百姓有扞其賊。則是亦賊也。以其順刄者生。傃刄者死。奔命者貢。微子開封於宋。曹觸龍斷於軍。商之服民。所以養生之者。無異周人。故近者謌謳而樂之。遠者竭蹶而趨之。無幽閒辟陋之國。莫不趨使而安樂之。四海之內若一家。通達之屬。莫不從服。夫是之謂人師。詩曰。自西自東。自南自北。無思不服。此之謂也。王者有誅而無戰。城守不攻。兵格不擊。敵上下相喜則慶之。不屠城。不潛軍。不留衆。師不越時。故亂者樂其政。不安其上。欲其至也。臨武君曰。善。陳囂問荀卿曰。先生議兵。常以仁義爲本。仁者愛人。義者循理。然則又何以兵爲。凡所爲有兵者。爲爭奪也。荀卿曰。非汝所知也。彼仁者愛人。愛人故惡人之害之也。義者循理。循理故惡人之亂之也。彼兵者。所以禁暴除害也。非爭奪也。

(七) 韓非說秦王 秦始皇十四年

桓齮伐趙。取宜安平陽武城。韓王納地效璽。請爲藩臣。

使韓非來聘。韓非者。韓之諸公子也。善刑名法術之學。見韓之削弱。數以書干韓王。王不能用。於是韓非疾治國不務求人任賢。反擧浮淫之蠹。而加之功實之上。寛則寵名譽之人。急則用介胄之士。所養非所用。所用非所養。悲廉直不容於邪枉之臣。觀往者得失之變。作孤憤。五蠹。內外儲。說林。說難。五十六篇十餘萬言。王聞其賢。欲見之。非爲韓使於秦。因上書說王曰。今秦地方數千里。師名百萬。號令賞罰。天下不如。臣昧死願望見大王。言所以破天下從之計。大王誠聽臣說。一擧而天下之從不破。趙不擧。韓不亡。荊魏不臣。齊燕不親。覇王之名不成。四鄰諸侯不朝。大王斬臣以徇國。以戒爲王謀不忠者也。王悅之。未任用。李斯嫉之曰。韓非。韓之諸公子也。今欲并諸侯。非終爲韓。不爲秦。此人情也。今王不用。久留而歸之。此自遺患也。不如以法誅之。王以爲然。下吏治非。李斯使人遺非藥。令早自殺。韓非欲自陳。不得見。王後悔使人赦之。非已死矣。

（八）陳勝唱亂 秦二世元年

陽城人陳勝。陽夏人吳廣。起兵於蘄。是時發閭左戍漁陽。九百人屯大澤鄉。陳勝吳廣。皆爲屯長。會天大雨。道不通。度已失期。失期。法皆斬。陳勝吳廣。因天下之愁怨。

乃殺將尉。召令徒屬曰。公等皆失期。當斬。假令毋斬。而戍死者。固什六七。且壯士不死則已。死則擧大名耳。王侯將相。寧有種乎。衆皆從之。乃詐稱公子扶蘇項燕。爲壇而盟稱大楚。陳勝自立爲將軍。吳廣爲都尉。攻大澤鄉拔之。收而攻蘄。蘄下。乃令符離人葛嬰。將兵徇蘄以東。攻銍酇苦柘譙。皆下之。行收兵。比至陳。車六七百乘。騎千餘。卒數萬人。攻陳。陳守尉皆不在。獨守丞與戰譙門中。不勝守丞死。陳勝乃入據陳。初大梁人張耳陳餘。相與爲刎頸交。秦滅魏。聞二人魏之名士。重賞購求之。張耳陳餘乃變名姓。俱之陳。爲里監門以自食。里吏嘗以過笞陳餘。陳餘欲起。張耳躡之使受笞。吏去。張耳乃引陳餘之桑下。數之曰。始吾與公言何如。今見小辱。而欲死一吏乎。陳餘謝之。陳涉既入陳。張耳陳餘詣門上謁。陳涉素聞其賢。大喜。陳中豪桀父老。請立涉爲楚王。涉以問張耳陳餘。耳餘對曰。秦爲無道。滅人社稷。暴虐百姓。將軍出萬死之計。爲天下除殘也。今始至陳。而王之。示天下私。願將軍毋王。急引兵而西。遣人立六國後。自爲樹黨。爲秦益敵。敵多則力分。與衆則兵彊。如此則野無交兵。縣無守城。誅暴秦。據咸陽。以令諸侯。諸侯亡而得立。以德服之。則帝業成矣。今獨王陳。恐天下懈也。

陳涉不聽。遂自立爲王。號張楚。當是時。諸郡縣苦秦法。爭殺長吏以應涉。謁者從東方來。以反者聞。二世怒。下之吏。後使者至。上問之。對曰。群盜鼠竊狗偸。郡守尉方逐捕。今盡得。不足憂也。上悅。陳王以吳叔爲假王。監諸將以西擊滎陽。張耳陳餘復說陳王請奇兵。北略趙地。於是陳王以故所善陳人武臣爲將軍。邵騷爲護軍。以張耳陳餘爲左右校尉。予卒三千人。徇趙。陳王又令汝陰人鄧宗徇九江郡。當此時。楚兵數千人爲聚者。不可勝數。葛嬰至東城。立襄彊爲楚王。聞陳王已立。因殺襄彊還報。陳王誅殺葛嬰。陳王令周市北徇魏地。以上蔡

人房君蔡賜爲上柱國。陳王聞周文。陳之賢人也。習兵。乃與之將軍印。使西擊秦。武臣等。從白馬渡河。至諸縣。說其豪桀。豪桀皆應之。乃行收兵。得數萬人。號武臣爲武信君。下趙十餘城。餘皆城守。乃引兵東北擊范陽。范陽蒯徹說武信君曰。足下必將戰勝而後略地。攻得然後下城。臣竊以爲過矣。誠聽臣之計。可不攻而降城。不戰而略地。傳檄而千里定。可乎。武信君曰。何謂也。徹曰。范陽令徐公。畏死而貪。欲先天下降。君若以爲秦所置吏。誅殺如前十城。則邊地之城。皆爲金城湯池。不可攻也。君若齎臣侯印。以授范陽令。使乘朱輪華轂。驅馳燕

趙之郊。即燕趙城。可無戰而降矣。武信君曰。善。以車百乘騎二百。侯印。迎徐公。燕趙聞之。不戰以城下者。三十餘城。陳王既遣周文。以秦政之亂。有輕秦之意。不復設備。博士孔鮒諫曰。臣聞兵法。不恃敵之不我攻。恃吾不可攻。今王恃敵。而不自恃。若跌而不振。悔之無及也。陳王曰。寡人之軍。先生無累焉。周文行收兵至關。車千乘。卒數十萬。至戲軍焉。二世乃大驚。與群臣謀曰。柰何。少府章邯曰。盜已至。衆彊。今發近縣。不及矣。驪山徒多。請赦之。授兵以擊之。二世乃大赦天下。使章邯免驪山徒。人奴産子。悉發以擊楚軍。大敗之。周文走。張耳陳餘至

邯鄲。聞周文卻。又聞諸將爲陳王徇地還者。多以讒毀得罪誅。乃說武信君。令自王。八月。武信君自立爲趙王。以陳餘爲大將軍。張耳爲右丞相。邵騷爲左丞相。使人報陳王。陳王大怒。欲盡族武信君等家。而發兵擊趙。柱國房君諫曰。秦未亡。而誅武信君等家。此生一秦也。不如因而賀之。使急引兵西擊秦。陳王然之。從其計。徙繫武信君等家宮中。封張耳子敖爲成都君。使使者賀趙。令趣發兵西入關。張耳陳餘說趙王曰。王王趙。非楚意。特以計賀王。楚已滅秦。必加兵於趙。願王毋西兵。北徇燕代。南收河內以自廣。趙南據大河。北有燕代。楚雖勝

秦。必不敢制趙。不勝秦。必重趙。趙乘秦楚之敝。可以得志於天下。趙王以爲然。因不西兵。而使韓廣略燕。李良略常山。張黶略上黨。

（九）群雄競起 秦二世元年

沛人劉邦起兵於沛。下相人項梁起兵於吳。狄人田儋。起兵於齊。劉邦字季。爲人隆準龍顏。左股有七十二黑子。愛人喜施。意豁如也。常有大度。不事家人生產作業。初爲泗上亭長。單父人呂公。好相人。見季狀貌奇之。以女妻之。既而季以亭長。爲縣送徒驪山。徒多道亡。自度比至皆亡之。到豐西澤中亭。止飮。夜乃解縱所送徒曰。

公等皆去。吾亦從此逝矣。徒中壯士。願從者十餘人。劉季被酒。夜徑澤中。有大蛇當徑。季拔劍斬蛇。有老嫗哭曰。吾子白帝子也。化爲蛇當道。今赤帝子殺之。因忽不見。劉季亡匿於芒碭山澤之間。數有奇怪。沛中子弟聞之。多欲附者。及陳涉起。沛令欲以沛應之。掾主吏蕭何曹參曰。君爲秦吏。今欲背之。率沛子弟。恐不聽。願君召諸亡在外者。可得數百人。因刼衆。衆不敢不聽。乃令樊噲召劉季。劉季之衆已數十百人矣。沛令後悔。恐其有變。乃閉城城守。欲誅蕭曹。蕭曹恐。踰城保劉季。劉季乃書帛。射城上。遺沛父老。爲陳利害。父老乃率子弟。共殺沛令。開門迎劉季。立以爲沛公。蕭曹等爲收沛子弟。得三千人。以應諸侯。項梁者。楚將項燕子也。嘗殺人。與兄子籍。避仇吳中。吳中賢士大夫。皆出其下。籍少時。學書不成。去學劍。又不成。項梁怒之。籍曰。書足以記名姓而已。劍一人敵。不足學。學萬人敵。於是項梁乃敎籍兵法。籍大喜。畧知其意。又不肯竟學。籍長八尺餘。力能扛鼎。才器過人。會稽守殷通。聞陳涉起。欲發兵以應涉。使項梁及桓楚將。是時。桓楚亡在澤中。梁曰。桓楚亡。人莫知其處。獨籍知之耳。梁乃誡籍。持劍居外。梁復入。與守坐曰。請召籍。使受命召桓楚。守曰。諾。梁召籍入。須臾。梁眴

籍曰。可行矣。於是籍遂拔劍斬守頭。項梁持守頭。佩其印綬。門下大驚擾亂。籍所擊殺數十百人。一府中皆慴伏莫敢起。梁乃召故所知豪吏。諭以所爲起大事。遂擧吳中兵。使人收下縣。得精兵八千人。梁爲會稽守。籍爲裨將。徇下縣。籍是時年二十四。田儋。故齊王族也。儋從弟榮。榮弟橫。皆豪健宗彊。能得人。周市徇地至狄。狄城守。田儋佯爲縛其奴。從少年之廷。欲謁殺奴。見狄令。因擊殺令。而召豪吏子弟曰。諸侯皆反秦自立。齊古之建國也。儋田氏。當王。遂自立爲齊王。發兵以擊周市。周市軍還去。田儋率兵。東略定齊地。韓廣將兵。北徇燕。燕地

豪桀。欲共立廣爲燕王。廣曰。廣母在趙。不可。燕人曰・趙方西憂秦。南憂楚。其力不能禁我。且以楚之彊。不敢害趙王將相之家。趙獨安敢害將軍家乎。韓廣乃自立爲燕王。居數月。趙奉燕王母家屬歸之。趙王與張耳陳餘。北略地燕界。趙王閒出。爲燕軍所得。燕囚之欲求割地。使者往請。燕輒殺之。有廝養卒。走燕壁見燕將曰。君知張耳陳餘何欲。曰欲得其王耳。趙養卒笑曰。君未知此兩人所欲也。夫武臣張耳陳餘。杖馬箠下趙數十城。此亦各欲南面而王。豈欲爲將相終已耶。顧其勢初定。未敢參分而王。且以少長。先立武臣爲王。以持趙心。今趙

地已服。此兩人亦欲分趙而王。時未可耳。今君乃囚趙王。此兩人。名爲求趙王。實欲燕殺之。此兩人。分趙自立。夫以一趙。尙易燕。況以兩賢王。左提右挈而責殺王之罪。滅燕易矣。燕將乃歸趙王。養卒爲御而歸。

（十）昆陽之戰 後漢淮陽王更始元年

王莽欲外示自安。乃染其須髮。立杜陵史諶女爲皇后。置後宮位號・視公卿大夫元士者凡百二十人。莽赦天下。詔王匡哀章等。討青徐盜賊。嚴尤陳茂等。討前隊醜虜。明告以生活丹青之信。復迷惑不解散。將遣大司馬空隆新公。將百萬之師。剿・絕之矣。三月王鳳與太常偏將軍劉秀等。徇昆陽定陵郾。皆下之。王莽聞嚴尤陳茂敗。乃遣司空王邑。馳傳與司徒王尋。發兵平定山東。徵諸明兵法六十三家。以備軍吏。以長人巨毋霸爲壘尉。又驅諸猛獸虎豹犀象之屬。以助威武。邑至洛陽。州郡各選精兵。牧守自將。定會者四十二萬人・號百萬餘。在道者旌旗輜重。千里不絕。夏五月。尋邑南出潁川。與嚴尤陳茂合。諸將見尋邑兵盛。皆反走入昆陽。惶怖憂念妻孥。欲散歸諸城。劉秀曰。今兵穀既少。而外寇強大。幷力禦之。功庶可立。如欲分散。勢無俱全。且宛城未拔。不能相救。昆陽即拔。一日之間。諸部亦滅矣・今不同心膽

共擧・功名。反欲守妻子財物邪。諸將怒曰。劉將軍何敢如是。秀笑而起。會候騎還言。大兵且至城北。軍陳數百里。不見其後。諸將素輕秀。及迫急。乃相謂曰。更請劉將軍計之。秀復爲圖畫成敗。諸將皆曰。諾。時城中唯有八九千人。秀使王鳳與廷尉大將軍王常。守・昆陽。夜與五威將軍李軼等十三騎。出城南門。于外收兵。時莽兵到城下者且十萬。秀等幾不得出。尋邑縱兵圍昆陽。嚴尤說邑曰。昆陽城小而堅。今假號者在宛。亟進大兵。彼必犇走。宛敗。昆陽自服。邑曰。吾昔圍翟義。坐不生得。以見責讓。今將百萬之衆。遇城而不能下。非所以示威也。當

先居此城。蹀血而進。前歌後舞。顧不快邪。遂圍之數十
重。列營百數。鉦鼓之聲。聞數十里。或爲地道。衝輣撞城。
積弩亂發。矢下如雨。城中負戶而汲。王鳳等乞降。不許。
尋邑自以爲功在漏刻。不以軍事爲憂。嚴尤曰。兵法圍
城爲之闕。宜使得逸出以怖宛下。邑又不聽。棘陽守長
岑彭與前隊貳嚴說。共守宛城。漢兵攻之數月。城中人
相食。乃擧城降。更始入都之。諸將欲殺彭。劉縯曰。彭郡
之大吏。執心固守。是其節也。今擧大事。當表義士。不如
封之。更始乃封彭爲歸德侯。劉秀至郾定陵。悉發諸營
兵。諸將貪惜財物。欲分兵守之。秀曰。今若破敵。珍寶萬

倍。大功可成。如爲所敗。首領無餘。何財物之有。乃悉發
之。六月己卯朔。秀與諸營俱進。自將步騎千餘爲前鋒。
去大軍四五里而陳。尋邑亦遣兵數千合戰。秀奔之。斬
首數十級。諸將喜曰。劉將軍平生見小敵怯。今見大敵
勇。甚可怪也。且復居前。請助將軍。秀復進。尋邑兵却。諸
部共乘之。斬首數百千級。連勝遂前。諸將膽氣益壯。無
不一當百。秀乃與敢死者三千人。從城西水上衝其中
堅。尋邑易之。自將萬餘人行陳。勅諸營皆按部毋得動。
獨迎與漢兵戰。不利。大軍不敢擅相救。尋邑陳亂。漢兵
乘銳崩之。遂殺王尋。城中亦鼓譟而出。中外合勢。震呼

動天地。莽兵大潰。走者相騰踐。伏尸百餘里。會天雷風。
屋瓦皆飛。雨下如注。滍川盛溢。虎豹皆股戰。士卒赴水
溺死者以萬數。水爲不流。王邑嚴尤陳茂。輕騎乘死人。
度水逃去。盡獲其軍實輜重。不可勝算。擧之連月不盡。
或燔燒其餘。士卒奔走。各還其郡。王邑獨與所將長安
勇敢數千人。還洛陽。關中聞之震恐。於是海內豪桀。翕
然響應。皆殺其牧守。自稱將軍。用漢年號。以待詔命。旬
月之間。徧于天下。莽聞漢兵言莽鴆殺孝平皇帝。乃會
公卿於王路堂。開所爲平帝請命金縢之策。泣以示群
臣。劉秀復徇潁川。攻父城。不下。屯兵巾車鄉。潁川郡掾

馮異監五縣。爲漢兵所獲。異曰。異有老母在父城。願歸
據五城。以效功報德。秀許之。異歸謂父城長苗萌曰。諸
將多暴橫。獨劉將軍所到不虜略。觀其言語擧止。非庸
人也。遂與萌率五縣以降。新市平林諸將。以劉縯兄弟
威名益盛。陰勸更始除之。秀謂縯曰。事欲不善。縯笑曰。
常如是耳。更始大會諸將。取縯寶劍視之。繡衣御史申
徒建隨獻玉玦。更始不敢發。縯舅樊宏謂縯曰。建得無
有范增之意乎。縯不應。李軼初與縯兄弟善。後更諂事
新貴。秀戒縯曰。此人不可復信。縯不從。縯部將劉稷勇
冠三軍。聞更始立。怒曰。本起兵圖大事者。伯升兄弟也。

今更始何爲者邪。更始以稷爲抗威將軍。稷不肯拜。更始乃與諸將陳兵數千人。先収稷將誅之。縯固爭。李軼朱鮪因勸更始。幷執縯。即日殺之。以族兄光祿勳賜爲大司徒。秀聞之。自父城馳詣宛謝。司徒官屬迎弔秀。秀不與交私語。惟深引過而已。未嘗自伐昆陽之功。又不敢爲縯服喪。飲食言笑如平常。更始以是慙。拜秀爲破虜大將軍。封武信侯。

(十二) 王莽伏誅 後漢淮陽王更始元年

王莽使太師王匡國將哀章守洛陽。更始遣定國上公王匡攻洛陽。西屏大將軍申屠建、丞相司直李松攻武關。三輔震動。析人鄧曄于匡起兵南鄉以應漢。攻武關都尉朱萌。萌降。進攻右隊大夫宋綱殺之。西拔湖。莽愈憂不知所出。崔發言。古者國有大災。則哭以厭之。宜告天以求救。莽乃率羣臣至南郊。陳其符命本末。仰天大哭。氣盡伏而叩頭。諸生小民。旦夕會哭。爲設飧粥。甚悲哀者。除以爲郎。郎至五千餘人。莽拜將軍九人。皆以虎爲號。將北軍精兵數萬人以東。內其妻子宮中以爲質。時省中黃金尚六十餘萬斤。它財物稱是。莽愈愛之。賜九虎士人四千錢。衆重怨無鬭意。九虎至華陰回谿距隘自守。于匡鄧曄擊之。六虎敗走。二虎詣闕歸死。莽使

使責死者安在。皆自殺。其四虎亡。三虎收散卒。保渭口京師倉。鄧曄開武關迎漢兵。李松將三千餘人至湖。與曄等共攻京師倉。未下。曄以弘農掾王憲爲校尉。將數百人。北度渭入左馮翊界。李松遣偏將軍韓臣等。徑西至新豐。擊莽波水將軍。追奔至長門宮。王憲北至頻陽。所過迎降。諸縣大姓各起兵稱漢將軍。率衆隨憲。李松鄧曄引軍至華陰。而長安旁兵四會城下。又聞天水隗氏方到。皆爭欲入城。貪立大功鹵掠之利。莽赦城中囚徒。皆授兵。殺豨飲其血。與誓曰。有不爲新室者。社鬼記之。使更始將軍史諶將之。度渭橋。皆散走。諶空還。衆兵發掘莽妻子父祖冢。燒其棺椁及九廟明堂辟雍。火照城中。九月戊申朔。兵從宣平城門入。張邯逢兵見殺。王邑王林王巡䠠惲等分將兵。距擊北闕下。會日暮。官府邸第盡奔亡。己酉。城中少年朱弟張魚等恐見鹵掠。趨讙並和。燒作室門。斧敬法闥。呼曰。反虜王莽何不出降。火及掖庭承明。黃皇室主所居。黃皇室主曰。何面目以見漢家。自投火中而死。莽避火宣室前殿。火輒隨之。莽紺袀服。持虞帝匕首。天文郎按式於前。莽旋席隨斗柄而坐曰。天生德於予。漢兵其如予何。庚戌旦明。羣臣扶掖莽。自前殿之漸臺。公卿從官尚千餘人隨之。王邑晝

夜戰罷極。士死傷略盡。馳入宮。間關至漸臺。見其子侍中睦解衣冠欲逃。邑叱之令還。父子共守莽。軍人入殿中。聞莽在漸臺。衆共圍之數百重。臺上猶與相射。矢盡短兵接。王邑父子䜣惲王巡戰死。莽入室。下餔時。衆兵上臺。苗訢唐尊王盛等皆死。商人杜吳殺莽。校尉東海公賓就斬莽首。軍人分莽身。節解臠分。爭相殺者數十人。公賓就持莽首詣王憲。憲自稱漢大將軍。城中兵數十萬皆屬焉。舍東宮。妻莽後宮。乘其車服。癸丑。李松鄧曄入長安。將軍趙萌申屠建亦至。以王憲得璽綬不上。多挾宮女。建天子鼓旗。收斬之。傳莽首詣宛。縣于市。百姓共提擊之。或切食其舌。

(十二) 白馬之戰 後漢獻帝建安五年

建安四年。袁紹既克公孫瓚。心益驕。貢御稀簡。主簿耿包密白紹。宜應天人。稱尊號。紹以包白事示軍府。僚屬皆言。包妖妄宜誅。紹不得已殺包以自解。紹簡精兵十萬騎萬匹。欲以攻許。沮授諫曰。近討公孫瓚。師出歷年。百姓疲敝。倉庫無積。未可動也。宜務農息民。先遣使獻捷天子。若不得通。乃表曹操隔我王路。然後進屯黎陽。漸營河南。益作舟船。繕修器械。分遣精騎。抄其邊鄙。令彼不得安。我取其逸。如此可坐定也。郭圖審配曰。以明

公之神武。引河朔之彊衆。以伐曹操。易如覆手。何必乃爾。授曰。夫救亂誅暴。謂之義兵。恃衆憑彊。謂之驕兵。義者無敵。驕者先滅。曹操奉天子以令天下。今擧師南向。於義則違。且廟勝之策。不在彊弱。曹操法令既行。士卒精練。非公孫瓚坐而受攻者也。今弃萬安之術。而興無名之師。竊爲公懼之。圖配曰。武王伐紂。不爲不義。況兵加曹操。而云無名。且以公今日之彊。將士思奮。不及時以定大業。所謂天與不取。反受其咎。此越之所以覇。吳之所以滅也。監軍之計。在於持牢。而非見時知幾之變也。紹納圖言。圖等因是譖授曰。授監統內外。威震三軍。若其寖盛。何以制之。夫臣與主同者亡。此黃石之所忌也。且御衆於外。不宜知內。紹乃分授所統爲三都督。使授及郭圖淳于瓊各典一軍。騎都尉淸河崔琰諫曰。天子在許。民望助順。不可攻也。紹不從。許下諸將聞紹將攻許。皆懼。曹操曰。吾知紹之爲人。志大而智小。色厲而膽薄。忌克而少威。兵多而分畫不明。將驕而政令不壹。土地雖廣。糧食雖豐。適足以爲吾奉也。孔融謂荀彧曰。紹地廣兵彊。田豐許攸。智士也。爲之謀。審配逢紀。忠臣也。任其事。顏良文醜。勇將也。統其兵。殆難克乎。彧曰。紹兵雖多而法不整。田豐剛而犯上。許攸貪而不治。審配

專而無謀。遂紀果而自用。此數人者。勢不相容。必生內變。顏良文醜。一夫之勇耳。可一戰而禽也。秋八月。操進軍黎陽。使臧覇等將精兵。入青州以扞東方。留于禁屯河上。九月。操還許。分兵守官渡。初車騎將軍董承。稱受帝衣帶中密詔。與劉備謀誅曹操。操從容謂備曰。今天下英雄。惟使君與操耳。本初之徒。不足數也。備方食失箸。値天雷震。備因曰。聖人云。迅雷風烈。必變。良有以也。遂與承及長水校尉种輯、將軍吳子蘭王服等同謀。會操遣備與朱靈邀袁術。程昱郭嘉董昭皆諫曰。備不可遣也。操悔。追之不及。術既南走。朱靈等還。備遂殺徐

州刺史車冑。留關羽守下邳。行太守事。身還小沛。東海賊昌豨及郡縣。多叛操爲備。備衆數萬人。遣使與袁紹連兵。操遣司空長史沛國劉岱、中郎將扶風王忠擊之。不克。備謂岱等曰。使汝百人來。無如我何。曹公自來。未可知耳。五年春正月。董承謀泄。壬午。曹操殺承及王服种輯。皆夷三族。操欲自討劉備。諸將皆曰。與公爭天下者。袁紹也。今紹方來。而弃之東。紹乘人後。若何。操曰。劉備人傑也。今不擊。必爲後患。郭嘉曰。紹性遲而多疑。來必不速。備新起。衆心未附。急擊之。必敗。操師遂東。冀州別駕田豐說袁紹曰。曹操與劉備連兵。未可卒解。公舉

軍而襲其後。可一往而定。紹辭以子疾未得行。豐擧杖擊地曰。嗟乎。遭難遇之時。而以嬰兒病失其會。惜哉事去矣。曹操擊劉備破之。獲其妻子。進拔下邳。禽關羽。又擊昌豨破之。備奔青州。因袁譚以歸袁紹。紹聞備至。去鄴二百里迎之。駐月餘。所亡士卒。稍稍歸之。曹操還軍官渡。紹乃議攻許。田豐曰。曹操既破劉備。則許下非復空虛。且操善用兵。變化無方。衆雖少。未可輕也。今不如以久持之。將軍據山河之固。擁四州之衆。外結英雄。內修農戰。然後簡其精銳。分爲奇兵。乘虛迭出。以擾河南。救右則擊其左。救左則擊其右。使敵疲於奔命。民不得

安業。我未勞而彼已困。不及三年。可坐克也。今釋廟勝之策。而決成敗於一戰。若不如志。悔無及也。紹不從。豐彊諫忤紹。紹以爲沮衆。械繫之。於是移檄州郡。數操罪惡。二月。進軍黎陽。沮授臨行。會其宗族。散資財以與之。曰。勢存則威無不加。勢亡則不保一身。哀哉。其弟宗曰。曹操士馬不敵。君何懼焉。授曰。以曹操之明略。又挾天子以爲資。我雖克伯珪。衆實疲敝。而主驕將忲。軍之破敗。在此擧矣。楊雄有言。六國蚩蚩。爲嬴弱姬。其今之謂乎。振威將軍程昱。以七百兵守鄄城。曹操欲益昱兵二千。昱不肯曰。袁紹擁十萬衆。自以所向無前。今聞昱兵

少。必輕易不來攻。若益昱兵。過則不可不攻。攻之必克。徒兩損其勢。願公無疑。紹聞昱兵少。果不往。操謂賈詡曰。程昱之膽。過於賁育矣。袁紹遣其將顏良。攻東郡太守劉延於白馬。沮授曰。良性促狹。雖驍勇。不可獨任。紹不聽。夏四月。曹操北救劉延。荀攸曰。今兵少不敵。必分其勢。乃可。公到延津。若將渡兵向其後者。紹必西應之。然後輕兵襲白馬。掩其不備。顏良可禽也。操從之。紹聞兵渡。即分兵西邀之。操乃引軍兼行。趣白馬。未至十餘里。良大驚。來逆戰。操使張遼關羽先登擊之。羽望見良麾蓋。策馬刺良於萬衆之中。斬其首而還。紹軍莫能當

者。遂解白馬之圍。徙其民。循河而西。紹渡河追之。沮授諫曰。勝負變化。不可不詳。今宜留屯延津。分兵官渡。若其克獲。還迎不晚。設其有難。衆弗可還。紹弗從。授臨濟歎曰。上盈其志。下務其功。悠悠黃河。吾其濟乎。遂以疾辭。紹不許。而意恨之。復省其所部。并屬郭圖。紹軍至延津南。操勒兵。駐營南阪下。使登壘望之。曰。可五六百騎。有頃復白。騎稍多。步兵不可勝數。操曰。勿復白。令騎解鞍放馬。是時白馬輜重就道。諸將以爲敵騎多。不如還保營。荀攸曰。此所以餌敵。如何去之。操顧攸而笑。紹騎將文醜。與劉備將五六千騎。前後至。諸將復白。可上馬。

操曰。未也。有頃騎至稍多。或分趣輜重。操曰。可矣。乃皆上馬。時騎不滿六百。遂縱兵擊。大破之。斬醜。醜與顏良。皆紹名將也。再戰悉禽之。紹軍奪氣。初操壯關羽之爲人。而察其心神無久留之意。使張遼以其情問之。羽歎曰。吾極知曹公待我厚。然吾受劉將軍恩。誓以共死。不可背之。吾終不留。要當立効以報曹公。乃去耳。遼以羽言報操。操義之。及羽殺顏良。操知其必去。重加賞賜。羽盡封其所賜。拜書告辭。而犇劉備於袁軍。左右欲追之。操曰。彼各爲其主。勿追也。

(十三) 赤壁之戰 後漢獻帝建安十三年

初魯肅聞劉表卒。言於孫權曰。荊州與國鄰接。江山險固。沃野萬里。士民殷富。若據而有之。此帝王之資也。今劉表新亡。二子不協。軍中諸將。各有彼此。劉備天下梟雄。與操有隙。寄寓於表。表惡其能。而不能用也。若備與彼協心。上下齊同。則宜撫安與結盟好。如有離違。宜別圖之。以濟大事。肅請得奉命。弔表二子。并慰勞其軍中用事者。及說備使撫表衆。同心一意。共治曹操。備必喜而從命。如其克諧。天下可定也。今不速往。恐爲操所先。權即遣肅行。到夏口。聞操已向荊州。晨夜兼道。比至南郡。而琮已降。備南走。肅徑迎之。與備會于當陽長坂。肅

宣權旨。論天下事勢。致殷勤之意。且問備曰。豫州今欲何至。備曰。與蒼梧太守吳巨有舊。欲往投之。肅曰。孫討虜。聰明仁惠。敬賢禮士。江表英豪。咸歸附之。已據有六郡。兵精糧多。足以立事。今爲君計。莫若遣腹心。自結於東。以共濟世業。而欲投吳巨。巨是凡人。偏在遠郡。行將爲人所併。豈足託乎。備甚悅。肅又謂諸葛亮曰。我子瑜友也。即共定交。子瑜者亮兄瑾也。避亂江東。爲孫權長史。備用肅計。進住鄂縣樊口。曹操自江陵。將順江東下。諸葛亮謂劉備曰。事急矣。請奉命求救於孫將軍。遂與魯肅俱詣孫權。亮見權於柴桑。說權曰。海內大亂。將軍

起兵江東。劉豫州收衆漢南。與曹操共爭天下。今操芟夷大難。畧已平矣。遂破荊州。威震四海。英雄無用武之地。故豫州遁逃至此。願將軍量力而處之。若能以吳越之衆。與中國抗衡。不如蚤與之絕。若不能。何不按兵束甲。北面而事之。今將軍外託服從之名。而內懷猶豫之計。事急而不斷。禍至無日矣。權曰。苟如君言。劉豫州何不遂事之乎。亮曰。田橫齊之壯士耳。猶守義不辱。況劉豫州王室之冑。英才蓋世。衆士慕仰。若水之歸海。若事之不濟。此乃天也。安能復爲之下乎。權勃然曰。吾不能舉全吳之地。十萬之衆。受制於人。吾計決矣。非劉豫州。

莫可以當曹操者。然豫州新敗之後。安能抗此難乎。亮曰。豫州軍雖敗於長坂。今戰士還者。及關羽水軍。精甲萬人。劉琦合江夏戰士。亦不下萬人。曹操之衆。遠來疲敝。聞追豫州。輕騎一日一夜。行三百餘里。此所謂强弩之末勢。不能穿魯縞者也。故兵法忌之曰。必蹶上將軍。且北方之人。不習水戰。又荊州之民附操者。偪兵勢耳。非心服也。今將軍誠能命猛將。統兵數萬。與豫州協規同力。破操軍必矣。操軍破。必北還。如此。則荊吳之勢强。鼎足之形成矣。成敗之機。在於今日。權大悅。與其羣下謀之。是時曹操遺權書曰。近者奉辭伐罪。旌麾南指。劉

琮束手。今治水軍八十萬衆。方與將軍會獵於吳。權以示臣下。莫不響震失色。長史張昭等曰。曹公豺虎也。挾天子。以征四方。動以朝廷爲辭。今日拒之。事更不順。且將軍大勢可以拒操者長江也。今操得荊州。奄有其地。劉表治水軍。蒙衝鬬艦。乃以千數。操悉浮以沿江。兼有步兵。水陸俱下。此爲長江之險。已與我共之矣。而勢力衆寡。又不可論。愚謂大計不如迎之。魯肅獨不言。權起更衣。肅追於宇下。權知其意。執肅手曰。卿欲何言。肅曰。向察衆人之議。專欲誤將軍。不足與圖大事。今肅可迎操耳。如將軍不可也。何以言之。今肅迎操。操當以肅還。

付鄉黨。品其名位。猶不失下曹從事。乘犢車。從吏卒。交游士林。累官。故不失州郡也。將軍迎操。欲安所歸乎。願早定大計。莫用衆人之議也。權歎息曰。諸人持議。甚失孤望。今卿廓開大計。正與孤同。時周瑜受使至番陽。肅勸權召瑜還。瑜至。謂權曰。操雖託名漢相。其實漢賊也。將軍以神武雄才。兼仗父兄之烈。割據江東。地方數千里。兵精足用。英雄樂業。當橫行天下。爲漢家除殘去穢。況操自送死。而可迎之邪。請爲將軍籌之。今北土未平。馬超韓遂尚在關西。爲操後患。而操舍鞍馬。仗舟楫。與吳越爭衡。今又盛寒。馬無藁草。驅中國士衆。遠涉江湖

之間。不習水土。必生疾病。此數者。用兵之患也。而操皆冒行之。將軍禽操。宜在今日。瑜請得精兵數萬人。進住夏口。保爲將軍破之。權曰。老賊欲廢漢自立久矣。徒忌二袁呂布劉表與孤耳。今數雄已滅。惟孤尙存。孤與老賊勢不兩立。君言當擊。甚與孤合。此天以君授孤也。因拔刀斫前奏案曰。諸將吏敢復有言當迎操者。與此案同。乃罷會。是夜。瑜復見權曰。諸人徒見操書言水步八十萬。而各恐懾。不復料其虛實。便開此議。甚無謂也。今以實校之。彼所將中國人。不過十五六萬。且已久疲。所得表衆亦極七八萬耳。尙懷狐疑。夫以疲病之卒。御狐

疑之衆。衆數雖多。甚未足畏。瑜得精兵五萬。自足制之。願將軍勿慮。權撫其背曰。公瑾。卿言至此。甚合孤心。子布元表諸人。各顧妻子。挾持私慮。深失所望。獨卿與子敬。與孤同耳。此天以卿二人贊孤也。五萬兵難卒合。已選三萬人。船糧戰具俱辦。卿與子敬程公。便在前發。孤當續發人衆。多載資糧。爲卿後援。卿能辨之者誠決。邂逅不如意。便還就孤。孤當與孟德決之。遂以周瑜程普爲左右督。將兵與備并力逆操。以魯肅爲贊軍校尉。助畫方畧。劉備在樊口。日遣邏吏於水次。候望權軍。吏望見瑜船。馳往白備。備遣人慰勞之。瑜曰。有軍任。不可得

委署。儻能屈威。誠副其所望。備乃乘單舸。往見瑜曰。今拒曹公。深爲得計。戰卒有幾。瑜曰。三萬人。備曰。恨少。瑜曰。此自足用。豫州但觀瑜破之。備欲呼魯肅等共會語。瑜曰。受命不得妄委署。若欲見子敬。可別過之。備深愧喜。進與操遇於赤壁。時操軍衆已有疾疫。初一交戰。操軍不利。引次江北。瑜等在南岸。瑜部將黃蓋曰。今寇衆我寡。難與持久。操軍方連船艦。首尾相接。可燒而走也。乃取蒙衝鬪艦十艘。載燥荻枯柴。灌油其中。裹以帷幕。上建旌旗。豫備走舸。繫於其尾。先以書遺操。詐云欲降。時東南風急。蓋以十艦最著前。中江擧帆。餘船以次俱

進。操軍吏士。皆出營立觀。指言蓋降。去北軍二里餘。同時發火。火烈風猛。船往如箭。燒盡北船。延及岸上營落。頃之烟炎張天。人馬燒溺。死者甚衆。瑜等率輕鋭。繼其後。靁鼓大震。北軍大壞。操引軍。從華容道步走。遇泥濘道不通。天又大風。悉使羸兵負艸塡之。騎乃得過。羸兵爲人馬所蹈藉。陷泥中。死者甚衆。劉備周瑜。水陸並進。追操至南郡。時操軍兼以飢疫。死者太半。操乃留征南將軍曹仁横野將軍徐晃守江陵。折衝將軍樂進守襄陽。引兵北還。

(十四) 肥水之戰 晉孝武帝太元八年

秦王堅下詔。大擧入寇。民每十丁。遣一兵。其良家子。年二十已下有材勇者。皆拜羽林郎。又曰。其以司馬昌明爲尚書左僕射。謝安爲吏部尚書。桓冲爲侍中。勢還不遠。可先爲起第。良家子至者。三萬餘騎。拜秦州主簿趙盛之爲少年都統。是時。朝臣皆不欲堅行。獨慕容垂姚萇及良家子勸之。陽平公融言於堅曰。鮮卑羌虜。我之仇讐。常思風塵之變。以逞其志。所陳策畫。何可從也。良家少年。皆富饒子弟。不閑軍旅。苟爲諂諛之言。以會陛下之意。今陛下信而用之。輕擧大事。臣恐功既不成。仍有後患。悔無及也。堅不聽。八月戊午。堅遣陽平公融。督

張蚝慕容垂等歩騎二十五萬。爲前鋒。以兗州刺史姚萇。爲龍驤將軍。督益梁州諸軍事。堅謂萇曰。昔朕以龍驤建業。未嘗輕以授人。卿其勉之。左將軍竇衝曰。王者無戲言。此不祥之徵也。堅默然。慕容楷慕容紹言於慕容垂曰。主上驕矜已甚。叔父建中興之業。在此行也。垂曰。然。非汝誰與成之。甲子。堅發長安。戎卒六十餘萬。騎二十七萬。旗鼓相望。前後千里。九月。堅至項城。凉州之兵。始達咸陽。蜀漢之兵。方順流而下。幽冀之兵。至於彭城。東西萬里。水陸齊進。運漕萬艘。陽平公融等兵三十萬。先至潁口。詔以尚書僕射謝石爲征虜將軍征討大都督。以徐兗二州刺史謝玄。爲前鋒都督。與輔國將軍謝琰西中郎將桓伊等。衆共八萬。拒之。使龍驤將軍胡彬。以水軍五千。援壽陽。琰安之子也。是時秦兵既盛。都下震恐。謝玄入。問計於謝安。安夷然答曰。已別有旨。既而寂然。玄不敢復言。乃令張玄重請。安遂命駕。出遊山墅。親朋畢集。與玄圍棊賭墅。安棊常劣於玄。是日玄懼。便爲敵手。而又不勝。安遂遊陟。至夜乃還。桓冲深以根本爲憂。遣精鋭三千。入衛京師。謝安固却之曰。朝廷處分已定。兵甲無闕。西藩宜留以爲防。冲對佐吏歎曰。謝安石有廟堂之量。不閑將畧。今大敵垂至。方游談不暇。

遣諸不經事少年拒之。衆又寡弱。天下事已可知。吾其左衽矣。冬十月。秦陽平公融等攻壽陽。癸酉。克之。執平虜將軍徐元喜等。融以其參軍河南郭褒爲淮南太守。慕容垂拔鄖城。胡彬聞壽陽陷。退保硤石。融進攻之。秦衛將軍梁成等。帥衆五萬。屯于洛澗。柵淮以遏東兵。謝石謝玄等。去洛澗二十五里而軍。憚成不敢進。胡彬糧盡。潛遣使告石等曰。今賊盛糧盡。恐不復見大軍。秦人獲之。送於陽平公融。融馳使白秦王堅曰。賊少易擒。但恐逃去。宜速赴之。堅乃留大軍於項城。引輕騎八千。兼道就融於壽陽。遣尚書朱序。來說謝石等。以爲彊弱異勢。不如速降。序私謂石等曰。若秦百萬之衆盡至。誠難與爲敵。今乘諸軍未集。宜速擊之。若敗其前鋒。則彼已奪氣。可遂破也。石聞堅在壽陽。甚懼。欲不戰以老秦師。謝琰勸石從序言。十一月。謝玄遣廣陵相劉牢之。帥精兵五千趣洛澗。未至十里。梁成阻澗爲陳以待之。牢之直前。渡水擊成。大破之。斬成及弋陽太守王詠。又分兵斷其歸津。秦步騎崩潰。爭赴淮水。士卒死者萬五千人。執秦揚州刺史王顯等。盡收其器械軍實。於是謝石等諸軍。水陸繼進。秦王堅與陽平公融。登壽陽城。望之。見晉兵部陳嚴整。又望八公山上草木。皆以爲晉兵。顧謂

融曰。此亦勍敵。何謂弱也。憮然始有懼色。秦兵逼肥水而陳。晉兵不得渡。謝玄遣使謂陽平公融曰。君懸軍深入。而置陳逼水。此乃持久之計。非欲速戰者也。若移陳少却。使晉兵得渡。以決勝負。不亦善乎。秦諸將皆曰。我衆彼寡。不如遏之。使不得上。可以萬全。堅曰。但引兵少却。使之半渡。我以鐵騎蹙而殺之。蔑不勝矣。融亦以爲然。遂麾兵使却。秦兵遂退。不可復止。謝玄謝琰桓伊等。引兵渡水擊之。融馳騎畧陳。欲以帥退者。馬倒。爲晉兵所殺。秦兵遂潰。玄等乘勝追擊。至于青岡。秦兵大敗。自相蹈藉而死者。蔽野塞川。其走者。聞風聲鶴唳。皆以爲晉兵且至。晝夜不敢息。草行露宿。重以飢凍。死者什七八。

（十五） 玉壁之圍 梁武帝中大同元年

八月魏徙并州刺史王思政爲荊州刺史。使之擧諸將可代鎭玉壁者。思政擧晉州刺史韋孝寬。丞相泰從之。東魏丞相歡。悉擧山東衆。將伐魏。癸巳。自鄴會兵於晉陽。九月。至玉壁圍之。以挑西師。西師不出。東魏丞相歡攻玉壁。晝夜不息。魏韋孝寬隨機拒之。城中無水。汲於汾。歡使移汾。一夕而畢。歡於城南起土山。欲乘之以入。城上先有二樓。孝寬縛木接之。令常高於土山以禦之。

歡使告之曰。雖爾縛樓至天。我當穿地取爾。乃鑿地爲十道。又用術士李業興孤虛法。聚攻其北。北天險也。孝寬掘長塹。邀其地道。選戰士屯塹上。每穿至塹。戰士輒禽殺之。又於塹外積柴貯火。敵有在地道內者。塞柴投火。以皮排吹之。一皷皆焦爛。敵以攻車撞城。車之所及。莫不摧毀。無能禦者。孝寬縫布爲幔。隨其所向張之。布既懸空。車不能壞。敵又縛松麻於竿。灌油加火以燒布。幷欲焚樓。孝寬作長鉤。利其刃。火竿將至。以鉤遙割之。松麻俱落。敵又於城四面。穿地爲二十道。其中施梁柱。縱火燒之。柱折城崩。孝寬於崩處。豎木柵以扞之。敵不

得入。城外盡攻擊之術。而城中守禦有餘。孝寬又奪據其土山。歡無如之何。乃使倉曹參軍祖珽說之曰。君獨守孤城。而西方無救。恐終不能全。何不降也。孝寬報曰。我城池嚴固。兵食有餘。攻者自勞。守者常逸。豈有旬朔之間。已須救援。適憂爾衆有不返之危。孝寬關西男子。必不爲降將軍也。珽復謂城中人曰。韋城主受彼榮祿。或復可爾。自外軍民。何事相隨入湯火中。乃射募格於城中云。能斬城主降者。拜太尉。封開國郡公。賞帛萬匹。孝寬手題書背。返射城外云。能斬高歡者準此。珽瑩之子也。東魏苦攻凡五十日。士卒戰及病死者。共七萬人。

爲一冢。歡智力皆困。因而發疾。有星墜歡營中。士卒驚懼。十一月庚子。解圍去。魏以韋孝寬爲驃騎大將軍。開府儀同三司。進爵建忠公。時人以王思政爲知人。

(十六) 貞觀之治 (唐太宗貞觀年中)

二年九月。上曰。比見群臣屢上表賀祥瑞。夫家給人足而無瑞。不害爲堯舜。百姓愁怨而多瑞。不害爲桀紂。後魏之世。吏焚連理木。煮白雉而食之。豈足爲至治乎。丁未。詔。自今大瑞聽表聞。自外諸瑞。申所司而已。嘗有白鵲。構巢於寢殿槐上。合歡如腰皷。左右稱賀。上曰。我常笑隋煬帝好祥瑞。瑞在得賢。此何足賀。命毀其巢。縱鵲

於野外。三年三月。上謂房玄齡杜如晦曰。公爲僕射。當廣求賢人。隨才授任。此宰相之職也。比聞聽受辭訟。日不暇給。安能助朕求賢乎。因敕尚書。細務屬左右丞。唯大事應奏者。乃關僕射。玄齡明達政事。輔以文學。夙夜盡心。惟恐一物失所。用法寬平。聞人有善。若已有之。不以求備取人。不以己長格物。與杜如晦引拔士類。常如不及。至於臺閣規模。皆二人所定。上每與玄齡謀事。必曰。非如晦不能決。及如晦至。卒用玄齡之策。蓋玄齡善謀。如晦能斷故也。二人深相得。同心徇國。故唐世稱賢相。推房杜焉。玄齡雖蒙寵待。或以事被譴。輒累日詣朝

堂。稽顙請罪。恐懼若無所容。玄齡監修國史。上語之曰。比見漢書。載子虛上林賦。浮華無用。其上書論事。詞理切直者。朕從與不從。皆當載之。四年六月。發卒修洛陽宮。以備巡幸。給事中張玄素。上書諫以爲洛陽未有巡幸之期。而預修宮室。非今日之急務。昔漢高祖。納婁敬之說。自洛陽遷長安。豈非洛陽之地。不及關中之形勝邪。景帝用晁錯之言。而七國構禍。陛下今處突厥於中國。突厥之親。何如七國。豈得不先爲憂。而宮室可遽興。乘輿可輕動哉。臣見隋氏。初營宮室。近山無大木。皆致之遠方。二千人曳一柱。以木爲輪。則戞摩火出。乃鑄鐵

爲轂。行一二里。鐵轂輒破。別使數百人齎鐵轂。隨而易之。盡日不過行二三十里。計一柱之費。已用數十萬功。則其餘可知矣。陛下初平洛陽。凡隋氏宮室之宏侈者。皆令毀之。曾未十年。復加營繕。何前日惡之。而今日效之也。且以今日財力。何如隋世。陛下役瘡痍之人。襲亡隋之弊。恐又甚於煬帝矣。上謂玄素曰。卿謂我不如煬帝。何如桀紂。對曰。若此役不息。亦同歸于亂耳。上歎曰。吾思之不熟。乃至於是。顧謂房玄齡曰。朕以洛陽土中。朝貢道均。意欲便民。故使營之。今玄素所言。誠有理。宜即爲之罷役。後日或以事至洛陽。雖露居亦無傷也。仍

賜玄素綵二百匹。上之初卽位也。嘗與群臣語及教化。上曰。今承大亂之後。恐斯民未易化也。魏徵對曰。不然。久安之民驕佚。驕佚則難教。經亂之民愁苦。愁苦則易化。譬猶飢者易爲食。渴者易爲飲也。上深然之。封德彝非之曰。三代以還。人漸澆訛。故秦任法律。漢雜覇道。蓋欲化而不能。豈能之而不欲邪。魏徵書生。未識時務。若信其虛論。必敗國家。徵曰。五帝三王。不易民而化。昔黃帝征蚩尤。顓頊誅九黎。湯放桀。武王伐紂。皆能身致太平。豈非承大亂之後邪。若謂古人淳朴。漸至澆訛。則至于今日。當悉化爲鬼魅矣。人主安得而治之。上卒從徵

言。五年十二月。上謂侍臣曰。朕以死刑至重。故令三覆奏。蓋欲思之詳熟故也。而有司須臾之間。三覆已訖。又古刑人。君爲之徹樂減膳。朕庭無常設之樂。然常爲之不啖酒肉。但未有著令。又百司斷獄。唯據律文。雖情在可矜。而不敢違法。其間豈能盡無寃乎。丁亥。制。決死囚者。二日中五覆奏。下諸州者三覆奏。行刑之日。尚食勿進酒肉。內教坊及太常不擧樂。皆令門下覆視有據。法當死而情可矜者。錄狀以聞。由是全活甚衆。其五覆奏者。以決前一日。至決日。又三覆奏。唯犯惡逆者。一覆奏而已。

中等教科漢文讀本卷之七 終

明治三十二年二月二十日印刷
明治三十二年二月二十三日發行
定價二十五錢

編者　東京市本郷區追分町十四番地　福山義春
編者　東京市神田區裏猿樂町十八番地　服部誠一
發行兼印刷者　東京市日本橋區本石町十軒居六番地　阪上半七
活版印刷所　東京市神田區錦町二丁目四番地　行文堂印行

文學士福山義春
服部誠一　共編

中等教科漢文讀本

卷八

東京　育英舍

中等教科 漢文讀本卷之八目次

宋文

(一)豐樂亭記　歐陽修
(二)嚴先生祠堂記　范仲淹
(三)岳陽樓記　范仲淹
(四)袁州州學記　李安期
(五)喜雨亭記　蘇軾
(六)黃州快哉亭記　蘇轍
(七)道山亭記　曾鞏
(八)待漏院記　王禹偁
(九)諫院題名記　司馬光
(十)蘇氏文集序　歐陽修
(十一)贈黎安二生序　曾鞏
(十二)送郭拱辰序　朱熹
(十三)彭和甫族譜跋　文天祥
(十四)愛蓮說　周惇頤
(十五)前赤壁賦　蘇軾
(十六)後赤壁賦　蘇軾
(十七)上范司諫書　歐陽修
(十八)上田樞密書　蘇洵

(十九)上梅直講書　蘇軾
(二十)表忠觀碑　蘇軾
(二一)上高宗封事　胡銓
(二二)朋黨論　歐陽修
(二三)管仲論　蘇洵
(二四)高祖論　蘇洵
(二五)諫論上　蘇洵
(二六)策略一　蘇軾
(二七)論養士　蘇軾
(二八)始皇論　蘇軾
(二九)六國論　蘇轍

五代史

(三十)唐臣傳
(三一)雜傳
(三二)死節傳

中等教科 漢文讀本卷之八目次終

中等教科漢文讀本卷之八

文學士 福山義春
服部誠一 共編

宋文

(一) 豐樂亭記　歐陽修

修既治滁之明年夏。始飲滁水而甘。問諸滁人。得於州南百步之近。其上豐山聳然而特立。下則幽谷窈然而深藏。中有清泉。滃然而仰出。俯仰左右。顧而樂之。於是疏泉鑿石。闢地以爲亭。而與滁人往遊其間。滁於五代干戈之際。用武之地也。昔太祖皇帝。嘗以周師破李景兵十五萬於清流山下。生擒其將皇甫暉姚鳳於滁東門之外。遂以平滁。修嘗考其山川。按其圖記。升高以望清流之關。欲求暉鳳就擒之所。而故老皆無在者。蓋天下之平久矣。自唐失其政。海內分裂。豪傑並起而爭。所在爲敵國者。何可勝數。及宋受天命。聖人出而四海一。嚮之憑恃險阻。剗削消磨。百年之間。漠然徒見山高而水清。欲問其事。而遺老盡矣。今滁介於江淮之間。舟車商賈。四方賓客之所不至。民生不見外事。而安於畎畝衣食。以樂生送死。而孰知上之功德。休養生息。涵煦百年之深也。修之來此。樂其地僻而事簡。又愛其俗之安

閑。既得斯泉於山谷之間。乃日與滁人仰而望山。俯而聽泉。掇幽芳而蔭喬木。風霜冰雪。刻露清秀。四時之景。無不可愛。又幸其民樂其歲物之豐成。而喜與予遊也。因爲本其山川。道其風俗之美。使民知所以安此豐年之樂者。幸生無事之時也。夫宣上恩德。以與民共樂。刺史之事也。遂書以名其亭焉。

(二) 嚴先生祠堂記　范仲淹

先生。光武之故人也。相尚以道。及帝握赤符。乘六龍。得聖人之時。臣妾億兆。天下孰加焉。惟先生以節高之。既而動星象。歸江湖。得聖人之清。泥塗軒冕。天下孰加焉。惟光武以禮下之。在蠱之上九。衆方有爲。而獨不事王侯。高尚其事。先生以之。在屯之初九。陽德方亨。而能以貴下賤。大得民也。光武以之。蓋先生之心。出乎日月之上。光武之量。包乎天地之外。微先生。不能成光武之大。微光武。豈能遂先生之高哉。而使貪夫廉。懦夫立。是大有功于名教也。仲淹來守是邦。始構堂而奠焉。乃復爲其後者四家。以奉祠事。又從而歌曰。雲山蒼蒼。江水泱泱。先生之風。山高水長。

(三) 岳陽樓記　范仲淹

慶曆四年春。滕子京謫守巴陵郡。越明年。政通人和。百

慶具興。乃重修岳陽樓。增其舊制。刻唐賢今人詩賦于其上。屬予作文以記之。予觀夫巴陵勝狀。在洞庭一湖。銜遠山。呑長江。浩浩湯湯。橫無際涯。朝暉夕陰。氣象萬千。此則岳陽樓之大觀也。前人之述備矣。然則北通巫峽。南極瀟湘。遷客騷人。多會於此。覽物之情。得無異乎。若夫霪雨霏霏。連月不開。陰風怒號。濁浪排空。日星隱曜。山岳潛形。商旅不行。檣傾楫摧。薄暮冥冥。虎嘯猿啼。登斯樓也。則有去國懷鄉。憂讒畏譏。滿目蕭然。感極而悲者矣。至若春和景明。波瀾不驚。上下天光。一碧萬頃。沙鷗翔集。錦鱗游泳。岸芷汀蘭。郁郁青青。而或長煙一空。皓月千里。浮光躍金。靜影沈璧。漁歌互答。此樂何極。登斯樓也。則有心曠神怡。寵辱皆忘。把酒臨風。其喜洋洋者矣。嗟夫。予嘗求古仁人之心。或異二者之爲。何哉。不以物喜。不以己悲。居廟堂之高。則憂其民。處江湖之遠。則憂其君。是進亦憂。退亦憂。然則何時而樂耶。其必曰先天下之憂而憂。後天下之樂而樂歟。噫微斯人。吾誰與歸。

(四) 袁州學記　李覯

皇帝二十有三年。制詔州縣立學。惟時守令。有哲有愚。有屈力殫慮。祗順德意。有假官借師。苟具文書。或連數

城。亡誦絃聲。倡而不和。教尼不行。三十有二年。范陽祖君無擇知袁州。始至進諸生。知學官闕狀。大懼。人材放失。儒教闊疏。亡以稱上意旨。通判潁川陳君侁聞而是之。議以克合。相舊夫子廟。狹隘不足改爲。乃營治之東。厥土燥剛。厥位面陽。厥材孔良。殿堂門廡。黝堊丹漆。舉以法。故生師有舍。庖廩有次。百爾器備。並手偕作。工善吏勤。晨夜展力。越明年成。舍采且有日。盱江李覯諗于衆曰。惟四代之學。考諸經可見已。秦以山西鏖六國。欲帝萬世。劉氏一呼。而關門不守。武夫健將。賣降恐後。何耶。詩書之道廢。人惟見利而不聞義焉耳。孝武乘豐富。世祖出戎行。皆孳孳學術。俗化之厚。延于靈獻。草茅危言者。折首而不悔。功烈震主者。聞命而釋兵。群雄相視。不敢去臣位。尙數十年。教道之結人心如此。今代遭聖神。爾袁得賢君。俾爾由庠序。踐古人之跡。天下治。則譚禮樂以陶吾民。一有不幸。尤當仗大節。爲臣死忠。爲子死孝。使人有所賴。且有所法。是惟朝家教學之意。若其弄筆墨以徼利達而已。豈徒二三子之羞。抑亦爲國者之憂。

(五) 喜雨亭記　蘇軾

亭以雨名。志喜也。古者有喜則以名物。示不忘也。周公

得禾。以名其書。漢武得鼎。以名其年。叔孫勝敵。以名其子。其喜之大小不齊。其示不忘一也。予至扶風之明年。始治官舍。爲亭於堂之北。而鑿池其南。引流種樹。以爲休息之所。是歲之春。雨麥於岐山之陽。其占爲有年。既而彌月不雨。民方以爲憂。越三月乙卯乃雨。甲子又雨。民以爲未足。丁卯大雨。三日乃止。官吏相與慶於庭。商賈相與歌于市。農夫相與抃於野。憂者以喜。病者以愈。而吾亭適成。於是擧酒於亭上。以屬客而告之曰。五日不雨可乎。曰。五日不雨。則無麥。十日不雨可乎。曰。十日不雨。則無禾。無麥無禾。歲且薦饑。獄訟繁興。而盜賊滋熾。則吾與二三子。雖欲優游以樂於此亭。其可得耶。今天不遺斯民。始旱而賜之以雨。使吾與二三子。得相與優游而樂於此亭者。皆雨之賜也。其又可忘耶。既以名亭。又從而歌之曰。使天而雨珠。寒者不得以爲襦。使天而雨玉。饑者不得以爲粟。一雨三日。伊誰之力。民曰太守。太守不有。歸之天子。天子曰不然。歸之造物。造物不自以爲功。歸之太空。太空冥冥。不可得而名。吾以名吾亭。

(六) 黃州快哉亭記　蘇轍

江出西陵。始得平地。其流奔放肆大。南合湘沅。北合漢

沔。其勢益張。至於赤壁之下。波流浸灌。與海相若。淸河張君夢得。謫居齊安。即其廬之西南爲亭。以覽觀江流之勝。而余兄子瞻名之曰快哉。蓋亭之所見。南北百里。東西一舍。濤瀾洶涌。風雲開闔。晝則舟楫出沒於其前。夜則魚龍悲嘯於其下。變化倏忽。動心駭目。不可久視。今乃得玩之几席之上。擧目而足。西望武昌諸山。岡陵起伏。草木行列。煙消日出。漁夫樵父之舍。皆可指數。此其所以爲快哉者也。至於長洲之濱。故城之墟。曹孟德孫仲謀之所睥睨。周瑜陸遜之所馳騖。其流風遺跡。亦足以稱快世俗。昔楚襄王從宋玉景差於蘭臺之宮。有風颯然至者。王披襟當之曰。快哉此風。寡人所與庶人共者耶。宋玉曰。此獨大王之雄風耳。庶人安得共之。玉之言蓋有諷焉。夫風無雄雌之異。而人有遇不遇之變。楚王之所以爲樂。與庶人之所以爲憂。此則人之變也。而風何與焉。士生於世。使其中不自得。將何往而非病。使其中坦然不以物傷性。將何適而非快。今張君不以謫爲患。收會計之餘功。而自放山水之間。此其中宜有以過人者。將蓬戸甕牖。無所不快。而況乎濯長江之淸流。挹西山之白雲。窮耳目之勝。以自適也哉。不然。連山絕壑。長林古木。振之以淸風。照之以明月。此皆騷人思

士之所以悲傷憔悴而不能勝者。烏覩其爲快哉也哉。

（七）道山亭記　　曾　鞏

閩故隸周者七。至秦開其地。列於中國。始并爲閩中郡。自粤之太末。與吳之豫章。爲其通路。其路在閩者。陸出則阸於兩山之間。山相屬無間斷。累數驛。乃一得平地。小爲縣。大爲州。然其四顧亦山也。其塗或逆坂如緣絙。或垂崖如一髮。或側徑鉤出於不測之谿。上皆石芒峭發。擇然後可投步。負戴者雖其土人。猶側足然後能進。非其土人。罕不躓也。其谿行。則水皆自高瀉下。石錯出其間。如林立。如士騎。滿野千里。下上不見其首尾。水行

其隙間。或衡縮蟉糅。或逆走旁射。其狀若蚓結。若蟲鏤。其旋若輪。其激若矢。舟泝沿者投便利。失毫分。輒破溺。雖其土長川居之人。非生而習水事者。不敢以舟楫自任也。其水陸之險如此。漢嘗處其衆江淮之間。而虛其地。蓋以其陿多阻。豈虛也哉。福州治侯官。於閩爲土中。所謂閩中也。其地於閩爲最平以廣。四出之山皆遠。而長江在其南。大海在其東。其城之內外皆涂。旁有溝。溝通潮汐。舟載者晝夜屬於門庭。麓多傑木。而匠多良能。人以屋室鉅麗相矜。雖下貧必豐其居。而佛老子之徒。其宮又特盛。城之中三山。西曰閩山。東曰九僊山。北曰粤王山。三山者鼎趾立。其附山。蓋佛老子之宮以數十百。其瑰詭殊絕之狀。蓋已盡人力。光祿卿直昭文館程公爲是州。得閩山嶔崟之際。爲亭於其處。其山川之勝。城邑之大。宮室之榮。不下簟席而盡於四矚。程公以謂在江海之上。爲登覽之觀。可比於道家所謂蓬萊方丈瀛洲之山。故名之曰道山之亭。閩以險且遠。故仕者常憚往。程公能因其地之善。以寓其耳目之樂。非獨忘其險且遠。又將抗其思於埃𡏖之外。其志壯哉。程公於是州以治行聞。既新其城。又新其學。而其餘功又及於此。蓋其歲滿。就更廣州。拜諫議大夫。又拜給事中集賢殿

修撰。今爲越州。字公闢。名師孟云。

（八）待漏院記　　王　禹偁

天道不言。而品物亨。歲功成者。何謂也。四時之吏。五行之佐。宣其氣矣。聖人不言。而百姓親。萬邦寧者。何謂也。三公論道。六卿分職。張其教矣。是知君逸於上。臣勞於下。法乎天也。古之善相天下者。自咎夔至房魏。可數也。是不獨有其德。亦皆務於勤耳。況夙興夜寐。以事一人。卿大夫猶然。況宰相乎。朝廷自國初。因舊制。設宰相待漏院于丹鳳門之右。示勤政也。乃若北闕向曙。東方未明。相君啓行。煌煌火城。相君至止。噦噦鸞聲。金門未闢。

玉漏猶滴。撤蓋下車。于焉以息。待漏之際。相君其有思乎。其或兆民未安。思所泰之。四夷未附。思所來之。兵革未息。何以弭之。田疇多蕪。何以闢之。賢人在野。我將進之。佞臣立朝。我將斥之。六氣不和。災眚荐至。願避位以禳之。五刑未措。欺詐日生。請修德以釐之。憂心忡忡。待旦而入。九門既啓。四聰甚邇。相君言焉。時君納焉。皇風於是乎清夷。蒼生以之而富庶。若然則總百官。食萬錢。非幸也。宜也。其或私讐未復。思所逐之。舊恩未報。思所榮之。子女玉帛。何以致之。車馬玩器。何以取之。姦人附勢。我將陟之。直士抗言。我將黜之。三時告災。上有憂色。

構巧詞以悅之。群吏弄法。君聞怨言。進諂容以媚之。私心慆慆。假寐而坐。九門既開。重瞳屢回。相君言焉。時君惑焉。政柄於是乎隳哉。帝位以之而危矣。若然則死下獄。投遠方。非不幸也。亦宜也。是知一國之政。萬人之命。懸于宰相。可不愼歟。復有無毀無譽。旅進旅退。竊位而苟祿。備員而全身者。亦無所取焉。棘寺小吏王禹偁爲文。請誌院壁。用規于執政者。

（九）諫院題名記　司馬光

古者諫無官。自公卿大夫。至于工商。無不得諫者。漢興以來。始置官。夫以天下之政。四海之衆。得失利病。萃于一官使言之。其爲任亦重矣。居是官者。當志其大。捨其細。先其急。後其緩。專利國家。而不爲身謀。彼汲汲於名者。猶汲汲于利也。其間相去何遠哉。天禧初。眞宗詔置諫官六員。責其職事。慶曆中。錢君始書其名于版。光恐久而漫滅。嘉祐八年。刻著于石。後之人將歷指其名。而議之曰。某也忠。某也詐。某也直。某也曲。嗚呼。可不懼哉。

（十）蘇氏文集序　歐陽修

予友蘇子美之亡後四年。始得其平生文章遺稿於太子太傅杜公之家。而集錄之以爲十卷。子美。杜氏壻也。遂以其集歸之。而告於公曰。斯文金玉也。棄擲埋沒糞

土。不能銷蝕。其見遺於一時。必有收而寶之於後世者。雖其埋沒而未出。其精氣光怪。已能常自發見。而物亦不能揜也。故方其擯斥摧挫流離窮厄之時。文章已行於天下。雖其怨家仇人。及嘗能出力而擠之死者。至其文章。則不能少毀而揜蔽之也。凡人之情。忽近而貴遠。子美屈於今世猶若此。其伸於後世宜如何也。公其可無恨。予嘗考前世文章政理之盛衰。而怪唐太宗致治。幾乎三王之盛。而文章不能革五代之餘習。後百有餘年。韓李之徒出。然後元和之文。始復於古。唐衰兵亂。又百餘年。而聖宋興。天下一定。晏然無事。又幾百年。而古

文始盛於今。自古治時少而亂時多。幸時治矣。文章或不能純粹。或遲久而不相及。何其難之若是歟。豈非難得其人歟。苟一有其人。又幸而及出於治世。世其可不爲之貴重。而愛惜之歟。嗟吾子美以一酒食之過。至廢爲民。而流落以死。此其可以歎息流涕。而爲當世仁人君子之職位。宜與國家樂育賢材者惜也。子美之齒少於予。而予學古文。反在其後。天聖之間。予擧進士於有司。見時學者。務以言語聲偶摘裂。號爲時文。以相誇尚。而子美獨與其兄才翁。及穆參軍伯長。作爲古詩雜文。時人頗共非笑之。而子美不顧也。其後天子患時文

之弊。下詔書。諷勉學者以近古。由是其風漸息。而學者稍趨於古焉。獨子美爲於擧世不爲之時。其始終自守。不牽世俗趨舍。可謂特立之士也。子美官至大理評事集賢校理而廢。後爲湖州長史以卒。享年四十有一。其狀貌奇偉。望之昂然。而即之溫溫。久而愈可愛慕。其材雖高。而人亦不甚嫉忌。其擊而去之者。意不在子美也。賴天子聰明仁聖。凡當時所指名而排斥。二三大臣而下。欲以子美爲根而累之者。皆蒙保全。今並列於榮寵。雖與子美同時飲酒得罪之人。多一時之豪俊。亦被收采。進顯於朝廷。而子美獨不幸死矣。豈非其命也。悲夫。

（十一）贈黎安二生序　曾鞏

趙郡蘇軾。予之同年友也。自蜀以書至京師遺予。稱蜀之士曰黎生安生者。既而黎生攜其文數十萬言。安生攜其文亦數千言。辱以顧予。讀其文。誠閎壯雋偉。善反覆馳騁。窮盡事理。而其材力之放縱。若不可極者也。二生固可謂魁奇特起之士。而蘇君固可謂善知人者也。頃之。黎生補江陵府司法參軍。將行。請予言以爲贈。予曰。予之知生。既得之於心矣。乃將以言相求於外邪。黎生曰。生與安生之學於斯文。里之人皆笑。以爲迂闊。今求子之言。蓋將解惑於里人。予聞之。自顧而笑。夫世之

迂闊。孰有甚於予乎。知信乎古。而不知合乎世。知志乎道。而不知同乎俗。此予所以困於今而不自知也。世之迂闊。孰有甚於予乎。今生之迂。特以文不近俗。迂之小者耳。患爲笑於里之人。若予之迂大矣。使生持吾言而歸。且重得罪。庸詎止於笑乎。然則若予之於生。將何言哉。謂予之迂爲善。則其患若此。謂爲不善。則有以合乎世。必違乎古。有以同乎俗。必離乎道矣。生其無急於解里人之惑。則於是焉必能擇而取之。遂書以贈二生。并示蘇君。以爲何如也。

（十二）送郭拱辰序　朱熹

世之傳神寫照者。能稍得其形似。已稱良工。今郭君拱辰叔瞻。乃能并精神意趣而盡得之。斯亦奇矣。予頃見友人林擇之游誠之稱其爲人。而招之不至。今歲惠然來自昭武。里中士夫數人。欲觀其能。或一寫而肖。或稍稍損益。卒無不似。而風神氣韻。妙得其天致。有可笑者。爲予作大小二像。宛然麋鹿之姿。林野之性。持以示人。雖相聞而不相識者。亦知其爲余也。然余方將東游鴈蕩。窺龍湫。登玉霄。以望蓬萊。西歷廡源。經玉笥。據祝融之絕頂。以臨洞庭風濤之壯。北出九江。上廬阜。入虎溪。訪陶翁之遺迹。然後歸而思自休焉。彼當有隱君子者。

世人所不得見。而予幸將見之。欲圖其形以歸。而郭君以歲晚思親。不能久從予游矣。予於是有遺恨焉。因其告行。書以爲贈。

(十三) 彭和甫族譜跋　　文天祥

莆中有二蔡。其一派君謨。其一派京。傳聞京子孫。慙京所爲。與人言。每自詭爲君謨後。孝子慈孫之心。固不應爾。亦以見世間羞恥事。雖爲人後。猶將媿之。彭和甫之派。來自博士齊。非玕後也。今其譜牒併二族爲一。本爲君謨之後。而引京以混之。人情固大相遠哉。予聞晉沈勁恥其父陷於逆。致死以逆之。卒爲忠義。唐柳玭有言。

門地高者。一事墜先訓。則無異他人。是以修已不得不至。諸公皆勸和甫以自立。和甫而祖玕。猶當爲沈勁。和甫而祖博士。柳玭之言得不勉乎哉。

(十四) 愛蓮說　　周惇頤

水陸草木之花。可愛者甚蕃。晉陶淵明獨愛菊。自李唐來。世人甚愛牡丹。予獨愛蓮之出淤泥而不染。濯清漣而不妖。中通外直。不蔓不枝。香遠益清。亭亭淨植。可遠觀而不可褻玩焉。予謂菊花之隱逸者也。牡丹花之富貴者也。蓮花之君子者也。噫菊之愛。陶後鮮有聞。蓮之愛同予者何人。牡丹之愛。宜乎衆矣。

(十五) 前赤壁賦　　蘇軾

壬戌之秋。七月既望。蘇子與客泛舟遊於赤壁之下。清風徐來。水波不興。舉酒屬客。誦明月之詩。歌窈窕之章。少焉月出於東山之上。徘徊於斗牛之間。白露橫江。水光接天。縱一葦之所如。凌萬頃之茫然。浩浩乎如馮虛御風。而不知其所止。飄飄乎如遺世獨立。羽化而登仙。於是飲酒樂甚。扣舷而歌之。歌曰。桂棹兮蘭槳。擊空明兮泝流光。渺渺兮予懷。望美人兮天一方。客有吹洞簫者。倚歌而和之。其聲嗚嗚然。如怨如慕。如泣如訴。餘音嫋嫋。不絕如縷。舞幽壑之潛蛟。泣孤舟之嫠婦。蘇子愀然正襟危坐而問客曰。何爲其然也。客曰。月明星稀。烏鵲南飛。此非曹孟德之詩乎。西望夏口。東望武昌。山川相繆。鬱乎蒼蒼。此非孟德之困於周郎者乎。方其破荊州。下江陵。順流而東也。舳艫千里。旌旗蔽空。釃酒臨江。横槊賦詩。固一世之雄也。而今安在哉。况吾與子漁樵於江渚之上。侶魚鰕而友麋鹿。駕一葉之扁舟。擧匏樽以相屬。寄蜉蝣於天地。渺滄海之一粟。哀吾生之須臾。羨長江之無窮。挾飛仙以遨遊。抱明月而長終。知不可乎驟得。託遺響于悲風。蘇子曰。客亦知夫水與月乎。逝者如斯。而未嘗往也。盈虚者如彼。而卒莫消長也。蓋將自

其變者而觀之。則天地曾不能以一瞬。自其不變者而觀之。則物與我皆無盡也。而又何羨乎。且夫天地之間。物各有主。苟非吾之所有。雖一毫而莫取。惟江上之清風。與山間之明月。耳得之而爲聲。目遇之而成色。取之無禁。用之不竭。是造物者之無盡藏也。而吾與子之所共適。客喜而笑。洗盞更酌。肴核既盡。杯盤狼籍。相與枕藉乎舟中。不知東方之既白。

（十六）後赤壁賦　　蘇軾

是歲十月之望。步自雪堂。將歸于臨皐。二客從予過黃泥之坂。霜露既降。木葉盡脫。人影在地。仰見明月。顧而樂之。行歌相答。已而歎曰。有客無酒。有酒無殽。月白風淸。如此良夜何。客曰。今者薄暮。擧網得魚。巨口細鱗。狀似松江之鱸。顧安所得酒乎。歸而謀諸婦。婦曰。我有斗酒。藏之久矣。以待子不時之需。於是携酒與魚。復遊於赤壁之下。江流有聲。斷岸千尺。山高月小。水落石出。曾日月之幾何。而江山不可復識矣。予乃攝衣而上。履巉巖。披蒙茸。踞虎豹。登虬龍。攀栖鶻之危巢。俯馮夷之幽宮。蓋二客不能從焉。劃然長嘯。草木震動。山鳴谷應。風起水湧。予亦悄然而悲。肅然而恐。凜乎其不可留也。反而登舟。放乎中流。聽其所止而休焉。時夜將半。四顧寂

寥。適有孤鶴。横江東來。翅如車輪。玄裳縞衣。戛然長鳴。掠予舟而西也。須臾客去。予亦就睡。夢一道士。羽衣蹁躚。過臨皐之下。揖予而言曰。赤壁之遊樂乎。問其姓名。俛而不答。嗚呼噫嘻。我知之矣。疇昔之夜。飛鳴而過我者。非子也耶。道士顧笑。予亦驚悟。開戶視之。不見其處。

（十七）上范司諫書　　歐陽修

月日某官。謹齋沐拜書司諫學士執事。前月中得進奏吏報云。自陳州召至闕。拜司諫。即欲爲一書以賀。多事倉卒未能也。司諫七品官爾。於執事得之。不爲喜。而獨區區欲一賀者。誠以諫官者天下之得失。一時之公議

繫焉。今世之官。自九卿百執事。外至一郡縣吏。非無貴官大職。可以行其道也。然縣越其封。郡逾其境。雖賢守長不得行。以其有守也。吏部之官。不得理兵部。鴻臚之卿。不得理光祿。以其有司也。若天下之得失。生民之利害。社稷之大計。惟所見聞。而不繫職司者。獨宰相可行之。諫官可言之爾。故士學古懷道者。仕於時。不得爲宰相。必爲諫官。諫官雖卑。與宰相等。天子曰不可。宰相曰。可。天子曰然。宰相曰不然。坐乎廟堂之上。與天子辨可否者。宰相也。天子曰是。諫官曰非。天子曰必行。諫官曰。必不可行。立於殿陛之前。與天子爭是非者。諫官也。宰

相尊行其道。諫官卑行其言。言行道亦行也。九卿百司郡縣之吏守一職者。任一職之責。宰相諫官。繫天下之事。亦任天下之責。然宰相九卿而下失職者。受責于有司。諫官之失職也。取譏於君子。有司之法。行乎一時。君子之譏。著之簡冊而昭明。垂之百世而不泯。甚可懼也。夫七品之官。任天下之責。懼百世之譏。豈不重邪。非材且賢者。不能爲也。近執事始被召於陳州。洛之士大夫。相與語曰。我識范君。知其材也。其來不爲御史。必爲諫官。及命下。果然。則又相與語曰。我識范君。知其賢也。他日聞有立天子陛下。直辭正色。面諍廷論者。非他人。必

范君也。拜命以來。翹首企足。竚乎有聞。而卒未也。竊惑之。豈洛之士大夫。能料于前。而不能料於後也。將執事有待而爲也。昔韓退之作爭臣論。以譏陽城不能極諫。卒以諫顯。人皆謂城之不諫。蓋有待而然。退之不識其意而妄譏。修獨以爲不然。當退之作論時。城爲諫議大夫已五年。後又二年。始廷論陸贄。及沮裴延齡作相。欲裂其麻。纔兩事耳。當德宗時。可謂多事矣。授受失宜。叛將强臣。羅列天下。又多猜忌。進任小人。於此之時。豈無一事可言。而須七年耶。當時之事。豈無急於沮延齡。論陸贄兩事耶。謂宜朝拜官而夕奏疏也。幸而城爲諫官

七年。適遇延齡陸贄事。一諫而罷。以塞其責。向使止五年六年。而遂遷司業。是終無一言而去也。何所取哉。今之居官者。率三歲而一遷。或一二歲。甚者半歲而遷也。此又非可以待乎七年也。今天子躬親庶政。化理清明。雖爲無事。然自千里詔執事而拜是官者。豈不欲聞正議而樂讜言乎。然今未聞有所言說。使天下知朝廷有正士。而彰吾君有納諫之明也。夫布衣韋帶之士。窮居草茅。坐誦書史。常恨不見用。及用也。又曰。彼非我職。不敢言。或曰。我位猶卑。不得言。得言矣。又曰。我有待。是終無一人言也。可不惜哉。伏惟。執事思天子所以見用之

意。懼君子百世之譏。一陳昌言。以塞重望。且解洛士大夫之惑。則幸甚幸甚。

（十八）上田樞密書　　蘇洵

天之所以與我者。豈偶然哉。堯不得以與丹朱。舜不得以與商均。而瞽瞍不得奪諸舜。發於其心。出於其言。見於其事。確乎其不可易也。聖人不得以與人。父不得奪諸其子。於此見天之所以與我者。不偶然也。夫其所以與我者。必有以用我也。我知之不得行之。不以告人。天固用之。我實置之。其名曰棄天。自卑以求幸其言。自小以求用其道。天之所以與我者何如。而我如此也。其名曰褻天。棄天我之罪也。褻天亦我之罪也。不棄不褻。而人不我用。不我用之罪也。其名曰逆天。然則棄天褻天者。其責在我。逆天者其責在人。在我者。吾將盡吾力之所能爲者。以塞夫天之所以與我之意。而求免夫天下後世之譏。在人者。吾何知焉。吾求免夫一身之責之不暇。而暇爲人憂乎哉。孔子孟軻之不遇。老於道途。而不倦不慍。不怍不沮者。夫固知夫道之所在也。衛靈魯哀齊宣梁惠之徒。不足相與以有爲也。我亦知之矣。抑將盡吾心焉耳。吾心之不盡。吾恐天下後世。無以責夫衛靈魯哀齊宣梁惠之徒。而彼亦將有以辭其責也。然則

孔子孟軻之目。將不瞑於地下矣。夫聖人賢人之用心也。固如此。如此而生。如此而死。如此而貧賤。如此而富貴。升而爲天。沉而爲淵。流而爲川。止而爲山。彼不預吾事。吾事畢矣。切怪夫後之賢者。不能自處其身也。饑寒困窮之不勝。而號於人。嗚呼。使吾誠死於饑寒困窮耶。則天下後世之責。將必有在。彼其身之責。不自任以爲憂。而我取而加之吾身。不亦過乎。今洵之不肖。何敢自列於聖賢。然其心亦有所甚不自輕者。何則天下之學者。孰不欲一蹴而造聖人之域。然及其不成也。求一言之幾乎道。而不可得也。千金之子。可以貧人。可以富人。非天之所與。雖以貧人富人之權。求一言之幾乎道。不可得也。天子之宰相。可以生人。可以殺人。非天之所與。雖以生人殺人之權。求一言之幾乎道。不可得也。今洵用力於聖人賢人之術。亦已久矣。其言語其文章。雖不識其果可以有用於今。而傳於後與否。獨怪夫得之之不勞。方其致思於心也。若或起之。得之心而書之紙也。若或相之。夫豈無一言之幾于道者乎。千金之子。天子之宰相。求而不得者。一旦在己。故其心有以自負。或者天其亦有以與我也。曩者見執事於益州。當時之文。淺狹可笑。饑寒困窮亂其心。而聲律記問。又從而破壞其

體。不足觀也已。數年來退居山野。自分永棄。與世俗日疎濶。得以大肆其力於文章。詩人之優柔。騷人之清深。孟韓之溫醇。遷固之雄剛。孫吳之簡切。投之所向。無不如意。嘗試以爲董生得聖人之經。其失也流而爲迂。鼂錯得聖人之權。其失也流而爲詐。有二子之材而不流者。其惟賈生乎。惜乎今之世。愚未見其人也。作策二道。曰審勢審敵。作書十篇。曰權書。洵有山田一頃。非凶歲可以無饑。力耕而節用。亦足以自老。不肖之身不足惜。而天之所與者不忍棄。且不敢褻也。執事之名滿天下。天下之士。用與不用在執事。故敢以所謂策二道權書十篇爲獻。平生之文。遠不可多致。有洪範論史論十篇。近以獻內翰歐陽公。度執事與之朝夕相從。議天下之事。則斯文也。其亦庶乎得陳於前矣。若夫言之可用與其身之可貴與否者。執事事也。執事責也。於洵何有哉。

(十九) 上梅直講書　蘇軾

某官執事。某每讀詩至鴟鴞。讀書至君奭。常竊悲周公之不遇。及觀史。見孔子厄於陳蔡之間。而絃歌之聲不絕。顏淵仲由之徒相與答問。夫子曰。匪兕匪虎。率彼曠野。吾道非耶。又何爲至此。顏淵曰。夫子之道至大。故天下莫能容。雖然。不容何病。不容然後見君子。夫子油然

而笑曰。使爾多財。吾爲爾宰。夫天下雖不能容。而其徒自足以相樂如此。乃今知周公之富貴。有不如夫子之貧賤。夫以召公之賢。以管蔡之親。而不知其心。則周公誰與樂其富貴。而夫子之所與共貧賤者。皆天下之賢才。則亦足與樂乎此矣。軾七八歲時。始知讀書。聞今天下有歐陽公者。其爲人如古孟軻韓愈之徒。而又有梅公者從之遊。而與之上下其議論。其後益壯。始能讀其文詞。想見其爲人。意其飄然脫去世俗之樂而自樂其樂也。方學爲對偶聲律之文。求升斗之祿。自度無以進見於諸公之間。來京師逾年。未嘗窺其門。今年春。天下之士。群至于禮部。執事與歐陽公實親試之。軾不自意。獲在第二。既而聞之人。執事愛其文。以爲有孟軻之風。而歐陽公亦以其能不爲世俗之文也而取焉。是以在此。非左右爲之先容。非親舊爲之請屬。而嚮之十餘年間。聞其名而不得見者。一朝爲知己。退而思之。人不可以苟富貴。亦不可以徒貧賤。有大賢焉而爲其徒。則亦足恃矣。苟其僥一時之幸。從車騎數十人。使閭巷小民聚觀而贊歎之。亦何以易此樂也。傳曰。不怨天。不尤人。蓋優哉游哉。可以卒歲。執事名滿天下。而位不過五品。其容色溫然而不怒。其文章寬厚敦朴。而無怨言。此必

有所樂乎斯道也。軾願與聞焉。

(二十) 表忠觀碑　蘇軾

熙寧十年十月戊子。資政殿大學士右諫議大夫知杭州軍事臣抃言。故吳越國王錢氏墳廟。及其父祖妃夫人子孫之墳。在錢塘者二十有六。在臨安者十有一。皆蕪穢不治。父老過之。有流涕者。謹按。故武肅王鏐。始以鄉兵。破走黄巣。名聞江淮。復以八都兵。討劉漢宏。并越州以奉董昌。而自居于杭。及昌以越叛。則誅昌而并越。盡有浙東西之地。傳其子文穆王元瓘。至其孫忠獻王仁佐。遂破李景兵。取福州。而仁佐之弟忠懿王俶。又大

出兵攻景。以迎周世宗之師。其後卒以國入覲。三世四王。與五代相終始。天下大亂。豪傑蜂起。方是時。以數州之地。盜名字者。不可勝數。既覆其族。延及于無辜之民。罔有孑遺。而吳越地方千里。帶甲十萬。鑄山煮海。象犀珠玉之富。甲于天下。然終不失臣節。貢獻相望於道。是以其民至於老死。不識兵革。四時嬉游歌舞之聲相聞。至于今不廢。其有德於斯民甚厚。皇宋受命。四方僭亂。以次削平。西蜀江南負其險遠。兵至城下。力屈勢窮。然後束手。而河東劉氏百戰守死。以抗王師。積骸爲城。釃血爲池。竭天下之力。僅乃克之。獨吳越不待告命。封府

庫。籍郡縣。請吏于朝。視去其國。如去傳舍。其有功於朝廷甚大。昔竇融以河西歸漢。光武詔右扶風。修其父祖墳塋。祠以太牢。今錢氏功德。殆過于融。而未及百年。墳廟不治。行道傷嗟。甚非所以勸奬忠臣。慰答民心之義也。臣願以龍山廢佛寺曰妙音院者。爲觀。使錢氏之孫爲道士曰自然者居之。凡墳廟之在錢塘者。以付自然。其在臨安者。以付吳縣之淨土寺僧曰道微。歲各度其徒一人。使世掌之。籍其地之所入。以時修其祠宇。封植其草木。有不治者。縣令丞察之。甚者易其人。庶幾永終不墮。以稱朝廷待錢氏之意。臣抃昧死以聞。制曰可。其

妙音院。改賜名表忠觀。銘曰。

天目之山。苕水出焉。龍飛鳳舞。萃于臨安。篤生異人。絕類離群。奮挺大呼。從者如雲。仰天誓江。月星晦蒙。強弩射潮。江海爲東。殺宏誅昌。奄有吳越。金券玉冊。虎符龍節。大城其居。包絡山川。左江右湖。控引島蠻。歲時歸休。以燕父老。曄如神人。玉帶毬馬。四十一年。寅畏小心。厥篚相望。大貝南金。五朝昏亂。罔堪託國。三王相承。以待有德。既獲所歸。弗謀弗咨。先王之志。我維行之。天祚忠孝。世有爵邑。允文允武。子孫千億。帝謂守臣。治其祠墳。毋俾樵牧。愧其後昆。龍山之陽。

歸焉新宮。匪私于錢。惟以勸忠。非忠無君。非孝無親。
凡百有位。視此刻文。

（三）上高宗封事　　胡銓

謹按。王倫本一狎邪小人。市井無賴。頃緣宰相無識。遂擧以使虜。惟務詐誕。欺罔天聽。驟得美官。天下之人。切齒唾罵。今者無故。誘致虜使。以詔諭江南爲名。是欲臣妾我也。是欲劉豫我也。劉豫臣事醜虜。南面稱王。自以爲子孫帝王。萬世不拔之業。一旦豺狼改慮。捽而縛之。父子爲虜。商鑒不遠。而倫又欲陛下效之。夫天下者。祖宗之天下也。陛下所居之位。祖宗之位也。奈何以祖宗之天下。爲犬戎之天下。以祖宗之位。爲犬戎藩臣之位。陛下一屈膝。則祖宗廟社之靈。盡汙夷狄。祖宗數百年之赤子。盡爲左衽。朝廷宰執。盡爲陪臣。天下士大夫。皆當裂冠毀冕。變爲胡服。異時豺狼無厭之求。安知不加我以無禮如劉豫也哉。夫三尺童子至無知也。指犬豕而使之拜。則怫然怒。今醜虜則犬豕也。堂堂天朝相率而拜犬豕。曾童孺之所羞。而陛下忍爲之耶。倫之議乃曰。我一屈膝。則梓宮可還。太后可復。淵聖可歸。中原可得。嗚呼。自變故以來。主和議者。誰不以此啗陛下哉。而卒無一驗。是虜之情僞已可知矣。陛下尙不覺悟。竭民

膏血而不恤。忘國大讎而不報。含垢忍恥。擧天下而臣之甘心焉。就令虜決可和。盡如倫議。天下後世謂陛下何如主。况醜虜變詐百出。而倫又以姦邪濟之。梓宮決不可還。太后決不可復。淵聖決不可歸。中原決不可得。而此膝一屈。不可復伸。國勢陵夷。不可復振。可爲痛哭流涕長大息也。向者陛下間關海道。危如累卵。當時尙不肯北面臣虜。况今國勢稍張。諸將盛銳。士卒思奮。只如頃者醜虜陸梁。僞豫入寇。固嘗敗之于襄陽。敗之于淮上。敗之於渦口。敗之於淮陰。較之前日蹈海之危。已萬萬矣。儻不得已而遂至於用兵。則我豈遽出虜人下哉。今無故而反臣之。欲屈萬乘之尊。下穹廬之拜。三軍之士。不戰而氣亦索。此魯仲連所以義不帝秦。非惜夫帝秦之虛名。惜夫天下大勢有所不可也。今內而百官。外而軍民。萬口一談。皆欲食倫之肉。謗議洶洶。陛下不聞。正恐一旦變作。禍且不測。臣切謂。不斬王倫。國之存亡。未可知也。雖然。倫不足道也。秦檜以腹心大臣而爲之。陛下有堯舜之資。檜不能致陛下如唐虞。而欲導陛下如石晉。近者禮部侍郎曾開等。引古誼以折之。檜乃厲聲曰。侍郎知故事。我獨不知。則檜之遂非狠愎。已自可見。而乃建白。令臺諫從臣僉議可否。是乃畏天下議

已而令臺諫從臣共分謗耳。有識之士。皆以爲朝廷無人。吁可惜哉。孔子曰。微管仲。吾其被髮左衽矣。夫管仲霸者之佐耳。尙能變左衽之區。爲衣冠之會。秦檜大國之相也。反驅衣冠之俗。歸左衽之鄕。則檜也不唯陛下之罪人。實管仲之罪人矣。孫近附會檜議。遂得參知政事。天下望治。有如飢渴。而近伴食中書。漫不可否事。檜曰虜可講和。近亦曰可和。檜曰天子當拜。近亦曰當拜。臣嘗至政事堂。三發問而近不答。但曰已令臺諫侍從議矣。嗚呼。參贊大政。徒取充位如此。有如虜騎長驅。尙能折衝禦侮耶。臣竊謂秦檜孫近亦可斬也。臣備員樞屬。義不與檜等共戴天。區區之心。願斬三人頭。竿之藁街。然後羈留虜使。責以無禮。徐興問罪之師。則三軍之士。不戰而氣自倍。不然。臣有赴東海而死耳。寧能處小朝廷求活耶。

(三) 朋黨論　　歐陽修

臣聞朋黨之說。自古有之。惟幸人君辨其君子小人而已。大凡君子與君子。以同道爲朋。小人與小人。以同利爲朋。此自然之理也。然臣謂小人無朋。惟君子則有之。其故何哉。小人所好者利祿也。所貪者貨財也。當其同利之時。暫相黨引以爲朋者。僞也。及其見利則爭先。或

利盡則交疏。甚者反相賊害。雖其兄弟親戚。不能相保。故臣謂小人無朋。其暫爲朋者。僞也。君子則不然。所守者道義。所行者忠信。所惜者名節。以之修身。則同道而相益。以之事國。則同心而共濟。終始如一。此君子之朋也。故爲人君者。但當退小人之僞朋。用君子之眞朋。則天下治矣。堯之時。小人共工驩兜等四人爲一朋。君子八元八凱十六人爲一朋。舜佐堯退四凶小人之朋。而進元凱君子之朋。堯之時天下大治。及舜自爲天子。而皐夔稷契等二十二人。並列于朝。更相稱美。更相推讓。凡二十二人爲一朋。而舜皆用之。天下亦大治。書曰。紂有臣億萬。惟億萬心。周有臣三千。惟一心。紂之時。億萬人各異心。可謂不爲朋矣。然紂以此亡國。周武王之臣。三千人爲一大朋。而周用以興。後漢獻帝時。盡收天下名士。囚禁之。目爲黨人。及黃巾賊起。漢室大亂。後方悔悟。盡解黨人而釋之。然已無救矣。唐之晩年。漸起朋黨之論。及昭宗時。盡殺朝之名士。或投之黃河。曰。此輩淸流。可投濁流。而唐遂亡矣。夫前世之主。能使人異心不爲朋。莫如紂。能禁絕善人之朋。莫如漢獻帝。能誅戮淸流之朋。莫如唐昭宗之世。然皆亂亡其國。更相稱美推讓。而不自疑。莫如舜之二十二人。舜亦不疑而皆用之。

然而後世不誚舜爲二十二人朋黨所欺而稱舜爲聰明之聖者以其能辨君子與小人也周武之世擧其國之臣三千人共爲一朋自古爲朋之多且大莫如周然周由此而興者善人雖多而不厭也嗟乎治亂興亡之迹爲人君者可以鑒矣

(三二) 管仲論　蘇洵

管仲相威公霸諸侯攘戎狄終其身齊國富彊諸侯不敢叛管仲死豎刁易牙開方用威公薨於亂五公子爭立其禍蔓延訖簡公齊無寧歲夫功之成非成於成之日蓋必有所由起禍之作不作於作之日亦必有所由

兆故齊之治也吾不曰管仲而曰鮑叔及其亂也吾不曰豎刁易牙開方而曰管仲何則豎刁易牙開方三子彼固亂人國者顧其用之者威公也夫有舜而後知放四凶有仲尼而後知去少正卯彼威公何人也顧其使威公得用三子者管仲也仲之疾也公問之相當是時也吾意以仲且擧天下之賢者以對其言乃不過曰豎刁易牙開方三子非人情不可近而已嗚呼仲以爲威公果能不用三子矣乎仲與威公處幾年矣亦知威公之爲人矣乎威公聲不絕乎耳色不絕於目而非三子者則無以遂其欲彼其初之所以不用者徒以有仲焉耳一日無仲則三子者可以彈冠而相慶矣仲以爲將死之言可以縶威公之手足耶夫齊國不患有三子而患無仲有仲則三子者三匹夫耳不然天下豈少三子之徒哉雖威公幸而聽仲誅此三人而其餘者仲能悉數而去之耶嗚呼仲可謂不知本者矣因威公之問擧天下之賢者以自代則仲雖死而齊國未爲無仲也夫何患三子者不言可也五伯莫盛於威文文公之才不過威公其臣又皆不及仲靈公之虐不如孝公之寛厚文公死諸侯不敢叛晉晉襲文公之餘威猶得爲諸侯之盟主百餘年何者其君雖不肖而尙有老成人焉威

公之薨也一敗塗地無惑也彼獨恃一管仲而仲則死矣夫天下未嘗無賢者蓋有有臣而無君者矣威公在焉而曰天下不復有管仲者吾不信也仲之書有記其將死論鮑叔賓胥無之爲人且各疏其短是其心以爲是數子者皆不足以托國而又逆知其將死則其言誕謾不足信也吾觀史鰌以不能進蘧伯玉而退彌子瑕故有身後之諫蕭何且死擧曹參以自代大臣之用心固宜如此也一國以一人興以一人亡賢者不悲其身之死而憂其國之衰故必復有賢者而後可以死彼管仲者何以死哉

(三四) 高祖論　蘇洵

漢高祖挾數用術。以制一時之利害。不如陳平。揣摩天下之勢。擧指搖目。以劫制項羽。不如張良。微此二人。則天下不歸漢。而高帝乃木强之人而止耳。然天下已定。後世子孫之計。陳平張良智之所不及。則高帝嘗先爲之規畫處置。使夫後世之所爲。曉然如目見其事而爲之者。蓋高帝之智。明於大而暗於小。至於此而後見也。帝嘗語呂后曰。周勃重厚少文。然安劉氏必勃也。可令爲太尉。方是時劉氏安矣。勃又將誰安耶。故吾之意曰。高帝之以太尉屬勃也。知有呂氏之禍也。雖然其不去

呂后何也。勢不可也。昔者武王沒。成王幼。而三監叛。帝意百歲後。將相大臣。及諸侯王。有如武庚祿父。而無有以制之也。獨計以爲家有主母。而豪奴悍婢。不敢與弱子抗。呂氏佐帝定天下。爲諸將大臣素所畏服。獨此可以鎭壓其邪心。以待嗣子之壯。故不去呂后者。爲惠帝計也。呂后既不可去。故削其黨以損其權。使雖有變而天下不搖。是故以樊噲之功。一旦遂欲斬之而無疑。嗚呼彼豈獨於噲不仁耶。且噲與帝偕起。拔城陷陣。功爲不少。方亞父嗾項莊時。微噲譙羽。則漢之爲漢。未可知也。一旦人有惡噲欲滅戚氏者。時噲出伐燕。立命平勃。即軍中斬之。夫噲之罪未形也。惡之者。誠僞未必也。且高帝之不以一女子斬天下之功臣。亦明矣。彼其娶於呂氏。呂氏之族。若產祿輩。皆庸才不足卹。獨噲豪傑。諸將所不能制。後世之患。無大於此者矣。夫高帝之視呂后。猶醫者之視堇也。使其毒可以治病。而不至於殺人而已。噲死則呂氏之毒。將不至於殺人。高帝以爲是足以死而無憂矣。彼平勃者。遺其憂者也。噲之死於惠帝之六年。天也。使之尙在。則呂祿不可紿。太尉不得入北軍矣。或謂噲於高帝最親。使之尙在。未必與產祿叛。夫韓信黥布盧綰皆南面稱孤。而綰又最爲親幸。然及高

祖之未崩也。皆相繼以逆誅。誰謂百歲之後。椎埋屠狗之人。見其親戚得爲帝王。而不欣然從之耶。吾故曰。彼平勃者。遺其憂者也。

(三五) 諫論上　蘇洵

古今論諫。常與諷而少直。其說蓋出於仲尼。吾以爲諷直一也。顧用之之術何如耳。伍擧進隱語。楚王淫益甚。茅焦解衣危論。秦帝立悟。諷固不可盡與。直亦未易少之。吾故曰。顧用之之術何如耳。然則仲尼之說非乎。曰。仲尼之說。純乎經者也。吾之說。參乎權而歸乎經者也。如得其術。則人君有少不爲桀紂者。吾百諫而百聽矣。

況盧已者乎。不得其術。則人君有少不若堯舜者。吾百諫而百不聽矣。況逆忠者乎。然則奚術而可。曰。機智勇辯如古游說之士而已。夫游說之士。以機智勇辯濟其詐。吾欲諫者。以機智勇辯濟其忠。請備論其效。周衰游說熾於列國。自是世有其人。吾獨怪夫諫而從者百一。說而從者十九。諫而死者皆是。說而死者未嘗聞。然而抵觸忌諱說。或甚於諫。由是知。不必乎諷諫而必乎術也。說之術。可爲諫法者五。理諭之。勢禁之。利誘之。激怒之。隱諷之之謂也。觸讋以趙后愛女賢於愛子。未旋踵而長安君出質。甘羅以杜郵之死詰張唐。而相燕之行

有日。趙卒以兩賢王之意語燕。而立歸武臣。此理而諭之也。子貢以內憂教田常。而齊不得伐魯。武公以麋鹿脅頃襄。而楚不敢圖周。魯連以烹醢懼垣衍。而魏不果帝秦。此勢而禁之也。田生以萬戶侯啓張卿。而劉澤封。朱建以富貴餌閎孺。而辟陽赦。鄒陽以愛幸悅長君。而梁王釋。此利而誘之也。蘇秦以牛後羞韓。而惠王按劍太息。范睢以無王恥秦。而昭王長跪請教。酈生以助秦凌漢。而沛公輟洗聽計。此激而怒之也。蘇代以土偶笑田文。楚人以弓繳感襄王。蒯通以娶婦悟齊相。此隱而諷之也。五者相傾險詖之論。雖然施之忠臣。足以成功。

何則理而諭之。主雖昏必悟。勢而禁之。主雖驕必懼。利而誘之。主雖怠必奮。激而怒之。主雖懦必立。隱而諷之。主雖暴必容。悟則明。懼則恭。奮則動。立則勇。容則寬。致君之道盡於此矣。吾觀昔之臣。言必從。理必濟。莫若唐魏鄭公。其初實學縱橫之說。此所謂得其術者歟。噫龍逢比干不獲稱良臣。無蘇秦張儀之術也。蘇秦張儀不免爲游說。無龍逢比干之心也。是以龍逢比干。吾取其心。不取其術。蘇秦張儀吾取其術。不取其心。以爲諫法。

(三六) 策略一　蘇軾

天下治亂。皆有常勢。是以天下雖亂。而聖人以爲無難

者。其應之有術也。水旱盜賊。人民流離。是安之而已也。亂臣割據。四分五裂。是伐之而已也。權臣專制。擅作威福。是誅之而已也。四夷交侵。邊鄙不寧。是攘之而已也。凡此數者。其於害民蠹國。爲不少矣。然其所以爲害者有狀。是故其所以救之者有方也。天下之患。莫大於不知其然而然。不知其然而然者。是拱手而待亂也。國家無大兵革。幾百年矣。天下有治平之名。而無治平之實。有可憂之勢。而無可憂之形。此其有未測者也。方今天下非有水旱盜賊。人民流離之禍。而咨嗟怨憤。常若不安其生。非有亂臣割據。四分五裂之憂。而休養生息。常

若不足於用。非有權臣專制。擅作威福之弊。而上下不交。君臣不親。非有四夷交侵。邊鄙不寧之災。而中國皇皇。常有外憂。此臣所以大惑也。今夫醫之治病。切脈觀色。聽其聲音。而知病之所由起。曰此寒也。此熱也。或曰此寒熱之相搏也。及其他無不可爲者。今且有人。悅然而不樂。問其所苦。且不能自言。則其受病有深而不可測者矣。其言語飲食。起居動作。固無以異於常人。此庸醫之所以爲無足憂。而扁鵲倉公之所以望而驚也。其病之所由起者深。則其所以治之者。固非鹵莽因循苟且之所能去也。而天下之士。方且掇拾三代之遺文。補

葺漢唐之故事。以爲區區之論。可以濟世。不已踈乎。方今之勢。苟不能滌蕩振刷。而卓然有所立。未見其可也。臣嘗觀西漢之衰。其君皆非有暴鷙淫虐之行。特以怠惰弛廢。溺於宴安。畏期月之勞。而忘千載之患。是以日趨於亡。而不自知也。夫君者天也。仲尼贊易。稱天之德曰。天行健。君子以自强不息。由此觀之。天之所以剛健而不屈者。以其動而不息也。惟其動而不息。是以萬物雜然。各得其職。而不亂。其光爲日月。其文爲星辰。其威爲雷霆。其澤爲雨露。皆生於動者也。使天而不知動。則其塊然者。將腐壞而不能自持。況能以御萬物哉。苟天

子一日赫然。奮其剛明之威。使天下明知人主欲有所立。則智者願效其謀。勇者樂致其死。縱橫顚倒。無所施而不可。苟人主不先自斷於中。羣臣雖有伊呂稷契。無如之何。故臣特以人主自斷。而欲有所立爲先。而後論所以爲立之要云。

(三七) 論養士　　蘇軾

春秋之末。至於戰國。諸侯卿相皆爭養士。自謀夫說客。談天雕龍。堅白同異之流。下至擊劍扛鼎。雞鳴狗盜之徒。莫不賓禮。靡衣玉食。以館於上者。何可勝數。越王勾踐。有君子六千人。魏無忌齊田文趙勝黃歇呂不韋。皆

有客三千人。而田文招致任俠姦人六萬家於薛。齊稷下談者亦千人。魏文侯燕昭王太子丹。皆致客無數。下至秦漢之間。張耳陳餘號多士。賓客厮養。皆天下豪傑。而田橫亦有士五百人。其略見於傳記者如此。度其餘。當倍官吏。而半農夫也。此皆姦民蠹國者。民何以支。而國何以堪乎。蘇子曰。此先王之所不能免也。國之有姦也。猶鳥獸之有猛鷙。昆蟲之有毒螫也。區處條理。使各安其處。則有之矣。鋤而盡去之。則無是道也。吾考之世變。知六國之所以久存。而秦之所以速亡者。蓋出於此。不可以不察也。夫智勇辯力。此四者。皆天民之秀傑者

也。類不能惡衣食以養人。皆役人以自養者也。故先王分天下之富貴。與此四者共之。此四者不失職。則民靖矣。四者雖異。先王因俗設法。使出於一。三代以上。出於學。戰國至秦。出於客。漢以後。出於郡縣吏。魏晉以來。出於九品中正。隋唐至今。出於科擧。雖不盡然。取其多者論之。六國之君。虐用其民。不減始皇二世。然當此時。百姓無一人叛者。以凡民之秀傑者。多以客養之。不失職也。其力耕以奉上。皆椎魯無能爲者。雖欲怨叛。而莫爲之先。此其所以少安而不即亡也。始皇初欲逐客。用李斯之言而止。既幷天下。則以客爲無用。於是任法而不

任人。謂民可以恃法而治。謂吏不必才。取能守吾法而已。故墮名城。殺豪傑。民之秀異者。散而歸田畝。向之食於四公子呂不韋之徒者。皆安歸哉。不知其能槁項黃馘以老死於布褐乎。抑將輟耕太息以俟時也。秦之亂雖成於二世。然使始皇知畏此四人者。有以處之。使不失職。秦之亡不至若是速也。縱百萬虎狼於山林。而饑渴之。不知其將噬人。世以始皇爲智。吾不信也。楚漢之禍。生民盡矣。豪傑宜無幾。而代相陳豨從車千乘。蕭曹爲政。莫之禁也。至文景武之世。法令至密。然吳濞淮南梁王魏其武安之流。皆爭致賓客。世主不問也。豈懲秦之禍。以爲爵祿不能盡縻天下士。故少寬之。使得或出於此也邪。若夫先王之政。則不然。曰。君子學道則愛人。小人學道則易使也。嗚呼。此豈秦漢之所及也哉。

(三八) 始皇論　蘇軾

秦始皇時。趙高有罪。蒙毅按之當死。始皇赦而用之。長子扶蘇好直諫。上怒使北監蒙恬兵於上郡。始皇東遊會稽。並海走琅邪。少子胡亥李斯蒙毅趙高從。道病。使蒙毅還禱山川。未及還。上崩。李斯趙高矯詔立胡亥。殺扶蘇蒙恬蒙毅。卒以亡秦。蘇子曰。始皇制天下輕重之勢。使內外相形。以禁姦備亂。可謂密矣。蒙恬將三十萬

人。威震北方。扶蘇監其軍。而蒙毅侍帷幄爲謀臣。雖有大姦賊。敢睥睨其間哉。不幸道病。禱祀山川。尙有人也。而遣蒙毅。故高斯得成其謀。始皇之遣毅。毅見始皇病。太子未立。而去左右。皆不可以言智。雖然天之亡人國。其禍敗必出於智之所不及。聖人爲天下。不恃智以防亂。恃其無致亂之道耳。始皇致亂之道。在用趙高。夫閹尹之禍。如毒藥猛獸。未有不裂肝碎首也。自有書契以來。惟東漢呂强後唐張承業二人。號稱善良。豈可望一二於千萬。以取必亡之禍哉。然世主皆甘心而不悔。如漢桓靈唐肅代。猶不足深怪。始皇漢宣皆英主。亦沈於

趙高恭顯之禍。彼自以爲聰明人傑也。奴僕薰腐之餘。何能爲。及其亡國亂朝。乃與庸主不異。吾故表而出之。以戒後世人主如始皇漢宣者。或曰。李斯佐始皇定天下。不可謂不智。扶蘇親始皇子。秦人戴之久矣。陳勝假其名。猶足以亂天下。而蒙恬持重兵在外。使二人不即受誅而復請之。則斯高無遺類矣。以斯之智而不慮此。何哉。蘇子曰。嗚呼。秦之失道。有自來矣。豈獨斯高之罪。自商鞅變法。以誅死爲經典。以參夷爲常法。人臣狼顧脅息。以得死爲幸。何暇復請。方其法之行也。求無不獲。禁無不止。鞅自以爲軼堯舜而駕湯武矣。及其出亡而無所舍。然後知爲法之弊。夫豈獨鞅悔之。秦亦悔之矣。荊軻之變。持兵者熟視始皇環柱而走。而莫之救者。以法重故也。李斯之立胡亥。不復忌二人者。知法令之素行。而臣子不敢復請也。二人之不敢復請。亦知始皇之鷙悍而不可回也。豈料其僞也哉。周公曰。平易近民。民必歸之。孔子曰。有一言而可以終身行之。其恕矣乎。夫以忠恕爲心。而以平易爲政。則上易知。而下易達。雖有賣國之姦。無所投其隙。倉卒之變。無自發焉。而其令行禁止。蓋有不及商鞅者矣。而聖人終不以此易彼。鞅立信於徙木。立威於棄灰。刑其親戚師傅。無惻容。積威信

之極。以至始皇。秦人視其君。如雷電鬼神不可測識。古者公族有罪。三宥而後致刑。今至使人矯殺其太子而不忌。太子亦不敢請。則威信之過也。夫以法毒天下者。未有不反中其身及其子孫。漢武始皇皆果於殺者也。故其子如扶蘇之仁。則寧死而不請。如戾太子之悍。則寧反而不訴。知訴之必不察也。戾太子豈欲反者哉。計出於無聊也。故爲二君之子者。有死與反而已。李斯之智。蓋足以知扶蘇之必不反也。吾又表而出之。以戒後世人主之果於殺者。

(三九) 六國論　蘇轍

嘗讀六國世家。竊怪天下之諸侯。以五倍之地。十倍之衆。發憤西向。以攻山西千里之秦。而不免於滅亡。嘗爲之深思遠慮。以爲必有可以自安之計。蓋未嘗不咎其當時之士。慮患之疎。而見利之淺。且不知天下之勢也。夫秦之所與諸侯爭天下者。不在齊楚燕趙也。而在韓魏之郊。諸侯之所與秦爭天下者。不在齊楚燕趙也。而在韓魏之野。譬如人之有腹心之疾也。韓魏塞秦之衝。而蔽山東之諸侯。故夫天下之所重者。莫如韓魏也。昔者范雎用於秦而收韓。商鞅用於秦而收魏。昭王未得韓魏之心。而出兵以攻齊之剛壽。而范雎以爲憂。然則

秦之所忌者。可以見矣。秦之用兵於燕趙。秦之危事也。越韓過魏。而攻人之國都。燕趙拒之於前。而韓魏乘之於後。此危道也。而秦之攻燕趙。未嘗有韓魏之憂。則韓魏之附秦故也。夫韓魏諸侯之障。而使秦人得出入於其間。此豈知天下之勢耶。委區區之韓魏。以當強虎豹之秦。彼安得不折而入於秦哉。韓魏折而入於秦。然後秦人得通其兵於東諸侯。而使天下偏受其禍。夫韓魏不能獨當秦。而天下之諸侯。藉之以蔽其西。故莫如厚韓親魏以擯秦。秦人不敢逾韓魏以窺齊楚燕趙之國。而齊楚燕趙之國因得以自完於其間矣。以四無事之

國。佐當寇之韓魏。使韓魏無東顧之憂。而為天下出身。以當秦兵。以二國委秦。而四國休息於內。以陰助其急。若此可以應夫無窮。彼秦者將何為哉。不知出此。而乃貪彊埸尺寸之利。背盟敗約。以自相屠滅。秦兵未出。而天下諸侯已自困矣。至使秦人得伺其隙以取其國。可不悲哉。

五代史

(三十) 唐臣傳

郭崇韜。代州鴈門人也。為河東教練使。為人明敏能應對。以幹材見稱。莊宗為晉王。孟知祥為中門使。崇韜為副使。中門之職參管機要。先時吳珙張虔厚等皆以中門使相繼獲罪。知祥懼求外任。莊宗曰。公欲避事。當舉可代公者。知祥乃薦崇韜。為中門使。甚見親信。晉兵圍張文禮于鎭州。久不下。而定州王都引契丹入寇。契丹至新樂。晉人皆恐。欲解圍去。莊宗未決。崇韜曰。契丹之來。非救文禮。為王都以利誘之耳。且晉新破梁軍。宜乘已振勢。不可遽自退怯。莊宗然之。果敗契丹。莊宗即位。拜崇韜兵部尚書樞密使。梁王彥章擊破德勝。唐軍東保楊劉。彥章圍之。莊宗登壘望見彥章為重塹以絕唐

軍。意輕之笑曰。我知其心矣。其欲持久以弊我也。即引短兵出戰。為彥章伏兵所射。大敗而歸。莊宗問崇韜計安出。是時唐已得鄆州矣。崇韜因曰。彥章圍我於此。其志在取鄆州也。臣願得兵數千。據河下流。築壘於必爭之地。以應鄆州為名。彥章必來爭。既分其兵。可以圖也。然板築之功難卒就。陛下日以精兵挑戰。使彥章兵不得東。十日壘成矣。莊宗以為然。乃遣崇韜與毛璋將數千人夜行。所過驅掠居人。毀屋伐木。渡河築壘於博州東。晝夜督役。六日壘成。彥章果引兵急攻之。時方大暑。彥章兵熱死。及攻壘不克。所失太半。還趨楊劉。莊宗迎

擊。遂敗之。康延孝自梁奔唐。先見崇韜。崇韜延之臥內。盡得梁虛實。是時莊宗軍朝城。段凝軍臨河。唐自失德勝。梁兵日掠澶相黎陽衛州。而李繼韜以澤潞叛而入于梁。契丹數犯幽涿。又聞延孝言梁方召諸鎭兵。欲大擧。唐諸將皆憂惑。以謂成敗未可知。莊宗患之以問諸將。諸將皆曰。唐得鄆州。隔河難守。不若棄鄆與梁。而西取衛州黎陽。以河爲界。與梁約罷兵。毋相攻。庶幾以爲後圖。莊宗不悅。退臥帳中。召崇韜問計。崇韜曰。陛下興兵仗義。將士疲戰爭。生民苦轉餉者十餘年矣。況今大號已建。自河以北。人皆引首以望成功而思休息。今得

一鄆州。不能守而棄之。雖欲指河爲界。誰爲陛下守之。且唐未失德勝時。四方商賈征輸必集。薪芻糧餉。其積如山。自失南城。保楊劉。道路轉徙。耗亡太半。而魏博五州。秋稼不稔。竭民而歛。不支數月。此豈按兵持久之時乎。臣自康延孝來。盡得梁之虛實。此眞天亡之時也。願陛下分兵守魏固楊劉。而自鄆州驅擣其巢穴。不出半月。天下定矣。莊宗大喜曰。此大丈夫之事也。因問司天。司天言。歲不利用兵。崇韜曰。古者命將。鑿凶門而出。況成算已決。區區常談。何足信也。莊宗卽日下令軍中。歸其家屬於魏。夜渡楊劉。從鄆州入襲汴州。八日而滅梁。

莊宗推功。賜崇韜鐵券。拜侍中成德軍節度使。依前樞密使。莊宗與諸將。以兵取天下。而崇韜未嘗居戰陣。徒以謀議居佐命第一之功。位兼將相。遂以天下爲己任。遇事無所回避。而宦官伶人用事。特不便也。初崇韜與宦官馬紹宏俱爲中門使。而紹宏位在上。及莊宗卽位。二人當爲樞密使。而崇韜不欲紹宏在己上。乃以張居翰爲樞密使。紹宏爲宣徽使。紹宏失職怨望。崇韜因置內勾使。以紹宏領之。凡天下錢穀出入于租庸者。皆經內勾。旣而文簿繁多。州縣爲弊。遽罷其事。而紹宏尤側目。崇韜頗懼。語其故人子弟曰。吾佐天子取天下。今大

功已就。而群小交興。吾欲避之歸守鎭陽。庶幾免禍。可乎。故人子弟對曰。俚語曰。騎虎者勢不得下。今公權位已隆。而下多怨嫉。一失其勢。能自安乎。崇韜曰。奈何。對曰。今中宮未立。而劉氏有寵。宜請立劉氏爲皇后。而多建天下利害以便民者。然後退而乞身。天子以公有大功而無過。必不聽公去。是外有避權之名。而內有中宮之助。又爲天下所悅。雖有讒間。其可動乎。崇韜以爲然。乃上書請立劉氏爲皇后。崇韜素廉。自從入洛。始受四方賂遺。故人子弟或以爲言。崇韜曰。吾位兼將相。祿賜巨萬。豈少此邪。今藩鎭諸侯。多梁舊將。皆主上斬袪射

鉤之人也。今一切拒之。豈無反側。且藏于私室。何異公帑。明年天子有事南郊。乃悉獻其所藏。以佐賞給。莊宗已郊。遂立劉氏爲皇后。崇韜累表自陳。請依唐舊制。還樞密使於內臣。而併辭鎭陽。優詔不允。崇韜又曰。臣從陛下。軍朝城。定計破梁。陛下撫臣背而約曰。事了。與卿一鎭。今天下一家。俊賢並進。臣憊矣。願乞身如約。莊宗召崇韜謂曰。朝城之約。許卿一鎭。不許卿去。欲捨朕安之乎。崇韜因建天下利害二十五事施行之。李嗣源爲成德軍節度使。徙崇韜忠武。崇韜因自陳。權位已極。言甚懇至。莊宗曰。豈可朕居天下之尊。使卿無尺寸之地。

崇韜辭不已。遂罷其命。仍爲侍中樞密使。同光三年夏。霖雨不止。大水害民田。民多流死。莊宗患宮中暑濕不可居。思得高樓避暑。宦官進曰。臣見長安全盛時。大明興慶宮樓閣百數。今大內不及故時卿相家。莊宗曰。吾富有天下。豈不能作一樓。乃遣宮苑使王允平營之。宦官曰。郭崇韜眉頭不伸。嘗爲租庸惜財用。陛下雖欲有作。其可得乎。莊宗乃使人問崇韜曰。昔吾與梁對壘於河上。雖祁寒盛暑。被甲跨馬。不以爲勞。今居深宮。蔭廣廈。不勝其熱。何也。崇韜對曰。陛下昔以天下爲心。今以一身爲意。艱難逸豫。爲慮不同。其勢自然也。願陛下無忘創業之難。常如河上。則可使繁暑坐變清涼。莊宗默然。終遣允平起樓。崇韜果切諫。宦官曰。崇韜之第。無異皇居。安知陛下之熱。由是讒間愈入。河南縣令羅貫爲人彊直。頗爲崇韜所知。貫正身奉法。不受權豪請託。宦官伶人有所求請。書積几案。一不以報。皆以示崇韜。崇韜數以爲言。宦官伶人由此切齒。河南自故唐時張全義爲尹。縣令多出其門。全義廝養畜之。及貫爲之。奉全義不屈。縣民恃全義爲不法者。皆按誅之。全義大怒。嘗使人告劉皇后。從容爲白貫事。而左右日夜共攻其短。莊宗未有以發。皇太后崩。葬坤陵。陵在壽安。莊宗幸陵

作所。而道路泥塗橋壞。莊宗止輿。問誰主者。宦官曰。屬河南。因亟召貫。貫至對曰。臣初不奉詔。請詰主者。莊宗曰。爾之所部。復問何人。即下貫獄。獄吏拷掠。體無完膚。明日傳詔殺之。崇韜諫曰。貫罪無佗。橋道不修。法不當死。莊宗怒曰。太后靈駕將發。天子車輿往來。橋道不修。卿言無罪。是朋黨也。崇韜曰。貫雖有罪。當具獄行法于有司。陛下以萬乘之尊。怒一縣令。使天下人言陛下用法不公。臣等之過也。莊宗曰。貫公所愛。任公裁焉。因起入宮。崇韜隨之。論不已。莊宗自闔殿門。崇韜不得入。貫卒見殺。明年征蜀。議擇大將。時明宗爲總管。當行。而崇

韜以讒見危。思立大功爲自安之計。乃曰。契丹爲患北邊。非總管不可禦。魏王繼岌。國之儲副。而大功未立。且親王爲元帥。唐故事也。莊宗曰。繼岌小子。豈任大事。公爲我擇其副。崇韜未及言。莊宗曰。吾得之矣。無以易卿也。乃以繼岌爲西南面行營都統。崇韜爲招討使。軍政皆決崇韜。唐軍入蜀。所過迎降。王衍弟宗弼。陰送款于崇韜。求爲西川兵馬留後。崇韜以節度使許之。軍至成都。宗弼遷衍于西宮。悉取衍嬪妓珍寶。奉崇韜及其子廷誨。又與蜀人列狀。見魏王請崇韜留鎭蜀。繼岌頗疑崇韜。崇韜無以自明。因以事斬宗弼及其弟宗渥宗勳。

沒其家財。蜀人大恐。崇韜素嫉宦官。嘗謂繼岌曰。王有破蜀功。師旋必爲太子。俟主上千秋萬歲後。當盡去宦官。至於扇馬亦不可騎。繼岌監軍李從襲等。見崇韜專任軍事。心已不平。及聞此言。遂皆切齒。思有以圖之。莊宗聞破蜀。遣宦官向延嗣勞軍。崇韜不郊迎。延嗣大怒。因與從襲等共搆之。延嗣還上蜀簿。得兵三十萬。馬九千五百匹。兵器七百萬。糧二百五十三萬石。錢一百九十二萬緡。金銀二十二萬兩。珠玉犀象二萬。文錦綾羅五十萬匹。莊宗曰。人言蜀天下之富國也。所得止於此邪。延嗣因言。蜀之寶貨皆入崇韜。且誣其有異志將危

魏王。莊宗怒。遣宦官馬彥珪至蜀。視崇韜去就。彥珪以告劉皇后。教彥珪矯詔魏王殺之。崇韜有子五人。其二從死于蜀。餘皆見殺。其破蜀所得皆籍沒。明宗卽位。詔許歸葬。以其太原故宅賜其一孫。當崇韜用事。自宰相豆盧革韋說等。皆傾附之。崇韜父諱弘。革等卽因佗事。奏改弘文館爲崇文館。以其姓郭。因以爲子儀之後。崇韜遂以爲然。其伐蜀也。過子儀墓下。馬號慟而去。聞者頗以爲笑。然崇韜盡忠國家。有大略。其已破蜀。因遣使者。以唐威德。諷諭南詔諸蠻。欲因以綏來之。可謂有志矣。

(三) 雜傳

傳曰。禮義廉恥。國之四維。四維不張。國乃滅亡。善乎管生之能言也。禮義。治人之大法。廉恥。立人之大節。蓋不廉則無所不取。不恥則無所不爲。人而如此。則禍亂敗亡亦無所不至。況爲大臣而無所不取。無所不爲。則天下其有不亂。國家其有不亡者乎。予讀馮道長樂老叙。見其自述以爲榮。其可謂無廉恥者矣。則天下國家可從而知也。予於五代。得全節之士三。死事之臣十有五。而怪士之被儒服者。以學古自名。而享人之祿。任人之國者多矣。然使忠義之節獨出於武夫戰卒。豈於儒者。

果無其人哉。豈非高節之士惡時之亂。薄其世而不肯出歟。抑君天下者。不足顧而莫能致之歟。孔子以謂。十室之邑必有忠臣。豈虛言也哉。予嘗得五代時小說一篇。載王凝妻李氏事。以一婦人。猶能如此。則知世固嘗有其人。而不得見也。凝家青齊之間。爲虢州司戶參軍。以疾卒于官。凝家素貧。一子尚幼。李氏攜其子。負其遺骸以歸。東過開封。止旅舍。旅舍主人。見其婦人獨攜一子而疑之。不許其宿。李氏顧天已暮。不肯去。主人牽其臂而出之。李氏仰天長慟曰。我爲婦人。不能守節。而此手爲人執耶。不可以一手併汚吾身。卽引斧自斷其臂。

路人見者。環聚而嗟之。或爲之彈指。或爲之泣下。開封尹聞之。白其事于朝。官爲賜藥封瘡。厚卹李氏。而笞其主人者。嗚呼士不自愛其身。而忍耻以偷生者。聞李氏之風。宜少知愧哉。

馮道字可道。瀛州景城人也。事劉守光爲參軍。守光敗。去事宦者張承業。承業監河東軍。以爲巡官。以其文學。薦之晉王。爲河東節度掌書記。莊宗卽位。拜戶部侍郎。充翰林學士。道爲人。能自刻苦爲儉約。當晉與梁夾河而軍。道居軍中。爲一茅菴。不設牀席。臥一束芻而已。所得俸祿。與僕廝同器飲食。意恬如也。諸將有掠得人之

美女者以遺道。道不能却。寘之別室。訪其主而還之。其解學士。居父喪于景城。遇歲饑。悉出所有以賙鄉里。而退耕於野。躬自負薪。有荒其田不耕者。與力不能耕者。道夜往潛爲之耕。其人後來愧謝。道殊不以爲德。服除。復召爲翰林學士。行至汴州。遇趙在禮作亂。明宗自魏擁兵還犯京師。孔循勸道少留以待。道曰。吾奉詔赴闕。豈可自留。乃疾趨至京師。莊宗遇弒。明宗卽位。雅知道所爲。問安重誨曰。先帝時。馮道何在。重誨曰。爲學士也。明宗曰。吾素知之。此眞吾宰相也。拜道端明殿學士。遷兵部侍郎。歲餘拜中書侍郎。同中書門下平章事。天成

長興之間。歲屢豐熟。中國無事。道嘗戒明宗曰。臣爲河東掌書記時。奉使中山。過井陘之險。懼馬蹶失。不敢怠於銜轡。及至平地。謂無足慮。遽跌而傷。凡蹈危者。慮深而獲全。居安者。患生於所忽。此人情之常也。明宗問曰。天下雖豐。百姓濟否。道曰。穀貴餓農。穀賤傷農。因誦文士聶夷中田家詩。其言近而易曉。明宗顧左右錄其詩。常以自誦。水運軍將。於臨河縣得一玉杯。有文曰傳國寶萬歲杯。明宗甚愛之以示道。道曰。此前世有形之寶爾。王者固有無形之寶也。明宗問之。道曰。仁義者。帝王之寶也。故曰。大寶曰位。何以守位。曰仁。明宗武君。不曉

其言。道已去。召侍臣講說其義。嘉納之。道相明宗十餘年。明宗崩。相愍帝。潞王反於鳳翔。愍帝出奔衛州。道率百官。迎潞王以入。是爲廢帝。遂相之。廢帝卽位時。愍帝猶在衛州。後三日。愍帝始遇弒崩。已而廢帝出道爲同州節度使。踰年拜司空。晉滅唐。道又事晉。晉高祖拜道守司空同中書門下平章事。加司徒兼侍中。封魯國公。高祖崩。道相出帝。加太尉封燕國公。罷爲匡國軍節度使。徙鎭威勝。契丹滅晉。道又事契丹。朝耶律德光於京師。德光責道事晉無狀。道不能對。又問曰。何以來朝。對曰。無城無兵。安敢不來。德光誚之曰。爾是何等老子。對

中等教科漢文讀本 卷之八 五十二

曰。無才無德。癡頑老子。德光喜。以道爲太傅。德光北歸。從至常山。漢高祖立。乃歸漢。以太師奉朝請。周滅漢。道又事周。周太祖拜道太師兼中書令。道少能矯行。以取稱於世。及爲大臣。尤務持重以鎭物。事四姓十君。益以舊德自處。然當世之士。無賢愚皆仰道爲元老。而喜爲之稱譽。耶律德光嘗問道曰。天下百姓。如何救得。道爲俳語以對曰。此時佛出救不得。惟皇帝救得。人皆以謂。契丹不夷滅中國之人者。賴道一言之善也。周兵反犯京師。隱帝已崩。太祖謂漢大臣必行推戴。及見道。道殊無意。太祖素拜道。因不得已拜之。道受之如平時。太祖

意少沮。知漢未可代。遂陽立湘陰公贇爲漢嗣。遣道迎贇于徐州。贇未至。太祖將兵。北至澶州。擁兵而反。遂代漢。議者謂。道能沮太祖之謀而緩之。終不以晉漢之亡責道也。然道視喪君亡國。亦未嘗以屑意。當是時。天下大亂。戎夷交侵。生民之命。急於倒懸。道方自號長樂老。著書數百言。陳已更事四姓及契丹。所得階勳官爵以爲榮。自謂孝於家。忠於國。爲子爲弟。爲人臣。爲司長。爲夫爲父。有子有孫。時開一卷。時飮一杯。食味別聲被色。老安於當代。老而自樂。何樂如之。蓋其自述如此。道事九君。未嘗諫諍。世宗初卽位。劉旻攻上黨。世宗曰。劉旻

中等教科漢文讀本 卷之八 五十二

少我。謂我新立而國有大喪。必不能出兵以戰。且善用兵者。出其不意。吾當自將擊之。道乃切諫以爲不可。世宗曰。吾見唐太宗平定天下。敵無大小。皆親征。道曰。陛下未可比唐太宗。世宗曰。劉旻烏合之衆。若遇我師。如山壓卵。道曰。陛下作得山定否。世宗怒起去。卒自將擊旻。果敗旻于高平。世宗取淮南。定三關。威武之振。自高平始。其擊旻也。鄙道不以從行。以爲太祖山陵使。葬畢而道卒。年七十三。諡曰文懿。追封瀛王。道既卒。時人皆相稱歎以謂。與孔子同壽。其喜爲之稱譽蓋如此。道有子吉。

(三) 死節傳

語曰。世亂識忠臣。誠哉。五代之際。不可以爲無人。吾得全節之士三人焉。作死節傳。

王彥章字子明。鄆州壽昌人也。少爲軍卒。事梁太祖。爲開封府押衙、左親從指揮使、行營先鋒馬軍使。末帝卽位。遷濮州刺史。又徙澶州刺史。彥章爲人驍勇有力。能跣足履棘行百步。持一鐵鎗。騎而馳突。奮疾如飛。而他人莫能擧也。軍中號王鐵鎗。梁晉爭天下。爲勁敵。獨彥章心常輕晉王。謂人曰。亞子、鬪雞小兒耳。何足懼哉。梁分魏相六州。爲兩鎭。懼魏軍不從。遣彥章將五百騎。入

魏屯金波亭。以虞變。魏軍果亂。夜攻彥章。彥章南走。魏人降晉。晉軍攻破澶州。虜彥章妻子。歸之太原。賜以第宅。供給甚備。間遣使者。招彥章。彥章斬其使者。以自絕。然晉人畏彥章之在梁也。必欲招致之。待其妻子愈厚。自梁失魏博。與晉夾河而軍。彥章常爲先鋒。遷汝鄭二州防禦使、匡國軍節度使。北面行營副招討使。又徙宣義軍節度使。是時晉已盡有河北。以鐵鎖斷德勝口。築河南北。爲兩城。號夾寨。而梁末帝昏亂。小人趙巖張漢傑等用事。大臣宿將多被讒間。彥章雖爲招討副使。而謀不見用。龍德三年夏。晉取鄆州。梁人大恐。宰相敬翔

顧事急。以繩內靴中。入見末帝。泣曰。先帝取天下。不以臣爲不肖。所謀無不用。今彊敵未滅。陛下棄忽臣言。臣身不用。不如死。乃引繩將自經。末帝使人止之。問所欲言。翔曰。事急矣。非彥章不可。末帝乃召彥章。爲招討使。以段凝爲副。末帝問破敵之期。彥章對曰。三日。左右皆失笑。彥章受命而出。馳兩日至滑州。置酒大會。陰遣人具舟於楊村。命甲士六百。皆持巨斧。載冶者。具鞴炭。乘流而下。彥章會飮。酒半佯起更衣。引精兵數千。沿河以趨德勝。舟兵擧鎖燒斷之。因以巨斧斬浮橋。而彥章引兵急擊南城。浮橋斷。南城遂破。蓋三日矣。是時莊宗在

魏。以朱守殷守夾寨。聞彥章爲招討使。驚曰。彥章驍勇。吾嘗避其鋒。非守殷敵也。然彥章兵少。利於速戰。必急攻我南城。卽馳騎救之。行二十里。而得夾寨報者。曰彥章兵已至。比至而南城破矣。莊宗徹北城。爲栰。下楊劉。與彥章俱浮于河。各行一岸。每舟栰相及。輒戰。一日數十接。彥章至楊劉。攻之幾下。晉人築壘博州東岸。彥章引兵攻之不克。還楊劉戰敗。是時段凝已有異志。與趙巖張漢傑交通。彥章素剛。憤梁日削。而嫉巖等所爲。嘗謂人曰。俟我破賊還。誅姦臣以謝天下。巖等聞之懼。與凝叶力傾之。其破南城也。彥章與凝各爲捷書以聞。凝

遣人告嚴等匿彥章書而上已書末帝初疑其事已而使者至軍獨賜勞凝而不及彥章軍士皆失色及楊劉之敗也凝乃上書言彥章使酒輕敵而至於敗嚴等從中日夜毀之乃罷彥章以凝爲招討使彥章馳至京師入見以笏畫地自陳勝敗之迹嚴等諷有司劾彥章不恭勒還第唐兵攻兗州末帝召彥章使守捉東路是時梁之勝兵皆屬段凝京師秪有保鑾五百騎皆新募之兵不可用乃以屬彥章而以張漢傑監之彥章至遞坊以兵少戰敗退保中都又敗與其牙兵百餘騎死戰唐將夏魯奇素與彥章善識其語音曰王鐵鎗也擧矟刺

之彥章傷重馬踣被擒莊宗見之曰爾常以孺子待我今日服乎又曰爾善戰者何不守兗州而守中都中都無壁壘何以自固彥章對曰大事已去非人力可爲莊宗惻然賜藥以封其創彥章武人不知書常爲俚語謂人曰豹死留皮人死留名其於忠義蓋天性也莊宗愛其驍勇欲全活之使人慰諭彥章彥章謝曰臣與陛下血戰十餘年今兵敗力窮不死何待且臣受梁恩非死不能報豈有朝事梁而暮事晉生何面目見天下之人乎莊宗又遣明宗往諭之彥章病創臥不能起仰顧明宗呼其小字曰汝非邈佶烈乎我豈苟活者遂見殺年

六十一晉高祖時追贈彥章太師與彥章同時有裴約者潞州之牙將也莊宗以李嗣昭爲昭義軍節度使約以裨將守澤州嗣昭卒其子繼韜以澤潞叛降于梁約召其州人泣而諭曰吾事故使二十餘年見其分財饗士欲報梁仇不幸早世今郎君父喪未葬違背君親吾能死于此不能從以歸梁也衆皆感泣梁遣董璋率兵圍之約與州人拒守求救於莊宗是時莊宗方與梁人戰河上而已建大號聞繼韜叛降梁頗有憂色及聞約獨不叛喜曰吾於繼韜何薄於約何厚而約能分逆順邪顧符存審曰吾不惜澤州與梁一州易得約難得也

爾識機便爲我取約來存審以五千騎馳至遼州而梁兵已破澤州約見殺至周世宗時又有劉仁贍者焉仁贍字守惠彭城人也父金事楊行密爲濠滁二州刺史以驍勇知名仁贍爲將輕財重士法令嚴肅少畧通兵書事南唐爲左監門衛將軍黃袁二州刺史所至稱治李景使掌親軍以爲武昌軍節度使周師征淮先遣李穀攻自壽春景遣將劉彥貞拒周兵以仁贍爲清淮軍節度使鎭壽州穀退守正陽浮橋彥貞見周兵之却意其怯急追之仁贍以爲不可彥貞不聽仁贍獨按兵城守彥貞果敗於正陽世宗攻壽州圍之數重以方舟載

礟。自河中流。擊其城。又束巨竹數十萬竿。上施棧屋。號爲竹龍。載甲士以攻之。又決其水砦。入于淝河。攻之百端。自正月至於四月。不能下。而歲大暑。霖雨彌旬。周兵營寨。水深數尺。淮淝暴漲。礟舟竹龍皆飄南岸。爲景兵所焚。周兵多死。世宗東趨濠梁。以李重進爲廬壽都招討使。景亦遣其元帥齊王景達等。列砦紫金山下。爲夾道以屬城中。而重進與張永德。兩軍相疑不協。仁贍屢請出戰。景達不許。由是憤惋成疾。明年正月。世宗復至。淮上。盡破紫金山砦。壞其夾道。景兵大敗。諸將往往見擒。而景之守將廣陵馮延魯、光州張紹、舒州周祚、泰州

方訥、泗州范再遇等。或走或降。皆不能守。雖景君臣。亦皆震慴。奉表稱臣。願割土地。輸貢賦。以效誠款。而仁贍獨堅守不可下。世宗使景所遣使者孫晟等。至城下示之。仁贍子崇諫。幸其父病。謀與諸將出降。仁贍立命斬之。監軍使周延構哭于中門。救之不得。於是士卒皆感泣。願以死守。三月仁贍病甚。已不知人。其副使孫羽詐爲仁贍書。以城降。世宗命舁仁贍至帳前。嘆嗟久之。賜以玉帶御馬。復使入城養疾。是日卒。制曰。劉仁贍盡忠所事。抗節無虧。前代名臣。幾人可比。予之南伐。得爾爲多。乃拜仁贍檢校太尉兼中書令、天平軍節度使。仁贍不能受命而卒。年五十八。世宗遣使弔祭。喪事官給。追封彭城郡王。以其子崇讚爲懷州刺史。賜莊宅各一區。李景聞仁贍卒。亦贈太師。壽州故治壽春。世宗以其難尅。遂徙城下蔡。而復其軍曰忠正軍。曰。吾以旌仁贍之節也。

嗚呼。天下惡梁久矣。然士之不幸而生其時者。不爲之臣可也。其食人之祿者。必死人之事。如彥章者。可謂得其死哉。仁贍既殺其子以自明矣。豈有垂死而變節者乎。今周世宗實錄。載仁贍降書。蓋其副使孫羽等所爲也。當世宗時。王環爲蜀守秦州。攻之久不下。其後力屈

而降。世宗頗嗟其忠。然止以爲大將軍。視世宗待二人之薄厚。而考其制書。乃知仁贍非降者也。自古忠臣義士之難得也。五代之亂。三人者。或出於軍卒。或出於僞國之臣。可勝嘆哉。可勝嘆哉。

中等教科漢文讀本卷之八終

明治三十二年二月二十日印刷
明治三十二年二月二十三日發行
定價二十五錢

編者　東京市本郷區追分町十四番地　福山義春
編者　東京市神田區裏猿樂町十八番地　服部誠一
發行兼印刷者　東京市日本橋區本石町十軒居六番地　阪上半七
活版印刷所　東京市神田區錦町二丁目四番地　行文堂印行

文學士　福山義春
服部誠一　共編

中等教科

漢文讀本

卷九

東京　育英舍

中等教科 漢文讀本卷之九目次

唐文

(一)十思疏　魏　徵
(二)大唐中興頌　元　結
(三)上張僕射書　韓　愈
(四)代張籍與李浙東書　韓　愈
(五)與韓荊州書　李　白
(六)送石處士序　韓　愈
(七)送溫處士赴河陽軍序　韓　愈
(八)送楊小尹序　韓　愈

(九)送孟東野序　韓　愈
(十)賀進士王參元失火　柳宗元
(十一)論佛骨表　韓　愈
(十二)爭臣論　韓　愈
(十三)原道　韓　愈
(十四)師說　韓　愈
(十五)雜說一　韓　愈
(十六)雜說四　韓　愈
(十七)捕蛇者說　柳宗元
(十八)鈷鉧潭記　柳宗元
(十九)鈷鉧潭西小邱記　柳宗元
(二十)至小丘西小石潭記　柳宗元
(二一)袁家渴記　柳宗元
(二二)石渠記　柳宗元
(二三)石澗記　柳宗元
(二四)小石城山記　柳宗元
(二五)藍田縣丞廳壁記　韓　愈
(二六)柳州羅池廟碑　韓　愈
(二七)陸文通先生墓表　柳宗元
(二八)柳子厚墓誌銘　韓　愈

(二九)種樹郭橐駝傳　柳宗元
(三十)梓人傳　柳宗元
(三一)毛穎傳　韓　愈
(三二)阿房宮賦　杜　牧

孟子

(三三)見牛未見羊　梁惠王上
(三四)與民同樂　梁惠王下
(三五)教玉人彫琢　梁惠王下
(三六)若時雨下　梁惠王下

(三七) 養浩然之氣 公孫丑上
(三八) 不忍人之心 公孫丑上
(三九) 不如人和 公孫丑下
(四十) 進退有餘裕 公孫丑下
(四一) 非其招不往 滕文公下
(四二) 子食功也 滕文公下
(四三) 何待來年 滕文公下
(四四) 豈好辯哉 滕文公下
(四五) 仲子非廉士 滕文公下
(四六) 自取之也 離婁上

(四七) 養親之志 離婁上
(四八) 有本者如是 離婁下
(四九) 易地則皆然 離婁下
(五十) 孔子集大成 萬章下
(五一) 猶水之就下 告子上
(五二) 平旦之氣 告子上
(五三) 十日寒之 告子上
(五四) 舍生而取義 告子上
(五五) 無以小害大 告子上
(五六) 有貴於已者 告子下
(五七) 王覇之罪人 告子下
(五八) 生於憂患 告子下

中等教科漢文讀本卷之九目次 終

中等教科漢文讀本卷之九

文學士　福山義春
　　　　服部誠一　共編

唐文

(一)十思疏　魏徵

臣聞求木之長者。必固其根本・欲流之遠者。必浚其泉源。思國之安者・必積其德義。源不深而望流之遠。根不固而求木之長・德不厚而思國之理。臣雖下愚。知其不可。而況於明哲乎・人君當神器之重。居域中之大。將崇極天之峻・永保無疆之休・不念居安思危。戒奢以儉。德

不處其厚・情不勝其欲・斯亦伐根以求木茂。塞源而欲流長者也」凡百元首・承天景命。莫不殷憂而道著。功成而德衰・有善始者實繁・能克終者蓋寡・豈取之易。而守之難乎・昔取之而有餘・今守之而不足・何也。夫在殷憂。必竭誠以待下・既得志・則縱情以傲物・竭誠・則胡越爲一體・傲物・則骨肉爲行路。雖董之以嚴刑。震之以威怒・終苟免而不懷仁・貌恭而不心服。怨不在大。可畏惟人・載舟覆舟・所宜深愼・奔車朽索。其可忽乎」君人者・誠能見可欲。則思知足以自戒。將有作。則思知止以安人。念高危・則思謙冲而自牧・懼滿溢。則思江海下百川。樂盤

遊・則思三驅以爲度。憂懈怠・則思愼始而敬終。慮壅蔽・則思虛心以納下・想讒邪。則思正身以黜惡・恩所加。則思無因喜以謬賞。罰所及。則思無因怒而濫刑・總此十思・弘茲九德。簡能而任之。擇善而從之。則智者盡其謀・勇者竭其力。仁者播其惠。信者效其忠・文武爭馳。君臣無事。可以盡豫遊之樂。可以養喬松之壽・鳴琴垂拱・不言而化。何必勞神苦思。代下司職。役聰明之耳目。虧無爲之大道哉。

(二)大唐中興頌　元結

天寶十四年。安祿山陷洛陽。明年。陷長安。天子幸蜀。太

子即位於靈武。明年。皇帝移軍鳳翔。其年復兩京。上皇還京師。於戲前代帝王。有盛德大業者。必見於歌頌。若今歌頌大業。刻之金石。非老於文學・其誰宜爲。頌曰。

噫嘻前朝。孽臣姦驕。爲昏爲妖。邊將騁兵。毒亂國經。群生失寧。大駕南巡。百僚竄身。奉賊稱臣。天將昌唐。繄睍我皇。匹馬北方。獨立一呼。千麾萬旗。戎卒前驅。我師其東。儲皇撫戎。蕩攘群兇。復服指期。曾不踰時。有國無之。事有至難。宗廟再安・二聖重歡。地闢天開。蠲除妖災。瑞慶大來。兇徒逆儔。涵濡天休・死生堪羞・功勞位尊・忠烈名存。澤流子孫。盛德之興。山高日昇。萬福是膺。能令大

君聲容沄沄。不在斯文。湘江東西。中直浯溪。石崖天齊。
可磨可鐫。刊此頌焉。何千萬年。

（三）上張僕射書　　韓　愈

九月一日。愈再拜。受牒之明日。在使院中。有小吏持院中故事節目十餘事來示愈。其中不可者。有九月至明年二月之終。皆晨入夜歸。非有疾病事故。輒不許出。當時以初受命。不敢言。古人有言曰。人各有能有不能。若此者。非愈之所能也。抑而行之。必發狂疾。上無以承事於公。忘其將所以報德者。下無以自立。喪失其所以為心。夫如是。則安得而不言。凡執事之擇於愈者。非為其

能晨入夜歸也。必將有以取之。苟有以取之。雖不晨入夜歸。其所取者猶在也。下之事上。不一其事。上之使下。不一其事。量力而任之。度才而處之。其所不能。不彊使為。是故為下者。不獲罪於上。為上者。不得怨於下矣。孟子有云。今之諸侯無大相過者。以其皆好臣其所教。而不好臣其所受教。今之時與孟子之時。又加遠矣。皆好其聞命而奔走者。不好其直己而行道者。聞命而奔走者。好利者也。直己而行道者。好義者也。未有好利而愛其君者。未有好義而忘其君者。今之王公大人。惟執事可以聞此言。惟愈於執事也。可以此言進。愈蒙幸於執

事。其所從舊矣。若寬假之。使不失其性。加待之。使足以為名。寅而入。盡辰而退。申而入。終酉而退。率以為常。亦不廢事。天下之人。聞執事之於愈如是也。必皆曰。執事之好士也如此。執事之待士以禮如此。執事之使人。不枉其性而能有容如此。執事之欲成人之名如此。執事之厚於故舊如此。又將曰。韓愈之識其所依歸也如此。韓愈之不諂屈於富貴之人如此。韓愈之賢。能使其主待之以禮如此。則死於執事之門。無悔也。若使隨行而入。逐隊而趨。言不敢盡其誠。道有所屈於己。天下之人。聞執事之於愈如此。皆曰。執事之用韓愈。哀其窮。收之

而已耳。韓愈之事執事。不以道。利之而已耳。苟如是。雖日受千金之賜。一歲九遷其官。感恩則有之矣。將以稱於天下曰知己。則未也。伏惟哀其所不足。矜其愚。不錄其罪。察其辭。而垂仁採納焉。愈恐懼再拜。

（四）代張籍與李浙東書　　韓　愈

月日。前某官某。謹東向再拜。寓書浙東觀察使中丞李公閤下。籍聞議論者皆云。方今居古方伯連帥之職。坐一方。得專制於其境內者。惟閤下心事犖犖。與俗輩不同。籍固以藏之胸中矣。近者閤下從事李協律翺到京師。籍與李君友也。不見六七年。聞其至。馳往省之。問無

恙外。不暇出一言。且先賀其得賢主人。李君曰。子豈盡知之乎。吾將盡言之。數日籍益聞所不聞。籍私獨喜。常以爲自今以後。不復有如古人者。於今忽有之。退自悲。不幸兩目不見物。無用於天下。胸中雖有知識。家無錢財。寸步不能自致。今去李中丞五千里。何由致其身於其人之側。開口一吐其胸中之奇乎。因飲泣不能語。既數日。復自奮曰。無所能人。乃宜以盲廢。有所能人。雖盲當廢於俗輩。不當廢於行古人道者。浙水東七州。戶不下數十萬。不盲者何限。李中丞取人。固當問其賢不賢。不當計其盲與不盲也。當今盲於心者皆是。若籍自謂。

獨盲於目爾。其心則能別是非。若賜之坐而問之。其口固能言也。幸未死。實欲一吐出心中平生所知見。閤下能信而致之於門邪。籍又善於古詩。使其心不以憂衣食亂。閤下無事時。一致之座側。使跪進其所有。閤下憑几而聽之。未必不如聽吹竹彈絲敲金擊石也。夫盲者業專。於藝必精。故樂工皆盲。籍倘可與此輩比並乎。使籍誠不以畜妻子憂饑寒亂心。有錢以濟醫藥。其盲未甚庶幾其復見天地日月。因得不廢。則自今至死之年。皆閤下之賜。閤下濟之以已絕之年。賜之以既盲之視。其恩之輕重大小。籍宜如何報也。閤下裁之度之。籍慙覩再拜。

(五) 與韓荊州書　李白

白聞天下談士。相聚而言曰。生不用封萬戶侯。但願一識韓荊州。何令人之景慕。一至於此。豈不以周公之風。躬吐握之事。使海內豪俊。奔走而歸之。一登龍門。則聲價十倍。所以龍蟠鳳逸之士。皆欲收名定價於君侯。君侯不以富貴而驕之。寒賤而忽之。則三千之中有毛遂。使白得穎脫而出。卽其人焉。白隴西布衣。流落楚漢。十五好劍術。徧干諸侯。三十成文章。歷抵卿相。雖長不滿七尺。而心雄萬夫。皆王公大人許與氣義。此疇曩心跡。

安敢不盡於君侯哉。君侯制作侔神明。德行動天地。筆參造化。學究天人。幸願開張心顏。不以長揖見拒。必若接之以高宴。縱之以淸談。請日試萬言。倚馬可待。今天下以君侯爲文章之司命。人物之權衡。一經品題。便作佳士。而今君侯何惜階前盈尺之地。不使白揚眉吐氣。激昂靑雲耶。昔王子師爲豫州。未下車卽辟荀慈明。既下車又辟孔文擧。山濤作冀州。甄拔三十餘人。或爲侍中尙書。先代所美。而君侯亦一薦嚴協律。入爲祕書郞。中間崔宗之房習祖黎昕許瑩之徒。或以才名見知。或以淸白見賞。白每觀其銜恩撫躬。忠義奮發。白以此感激。知君侯推赤心於諸賢腹中。所以不歸他人。而願委身國士。倘急難有用。敢効微軀。且人非堯舜。誰能盡善。白謨猷籌畫。安能自矜。至於制作。積成卷軸。則欲塵穢視聽。恐雕蟲小伎。不合大人。若賜觀芻蕘。請給紙筆。兼之書人。然後退掃閑軒。繕寫呈上。庶青萍結綠。長價於薛卞之門。幸推下流。大開奬飾。唯君侯圖之。

(六) 送石處士序　　韓愈

河陽軍節度御史大夫烏公。爲節度之三月。求士於從事之賢者。有薦石先生者。公曰。先生何如。曰。先生居嵩邙瀍穀之間。冬一裘夏一葛。食朝夕飯一盂。蔬一盤。人

與之錢則辭。請與出游。未嘗以事辭。勸之仕。不應。坐一室。左右圖書。與之語道理。辨古今事當否。論人高下。事後當成敗。若河決下流而東注。若駟馬駕輕車。就熟路。而王良造父爲之先後也。若燭照數計而龜卜也。大夫曰。先生有以自老。無求於人。其肯爲某來邪。從事曰。大夫文武忠孝。求士爲國。不私於家。方今寇聚於恒。師環其疆。農不耕收。財粟殫亡。吾所處地。歸輸之塗。治法征謀。宜有所出。先生仁且勇。若以義請而強委重焉。其何說之辭。於是譔書詞。具馬幣。卜日以授使者。求先生之廬而請焉。先生不告於妻子。不謀於朋友。冠帶出見客。

中等教科漢文讀本　卷之九　七

拜受書禮於門內。宵則沐浴。戒行李。載書册。問道所由。告行於常所來往。晨則畢至。張上東門外。酒三行。且起。有執爵而言者。曰。大夫眞能以義取人。先生眞能以道自任。決去就。爲先生別。又酌而祝曰。凡去就出處何常。惟義之歸。遂以爲先生壽。又酌而祝曰。使大夫恒無變其初。無務富其家而饑其師。無甘受佞人。而外敬正士。無昧於諂言。惟先生是聽。以能有成功。保天子之寵命。又祝曰。使先生無圖利於大夫。而私便其身圖。先生起拜祝辭曰。敢不敬蚤夜以求從祝規。於是東都之人士。咸知大夫與先生果能相與以有成也。遂各爲歌詩六

韻。退。愈爲之序云。

(七) 送溫處士赴河陽軍序　　韓愈

伯樂一過冀北之野。而馬群遂空。夫冀北馬多於天下。伯樂雖善知馬。安能空其群邪。解之者曰。吾所謂空。非無馬也。無良馬也。伯樂知馬。遇其良輒取之。群無留良焉。苟無良。雖謂無馬。不爲虛語矣。東都固士大夫之冀北也。恃才能。深藏而不市者。洛之北涯曰石生。其南涯曰溫生。大夫烏公。以鈇鉞鎭河陽之三月。以石生爲才。以禮爲羅。羅而致之幕下。未數月也。以溫生爲才。於是以石生爲媒。以禮爲羅。又羅而致之幕下。東都雖信

中等教科漢文讀本　卷之九　八

多才士。朝取一人焉拔其尤。暮取一人焉拔其尤。自居守河南尹。以及百司之執事。與吾輩二縣之大夫。政有所不通。事有所可疑。奚所諮而處焉。士大夫之去位而巷處者。誰與嬉遊。小子後生。於何考德而問業焉。縉紳之東西行過是都者。無所禮於其廬。若是而稱曰大夫烏公一鎭河陽。而東都處士之廬無人焉。豈不可也。夫南面而聽天下。其所託重而恃力者。惟相與將耳。相爲天子得人于朝廷。將爲天子得文武士於幕下。求內外無治。不可得也。愈縻於茲。不得自引去。資二生以待老。今皆爲有力者奪之。其何無介然於懷邪。生既至拜公

於軍門。其爲吾以前所稱。爲天下賀。以後所稱。爲吾致私怨於盡取也。留守相公首爲四韻詩。歌其事。愈因推其意而序之。

（八）送楊少尹序　　韓愈

昔疏廣受二子。以年老。一朝辭位而去。于時公卿設供張。祖道都門外。車數百輛。道路觀者。多歎息泣下。共言其賢。漢史既傳其事。而後世工畫者。又圖其迹。至今照人耳目。赫赫若前日事。國子司業楊君巨源。方以能詩訓後進。一旦以年滿七十。亦白丞相去歸其鄉。世常說。古今人不相及。今楊與二疏。其意豈異也。予忝在公卿

後。遇病不能出。不知楊侯去時。城門外送者幾人。車幾兩。馬幾匹。道傍觀者。亦有歎息知其爲賢與否。而太史氏又能張大其事。爲傳繼二疏蹤跡否。不落莫否。見今世無工畫者。而畫與不畫。固不論也。然吾聞楊侯之去。丞相有愛而惜之者。白以爲其都少尹。不絕其祿。又爲歌詩以勸之。京師之長於詩者。亦屬而和之。又不知當時二疏之去。有是事否。古今人同不同。未可知也。中世士大夫。以官爲家。罷則無所於歸。楊侯始冠。舉於其鄉。歌鹿鳴而來也。今之歸。指其樹曰。某樹吾先人之所種也。某水某丘。吾童子時所釣游也。鄉人莫不加敬。誡子

孫。以楊侯不去其鄉爲法。古之所謂鄉先生沒而可祭於社者。其在斯人歟。其在斯人歟。

（九）送孟東野序　　韓愈

大凡物不得其平則鳴。草木之無聲。風撓之鳴。水之無聲。風蕩之鳴。其躍也或激之。其趨也或梗之。其沸也或炙之。金石之無聲。或擊之鳴。人之於言也亦然。有不得已者而後言。其謌也有思。其哭也有懷。凡出乎口而爲聲者。其皆有弗平者乎。樂也者。鬱於中而泄於外者也。擇其善鳴者。而假之鳴。金石絲竹匏土革木八者。物之善鳴者也。維天之於時也亦然。擇其善鳴者。而假之鳴。

是故。以鳥鳴春。以雷鳴夏。以蟲鳴秋。以風鳴冬。四時之相推奪。其必有不得其平者乎。其於人也亦然。人聲之精者爲言。文辭之於言。又其精者也。尤擇其善鳴者。而假之鳴。其在於唐虞。咎陶禹其善鳴者也。而假之以鳴。夔弗能以文辭鳴。又自假於韶以鳴。夏之時。五子以其歌鳴。伊尹鳴殷。周公鳴周。凡載於詩書六藝。皆鳴之善者也。周之衰。孔子之徒鳴之。其聲大而遠。傳曰。天將以夫子爲木鐸。其弗信矣乎。其末也。莊周以其荒唐之辭鳴於楚。楚大國也。其亡也。以屈原鳴。臧孫辰孟軻荀卿。以道鳴者也。楊朱墨翟管夷吾晏嬰老聃申不害韓非

愼到田駢鄒衍尸佼孫武張儀蘇秦之屬。皆以其術鳴。秦之興。李斯鳴之。漢之時。司馬遷相如楊雄。最其善鳴者也。其下魏晉氏。鳴者不及於古。然亦未嘗絕。就其善鳴者。其聲清以浮。其節數以急。其辭淫以哀。其志弛以肆。其爲言也。亂雜而無章。將天醜其德莫之顧邪。何爲乎不鳴其善鳴者也。唐之有天下。陳子昂蘇源明元結李白杜甫李觀。皆以其所能鳴。其存而在下者。孟郊東野始以其詩鳴。其高出魏晉。不懈而及於古。其他浸淫乎漢氏矣。從吾游者。李翺張籍其尤也。三子者之鳴。信善鳴矣。抑不知天將和其聲。而使鳴國家之盛邪。抑將窮餓其身。思愁其心腸。而使自鳴其不幸邪。三子者之命。則懸乎天矣。其在上也奚以喜。其在下也奚以悲。東野之役於江南也。有若不釋然者。故吾道其命於天者以解之。

(十)賀進士王參元失火　柳宗元

得楊八書。知足下遇火災。家無餘儲。僕始聞而駭。中而疑。終乃大喜。蓋將弔。而更以賀者也。道遠言略。猶未能究知其狀。若果蕩焉泯焉。而悉無有。乃吾所以尤賀者也。足下勤奉養。樂朝夕。惟恬安無事是望也。今乃有焚煬赫烈之虞。以震駭左右。而脂膏滫瀡之具。或以不給。

吾是以始而駭也。凡人之言皆曰。盈虛倚伏。去來之不可常。或將大有爲也。乃始厄困震悸。於是有火災之孽。有群小之慍。勞苦變動。而後能光明。古之人皆然。斯道遼闊誕漫。雖聖人不能以是必信。是故中而疑也。以足下讀古人書。爲文章善小學。其爲多能若此。而進不能出群士之上以取貴顯者。蓋無他焉。京城人多言足下家有積貨。士之好廉名者。皆畏忌不敢道足下之善。獨自得之心。蓄之銜忍。而不出諸口。以公道之難明。而世之多嫌也。一出口。則嗤嗤者以爲得重賂。僕自貞元十五年見足下之文章。蓄之者蓋六七年未嘗言。是僕私

一身。而負公道久矣。非特負足下也。及爲御史尚書郞。自以幸爲天子近臣。得奮其舌。思以發明足下之鬱塞。然時稱道於行列。猶有顧視而竊笑者。僕良恨修已之不亮素譽之不立。而爲世嫌之所加。常與孟幾道言而痛之。乃今幸爲天火之所滌盪。凡衆之疑慮。擧爲灰燼。黔其廬赭其垣。以示其無有。而足下之才能。乃可以顯白而不汚。其實出矣。是祝融回祿之相吾子也。則僕與幾道十年之相知。不若玆火一夕之爲足下譽也。宥而彰之。使夫蓄於心者。咸得開其喙。發策決科者。授子而不慄。雖欲如嚮之蓄縮受侮。其可得乎。於玆吾有望於

子。是以終乃大喜也。古者列國有災。同位者皆相弔。許不弔災。君子惡之。今吾之所陳若是。有以異乎古。故將弔而更以賀也。顏曾之養。其爲樂也大矣。又何闕焉。足下前要僕文章古書。極不忘。候得數十幅。乃併往耳。吳二十一武陵來言。足下爲醉賦及對問大善。可寄一本。僕近亦好作文。與在京城時頗異。思與足下輩言之。桎梏甚固。未可得也。因人南來。致書訪死生。不悉。宗元白。

(十二) 論佛骨表　韓愈

臣某言。伏以佛者。夷狄之一法耳。自後漢時。流入中國。上古未嘗有也。昔者黃帝在位百年。年百一十歲。少昊

在位八十年。年百歲。顓頊在位七十九年。年九十八歲。帝嚳在位七十年。年百五歲。帝堯在位九十八年。年百一十八歲。帝舜及禹。年皆百歲。此時天下太平。百姓安樂壽考。然而中國未有佛也。其後殷湯亦年百歲。湯孫太戊在位七十五年。武丁在位五十九年。書史不言其年壽所極。推其年數。蓋亦俱不減百歲。周文王年九十七歲。武王年九十三歲。穆王在位百年。此時佛法亦未入中國。非因事佛而致然也。漢明帝時。始有佛法。明帝在位纔十八年耳。其後亂亡相繼。運祚不長。宋齊梁陳元魏以下。事佛漸謹。年代尤促。惟梁武帝在位四十八

年。前後三度捨身施佛。宗廟之祭。不用牲牢。晝日一食。止於菜果。其後竟爲侯景所逼。餓死臺城。國亦尋滅。事佛求福。乃更得禍。由此觀之。佛不足事。亦可知矣。高祖始受隋禪。則議除之。當時群臣。材識不遠。不能深知先王之道。古今之宜。推闡聖明以救斯弊。其事遂止。臣常恨焉。伏惟睿聖文武皇帝陛下。神聖英武。數千百年已來。未有倫比。即位之初。即不許度人爲僧尼道士。又不許創立寺觀。臣常以爲高祖之志。必行於陛下之手。今縱未能即行。豈可恣之轉令盛也。今聞陛下令羣僧迎佛骨於鳳翔。御樓以觀。舁入大內。又令諸寺遞迎供養。

臣雖至愚。必知陛下不惑於佛作此崇奉。以祈福祥也。直以年豐人樂。徇人之心。爲京都士庶。設詭異之觀。戲玩之具耳。安有聖明若此。而肯信此等事哉。然百姓愚冥。易惑難曉。苟見陛下如此。將謂眞心事佛。皆云。天子大聖。猶一心敬信。百姓何人。豈合更惜身命。焚頂燒指。百十爲群。解衣散錢。自朝至暮。轉相倣效。惟恐後時。老少奔波。棄其業次。若不即加禁遏。更歷諸寺。必有斷臂臠身。以爲供養者。傷風敗俗。傳笑四方。非細事也。夫佛本夷狄之人。與中國言語不通。衣服殊製。口不言先王之法言。身不服先王之法服。不知君臣之義。父子之情。

假如其身至今尚在。奉其國命。來朝京師。陛下容而接之。不過宣政一見。禮賓一設。賜衣一襲。衛而出之於境。不令惑衆也。況其身死已久。枯朽之骨。凶穢之餘。豈宜令入宮禁。孔子曰。敬鬼神而遠之。古之諸侯行弔於其國。尚令巫祝先以桃茢祓除不祥。然後進弔。今無故取朽穢之物。親臨觀之。巫祝不先。桃茢不用。群臣不言其非。御史不擧其失。臣實恥之。乞以此骨付之有司。投諸水火。永絶根本。斷天下之疑。絶後代之惑。使天下之人知大聖人之所作爲出於尋常萬萬也。豈不盛哉。豈不快哉。佛如有靈。能作禍祟。凡有殃咎。宜加臣身。上天鑒臨。臣不怨悔。無任感激懇悃之至。謹奉表以聞。臣某誠惶誠恐。

(十三) 爭臣論

韓　愈

或問諫議大夫陽城於愈。可以爲有道之士乎哉。學廣而聞多。不求聞於人也。行古人之道。居於晉之鄙。晉之鄙人。薰其德而善良者幾千人。大臣聞而薦之天子。以爲諫議大夫。人皆以爲華。陽子不色喜。居於位五年矣。視其德。如在野。彼豈以富貴。移易其心哉。愈應之曰。是易所謂恒其德貞。而夫子凶者也。惡得爲有道之士乎哉。在易。蠱之上九云。不事王侯。高尙其事。蹇之六二。則

曰王臣蹇蹇。匪躬之故。夫不以所居之時不一。而所蹈之德不同也。若蠱之上九。居無用之地。而致匪躬之節。以蹇之六二。在王臣之位。而高不事之心。則冒進之患生。曠官之刺興。志不可則。而尤不終無也。今陽子在位。不爲不久矣。聞天下之得失。不爲不熟矣。天子待之。不爲不加矣。而未嘗一言及於政。視政之得失。若越人視秦人之肥瘠。忽焉不加喜戚於其心。問其官。則曰諫議也。問其祿。則曰下大夫之秩也。問其政。則曰我不知也。有道之士。固如是乎哉。且吾聞之。有官守者。不得其職則去。有言責者。不得其言則去。今陽子以爲得其言乎

哉。得其言而不言。與不得其言而不去。無一可者也。陽子將爲祿仕乎。古之人有云。仕不爲貧。而有時乎爲貧。謂祿仕者也。宜乎辭尊而居卑。辭富而居貧。若抱關擊柝者。可也。蓋孔子嘗爲委吏矣。嘗爲乘田矣。亦不敢曠其職。必曰。會計當而已矣。必曰。牛羊遂而已矣。若陽子之秩祿。不爲卑且貧。章章明矣。而如此。其可乎哉。或曰。否。非若此也。夫陽子惡訕上者。惡爲人臣招其君之過而以爲名者。故雖諫且議。使人不得而知焉。書曰。爾有嘉謀嘉猷。則入告爾后於內。爾乃順之於外。曰。斯謀斯猷。惟我后之德。夫陽子之用心亦若此者。愈應之曰。若陽子之用心如此。滋所謂惑者矣。入則諫其君。出不使人知者。大臣宰相者之事。非陽子之所宜行也。夫陽子本以布衣隱於蓬蒿之下。主上嘉其行誼。擢在此位。官以諫爲名。誠宜有以奉其職。使四方後代知朝廷有直言骨鯁之臣。天子有不僭賞。從諫如流之美。庶巖穴之士聞而慕之。束帶結髮。願進於闕下而伸其辭說。致吾君於堯舜。熙鴻號於無窮也。若書所謂。則大臣宰相之事。非陽子之所宜行也。且陽子之心。將使君人者惡聞其過乎。是啓之也。或曰。陽子之不求聞。而人聞之。不求用。而君用之。不得已而起。守其道而不變。何子過之深

也。愈曰。自古聖人賢士。皆非有求於聞用也。閔其時之不平。人之不乂。得其道。不敢獨善其身。而必以兼濟天下也。孜孜矻矻。死而後已。故禹過家門不入。孔席不暇暖。而墨突不得黔。彼二聖一賢者。豈不知自安逸之爲樂哉。誠畏天命。而悲人窮也。夫天授人以賢聖才能。豈使自有餘而已。誠欲以補其不足者也。耳目之於身也。耳司聞而目司見。聽其是非。視其險易。然後身得安焉。聖賢者。時人之耳目也。時人者。聖賢之身也。且陽子之不賢。則將役於賢以奉其上矣。若果賢。則固畏天命。而閔人窮也。惡得以自暇逸乎哉。或曰。吾聞。君子不欲加諸人。而惡訐以爲直者。若吾子之論。直則直矣。無乃傷於德而費於辭乎。好盡言以招人過。國武子之所以見殺於齊也。吾子其亦聞乎。愈曰。君子居其位。則思死其官。未得位。則思修其辭以明其道。我將以明道也。非以爲直而加人也。且國武子不能得善人。而好盡言於亂國。是以見殺。傳曰。惟善人能受盡言。謂其聞而能改之也。子告我曰。陽子可以爲有道之士也。今雖不能及已。陽子將不得爲善人乎哉。

(十三) 原道　韓　愈

博愛之謂仁。行而宜之之謂義。由是而之焉之謂道。足

乎己無待於外之謂德。仁與義爲定名。道與德爲虛位。故道有君子有小人。而德有凶有吉。老子之小仁義。非毁之也。其見者小也。坐井而觀天曰天小者。非天小也。彼以煦煦爲仁。孑孑爲義。其小之也亦宜。其所謂道。道其所道。非吾所謂道也。其所謂德。德其所德。非吾所謂德也。凡吾所謂道德云者。合仁與義言之也。天下之公言也。老子所謂道德云者。去仁與義言之也。一人之私言也。周道衰。孔子沒。火于秦。黃老于漢。佛于晉宋齊梁魏隋之間。其言道德仁義者。不入于楊。則入于墨。不入于墨。則入于老。不入于老。則入于佛。入于彼。必出于此。

入者主之。出者奴之。入者附之。出者汙之。噫後之人。其欲聞仁義道德之說。孰從而聽之。老者曰。孔子吾師之弟子也。佛者曰。孔子吾師之弟子也。爲孔子者。習聞其說。樂其誕而自小也。亦曰。吾師亦嘗師之云爾。不惟擧之於其口。而又筆之於其書。噫後之人。雖欲聞仁義道德之說。其孰從而求之。甚矣人之好怪也。不求其端。不訊其末。惟怪之欲聞。古之爲民者四。今之爲民者六。古之教者處其一。今之教者處其三。農之家一。而食粟之家六。工之家一。而用器之家六。賈之家一。而資焉之家六。奈之何民不窮且盜也。古之時。人之害多矣。有聖人者

立。然後敎之以相生相養之道。爲之君。爲之師。驅其蟲蛇禽獸。而處之中土。寒然後爲之衣。饑然後爲之食。木處而顚。土處而病也。然後爲之宮室。爲之工。以贍其器用。爲之賈。以通其有無。爲之醫藥。以濟其夭死。爲之葬埋祭祀。以長其恩愛。爲之禮。以次其先後。爲之樂。以宣其湮鬱。爲之政。以率其怠勸。爲之刑。以鋤其强梗。相欺也。爲之符璽斗斛權衡以信之。相奪也。爲之城郭甲兵以守之。害至而爲之備。患生而爲之防。今其言曰。聖人不死。大盜不止。剖斗折衡。而民不爭。嗚呼。其亦不思而已矣。如古之無聖人。人之類滅久矣。何也。無羽毛鱗介

以居寒熱也。無爪牙以爭食也。是故君者。出令者也。臣者。行君之令而致之民者也。民者。出粟米麻絲作器皿。通貨財。以事其上者也。君不出令。則失其所以爲君。臣不行君之令而致之民。則失其所以爲臣。民不出粟米麻絲。作器皿。通貨財。以事其上則誅。今其法曰。必棄而君臣。去而父子。禁而相生相養之道。以求其所謂淸淨寂滅者。嗚呼。其亦幸而出於三代之後。不見黜於禹湯文武周公孔子也。其亦不幸而不出於三代之前。不見正於禹湯文武周公孔子也。帝之與王。其號雖殊。其所以爲聖一也。夏葛而冬裘。渴飮而饑食。其事雖殊。其所

以爲智一也。今其言曰。曷不爲太古之無事。是亦責冬之裘者。曰曷不爲葛之之易也。責饑之食者。曰曷不爲飲之之易也。傳曰。古之欲明明德於天下者。先治其國。欲治其國者。先齊其家。欲齊其家者。先修其身。欲修其身者。先正其心。欲正其心者。先誠其意。然則古之所謂正心誠意者。將以有爲也。今也欲治其心。而外天下國家。滅其天常。子焉而不父其父。臣焉而不君其君。民焉而不事其事。孔子之作春秋也。諸侯用夷禮。則夷之。夷而進于中國。則中國之。經曰。夷狄之有君。不如諸夏之亡。詩曰。戎狄是膺。荊舒是懲。今也舉夷狄之法。而加之

先王之教之上。幾何其不胥而爲夷也。夫所謂先王之教者。何也。博愛之謂仁。行而宜之之謂義。由是而之焉之謂道。足乎己無待於外之謂德。其文。詩書易春秋。其法。禮樂刑政。其民。士農工賈。其位。君臣父子師友賓主昆弟夫婦。其服。麻絲。其居。宮室。其食。粟米蔬菓魚肉。其爲道易明。而其爲教易行也。是故以之爲己。則順而祥。以之爲人。則愛而公。以之爲心。則和而平。以之爲天下國家。無所處而不當。是故生則得其情。死則盡其常。郊焉而天神假。廟焉而人鬼饗。曰。斯道也何道也。曰。斯吾所謂道也。非向所謂老與佛之道也。堯以是傳之舜。舜以是傳之禹。禹以是傳之湯。湯以是傳之文武周公。文武周公傳之孔子。孔子傳之孟軻。軻之死。不得其傳焉。荀與楊也。擇焉而不精。語焉而不詳。由周公而上。上而爲君。故其事行。由周公而下。下而爲臣。故其說長。然則如之何而可也。曰。不塞不流。不止不行。人其人。火其書。廬其居。明先王之道以道之。鰥寡孤獨廢疾者有養也。其亦庶乎其可也。

(十四)師說　韓愈

古之學者必有師。師者。所以傳道授業解惑也。人非生而知之者。孰能無惑。惑而不從師。其爲惑也終不解矣。

生乎吾前。其聞道也。固先乎吾。吾從而師之。生乎吾後。其聞道也。亦先乎吾。吾從而師之。吾師道也。夫庸知其年之先後生於吾乎。是故無貴無賤。無長無少。道之所存。師之所存也。嗟乎師道之不傳也久矣。欲人之無惑也難矣。古之聖人。其出人也遠矣。猶且從師而問焉。今之衆人。其去聖人也亦遠矣。而恥學於師。是故聖益聖。愚益愚。聖人之所以爲聖。愚人之所以爲愚。其皆出於此乎。愛其子。擇師而教之。於其身也。則恥師焉。惑矣。彼童子之師。授之書而習其句讀者也。非吾所謂傳其道解其惑者也。句讀之不知。惑之不解。或師之。或不焉。小

學而大遺。吾未見其明也。巫醫樂師百工之人。不恥相師。士大夫之族。曰師曰弟子云者。則群聚而笑之。問之。則曰彼與彼年相若也。道相似也。位卑則足羞。官盛則近諛。嗚呼師道之不復。可知矣。巫醫樂師百工之人。君子鄙之。今其智乃反不能及。可怪也歟。聖人無常師。萇弘師襄老聃郯子之徒。其賢不及孔子。孔子曰。三人行必有我師焉。故弟子不必不如師。師不必賢於弟子。聞道有先後。術業有專攻。如斯而已。李氏子蟠年十七。好古文。六藝經傳。皆通習之。不拘於時。請學於余。余嘉其能行古道。作師說以貽之。

（十五）雜說一　韓愈

龍噓氣成雲。雲固弗靈於龍也。然龍乘是氣。茫洋窮乎玄間。薄日月。伏光景。感震電。神變化。水下土。汨陵谷。雲亦靈怪矣哉。雲龍之所能使爲靈也。若龍之靈。則非雲之所能使爲靈也。然龍弗得雲。無以神其靈矣。失其所憑依。信不可歟。異哉其所憑依。乃其所自爲也。易曰。雲從龍。既曰龍。雲從之矣。

（十六）雜說四　韓愈

世有伯樂。然後有千里馬。千里馬常有。而伯樂不常有。故雖有名馬。祇辱於奴隸人之手。駢死於槽櫪之間。不以千里稱也。馬之千里者。一食或盡粟一石。食馬者。不知其能千里而食也。是馬也雖有千里之能。食不飽。力不足。才美不外見。且欲與常馬等。不可得。安求其能千里也。策之不以其道。食之不能盡其材。鳴之不能通其意。執策而臨之曰。天下無良馬。嗚呼。其眞無馬邪。其眞不識馬邪。

（十七）捕蛇者說　柳宗元

永州之野產異蛇。黑質而白章。觸草木盡死。以齧人。無禦之者。然得而腊之以爲餌。可以已大風攣踠瘻癘。去死肌。殺三蟲。其始太醫以王命聚之。歲賦其二。募有能

捕之者。當其租入。永之人爭奔走焉。有蔣氏者。專其利三世矣。問之則曰。吾祖死於是。吾父死於是。今吾嗣爲之十二年。幾死者數矣。言之。貌若甚戚者。余悲之。且曰。若毒之乎。余將告於蒞事者。更若役。復若賦。則如何。蔣氏大戚。汪然出涕曰。君將哀而生之乎。則吾斯役之不幸。未若復吾賦不幸之甚也。嚮吾不爲斯役。則久已病矣。自吾氏三世居是鄉。積於今六十歲矣。而鄉鄰之生日蹙。殫其地之出。竭其廬之入。號呼而轉徙。餓渴而頓踣。觸風雨。犯寒暑。呼噓毒癘。往往而死者相藉也。曩與吾祖居者。今其室十無一焉。與吾父居者。今其室十無

二三焉。與吾居十二年者。今其室十無四五焉。非死則徙爾。而吾以捕蛇獨存。悍吏之來吾鄕。叫囂乎東西。隳突乎南北。譁然而駭者。雖雞狗不得寧焉。吾恂恂而起視其缶。而吾蛇猶存。則弛然而臥。謹食之。時而獻焉。退而甘食其土之有。以盡吾齒。蓋一歲之犯死者二焉。其餘則熙熙而樂。豈若吾鄕鄰之旦旦有是哉。今雖死乎此。比吾鄕鄰之死則已後矣。又安敢毒耶。余聞而愈悲。孔子曰。苛政猛於虎也。吾嘗疑於是。今以蔣氏觀之。猶信。嗚呼。孰知賦斂之毒有甚是蛇者乎。故爲之說。以俟夫觀人風者得焉。

(十八) 鈷鉧潭記

柳宗元

鈷鉧潭在西山西。其始蓋冉水自南奔注。抵山石屈折東流。其顚委勢峻。盪擊益暴。齧其涯。故旁廣而中深。畢至石乃止。流沫成輪。然後徐行。其淸而平者且十畝。有樹環焉。有泉懸焉。其上有居者。以予之亟游也。一旦款門來告曰。不勝官租私券之委積。既芟山而更居。願以潭上田貿財以緩禍。予樂而如其言。則崇其臺。延其檻。行其泉於高而墜之潭。有聲潨然。尤與中秋觀月爲宜。於以見天之高氣之迴。孰使予樂居夷而忘故土者。非茲潭也歟。

(十九) 鈷鉧潭西小邱記

柳宗元

得西山後八日。尋山口西北道二百步。又得鈷鉧潭。西二十五步。當湍而浚者爲魚梁。梁之上有邱焉。生竹樹。其石之突怒偃蹇。負土而出。爭爲奇狀者。殆不可數。其嶔然相累而下者。若牛馬之飲於溪。其衝然角列而上者。若熊羆之登於山。邱之小不能一畝。可以籠而有之。問其主。曰。唐氏之棄地。貨而不售。問其價。曰。止四百。余憐而售之。李深源元克己時同遊。皆大喜。出自意外。即更取器用。剷刈穢草。伐去惡木。烈火而焚之。嘉木立。美竹露。奇石顯。由其中以望。則山之高。雲之浮。溪之流。鳥

獸魚之遨遊。擧熙熙然迴巧獻伎。以效茲邱之下。枕席而臥。則淸冷之狀與目謀。瀯瀯之聲與耳謀。悠然而虛者與神謀。淵然而靜者與心謀。不匝旬而得異地者二。雖古好事之士。或未能至焉。噫以茲邱之勝。致之灃鎬鄠杜。則貴游之士爭買者。日增千金而愈不可得。今棄是州也。農夫漁夫過而陋之。賈四百。連歲不能售。而我與深源克己。獨喜得之。是其果有遭乎。書於石。所以賀茲丘之遭也。

(二十) 至小丘西小石潭記

柳宗元

從小丘西行百二十步。隔篁竹聞水聲。如鳴佩環。心樂

之。伐竹取道。下見小潭。水尤清洌。全石以爲底。近岸卷石底以出。爲坻。爲嶼。爲嵁。爲巖。青樹翠蔓。蒙絡搖綴。參差披拂。潭中魚可百許頭。皆若空遊無所依。日光下徹。影布石上。怡然不動。俶爾遠逝。往來翕忽。似與遊者相樂。潭西南而望。斗折蛇行。明滅可見。其岸勢犬牙差互。不可知其源。坐潭上。四面竹樹環合。寂寥無人。淒神寒骨。悄愴幽邃。以其境過清。不可久居。乃記之而去。同遊者。吳武陵。龔古。余弟宗玄。隸而從者。崔氏二小生。曰恕己。曰奉壹。

(二) 袁家渴記

柳宗元

由冉溪西南。水行十里。山水之可取者五。莫若鈷鉧潭。由溪口而西。陸行可取者八九。莫若西山。由朝陽巖東南。水行至蕪江。可取者三。莫如袁家渴。皆永中幽麗奇處也。楚越之間方言。謂水之反流者爲渴。音若衣褐之褐。渴上與南館高嶂合。下與百家瀨合。其中重洲小溪。澄潭淺渚。閒廁曲折。平者深黑。峻者沸白。舟行若窮。忽又無際。有小山出水中。山皆美石。上生青叢。冬夏常蔚然。其旁多巖洞。其下多白礫。其樹多楓柟石楠楩櫧樟柚。草則蘭芷。又有異卉。類合歡而蔓生。轇轕水石。每風自四山而下。振動大木。掩苒衆草。紛紅駭綠。蓊葧香氣。

衝濤旋瀨。退貯谿谷。搖颺葳蕤。與時推移。其大都如此。余無以窮其狀。永之人未嘗遊焉。余得之。不敢專也。出而傳於世。其地世主袁氏。故以名焉。

(三) 石渠記

柳宗元

自渴西南行。不能百步。得石渠。民橋其上。有泉幽幽然。其鳴乍大乍細。渠之廣。或咫尺。或倍尺。其長可十許步。其流抵大石。伏出其下。踰石而往。有石泓。菖蒲被之。青鮮環周。又折西行。旁陷巖石下。北墮小潭。潭幅員減百尺。清深多儵魚。又北曲行紆餘。睨若無窮。然卒入於渴。其側皆詭石怪木。奇卉美箭。可列坐而庥焉。風搖其巔。韻動崖谷。視之既靜。其聽始遠。予從州牧得之。攬去翳朽。決疏土石。既崇而焚。既釃而盈。惜其未始有傳焉者。故累記其所屬。遺之其人。書之其陽。俾後好事者求之得以易。元和七年正月八日。蠲渠至大石。十月十九日。踰石得石泓小潭。渠之美於是始窮也。

(三) 石澗記

柳宗元

石渠之事既窮。上由橋西北。下土山之陰。民又橋焉。其水之大。倍石渠三之一。亘石爲底。達于兩涯。若床若堂。若陳筵席。若限閫奧。水平布其上。流若織文。響若操琴。揭跣而往。折竹。掃陳葉。排腐木。可羅胡床十八九居之。

交絡之流。觸激之音。皆在床下。翠羽之木。龍鱗之石。均蔭其上。古之人其有樂乎此耶。後之來者。有能追余之踐履耶。得意之日與石渠同。由渴而來者。先石渠後石澗。由百家瀨上而來者。先石澗後石渠。澗之可窮者皆出石城村東南。其間可樂者數焉。其上深山幽林逾峭險。道狹不可窮也。

（二四）小石城山記　柳宗元

自西山道口徑北。踰黃茅嶺而下。有二道。其一西出。尋之無所得。其一少北而東。不過四十丈。土斷而川分。有積石。橫當其垠。其上爲睥睨梁欐之形。其旁出堡塢有

若門焉。窺之正黑。投以小石。洞然有水聲。其響之激越。良久乃已。環之可上。望甚遠。無土壤而生嘉樹美箭。益奇而堅。其疏數偃仰。類智者所施設也。噫吾疑造物者之有無久矣。及是愈以爲誠有。又怪其不爲之於中州。而列是夷狄。更千百年。不得一售其伎。是固勞而無用。神者儻不宜如是。則其果無乎。或曰。以慰夫賢而辱於此者。或曰。其氣之靈。不爲偉人。而獨爲是物。故楚之南。少人而多石。是二者余未信之。

（二五）藍田縣丞廳壁記　韓愈

丞之職所以貳令。於一邑無所不當問。其下主簿尉。主簿尉乃有分職。丞位高而偪。例以嫌。不可否事。文書行。吏抱成案詣丞。卷其前。鉗以左手。右手摘紙尾。雁鶩行以進。平立睨丞曰。當署。丞涉筆占位署惟謹。目吏問可不可。吏曰得則退。不敢略省。漫不知何事。官雖貴。力勢反出主簿尉下。諺數慢必曰丞。至以相訾謷。丞之設。豈端使然哉。博陵崔斯立。種學績文以蓄其有。泓涵演迤。日大以肆。貞元初。挾其能戰藝於京師。再進再屈於人。元和初。以前大理評事言得失黜官。再轉而爲丞茲邑。始至喟曰。官無卑。顧材不足塞責。既噤不得施用。又喟曰。丞哉丞哉。余不負丞。而丞負余。則盡枿去牙角。一躡

故跡。破崖岸而爲之。丞廳故有記。壞漏汚不可讀。斯立易桷與瓦。墁治壁。悉書前任人名氏。庭有老槐四行。南牆鉅竹千挺。儼立如相持。水㶁㶁循除鳴。斯立痛掃漑。對樹二松。日哦其間。有問者輒對曰。余方有公事。子姑去。

（二六）柳州羅池廟碑　韓愈

羅池廟者。故刺史柳侯廟也。柳侯爲州。不鄙夷其民。動以禮法。三年。民各自矜奮。茲土雖遠京師。吾等亦天氓。今天幸惠仁侯。若不化服。我則非人。於是老少相教語。莫違侯令。凡有所爲於其鄉閭。及於其家。皆曰。吾侯聞

之。得無不可於意否。莫不忖度而後從事。凡令之期。民勸趨之。無有後先。必以其時。於是民業有經。公無負租。流逋四歸。樂生興事。宅有新屋。步有新船。池園潔修。豬牛鴨雞。肥大蕃息。子嚴父詔。婦順夫指。嫁娶葬送。各有條法。出相弟長。入相慈孝。先時民貧。以男女相質。久不得贖。盡沒爲隷。我侯之至。按國之故。以傭除本。悉奪歸之。大修孔子廟。城郭巷道。皆治使端正。樹以名木。柳民既皆悅喜。常與其部將魏忠謝寧歐陽翼。飲酒驛亭。謂曰。吾棄於時而寄於此。與若等好也。明年吾將死。死而爲神。後三年爲廟祀我。及期而死。三年孟秋辛卯。侯降於州之後堂。歐陽翼等見而拜之。其夕夢翼而告曰。館我於羅池。其月景辰。廟成大祭。過客李儀醉酒。慢侮堂上。得疾。扶出廟門即死。明年春。魏忠歐陽翼使謝寧來京師。請書其事於石。余謂柳侯生能澤其民。死能驚動福禍之。以食其土。可謂靈也已。作迎享送神詩。遺柳民俾歌以祀焉。而并刻之。柳侯河東人。諱宗元字子厚。賢而有文章。嘗位於朝光顯矣。已而擯不用。其辭曰。

荔子丹兮蕉黃。雜肴蔬兮進侯堂。侯之船兮兩旗。度中流兮風泊之。待侯不來兮不知我悲。侯乘駒兮入廟。慰我民兮不嚬以笑。鵞之山兮柳之水。桂樹團團兮白石齒齒。侯朝出遊兮暮來歸。春與猿吟兮秋鶴與飛。北方之人兮爲侯是非。千秋萬歲兮侯無我違。福我兮壽我。驅厲鬼兮山之左。下無苦濕兮高無乾。秔稌充羨兮蛇蛟結蟠。我民報事兮無怠其始。自今兮欽於世世。

(三七) 陸文通先生墓表　　柳　宗　元

孔子作春秋。千五百年。以名爲傳者五家。今用其三焉。秉觚牘焦思慮。以爲讀注疏說者。百千人矣。攻訐狠怒。以辭氣相擊排冒沒者。其爲書處則充棟宇。出則汗牛馬。或合而隱。或乖而顯。後之學者。窮老盡氣。左視右顧。莫得其本。則專其所學。以訾其所異。黨枯竹。護朽骨。以至於父子傷夷。君臣詆悖者。前世多有之。甚矣聖人之難知也。有吳郡人陸先生質。以其師友天水啖助泊趙匡。能知聖人之旨。故春秋之言。及是而光明。使庸人小童。皆可積學以入聖人之道。傳聖人之教。是其德豈不侈大矣哉。先生字某。既讀書得制作之本。而獲其師友。於是合古今。散同異。聯之以言。累之以文。蓋講道者二十年。書而志之者又十餘年。其事大備。爲春秋集注十篇。辨疑七篇。微指二篇。明章大中。發露公器。其道以生人爲主。以堯舜爲的。苞羅旁魄。膠轕下上。而不出于正。其法以文武爲首。以周公爲翼。揖讓升降。好惡喜怒。而不過乎物。既成。以授世之聰明之士。使陳而明之。故其書出焉。而先生爲巨儒。用是爲天子爭臣。尙書郞。國子博士。給事中。皇太子侍讀。皆得其道。刺二州守。人知仁。永貞年侍東宮。言其所學。爲古君臣圖以獻。而道達乎上。是歲嗣天子踐祚而理。尊優師儒。先生以疾聞。臨問加禮。某月日終於京師。某月日葬於某郡某里。嗚呼先生道之存也以書。不及施於政。道之行也以言。不及覩其理。門人世儒。是以增慟。將葬。以先生爲能文聖人之書。通於後世。遂相與諡曰文通先生。後若干祀。有學其書者。過其墓。哀其道之所由。乃作石以表碣。

(三八) 柳子厚墓誌銘　　韓　愈

子厚諱宗元。七世祖慶。爲拓跋魏侍中。封濟陰公。曾伯祖奭。爲唐宰相。與褚遂良韓瑗俱得罪武后。死高宗朝。皇考諱鎭。以事母棄太常博士。求爲縣令江南。其後以不能媚權貴失御史。權貴人死。乃復拜侍御史。號爲剛直。所與遊。皆當世名人。子厚少精敏。無不通達。逮其父時。雖少年已自成人。能取進士第。嶄然見頭角。衆謂柳氏有子矣。其後以博學宏詞。授集賢殿正字。儁傑廉悍。議論證據今古。出入經史百子。踔厲風發。率常屈其座人。名聲大振。一時皆慕與之交。諸公要人。爭欲令出我門下。交口薦譽之。貞元十九年。由藍田尉拜監察御史。順宗卽位。拜禮部員外郞。遇用事者得罪。例出爲刺史。未至。又例貶永州司馬。居閑益自刻苦。務記覽。爲詞章。汎濫停蓄。爲深博無涯涘。而自肆於山水間。元和中。嘗例召至京師。又偕出爲刺史。而子厚得柳州。既至。歎曰。是豈不足爲政邪。因其土俗。爲設教禁。州人順賴。其俗以男女質錢。約不時贖。子本相侔。則沒爲奴婢。子厚與設方計。悉令贖歸。其尤貧力不能者。令書其傭。足相當則使歸其質。觀察使下其法於他州。比一歲。免而歸者且千人。衡湘以南。爲進士者。皆以子厚爲師。其經承子

厚口講指畫爲文詞者。悉有法度可觀。其召至京師而復爲刺史也。中山劉夢得禹錫亦在遣中。當詣播州。子厚泣曰。播州非人所居。而夢得親在堂。吾不忍夢得之窮。無辭以白其大人。且萬無母子俱往理。請於朝。將拜疏願以柳易播。雖重得罪死不恨。遇有以夢得事白上者。夢得於是改刺連州。嗚呼。士窮乃見節義。今夫平居里巷相慕悅。酒食游戲相徵逐。詡詡強咲語。以相取下。握手出肺肝相示。指天日涕泣。誓生死不相背負。眞若可信。一旦臨小利害僅如毛髮比。反眼若不相識。落陷穽。不一引手救。反擠之又下石焉者。皆是也。此宜禽獸

夷狄所不忍爲。而其人自視以爲得計。聞子厚之風。亦可以少愧矣。」子厚前時少年。勇於爲人。不自貴重顧藉。謂功業可立就。故坐廢退。既退。又無相知有氣力得位者推挽。故卒死於窮裔。材不爲世用。道不行於時也。使子厚在臺省時。自持其身。已能如司馬刺史時。亦自不斥。斥時有人力能擧之。且必復用不窮。然子厚斥不久。窮不極。雖有出於人。其文學辭章。必不能自力以致必傳於後。如今無疑也。雖使子厚得所願。爲將相於一時。以彼易此。孰得孰失。必有能辨之者。」子厚以元和十四年十一月八日卒。年四十七。以十五年七月十日歸葬

萬年先人墓側。子厚有子。男二人。長曰周六。始四歲。季曰周七。子厚卒乃生。女子二人。皆幼。其得歸葬也。費皆出監察使河東裴君行立。行立有節槩。立然諾。與子厚結交。子厚亦爲之盡。竟賴其力。葬子厚於萬年之墓者。舅弟盧遵。遵涿人。性謹愼。學問不厭。自子厚之斥。遵從而家焉。逮其死不去。既往葬子厚。又將經紀其家。庶幾有始終者。銘曰。

是惟子厚之室。既固既安。以利其嗣人。

(三九)種樹郭槖駝傳　柳宗元

郭槖駝不知始何名。病僂。隆然伏行。有類槖駝者。故鄉人號之駝。駝聞之曰。甚善。名我固當。因捨其名。亦自謂槖駝云。其鄉曰豐樂鄉。在長安西。駝業種樹。凡長安豪富人爲觀游。及賣果者。皆爭迎取養視。駝所種樹。或移徙。無不活。且碩茂蚤實以蕃。他植者雖窺伺傚慕。莫能如也。」有問之。對曰。槖駝非能使木壽且孳也。能順木之天。以致其性焉爾。凡植木之性。其本欲舒。其培欲平。其土欲故。其築欲密。既然已。勿動勿慮。去不復顧。其蒔也若子。其置也若棄。則其天者全。而其性得矣。故吾不害其長而已。非有能碩茂之也。不抑耗其實而已。非有能蚤而蕃之也。他植者則不然。根拳而土易。其培之也。若

不過焉則不及。苟能有反是者。則又愛之太恩。憂之太勤。旦視而暮撫。已去而復顧。甚者爪其膚以驗其生枯。搖其本以觀其疏密。而木之性日以離矣。雖曰愛之。其實害之。雖曰憂之。其實讎之。故不我若也。吾又何能爲哉。」問者曰。以子之道。移之官理。可乎。駝曰。我知種樹而已。理非吾業也。然吾居鄉。見長人者。好煩其令。若甚憐焉。而卒以禍。旦暮吏來而呼曰。官命促爾耕。勗爾植。督爾穫。蚤繅而緒。蚤織而縷。字而幼孩。遂而鷄豚。鳴鼓而聚之。擊木而召之。吾小人輟飱饔以勞吏者。且不得暇。又何以蕃吾生。而安吾性耶。故病且怠。若是則與吾業

者其亦有類乎。問者嘻曰。不亦善夫。吾問養樹。得養人術。傳其事以爲官戒也

(三十)梓人傳　　柳宗元

裴封叔之第。在光德里。有梓人款其門。願傭隟宇而處焉。所職尋引規矩繩墨。家不居礱斲之器。問其能。曰。吾善度材。視棟宇之制。高深圓方短長之宜。吾指使而群工役焉。捨我。衆莫能就一宇。故食於官府。吾受祿三倍。作於私家。吾收其直太半焉。他日入其室。其牀闕足而不能理。曰將求他工。余甚笑之。謂其無能而貪祿嗜貨者。其後京兆尹將飾官署。余往過焉。委群材。會衆工。或執斧斤。或執刀鋸。皆環立向之。梓人左持引。右執杖而中處焉。量棟宇之任。視木之能。舉揮其杖曰斧。彼執斧者奔而右。顧而指曰鋸。彼執鋸者趨而左。俄而斤者斲。刀者削。皆視其色。俟其言。莫敢自斷者。其不勝任者。怒而退之。亦莫敢慍焉。畫宮於堵。盈尺而曲盡其制。計其毫釐而構大廈。無進退焉。既成。書於上棟曰。某年某月某日某建。則其姓氏也。凡執用之工不在列。余圜視大駭。然後知其術之工大矣。繼而歎曰。彼將捨其手藝。專其心智。而能知體要者歟。吾聞。勞心者役人。勞力者役於人。彼其勞心者歟。能者用而智者謀。彼其智者歟。是足

爲佐天子相天下法矣。物莫近乎此也。彼爲天下者。本於人。其執役者。爲徒隷。爲鄉師里胥。其上爲下士。又其上爲中士。爲上士。又其上爲大夫。爲卿。爲公。離而爲六職。判而爲百役。外薄四海。有方伯連率。郡有守。邑有宰。皆有佐政。其下有胥吏。又其下皆有嗇夫版尹以就役焉。猶衆工之各有執技以食力也。彼佐天子相天下者。舉而加焉。指而使焉。條其綱紀而盈縮焉。齊其法制而整頓焉。猶梓人之有規矩繩墨以定制也。擇天下之士。使稱其職。居天下之人。使安其業。視都知野。視野知國。視國知天下。其遠邇細大。可手據其圖而究焉。猶梓人畫宮於堵而績於成也。能者進而由之。使無所德。不能者退而休之。亦莫敢慍。不衒能。不矜名。不親小勞。不侵衆官。日與天下之英才。討論其大經。猶梓人之善運衆工而不伐藝也。夫然後相道得而萬國理矣。相道既得。萬國既理。天下舉首而望曰。吾相之功也。後之人循跡而慕曰。彼相之才也。士或談殷周之理者。曰伊傅周召。其百執事之勤勞。而不得紀焉。猶梓人自名其功。而執用者不列也。大哉相乎。通是道者。所謂相而已矣。其不知體要者反此。以恪勤爲公。以簿書爲尊。衒能矜名。親小勞。侵衆官。竊取六職百役之事。听听於府庭。而遺其

大者遠者焉。所謂不通是道者也。猶梓人而不知繩墨之曲直。規矩之方圓。尋引之短長。姑奪衆工之斧斤刀鋸。以佐其藝。又不能備其工。以至敗績用而無所成也。不亦謬歟。或曰。彼主爲室者。儻或發其私智。牽制梓人之慮。奪其世守。而道謀是用。雖不能成功。豈其罪邪。亦在任之而已。余曰。不然。夫繩墨誠陳。規矩誠設。高者不可抑而下也。狹者不可張而廣也。由我則固。不由我則圮。彼將樂去固而就圮也。則卷其術。默其智。悠爾而去。不屈吾道。是誠良梓人耳。其或嗜其貨利。忍而不能捨也。喪其制量。屈而不能守也。棟橈屋壞。則曰非我罪也。可乎哉。可乎哉。余謂梓人之道類於相。故書而藏之。梓人蓋古之審曲面勢者。今謂之都料匠云。余所遇者楊氏。潛其名。

(三) 毛穎傳　韓愈

毛穎者。中山人也。其先明眎。佐禹治東方土。養萬物有功。因封於卯地。死爲十二神。嘗曰。吾子孫神明之後。不可與物同。當吐而生。已而果然。明眎八世孫䨲。世傳當殷時居中山。得神仙之術。能匿光使物。竊姮娥。騎蟾蜍入月。其後代遂隱不仕云。居東郭者曰毚。狡而善走。與韓盧爭能。盧不及。盧怒與宋鵲謀而殺之。醢其家。秦始

皇時。蒙將軍恬南伐楚。次中山。將大獵以懼楚。召左右庶長與軍尉。以連山筮之。得天與人文之兆。筮者賀曰。今日之獲。不角不牙。衣褐之徒。缺口而長鬚。八竅而趺居。獨取其髦。簡牘是資。天下其同書。秦其遂兼諸侯乎。遂獵。圍毛氏之族。拔其豪。載穎而歸。獻俘於章臺宮。聚其族而加束縛焉。秦皇帝使恬賜之湯沐。而封之管城。號曰管城子。日見親重任事。穎爲人强記而便敏。自結繩之代以及秦事。無不纂錄。陰陽卜筮。占相醫方。族氏。山經地志。字書圖畫。九流百家天人之書。及至浮圖老子外國之說。皆所詳悉。又通於當代之務。官府簿書。市井貨錢注記。惟上所使。自秦皇帝及太子扶蘇胡亥丞相斯中車府令高。下及國人。無不愛重。又善隨人意。正直邪曲巧拙。一隨其人。雖見廢棄。終默不洩。惟不喜武士。然見請亦時往。累拜中書令。與上益狎。上嘗呼中書君。上親決事。以衡石自程。雖宮人不得立左右。獨穎與執燭者常侍。上休方罷。穎與絳人陳玄。弘農陶泓。及會稽楮先生友善。相推致。其出處必偕。上召穎。三人者不待詔輒俱往。上未嘗怪焉。後因進見。上將有任使。拂拭之。因免冠謝。上見其髮禿。又所摹畫。不能稱上意。上嘻笑曰。中書君老而禿。不任吾用。吾嘗謂君中書。君今不

中書耶。對曰。臣所謂盡心者。因不復召。歸封邑。終于管城。其子孫甚多。散處中國夷狄。皆冒管城。惟居中山者。能繼父祖業。

太史公曰。毛氏有兩族。其一姬姓。文王之子封於毛。所謂魯衛毛聃者也。戰國時有毛公毛遂。獨中山之族。不知其本所出。子孫最爲蕃昌。春秋之成。見絕於孔子。而非其罪。及蒙將軍拔中山之豪。始皇封之管城。世遂有名。而姬姓之毛無聞。穎始以俘見。卒見任使。秦之滅諸侯。穎與有功。賞不酬勞。以老見疎。秦眞少恩哉。

(三) 阿房宮賦　杜牧

六王畢。四海一。蜀山兀。阿房出。覆壓三百餘里。隔離天日。驪山北構而西折。直走咸陽。三川溶溶。流入宮墻。五步一樓。十步一閣。廊腰縵回。簷牙高啄。各抱地勢。鉤心鬭角。盤盤焉。囷囷焉。蜂房水渦。矗不知其幾千萬落。長橋臥波。未雲何龍。複道行空。不霽何虹。高低冥迷。不知西東。歌臺暖響。春光融融。舞殿冷袖。風雨淒淒。一日之內。一宮之間。而氣候不齊。妃嬪媵嬙。王子皇孫。辭樓下殿。輦來于秦。朝歌夜絃。爲秦宮人。明星熒熒。開粧鏡也。綠雲擾擾。梳曉鬟也。渭流漲膩。棄脂水也。烟斜霧橫。焚椒蘭也。雷霆乍驚。宮車過也。轆轆遠聽。杳不知其所之也。一肌一容。盡態極妍。縵立遠視。而望幸焉。有不得見者。三十六年。燕趙之收藏。韓魏之經營。齊楚之精英。幾世幾年。取掠其人。倚疊如山。一旦不能有。輸來其間。鼎鐺玉石。金塊珠礫。棄擲邐迤。秦人視之。亦不甚惜。嗟夫一人之心。千萬人之心也。秦愛紛奢。人亦念其家。奈何取之盡錙銖。用之如泥沙。使負棟之柱。多於南畝之農夫。架梁之椽。多於機上之工女。釘頭磷磷。多於在庾之粟粒。瓦縫參差。多於周身之帛縷。直欄橫檻。多於九土之城郭。管絃嘔啞。多於市人之言語。使天下之人。不敢言而敢怒。獨夫之心。日益驕固。戍卒叫。函谷舉。楚人一

炬。可憐焦土。嗚呼。滅六國者。六國也。非秦也。族秦者。秦也。非天下也。嗟夫。使六國各愛其人。則足以拒秦。秦復愛六國之人。則遞三世。可至萬世而爲君。誰得而族滅也。秦人不暇自哀。而後人哀之。後人哀之。而不鑑之。亦使後人復哀後人也。

孟子

(三) 見牛未見羊　梁惠王上

齊宣王問曰。齊桓晉文之事。可得聞乎。孟子對曰。仲尼之徒。無道桓文之事者。是以後世無傳焉。臣未之聞也。無以。則王乎。曰。德何如則可以王矣。曰。保民而王。莫之

能禦也曰若寡人者可以保民乎哉曰可曰何由知吾
可也曰臣聞之胡齕曰王坐於堂上有牽牛而過堂下
者王見之曰牛何之對曰將以釁鐘王曰舍之吾不忍
其觳觫若無罪而就死地對曰然則廢釁鐘與曰何可
廢也以羊易之不識有諸曰有之曰是心足以王矣百
姓皆以王爲愛也臣固知王之不忍也王曰然誠有百
姓者齊國雖褊小吾何愛一牛卽不忍其觳觫若無罪
而就死地故以羊易之也曰王無異於百姓之以王爲
愛也以小易大彼惡知之王若隱其無罪而就死地則
牛羊何擇焉王笑曰是誠何心哉我非愛其財而易之

以羊也宜乎百姓之謂我愛也曰無傷也是乃仁術也
見牛未見羊也君子之於禽獸也見其生不忍見其死
聞其聲不忍食其肉是以君子遠庖廚也王說曰詩云
他人有心予忖度之夫子之謂也夫我乃行之反而求
之不得吾心夫子言之於我心有戚戚焉此心之所以
合於王者何也曰有復於王者曰吾力足以擧百鈞而
不足以擧一羽明足以察秋毫之末而不見輿薪則王
許之乎曰否今恩足以及禽獸而功不至於百姓者獨
何與然則一羽之不擧爲不用力焉輿薪之不見爲不
用明焉百姓之不見保爲不用恩焉故王之不王不爲

也非不能也曰不爲者與不能者之形何以異曰挾泰
山以超北海語人曰我不能是誠不能也爲長者折枝
語人曰我不能是不爲也非不能也故王之不王非挾
泰山以超北海之類也王之不王是折枝之類也老吾
老以及人之老幼吾幼以及人之幼天下可運之掌詩
云刑于寡妻至于兄弟以御于家邦言擧斯心加諸彼
而已故推恩足以保四海不推恩無以保妻子古之人
所以大過人者無他焉善推其所爲而已矣今恩足以
及禽獸而功不至於百姓者獨何與權然後知輕重度
然後知長短物皆然心爲甚王請度之抑王興甲兵危

士臣構怨於諸侯然後快於心與王曰否吾何快於是
將以求吾所大欲也曰王之所大欲可得聞與王笑而
不言曰爲肥甘不足於口與輕煖不足於體與抑爲采
色不足視於目與聲音不足聽於耳與便嬖不足使令
於前與王之諸臣皆足以供之而王豈爲是哉曰否吾
不爲是也曰然則王之所大欲可知已欲辟土地朝秦
楚蒞中國而撫四夷也以若所爲求若所欲猶緣木而
求魚也王曰若是其甚與曰殆有甚焉緣木求魚雖不
得魚無後災以若所爲求若所欲盡心力而爲之後必
有災曰可得聞與曰鄒人與楚人戰則王以爲孰勝曰

楚人勝。曰。然則小固不可以敵大。寡固不可以敵衆。弱固不可以敵彊。海內之地。方千里者九。齊集有其一。以一服八。何以異於鄒敵楚哉。蓋亦反其本矣。今王發政施仁。使天下仕者皆欲立於王之朝。耕者皆欲耕於王之野。商賈皆欲藏於王之市。行旅皆欲出於王之塗。天下之欲疾其君者。皆欲赴愬於王。其若是孰能禦之。王曰。吾惛不能進於是矣。願夫子輔吾志。明以教我。我雖不敏。請嘗試之。曰。無恒產而有恒心者。惟士爲能。若民則無恒產。因無恒心。苟無恒心。放辟邪侈無不爲已。及陷於罪。然後從而刑之。是罔民也。焉有仁人在位。罔民

而可爲也。是故明君制民之產。必使仰足以事父母。俯足以畜妻子。樂歲終身飽。凶年免於死亡。然後驅而之善。故民之從之也輕。今也制民之產。仰不足以事父母。俯不足以畜妻子。樂歲終身苦。凶年不免於死亡。此惟救死而恐不贍。奚暇治禮義哉。王欲行之。則盍反其本矣。五畝之宅。樹之以桑。五十者可以衣帛矣。雞豚狗彘之畜。無失其時。七十者可以食肉矣。百畝之田。勿奪其時。八口之家。可以無飢矣。謹庠序之教。申之以孝悌之義。頒白者不負戴於道路矣。老者衣帛食肉。黎民不飢不寒。然而不王者。未之有也。

(三四) 與民同樂 梁惠王下

齊宣王見孟子於雪宮。王曰。賢者亦有此樂乎。孟子對曰。有。人不得。則非其上矣。不得而非其上者。非也。爲民上。而不與民同樂者。亦非也。樂民之樂者。民亦樂其樂。憂民之憂者。民亦憂其憂。樂以天下。憂以天下。然而不王者。未之有也。昔者齊景公問於晏子曰。吾欲觀於轉附朝儛。遵海而南放于琅邪。吾何修而可以比於先王觀也。晏子對曰。善哉問也。天子適諸侯曰巡狩。巡狩者。巡所守也。諸侯朝於天子曰述職。述職者。述所職也。無非事者。春省耕而補不足。秋省斂而助不給。夏諺曰。吾

王不遊。吾何以休。吾王不豫。吾何以助。一遊一豫。爲諸侯度。今也不然。師行而糧食。飢者弗食。勞者弗息。睊睊胥讒。民乃作慝。方命虐民。飲食如流。流連荒亡。爲諸侯憂。從流下而忘反。謂之流。從流上而忘反。謂之連。從獸無厭。謂之荒。樂酒無厭。謂之亡。先王無流連之樂。荒亡之行。惟君所行也。景公說。大戒於國。出舍於郊。於是始興發補不足。召太師曰。爲我作君臣相說之樂。蓋徵招角招是也。其詩曰。畜君何尤。畜君者。好君也。

(三五) 教玉人彫琢 梁惠王下

孟子見齊宣王曰。爲巨室。則必使工師求大木。工師得

大木。則王喜以爲能勝其任也。匠人斲而小之。則王怒以爲不勝其任矣。夫人幼而學之。壯而欲行之。王曰姑舍女所學而從我。則何如。今有璞玉於此。雖萬鎰。必使玉人彫琢之。至於治國家。則曰姑舍女所學而從我。則何以異於教玉人彫琢玉哉。

(三六) 若時雨降 梁惠王下

齊人伐燕取之。諸侯將謀救燕。宣王曰。諸侯多謀伐寡人者。何以待之。孟子對曰。臣聞七十里爲政於天下者。湯是也。未聞以千里畏人者也。書曰。湯一征自葛始。天下信之。東面而征。西夷怨。南面而征。北狄怨。曰奚爲後

我。民望之若大旱之望雲霓也。歸市者不止。耕者不變。誅其君而弔其民。若時雨降。民大悅。書曰。徯我后。后來其蘇。今燕虐其民。王往而征之。民以爲將拯己於水火之中也。簞食壺漿以迎王師。若殺其父兄。係累其子弟。毀其宗廟。遷其重器。如之何其可也。天下固畏齊之彊也。今又倍地而不行仁政。是動天下之兵也。王速出令。反其旄倪。止其重器。謀於燕衆。置君而後去之。則猶可及止也。

(三七) 養浩然之氣 公孫丑上

公孫丑問曰。夫子加齊之卿相。得行道焉。雖由此霸王不異矣。如此則動心否乎。孟子曰。否。我四十不動心。曰。若是。則夫子過孟賁遠矣。曰。是不難。告子先我不動心。曰。不動心有道乎。曰。有。北宮黝之養勇也。不膚撓。不目逃。思以一毫挫於人。若撻之於市朝。不受於褐寬博。亦不受於萬乘之君。視刺萬乘之君。若刺褐夫。無嚴諸侯。惡聲至必反之。孟施舍之所養勇也。曰。視不勝猶勝也。量敵而後進。慮勝而後會。是畏三軍者也。舍豈能爲必勝哉。能無懼而已矣。孟施舍似曾子。北宮黝似子夏。夫二子之勇。未知其孰賢。然而孟施舍守約也。昔者曾子謂子襄曰。子好勇乎。吾嘗聞大勇於夫子矣。自反而不

縮。雖褐寬博。吾不惴焉。自反而縮。雖千萬人。吾往矣。孟施舍之守氣。又不如曾子之守約也。曰。敢問夫子之不動心。與告子之不動心。可得聞與。告子曰。不得於言。勿求於心。不得於心。勿求於氣。不得於心。勿求於氣。可。不得於言。勿求於心。不可。夫志。氣之帥也。氣。體之充也。夫志至焉。氣次焉。故曰。持其志。無暴其氣。既曰。志至焉。氣次焉。又曰。持其志。無暴其氣者。何也。曰。志壹則動氣。氣壹則動志也。今夫蹶者趨者。是氣也。而反動其心。敢問。夫子惡乎長。曰。我知言。我善養吾浩然之氣。敢問。何謂浩然之氣。曰。難言也。其爲氣也。至大至剛。以直養而無

害。則塞于天地之間。其爲氣也。配義與道。無是餒也。是集義所生者。非義襲而取之也。行有不慊於心。則餒矣。我故曰。告子未嘗知義。以其外之也。必有事焉。而勿正。心勿忘。勿助長也無若宋人然。宋人有閔其苗之不長而揠之者。芒芒然歸。謂其人曰。今日病矣。予助苗長矣。其子趨而往視之。苗則槁矣。天下之不助苗長者寡矣。以爲無益而舍之者。不耘苗者也。助之長者。揠苗者也。非徒無益。而又害之。何謂知言。曰。詖辭知其所蔽。淫辭知其所陷。邪辭知其所離。遁辭知其所窮。生於其心。害於其政。發於其政。害於其事。聖人復起。必從吾言矣。宰

我子貢善爲說辭。冉牛閔子顏淵善言德行。孔子兼之。曰。我於辭命。則不能也。然則夫子既聖矣乎。曰。惡是何言也。昔者子貢問於孔子曰。夫子聖矣乎。孔子曰。聖則吾不能。我學不厭。而教不倦也。子貢曰。學不厭。智也。教不倦。仁也。仁且智。夫子既聖矣。夫聖孔子不居。是何言也。昔者竊聞之。子夏子游子張皆有聖人之一體。冉牛閔子顏淵。則具體而微。敢問所安。曰。姑舍是。曰。伯夷伊尹何如。曰。不同道。非其君不事。非其民不使。治則進。亂則退。伯夷也。何事非君。何使非民。治亦進。亂亦進。伊尹也。可以仕則仕。可以止則止。可以久則久。可以速則速。

孔子也。皆古聖人也。吾未能有行焉。乃所願則學孔子也。伯夷伊尹於孔子。若是班乎。曰。否。自有生民以來。未有孔子也。曰。然則有同與。曰。有。得百里之地而君之。皆能以朝諸侯。有天下。行一不義。殺一不辜。而得天下。皆不爲也。是則同。曰。敢問其所以異。曰。宰我子貢有若智足以知聖人。汙不至阿其所好。宰我曰。以予觀於夫子。賢於堯舜遠矣。子貢曰。見其禮而知其政。聞其樂而知其德。由百世之後。等百世之王。莫之能違也。自生民以來。未有夫子也。有若曰。豈惟民哉。麒麟之於走獸。鳳凰之於飛鳥。太山之於丘垤。河海之於行潦。類也。聖人之

於民。亦類也。出於其類。拔乎其萃。自生民以來。未有盛於孔子也。

(三八) 不忍人之心 公孫丑上

孟子曰。人皆有不忍人之心。先王有不忍人之心。斯有不忍人之政矣。以不忍人之心。行不忍人之政。治天下可運之掌上。所以謂人皆有不忍人之心者。今人乍見孺子將入於井。皆有怵惕惻隱之心。非所以內交於孺子之父母也。非所以要譽於鄉黨朋友也。非惡其聲而然也。由是觀之。無惻隱之心。非人也。無羞惡之心。非人也。無辭讓之心。非人也。無是非之心。非人也。惻隱之心。

仁之端也。羞惡之心。義之端也。辭讓之心。禮之端也。是非之心。智之端也。人之有是四端也。猶其有四體也。而自謂不能者。自賊者也。謂其君不能者。賊其君者也。凡有四端於我者。知皆擴而充之矣。若火之始然。泉之始達。苟能充之。足以保四海。苟不充之。不足以事父母。

(三九) 不如人和 公孫丑下

孟子曰。天時不如地利。地利不如人和。三里之城。七里之郭。環而攻之而不勝。夫環而攻之。必有得天時者矣。然而不勝者。是天時不如地利也。城非不高也。池非不深也。兵革非不堅利也。米粟非不多也。委而去之。是地

利不如人和也。故曰。域民不以封疆之界。固國不以山谿之險。威天下不以兵革之利。得道者多助。失道者寡助。寡助之至。親戚畔之。多助之至。天下順之。以天下之所順。攻親戚之所畔。故君子有不戰。戰必勝矣。

(四十) 進退有餘裕 公孫丑下

孟子謂蚳鼃曰。子之辭靈丘而請士師。似也。爲其可以言也。今既數月矣。未可以言與。蚳鼃諫於王而不用。致爲臣而去。齊人曰。所以爲蚳鼃則善矣。所以自爲。則吾不知也。公都子以告。曰。吾聞之也。有官守者。不得其職則去。有言責者。不得其言則去。我無官守。我無言責也。則吾進退。豈不綽綽然有餘裕哉。

(四一) 非其招不往 滕文公下

陳代曰。不見諸侯。宜若小然。今一見之。大則以王。小則以霸。且志曰。枉尺而直尋。宜若可爲也。孟子曰。昔齊景公田。招虞人以旌。不至。將殺之。志士不忘在溝壑。勇士不忘喪其元。孔子奚取焉。取非其招不往也。如不待其招而往。何哉。且夫枉尺而直尋者。以利言也。如以利。則枉尋直尺而利。亦可爲與。昔者趙簡子使王良與嬖奚乘。終日而不獲一禽。嬖奚反命曰。天下之賤工也。或以告王良。良曰。請復之。彊而後可。一朝而獲十禽。嬖奚反

命曰。天下之良工也。簡子曰。我使掌與女乘。謂王良。良不可曰。吾爲之範我馳驅。終日不獲一。爲之詭遇。一朝而獲十。詩云。不失其馳。舍矢如破。我不貫與小人乘。請辭。御者且羞與射者比。比而得禽獸。雖若丘陵。弗爲也。如枉道而從彼。何也。且子過矣。枉己者。未有能直人者也。

(四二) 子食功也 滕文公下

彭更問曰。後車數十乘。從者數百人。以傳食於諸侯。不以泰乎。孟子曰。非其道。則一簞食不可受於人。如其道。則舜受堯之天下。不以爲泰。子以爲泰乎。曰。否。士無事

而食。不可也。曰。子不通功易事。以羨補不足。則農有餘粟。女有餘布。子如通之。則梓匠輪輿皆得食於子。於此有人焉。入則孝。出則悌。守先王之道。以待後之學者。而不得食於子。子何尊梓匠輪輿。而輕爲仁義者哉。曰。梓匠輪輿。其志將以求食也。君子之爲道也。其志亦將以求食與。曰。子何以其志爲哉。其有功於子。可食而食之矣。且子食志乎。食功乎。曰。食志。曰。有人於此。毀瓦畫墁。其志將以求食也。則子食之乎。曰。否。曰。然則子非食志也。食功也。

(三)何待來年 滕文公下

戴盈之曰。什一。去關市之征。今茲未能。請輕之。以待來年然後已。何如。孟子曰。今有人日攘其鄰之雞者。或告之曰。是非君子之道。曰。請損之。月攘一雞。以待來年然後已。如知其非義。斯速已矣。何待來年。

(四)豈好辯哉 滕文公下

公都子曰。外人皆稱夫子好辯。敢問何也。孟子曰。予豈好辯哉。予不得已也。天下之生久矣。一治一亂。當堯之時。水逆行氾濫於中國。蛇龍居之。民無所定。下者爲巢。上者爲營窟。書曰。洚水警余。洚水者。洪水也。使禹治之。禹堀地而注之海。驅蛇龍而放之菹。水由地中行。江淮

河漢是也。險阻既遠。鳥獸之害人者消。然後人得平土而居之。堯舜既沒。聖人之道衰。暴君代作。壞宮室以爲汙池。民無所安息。棄田以爲園囿。使民不得衣食。邪說暴行又作。園囿汙池沛澤多。而禽獸至。及紂之身。天下又大亂。周公相武王誅紂。伐奄三年討其君。驅飛廉於海隅而戮之。滅國者五十。驅虎豹犀象而遠之。天下大悅。書曰。丕顯哉文王謨。丕承哉武王烈。佑啓我後人。咸以正無缺。世衰道微。邪說暴行有作。臣弒其君者有之。子弒其父者有之。孔子懼作春秋。春秋。天子之事也。是故孔子曰。知我者其惟春秋乎。罪我者其惟春秋乎。聖

王不作。諸侯放恣。處士橫議。楊朱墨翟之言盈天下。天下之言。不歸楊則歸墨。楊氏爲我。是無君也。墨氏兼愛。是無父也。無父無君。是禽獸也。公明儀曰。庖有肥肉。廐有肥馬。民有飢色。野有餓莩。此率獸而食人也。楊墨之道不息。孔子之道不著。是邪說誣民。充塞仁義也。仁義充塞。則率獸食人。人將相食。吾爲此懼。閑先聖之道。距楊墨。放淫辭。邪說者不得作。作於其心。害於其事。作於其事。害於其政。聖人復起。不易吾言矣。昔者禹抑洪水。而天下平。周公兼夷狄驅猛獸。而百姓寧。孔子成春秋。而亂臣賊子懼。詩云。戎狄是膺。荊舒是懲。則莫我敢承。

無父無君。是周公所膺也。我亦欲正人心。息邪說。距詖行。放淫辭以承三聖者。豈好辯哉。予不得已也。能言距楊墨者。聖人之徒也。

(四五) 仲子非廉士 滕文公下

匡章曰。陳仲子。豈不誠廉士哉。居於陵三日不食。耳無聞。目無見也。井上有李。螬食實者過半矣。匍匐往將食之。三咽然後耳有聞。目有見。孟子曰。於齊國之士。吾必以仲子爲巨擘焉。雖然。仲子惡能廉。充仲子之操。則蚓而後可者也。夫蚓。上食槁壤。下飲黃泉。仲子所居之室。伯夷之所築與。抑亦盜跖之所築與。所食之粟。伯夷之所樹與。抑亦盜跖之所樹與。是未可知也。曰。是何傷哉。彼身織屨。妻辟纑。以易之也。曰。仲子。齊之世家也。兄戴蓋祿萬鍾。以兄之祿。爲不義之祿而不食也。以兄之室。爲不義之室而不居也。辟兄離母。處於於陵。他日歸。則有饋其兄生鵝者。已頻顣曰。惡用是鶃鶃者爲哉。他日其母殺是鵝也。與之食之。其兄自外至曰。是鶃鶃之肉也。出而哇之。以母則不食。以妻則食之。以兄之室則弗居。以於陵則居之。是尚爲能充其類也乎。若仲子者。蚓而後充其操者也。

(四六) 自取之也 離婁上

孟子曰。不仁者。可與言哉。安其危而利其菑。樂其所以亡者。不仁而可與言。則何亡國敗家之有。有孺子歌曰。滄浪之水淸兮。可以濯我纓。滄浪之水濁兮。可以濯我足。孔子曰。小子聽之。淸斯濯纓。濁斯濯足矣。自取之也。夫人必自侮。然後人侮之。家必自毀。而後人毀之。國必自伐。而後人伐之。太甲曰。天作孽。猶可違。自作孽。不可活。此之謂也。

(四七) 養親之志 離婁上

孟子曰。事孰爲大。事親爲大。守孰爲大。守身爲大。不失其身。而能事其親者。吾聞之矣。失其身。而能事其親者。吾未之聞也。孰不爲事。事親。事之本也。孰不爲守。守身。守之本也。曾子養曾晳。必有酒肉。將徹。必請所與。問有餘。必曰有。曾晳死。曾元養曾子。必有酒肉。將徹。不請所與。問有餘。曰亡矣。將以復進也。此所謂養口體者也。若曾子。則可謂養志也。事親若曾子者。可也。

(四八) 有本者如是 離婁下

徐子曰。仲尼亟稱於水曰。水哉水哉。何取於水也。孟子曰。原泉混混。不舍晝夜。盈科而後進。放乎四海。有本者如是。是之取爾。苟爲無本。七八月之間。雨集溝澮皆盈。其涸也可立而待也。故聲聞過情。君子恥之。

(四九) 易地則皆然 離婁下

禹稷當平世。三過其門而不入。孔子賢之。顏子當亂世。居於陋巷。一簞食。一瓢飮。人不堪其憂。顏子不改其樂。孔子賢之。孟子曰。禹稷顏回同道。禹思天下有溺者。由己溺之也。稷思天下有飢者。由己飢之也。是以如是其急也。禹稷顏子。易地則皆然。今有同室之人鬭者。救之雖被髮纓冠而救之。可也。鄉鄰有鬭者。被髮纓冠而往救之。則惑也。雖閉戶可也。

(五十) 孔子集大成 萬章下

孟子曰。伯夷目不視惡色。耳不聽惡聲。非其君不事。非

其民不使。治則進。亂則退。橫政之所出。橫民之所止。不忍居也。思與鄉人處。如以朝衣朝冠坐於塗炭也。當紂之時。居北海之濱。以待天下之淸也。故聞伯夷之風者。頑夫廉。懦夫有立志。伊尹曰。何事非君。何使非民。治亦進。亂亦進。曰。天之生斯民也。使先知覺後知。使先覺覺後覺。予天民之先覺者也。予將以此道覺此民也。思天下之民匹夫匹婦。有不與被堯舜之澤者。若己推而內之溝中。其自任以天下之重也。柳下惠不羞汙君。不辭小官。進不隱賢。必以其道。遺佚而不怨。阨窮而不憫。與鄉人處。由由然不忍去也。爾爲爾。我爲我。雖袒裼裸裎於我側。爾焉能浼我哉。故聞柳下惠之風者。鄙夫寬。薄夫敦。孔子之去齊。接淅而行。去魯曰。遲遲吾行也。去父母國之道也。可以速而速。可以久而久。可以處而處。可以仕而仕。孔子也。孟子曰。伯夷。聖之淸者也。伊尹。聖之任者也。柳下惠。聖之和者也。孔子。聖之時者也。孔子之謂集大成。集大成也者。金聲而玉振之也。金聲也者。始條理也。玉振之也者。終條理也。始條理者。智之事也。終條理者。聖之事也。智譬則巧也。聖譬則力也。由射於百步之外也。其至爾力也。其中非爾力也。

(五一) 猶水之就下 告子上

告子曰。性猶湍水也。決諸東方。則東流。決諸西方。則西流。人性之無分於善不善也。猶水之無分於東西也。孟子曰。水信無分於東西。無分於上下乎。人性之善也。猶水之就下也。人無有不善。水無有不下。今夫水搏而躍之。可使過顙。激而行之。可使在山。是豈水之性哉。其勢則然也。人之可使爲不善。其性亦猶是也。

(五二) 平旦之氣 告子上

孟子曰。牛山之木嘗美矣。以其郊於大國也。斧斤伐之。可以爲美乎。是其日夜之所息。雨露之所潤。非無萌蘖之生焉。牛羊又從而牧之。是以若彼濯濯也。人見其濯

濯也。以爲未嘗有材焉。此豈山之性也哉。雖存乎人者。
豈無仁義之心哉。其所以放其良心者。亦猶斧斤之於
木也。旦旦而伐之。可以爲美乎。其日夜之所息。平旦之
氣。其好惡與人相近也者幾希。則其旦晝之所爲。有梏
亡之矣。梏之反覆。則其夜氣不足以存。夜氣不足以存。
則其違禽獸不遠矣。人見其禽獸也。而以爲未嘗有才
焉者。是豈人之情也哉。故苟得其養。無物不長。苟失其
養。無物不消。孔子曰。操則存。舍則亡。出入無時。莫知其
鄕。惟心之謂與。

(五三) 十日寒之 告子上

孟子曰。無或乎王之不智也。雖有天下易生之物也。一
日暴之。十日寒之。未有能生者也。吾見亦罕矣。吾退而
寒之者至矣。吾如有萌焉何哉。今夫奕之爲數。小數也。
不專心致志。則不得也。奕秋。通國之善奕者也。使奕秋
誨二人奕。其一人專心致志。惟奕秋之爲聽。一人雖聽
之。一心以爲有鴻鵠將至。思援弓繳而射之。雖與之俱
學。弗若之矣。爲是其智弗若與。曰。非然也。

(五四) 舍生而取義 告子上

孟子曰。魚我所欲也。熊掌亦我所欲也。二者不可得兼。
舍魚而取熊掌者也。生亦我所欲也。義亦我所欲也。二
者不可得兼。舍生而取義者也。生亦我所欲。所欲有甚
於生者。故不爲苟得也。死亦我所惡。所惡有甚於死者。
故患有所不辟也。如使人之所欲莫甚於生。則凡可以
得生者何不用也。使人之所惡莫甚於死者。則凡可以
辟患者何不爲也。由是則生。而有不用也。由是則可以
辟患。而有不爲也。是故所欲有甚於生者。所惡有甚於
死者。非獨賢者有是心也。人皆有之。賢者能勿喪耳。一
簞食。一豆羹。得之則生。弗得則死。嘑爾而與之。行道之
人弗受。蹴爾而與之。乞人不屑也。萬鍾則不辨禮義而
受之。萬鍾於我何加焉。爲宮室之美。妻妾之奉。所識窮

乏者得我與。鄕爲身死而不受。今爲宮室之美爲之。鄕
爲身死而不受。今爲妻妾之奉爲之。鄕爲身死而不受。
今爲所識窮乏者得我而爲之。是亦不可以已乎。此之
謂失其本心。

(五五) 無以小害大 告子下

孟子曰。人之於身也。兼所愛。兼所愛。則兼所養也。無尺
寸之膚不愛焉。則無尺寸之膚不養也。所以考其善不
善者。豈有他哉。於己取之而已矣。體有貴賤。有小大。無
以小害大。無以賤害貴。養其小者爲小人。養其大者爲
大人。今有場師。舍其梧檟。養其樲棘。則爲賤場師焉。養

其一指。而失其肩背而不知也。則爲狼疾人也。飮食之人。則人賤之矣。爲其養小以失大也。飮食之人無有失也。則口腹豈適爲尺寸之膚哉。

(五六) 有貴於己者 告子上

孟子曰。欲貴者。人之同心也。人人有貴於己者。弗思耳。人之所貴者。非良貴也。趙孟之所貴。趙孟能賤之。詩云。既醉以酒。既飽以德。言飽乎仁義也。所以不願人之膏粱之味也。令聞廣譽施於身。所以不願人之文繡也。

(五七) 王覇之罪人 告子下

孟子曰。五覇者。三王之罪人也。今之諸侯。五覇之罪人

也。今之大夫。今之諸侯之罪人也。天子適諸侯曰巡狩。諸侯朝於天子曰述職。春省耕而補不足。秋省斂而助不給。入其疆。土地辟。田野治。養老尊賢。俊傑在位。則有慶。慶以地。入其疆。土地荒蕪。遺老失賢。掊克在位。則有讓。一不朝。則貶其爵。再不朝。則削其地。三不朝。則六師移之。是故天子討而不伐。諸侯伐而不討。五覇者。摟諸侯以伐諸侯者也。故曰。五覇者。三王之罪人也。五覇。桓公爲盛。葵丘之會。諸侯束牲載書。而不歃血。初命曰。誅不孝。無易樹子。無以妾爲妻。再命曰。尊賢育才。以彰有德。三命曰。敬老慈幼。無忘賓旅。四命曰。士無世官。官事無攝。取士必得。無專殺大夫。五命曰。無曲防。無遏糴。無有封而不告。曰。凡我同盟之人。既盟之後。言歸于好。今之諸侯。皆犯此五禁。故曰。今之諸侯。五覇之罪人也。長君之惡。其罪小。逢君之惡。其罪大。今之大夫。皆逢君之惡。故曰。今之大夫。今之諸侯之罪人也。

(五八) 生於憂患 告子下

孟子曰。舜發於畎畝之中。傅說擧於版築之間。膠鬲擧於魚鹽之中。管夷吾擧於士。孫叔敖擧於海。百里奚擧於市。故天將降大任於是人也。必先苦其心志。勞其筋骨。餓其體膚。空乏其身。行拂亂其所爲。所以動心忍性

曾益其所不能。人恒過。然後能改。困於心。衡於慮。而後作。徵於色。發於聲。而後喩。入則無法家拂士。出則無敵國外患者。國恒亡。然後知生於憂患。而死於安樂也。

中學教科漢文讀本卷之九 終

明治三十二年二月二十日印刷
明治三十二年二月二十三日發行

定價二十五錢

編者　東京市本郷區追分町十四番地　福山義春
編者　東京市神田區裏猿樂町十八番地　服部誠一
發行兼印刷者　東京市日本橋區本石町十軒居六番地　阪上半七
活版印刷所　東京市神田區錦町二丁目四番地　行文堂印行

明治三十二年五月五日
文部省檢定濟

文學士 福山義春
服部誠一 共編

中等教科

漢文讀本

卷十

東京 育英舍

中等教科 漢文讀本卷之十目次

史記

(一)項羽本紀
(二)伯夷列傳
(三)莊周列傳
(四)樂毅列傳
(五)廉頗藺相如列傳
(六)屈原列傳

戰國策

(七)司馬錯駁張儀 秦策
(八)蔡澤感悟應侯 秦策
(九)居奇貨收巨利 秦策
(十)馮煖爲主市義 齊策
(十一)巧舌瞞着楚王 楚策
(十二)張儀主張連衡 楚策
(十三)觸讋諷諫威后 趙策
(十四)蘇代說燕昭王 燕策

中等教科 漢文讀本卷之十目次 終

中等教科 漢文讀本卷之十

文學士 福山義春
服部誠一 共編

史記

(一)項羽本紀

項籍者。下相人也。字羽。初起時。年二十四。其季父項梁。梁父即楚將項燕。爲秦將王翦所戮者也。項氏世世爲楚將。封於項。故姓項氏。項籍少時。學書不成。去學劍。又不成。項梁怒之。籍曰。書足以記名姓而已。劍一人敵。不足學。學萬人敵。於是項梁乃敎籍兵法。籍大喜。略知其意。又不肯竟學。項梁嘗有櫟陽逮。乃請蘄獄掾曹咎書。抵櫟陽獄掾司馬欣。以故事得已。項梁殺人。與籍避仇於吳中。吳中賢士大夫皆出項梁下。每吳中有大繇役及喪。項梁常爲主辦。陰以兵法部勒賓客及子弟。以是知其能。秦始皇帝游會稽。渡浙江。梁與籍俱觀。籍曰。彼可取而代也。梁掩其口曰。毋妄言。族矣。梁以此奇籍。籍長八尺餘。力能扛鼎。才氣過人。雖吳中子弟。皆已憚籍矣。秦二世元年七月。陳涉等起大澤中。其九月。會稽守通謂梁曰。江西皆反。此亦天亡秦之時也。吾聞先即制人。後則爲人所制。吾欲發兵使公及桓楚將。是時桓楚

亡在澤中。梁曰。桓楚亡。人莫知其處。獨籍知之耳。梁乃
出。誡籍持劍居外待。梁復入。與守坐曰。請召籍。使受命
召桓楚。守曰諾。梁召籍入。須臾梁眴籍曰。可行矣。於是
籍遂拔劍斬守頭。項梁持守頭。佩其印綬。門下大驚擾
亂。籍所擊殺數十百人。一府中皆慴伏。莫敢起。梁乃召
故所知豪吏。諭以所爲起大事。遂舉吳中兵。使人收下
縣。得精兵八千人。梁部署吳中豪傑爲校尉候司馬。有
一人不得用。自言於梁。梁曰。前時某喪使公主某事。不
能辦。以此不任用公。衆乃皆服。於是梁爲會稽守。籍爲
裨將。徇下縣。廣陵人召平。於是爲陳王徇廣陵。未能下。

聞陳王敗走。秦兵又且至。乃渡江。矯陳王命。拜梁爲楚
王上柱國。曰。江東已定。急引兵西擊秦。項梁乃以八千
人渡江而西。聞陳嬰已下東陽。使使與連和俱西。陳嬰
者。故東陽令史。居縣中素信謹。稱爲長者。東陽少年殺
其令。相聚數千人。欲置長。無適用。乃請陳嬰。嬰謝不能。
遂彊立嬰爲長。縣中從者得二萬人。少年欲立嬰便爲
王。異軍蒼頭特起。陳嬰母謂嬰曰。自我爲汝家婦。未嘗
聞汝先古之有貴者。今暴得大名。不祥。不如有所屬。事
成。猶得封侯。事敗。易以亡。非世所指名也。嬰乃不敢爲
王。謂其軍吏曰。項氏世世將家。有名於楚。今欲舉大事。

將非其人。不可。我倚名族。亡秦必矣。於是衆從其言。以
兵屬項梁。項梁渡淮。黥布蒲將軍亦以兵屬焉。凡六七
萬人。軍下邳。當是時。秦嘉已立景駒爲楚王。軍彭城東。
欲距項梁。項梁謂軍吏曰。陳王先首事。戰不利。未聞所
在。今秦嘉倍陳王而立景駒。逆無道。乃進兵擊秦嘉。秦
嘉軍敗走。追之至胡陵。嘉還戰一日。嘉死軍降。景駒走
死梁地。項梁已并秦嘉軍。軍胡陵。將引軍而西。章邯軍
至栗。項梁使別將朱雞石餘樊君與戰。餘樊君死。朱雞
石軍敗。亡走胡陵。項梁乃引兵入薛。誅雞石。項梁前使
項羽別攻襄城。襄城堅守不下。已拔皆阬之。還報項梁。

項梁聞陳王定死。召諸別將會薛計事。此時沛公亦起
沛往焉。居鄛人范增年七十。素居家好奇計。往說項梁
曰。陳勝敗固當。夫秦滅六國。楚最無罪。自懷王入秦不
反。楚人憐之至今。故楚南公曰。楚雖三戶。亡秦必楚也。
今陳勝首事。不立楚後而自立。其勢不長。今君起江東。
楚蜂起之將。皆爭附君者。以君世世楚將。爲能復立楚
之後也。於是項梁然其言。乃求楚懷王孫心。民間爲人
牧羊。立以爲楚懷王。從民所望也。陳嬰爲楚上柱國。封
五縣。與懷王都盱台。項梁自號爲武信君。居數月。引兵
攻亢父。與齊田榮司馬龍且軍救東阿。大破秦軍於東

阿。田榮即引兵歸。逐其王假。假亡走楚。假相田角亡走趙。角弟田間故齊將。居趙不敢歸。田榮立田儋子市爲齊王。項梁已破東阿下軍。遂追秦軍。數使使趣齊兵。欲與俱西。田榮曰。楚殺田假。趙殺田角田間。乃發兵。項梁曰。田假爲與國之王。窮來從我。不忍殺之。趙亦不殺田角田間以市於齊。齊遂不肯發兵助楚。項梁使沛公及項羽別攻城陽。屠之。西破秦軍濮陽東。秦兵收入濮陽。沛公項羽乃攻定陶。定陶未下。去。西略地至雝丘。大破秦軍。斬李由。還攻外黃。外黃未下。項梁起東阿。西北至定陶。再破秦軍。項羽等又斬李由。益輕秦有驕色。宋義

乃諫項梁曰。戰勝而將驕卒惰者敗。今卒少惰矣。秦兵日益。臣爲君畏之。項梁弗聽。乃使宋義使於齊。道遇齊使者高陵君顯。曰。公將見武信君乎。曰。然。曰。臣論武信君軍必敗。公徐行即免死。疾行則及禍。秦果悉起兵益章邯擊楚軍。大破之定陶。項梁死。沛公項羽去外黃攻陳留。陳留堅守。不能下。沛公項羽相與謀曰。今項梁軍破。士卒恐。乃與呂臣軍。俱引兵而東。呂臣軍彭城東。項羽軍彭城西。沛公軍碭。章邯已破項梁軍。則以爲楚地兵不足憂。乃渡河擊趙大破之。當此時。趙歇爲王。陳餘爲將。張耳爲相。皆走入鉅鹿城。章邯令王離涉間圍鉅

鹿。章邯軍其南。築甬道而輸之粟。陳餘爲將。將卒數萬人。而軍鉅鹿之北。此所謂河北之軍也。楚兵已破於定陶。懷王恐。從盱台之彭城。并項羽呂臣軍自將之。以呂臣爲司徒。以其父呂青爲令尹。以沛公爲碭郡長。封爲武安侯。將碭郡兵。初宋義所遇齊使者高陵君顯在楚軍。見楚王曰。宋義論武信君之軍必敗。居數日。軍果敗。兵未戰而先見敗徵。此可謂知兵矣。王召宋義與計事。而大說之。因置以爲上將軍。項羽爲魯公爲次將。范增爲末將。救趙。諸別將皆屬宋義。號爲卿子冠軍。行至安陽。留四十六日不進。項羽曰。吾聞秦軍圍趙王鉅鹿。疾

引兵渡河。楚擊其外。趙應其內。破秦軍必矣。宋義曰。不然。夫搏牛之蝱。不可以破蟣蝨。今秦攻趙。戰勝則兵罷。我承其敝。不勝。則我引兵鼓行而西。必舉秦矣。故不如先鬭秦趙。夫被堅執銳。義不如公。坐而運策。公不如義。因下令軍中曰。猛如虎。狠如羊。貪如狼。彊不可使者。皆斬之。乃遣其子宋襄相齊。身送之至無鹽。飲酒高會。天寒大雨。士卒凍飢。項羽曰。將戮力而攻秦。久留不行。今歲饑民貧。士卒食芋菽。軍無見糧。乃飲酒高會。不引兵渡河因趙食。與趙并力攻秦。乃曰承其敝。夫以秦之彊。攻新造之趙。其勢必舉趙。趙舉而秦彊。何敝之承。且國

兵新破。王坐不安席。掃境內而專屬於將軍。國家安危在此一舉。今不恤士卒而徇其私。非社稷之臣。項羽晨朝上將軍宋義。卽其帳中斬宋義頭。出令軍中曰。宋義與齊謀反楚。楚王陰令羽誅之。當是時。諸將皆慴服。莫敢枝梧。皆曰。首立楚者。將軍家也。今將軍誅亂。乃相與共立羽爲假上將軍。使人追宋義子。及之齊殺之。使桓楚報命於懷王。懷王因使項羽爲上將軍。當陽君蒲將軍皆屬項羽。項羽已殺卿子冠軍。威震楚國。名聞諸侯。乃遣當陽君蒲將軍。將卒二萬。渡河救鉅鹿。戰少利。陳餘復請兵。項羽乃悉引兵渡河。皆沈船。破釜甑。燒廬舍。

持三日糧。以示士卒必死。無一還心。於是至則圍王離。與秦軍遇九戰。絕其甬道。大破之。殺蘇角。虜王離。涉間不降楚。自燒殺。當是時。楚兵冠諸侯。諸侯軍救鉅鹿下者十餘壁。莫敢縱兵。及楚擊秦。諸將皆從壁上觀。楚戰士無不一以當十。楚兵呼聲動天。諸侯軍無不人人惴恐。於是已破秦軍。項羽召見諸侯將。入轅門。無不膝行而前。莫敢仰視。項羽由是始爲諸侯上將軍。諸侯皆屬焉。章邯軍棘原。項羽軍漳南。相持未戰。秦軍數却。二世使人讓章邯。章邯恐。使長史欣請事。至咸陽。留司馬門三日。趙高不見。有不信之心。長史欣恐。還走其軍。不敢

出故道。趙高果使人追之。不及。欣至軍報曰。趙高用事於中。下無可爲者。今戰能勝。高必疾妬吾功。戰不能勝。不免於死。願將軍孰計之。陳餘亦遺章邯書曰。白起爲秦將。南征鄢郢。北阬馬服。攻城略地。不可勝計。而竟賜死。蒙恬爲秦將。北逐戎人。開榆中地數千里。竟斬陽周。何者。功多秦不能盡封。因以法誅之。今將軍爲秦將三歲矣。所亡失以十萬數。而諸侯並起滋益多。彼趙高素諛日久。今事急。亦恐二世誅之。故欲以法誅將軍以塞責。使人更代將軍以脫其禍。夫將軍居外久。多內郤。有功亦誅。無功亦誅。且天之亡秦。無愚智皆知之。今將軍

內不能直諫。外爲亡國將。孤特獨立而欲常存。豈不哀哉。將軍何不還兵與諸侯爲從。約共攻秦。分王其地。南面稱孤。此孰與身伏鈇質。妻子爲僇乎。章邯狐疑。陰使候始成使項羽。欲約。約未成。項羽使蒲將軍日夜引兵渡三戶。軍漳南。與秦戰。再破之。項羽悉引兵擊秦軍汙水上。大破之。章邯使人見項羽。欲約。項羽召軍吏謀曰。糧少。欲聽其約。軍吏皆曰。善。項羽乃與期洹水南殷墟上。已盟。章邯見項羽而流涕。爲言趙高。項羽乃立章邯爲雍王。置楚軍中。使長史欣爲上將軍。將秦軍爲前行。到新安。諸侯吏卒異時故繇使屯戍過秦中。秦中吏卒

遇之多無狀。及秦軍降諸侯。諸侯吏卒乘勝。多奴虜使之。輕折辱秦吏卒。秦吏卒多竊言曰。章將軍等詐吾屬降諸侯。今能入關破秦。大善。卽不能。諸侯虜吾屬而東。秦必盡誅吾父母妻子。諸將微聞其計。以告項羽。項羽乃召黥布蒲將軍計曰。秦吏卒尙衆。其心不服。至關中不聽。事必危。不如擊殺之。而獨與章邯長史欣都尉翳入秦。於是楚軍夜擊阬秦卒二十餘萬人新安城南。行畧定秦地。函谷關有兵守關。不得入。又聞沛公已破咸陽。項羽大怒。使當陽君等擊關。項羽遂入至于戲西。沛公軍霸上。未得與項羽相見。沛公左司馬曹無傷使人

言於項羽曰。沛公欲王關中。使子嬰爲相。珍寶盡有之。項羽大怒曰。旦日饗士卒。爲擊破沛公軍。當是時。項羽兵四十萬。在新豐鴻門。沛公兵十萬。在霸上。范增說項羽曰。沛公居山東時。貪於財貨。好美姬。今入關。財物無所取。婦女無所幸。此其志不在小。吾令人望其氣。皆爲龍虎。成五采。此天子氣也。急擊勿失。楚左尹項伯者。項羽季父也。素善留侯張良。張良是時從沛公。項伯乃夜馳之沛公軍。私見張良。具告以事。欲呼張良與俱去。曰。毋從俱死也。張良曰。臣爲韓王送沛公。沛公今事有急。亡去不義。不可不語。良乃入。具告沛公。沛公大驚曰。爲

之奈何。張良曰。誰爲大王爲此計者。曰。鯫生說我曰。距關毋內諸侯。秦地可盡王也。故聽之。良曰。料大王士卒。足以當項王乎。沛公默然。曰。固不如也。且爲之奈何。張良曰。請往謂項伯。言沛公不敢背項王也。沛公曰。君安與項伯有故。張良曰。秦時與臣游。項伯殺人。臣活之。今事有急。故幸來告良。沛公曰。孰與君少長。良曰。長於臣。沛公曰。君爲吾呼入。吾得兄事之。張良出要項伯。項伯卽入見沛公。沛公奉卮酒爲壽。約爲婚姻。曰。吾入關。秋毫不敢有所近。籍吏民。封府庫。而待將軍。所以遣將守關者。備他盜之出入與非常也。日夜望將軍至。豈敢反乎。

願伯具言臣之不敢倍德也。項伯許諾。謂沛公曰。旦日不可不蚤自來謝項王。沛公曰。諾。於是項伯復夜去。至軍中。具以沛公言報項王。因言曰。沛公不先破關中。公豈敢入乎。今人有大功而擊之。不義也。不如因善遇之。項王許諾。沛公旦日從百餘騎。來見項王。至鴻門謝曰。臣與將軍戮力而攻秦。將軍戰河北。臣戰河南。然不自意能先入關破秦。得復見將軍於此。今者有小人之言。令將軍與臣有郤。項王曰。此沛公左司馬曹無傷言之。不然。籍何以至此。項王卽日因留沛公與飮。項王項伯東嚮坐。亞父南嚮坐。亞父者。范增也。沛公北嚮坐。張良

西嚮侍。范增數目項王。擧所佩玉玦以示之者三。項王默然不應。范增起。出召項莊謂曰。君王爲人不忍。若入前爲壽。壽畢請以劍舞。因擊沛公於坐殺之。不者。若屬皆且爲所虜。莊則入爲壽。壽畢。曰。君王與沛公飮。軍中無以爲樂。請以劍舞。項王曰。諾。項莊拔劍起舞。項伯亦拔劍起舞。常以身翼蔽沛公。莊不得擊。於是張良至軍門見樊噲。樊噲曰。今日之事何如。良曰。甚急。今者項莊拔劍舞。其意常在沛公也。噲曰。此迫矣。臣請入與之同命。噲即帶劍擁盾入軍門。交戟之衞士。欲止不內。樊噲側其盾以撞。衞士仆地。噲遂入。披帷西嚮立。瞋目視項

王。頭髮上指。目眦盡裂。項王按劍而跽曰。客何爲者。張良曰。沛公之參乘樊噲者也。項王曰。壯士。賜之卮酒。則與斗卮酒。噲拜謝起。立而飮之。項王曰。賜之彘肩。則與一生彘肩。樊噲覆其盾於地。加彘肩上。拔劍切而啗之。項王曰。壯士。能復飮乎。樊噲曰。臣死且不避。卮酒安足辭。夫秦王有虎狼之心。殺人如不能擧。刑人如恐不勝。天下皆叛之。懷王與諸將約曰。先破秦入咸陽者王之。今沛公先破秦入咸陽。毫毛不敢有所近。封閉宮室。還軍霸上。以待大王來。故遣將守關者。備他盜出入與非常也。勞苦而功高如此。未有封侯之賞。而聽細說。欲誅

有功之人。此亡秦之續耳。竊爲大王不取也。項王未有以應。曰。坐。樊噲從良坐。坐須臾。沛公起如廁。因招樊噲出。沛公已出。項王使都尉陳平召沛公。沛公曰。今者出未辭也。爲之奈何。樊噲曰。大行不顧細謹。大禮不辭小讓。如今人方爲刀俎。我爲魚肉。何辭爲。於是遂去。乃令張良留謝。良問曰。大王來何操。曰。我持白璧一雙。欲獻項王。玉斗一雙。欲與亞父。會其怒不敢獻。公爲我獻之。張良曰。謹諾。當是時。項王軍在鴻門下。沛公軍在霸上。相去四十里。沛公則置車騎。脫身獨騎。與樊噲夏侯嬰靳彊紀信等四人。持劍盾步走。從酈山下。道芷陽間行。

沛公謂張良曰。從此道至吾軍。不過二十里耳。度我至軍中。公乃入。沛公已去。間至軍中。張良入謝曰。沛公不勝桮杓。不能辭。謹使臣良奉白璧一雙。再拜獻大王足下。玉斗一雙。再拜奉大將軍足下。項王曰。沛公安在。良曰。聞大王有意督過之。脫身獨去。已至軍矣。項王則受璧。置之坐上。亞父受玉斗。置之地。拔劍撞而破之曰。唉。豎子不足與謀。奪項王天下者。必沛公也。吾屬今爲之虜矣。沛公至軍。立誅殺曹無傷。居數日。項羽引兵西屠咸陽。殺秦降王子嬰。燒秦宮室。火三月不滅。收其貨寶婦女而東。人或說項王曰。關中阻山河四塞。地肥饒可

都以覇。項王見秦宮室皆以燒殘破。又心懷思欲東歸。曰。富貴不歸故鄉。如衣繡夜行。誰知之者。說者曰。人言楚人沐猴而冠耳。果然。項王聞之。烹說者。項王使人致命懷王。懷王曰。如約。乃尊懷王爲義帝。項王欲自王。先王諸將相。謂曰。天下初發難時。假立諸侯後以伐秦。然身被堅執銳首事。暴露於野三年。滅秦定天下者。皆將相諸君與籍之力也。義帝雖無功。故當分其地而王之。諸將皆曰。善。乃分天下。立諸將爲侯王。項王范增疑沛公之有天下。業已講解。又惡負約。恐諸侯叛之。乃陰謀曰。巴蜀道險。秦之遷人皆居蜀。乃曰。巴蜀亦關中地也。

故立沛公爲漢王。王巴蜀漢中。都南鄭。而三分關中。王秦降將。以距塞漢王。項王乃立章邯爲雍王。王咸陽以西。都廢丘。長史欣者故爲櫟陽獄掾。嘗有德於項梁。都尉董翳者。本勸章邯降楚。故立司馬欣爲塞王。王咸陽以東。至河。都櫟陽。立董翳爲翟王。王上郡。都高奴。徙魏王豹爲西魏王。王河東。都平陽。瑕丘申陽者。張耳嬖臣也。先下河南郡。迎楚河上。故立申陽爲河南王。都雒陽。韓王成因故都。都陽翟。趙將司馬卬定河內。數有功。故立卬爲殷王。王河內。都朝歌。徙趙王歇爲代王。趙相張耳素賢。又從入關。故立耳爲常山王。王趙地。都襄國。當陽君黥布爲楚將。常冠軍。故立布爲九江王。都六。鄱君吳芮率百越佐諸侯。又從入關。故立芮爲衡山王。都邾。義帝柱國共敖將兵擊南郡。功多。因立敖爲臨江王。都江陵。徙燕王韓廣爲遼東王。燕將臧荼從楚救趙。因從入關。故立荼爲燕王。都薊。徙齊王田市爲膠東王。齊將田都從共救趙。因從入關。故立都爲齊王。都臨菑。故秦所滅齊王建孫田安。項羽方渡河救趙。田安下濟北數城。引其兵降項羽。故立安爲濟北王。都博陽。田榮者數負項梁。又不肯將兵從楚擊秦。以故不封。成安君陳餘棄將印去。不從入關。然素聞其賢有功於趙。聞其在南

皮。故因環封三縣。番君將梅鋗功多。故封十萬戶侯。項王自立爲西楚覇王。王九郡。都彭城。漢之元年四月。諸侯罷戲下。各就國。項王出之國。使人徙義帝曰。古之帝者。地方千里。必居上游。乃使使徙義帝長沙郴縣。趣義帝行。其羣臣稍稍背叛之。乃陰令衡山臨江王擊殺之江中。韓王成無軍功。項王不使之國。與俱至彭城。廢以爲侯。已又殺之。臧荼之國。因逐韓廣之遼東。廣弗聽。荼擊殺廣無終。并王其地。田榮聞項羽徙齊王市膠東。而立齊將田都爲齊王。乃大怒。不肯遣齊王之膠東。因以齊反。迎擊田都。田都走楚。齊王市畏項王。乃亡之膠東。

就國。田榮怒。追擊殺之即墨。榮因自立爲齊王。而西擊殺濟北王田安。幷王三齊。榮與彭越將軍印。令反梁地。陳餘陰使張同夏說說齊王田榮曰。項羽爲天下宰不平。今盡王故王於醜地。而王其羣臣諸將善地。逐其故主趙王。乃北居代。餘以爲不可。聞大王起兵。且不聽不義。願大王資餘兵。請以擊常山。以復趙王。請以國爲扞蔽。齊王許之。因遣兵之趙。陳餘悉發三縣兵。與齊幷力擊常山。大破之。張耳走歸漢。陳餘迎故趙王歇於代。反之趙。趙王因立陳餘爲代王。是時漢還定三秦。項羽聞漢王皆已幷關中。且東。齊趙叛之。大怒。乃以故吳令鄭

昌爲韓王。以距漢。令蕭公角等擊彭越。彭越敗蕭公角等。漢使張良徇韓。乃遺項王書曰。漢王失職。欲得關中如約卽止不敢東。又以齊梁反書遺項王曰。齊欲與趙幷滅楚。楚以此故無西意。而北擊齊。徵兵九江王布。布稱疾不往。使將將數千人行。項王由此怨布也。漢之二年冬。項王遂北至城陽。田榮亦將兵會戰。田榮不勝。走至平原。平原民殺之。遂北燒夷齊城郭室屋。皆阬田榮降卒。係虜其老弱婦女。徇齊至北海。多所殘滅。齊人相聚而叛之。於是田榮弟田橫。收齊亡卒。得數萬人。反城陽。項王因留連戰。未能下。春漢王部五諸侯兵。凡五十

六萬人。東伐楚。項王聞之。卽令諸將擊齊。而自以精兵三萬人。南從魯出胡陵。四月。漢皆已入彭城。收其貨寶美人。日置酒高會。項王乃西從蕭晨擊漢軍。而東至彭城。日中大破漢軍。漢軍皆走。相隨入穀泗水。殺漢卒十餘萬人。漢卒皆南走山。楚又追擊至靈壁東睢水上。漢軍卻。爲楚所擠。多殺漢卒。十餘萬人皆入睢水。睢水爲之不流。圍漢王三匝。於是大風從西北而起。折木發屋。揚沙石。窈冥晝晦。逢迎楚軍。楚軍大亂壞散。而漢王乃得與數十騎遁去。欲過沛收家室而西。楚亦使人追之沛。取漢王家。家皆亡。不與漢王相見。漢王道逢得孝惠

魯元。乃載行。楚騎追漢王。漢王急。推墮孝惠魯元車下。滕公常下收載之。如是者三。曰雖急不可以驅。奈何棄之。於是遂得脫。求太公呂后不相遇。審食其從太公呂后。間行求漢王。反遇楚軍。楚軍遂與歸報項王。項王常置軍中。是時呂后兄周呂侯爲漢將兵居下邑。漢王間往從之。稍稍收其士卒。至滎陽。諸敗軍皆會。蕭何亦發關中老弱未傅悉詣滎陽。復大振。楚起於彭城。常乘勝逐北。與漢戰滎陽南京索間。漢敗楚。楚以故不能過滎陽而西。項王之救彭城。追漢王至滎陽。田橫亦得收齊。立田榮子廣爲齊王。漢王之敗彭城。諸侯皆復與楚而

背漢。漢軍滎陽。築甬道屬之河。以取敖倉粟」漢之三年。項王數侵奪漢甬道。漢王食乏。恐請和。割滎陽以西爲漢。項王欲聽之。歷陽侯范增曰。漢易與耳。今釋弗取。後必悔之。項王乃與范增急圍滎陽。漢王患之。乃用陳平計間項王。項王使者來。爲太牢具。擧欲進之。見使者。佯驚愕曰。吾以爲亞父使者。乃反項王使者。更持去。以惡食食項王使者。使者歸報項王。項王乃疑范增與漢有私。稍奪之權。范增大怒曰。天下事大定矣。君王自爲之。願賜骸骨歸卒伍。項王許之。行未至彭城。疽發背而死」。漢將紀信說漢王曰。事已急矣。請爲王誑楚爲王。王可以間出。於是漢王夜出女子滎陽東門。被甲二千人。楚兵四面擊之。紀信乘黃屋車。傅左纛。曰城中食盡。漢王降。楚軍皆呼萬歲。漢王亦與數十騎。從城西門出。走成皐。項王見紀信。問漢王安在。信曰。漢王已出矣。項王燒殺紀信。漢王使御史大夫周苛樅公魏豹守滎陽。周苛樅公謀曰。反國之王。難與守城。乃共殺魏豹。楚下滎陽城。生得周苛。項王謂周苛曰。爲我將。我以公爲上將軍。封三萬戶。周苛罵曰。若不趣降漢。漢今虜若。若非漢敵也。項王怒。烹周苛。并殺樅公。漢王之出滎陽。南走宛葉。得九江王布。行收兵。復入保成皐」漢之四年。項王進兵

圍成皐。漢王逃。獨與滕公出成皐北門。渡河走修武。從張耳韓信軍。諸將稍稍得出成皐。從漢王。楚遂拔成皐欲西。漢使兵距之鞏。令其不得西。是時彭越渡河。擊楚東阿。殺楚將軍薛公。項王乃自東擊彭越。漢王得淮陰侯兵。欲渡河南。鄭忠說漢王。乃止壁河內。使劉賈將兵佐彭越。燒楚積聚。項王東擊破之。走彭越。漢王則引兵渡河。復取成皐。軍廣武。就敖倉食。項王已定東海來。西與漢俱臨廣武而軍。相守數月。當此時。彭越數反梁地。絕楚糧食。項王患之。爲高俎置太公其上。告漢王曰。今不急下。吾烹太公。漢王曰。吾與項羽俱北面受命懷王。曰約爲兄弟。吾翁卽若翁。必欲烹而翁。則幸分我一桮羹。項王怒。欲殺之。項伯曰。天下事未可知。且爲天下者不顧家。雖殺之無益。祇益禍耳。項王從之。楚漢久相持未決。丁壯苦軍旅。老弱罷轉漕。項王謂漢王曰。天下匈匈數歲者。徒以吾兩人耳。願與漢王挑戰。決雌雄。毋徒苦天下之民父子爲也。漢王笑謝曰。吾寧鬪智。不能鬪力。項王令壯士出挑戰。漢有善騎射者樓煩。楚挑戰三合。樓煩輒射殺之。項王大怒。乃自被甲持戟挑戰。樓煩欲射之。項王瞋目叱之。樓煩目不敢視。手不敢發。遂走還入壁。不敢復出。漢王使人間問之。乃項王也。漢王大

驚。於是項王乃卽漢王。相與臨廣武間而語。漢王數之。項王怒欲一戰。漢王不聽。項王伏弩。射中漢王。漢王傷。走入成皐。項王聞淮陰侯已擧河北。破齊趙。且欲擊楚。乃使龍且往擊之。淮陰侯與戰。騎將灌嬰擊之。大破楚軍殺龍且。韓信因自立爲齊王。項王聞龍且軍破則恐。使盱台人武涉往說淮陰侯。淮陰侯弗聽。是時彭越復反。下梁地。絕楚糧。項王乃謂海春侯大司馬曹咎等曰。謹守成皐。則漢欲挑戰。愼勿與戰。毋令得東而已。我十五日必誅彭越。定梁地。復從將軍。乃東行擊陳留外黃。外黃不下數日。已降。項王怒。悉令男子年十五已上詣

城東。欲阬之。外黃令舍人兒年十三。往說項王曰。彭越彊刧外黃。外黃恐。故且降待大王。大王至。又皆阬之。百姓豈有歸心。從此以東。梁地十餘城皆恐莫肯下矣。項王然其言。乃赦外黃當阬者。東至睢陽。聞之皆爭下項王。漢果數挑楚軍戰。楚軍不出。使人辱之五六日。大司馬怒。渡兵汜水。士卒半渡。漢擊之。大破楚軍。盡得楚國貨賂。大司馬咎長史翳塞王欣皆自剄汜水上。大司馬咎者。故蘄獄掾。長史欣亦故櫟陽獄吏。兩人嘗有德於項梁。是以項王信任之。當是時。項王在睢陽。聞海春侯軍敗。則引兵還。漢軍方圍鍾離眛於滎陽東。項王至。漢

軍畏楚。盡走險阻。是時漢兵盛食多。項王兵罷食絕。漢遣陸賈說項王。請太公。項王弗聽。漢王復使侯公往說項王。項王乃與漢約。中分天下。割鴻溝以西者爲漢。鴻溝而東者爲楚。項王許之。卽歸漢王父母妻子。軍皆呼萬歲。漢王乃封侯公爲平國君。匿弗肯復見。曰。此天下辯士。所居傾國。故號爲平國君。項王已約。乃引兵解而東歸。漢欲西歸。張良陳平說曰。漢有天下大半。而諸侯皆附之。楚兵罷食盡。此天亡楚之時也。不如因其機而遂取之。今釋弗擊。此所謂養虎自遺患也。漢王聽之。漢五年。漢王乃追項王至陽夏南止軍。與淮陰侯韓信建

成侯彭越期會而擊楚軍。至固陵。而信越之兵不會。楚擊漢軍大破之。漢王復入壁。深塹而自守。謂張子房曰。諸侯不從約。爲之奈何。對曰。楚兵且破。信越未有分地。其不至固宜。君王能與共分天下。今可立致也。卽不能。事未可知也。君王能自陳以東傅海。盡與韓信。睢陽以北至穀城。以與彭越。使各自爲戰。則楚易敗也。漢王曰。善。於是乃發使者告韓信彭越曰。幷力擊楚。楚破。自陳以東傅海與齊王。睢陽以北至穀城與彭相國。使者至。韓信彭越皆報曰。請今進兵。韓信乃從齊往。劉賈軍從壽春竝行。屠城父。至垓下。大司馬周殷叛楚。以舒屠六。

舉九江兵。隨劉賈彭越。皆會垓下。詣項王。項王軍壁垓下。兵少食盡。漢軍及諸侯兵圍之數重。夜聞漢軍四面皆楚歌。項王乃大驚曰。漢皆已得楚乎。是何楚人之多也。項王則夜起飮帳中。有美人名虞。常幸從。駿馬名騅。常騎之。於是項王乃悲歌忼慨。自爲詩曰。力拔山兮氣蓋世。時不利兮騅不逝。騅不逝兮可奈何。虞兮虞兮奈若何。歌數闋。美人和之。項王泣數行下。左右皆泣。莫能仰視。於是項王乃上馬騎。麾下壯士騎從者。八百餘人。直夜潰圍。南出馳走。平明。漢軍乃覺之。令騎將灌嬰以五千騎追之。項王渡淮。騎能屬者。百餘人耳。項王至陰陵。迷失道。問一田父。田父紿曰左。左乃陷大澤中。以故漢追及之。項王乃復引兵而東。至東城。乃有二十八騎。漢騎追者數千人。項王自度不得脫。謂其騎曰。吾起兵至今八歲矣。身七十餘戰。所當者破。所擊者服。未嘗敗北。遂霸有天下。然今卒困於此。此天之亡我。非戰之罪也。今日固決死。願爲諸君決戰。必三勝之。爲諸君潰圍斬將刈旗。令諸君知天亡我。非戰之罪也。乃分其騎以爲四隊四嚮。漢軍圍之數重。項王謂其騎曰。吾爲公取彼一將。令四面騎馳下。期山東爲三處。於是項王大呼馳下。漢軍皆披靡。遂斬漢一將。是時赤泉侯爲騎將。追

項王。項王瞋目而叱之。赤泉侯人馬俱驚。辟易數里。與其騎會爲三處。漢軍不知項王所在。乃分軍爲三。復圍之。項王乃馳。復斬漢一都尉。殺數十百人。復聚其騎。亡其兩騎耳。乃謂其騎曰。何如。騎皆伏曰。如大王言。於是項王乃欲東渡烏江。烏江亭長檥船待。謂項王曰。江東雖小。地方千里。衆數十萬人。亦足王也。願大王急渡。今獨臣有船。漢軍至無以渡。項王笑曰。天之亡我。我何渡爲。且籍與江東子弟八千人。渡江而西。今無一人還。縱江東父兄憐而王我。我何面目見之。縱彼不言。籍獨不愧於心乎。乃謂亭長曰。吾知公長者。吾騎此馬五歲。所當無敵。嘗一日行千里。不忍殺之。以賜公。乃令騎皆下馬步行。持短兵接戰。獨籍所殺漢軍數百人。項王身亦被十餘創。顧見漢騎司馬呂馬童曰。若非吾故人乎。馬童面之。指王翳曰。此項王也。項王乃曰。吾聞漢購我頭千金邑萬戶。吾爲若德。乃自刎而死。王翳取其頭。餘騎相蹂踐爭項王。相殺者數十人。最其後郎中騎楊喜。騎司馬呂馬童。郎中呂勝楊武。各得其一體。五人共會其體皆是。分其地爲五。封呂馬童爲中水侯。封王翳爲杜衍侯。封楊喜爲赤泉侯。封楊武爲吳防侯。封呂勝爲涅陽侯。項王已死。楚地皆降漢。獨魯不下。漢乃引天下兵

欲屠之。爲其守禮義。爲主死節。乃持項王頭視魯。魯父兄乃降。始楚懷王初封項籍爲魯公。及其死。魯最後下。故以魯公禮葬項王穀城。漢王爲發哀。泣之而去。諸項氏枝屬。漢王皆不誅。乃封項伯爲射陽侯。桃侯、平皐侯、玄武侯。皆項氏。賜姓劉氏。

太史公曰。吾聞之周生曰。舜目蓋重瞳子。又聞項羽亦重瞳子。羽豈其苗裔邪。何興之暴也。夫秦失其政。陳涉首難。豪傑蠭起。相與並爭。不可勝數。然羽非有尺寸。乘勢起隴畝之中。三年遂將五諸侯滅秦。分裂天下而封諸侯。政由羽出。號爲覇王。位雖不終。近古以來。未嘗有也。及羽背關懷楚。放逐義帝而自立。怨王侯叛己。難矣。自矜功伐。奮其私智。而不師古。謂覇王之業。欲以力征經營天下。五年卒亡其國。身死東城。尚不覺寤。而不自責過矣。乃引天亡我。非用兵之罪也。豈不謬哉。

(二) 伯夷列傳

夫學者載籍極博。猶考信於六藝。詩書雖缺。然虞夏之文可知也。堯將遜位。讓於虞舜。舜禹之間。岳牧咸薦。乃試之於位。典職數十年。功用既興。然後授政。示天下重器。王者大統。傳天下若斯之難也。而說者曰。堯讓天下於許由。許由不受。恥之逃隱。及夏之時。有卞隨務光者。

此何以稱焉。太史公曰。余登箕山。其上蓋有許由冢云。孔子序列古之仁聖賢人。如吳太伯伯夷之倫詳矣。余以所聞。由光義至高。其文辭不少概見。何哉。孔子曰。伯夷叔齊。不念舊惡。怨是用希。求仁得仁。又何怨乎。余悲伯夷之意。睹軼詩可異焉。其傳曰。伯夷叔齊。孤竹君之二子也。父欲立叔齊。及父卒。叔齊讓伯夷。伯夷曰。父命也。遂逃去。叔齊亦不肯立而逃之。國人立其中子。於是伯夷叔齊。聞西伯昌善養老。盍往歸焉。及至。西伯卒。武王載木主。號爲文王。東伐紂。伯夷叔齊叩馬而諫曰。父死不葬。爰及干戈。可謂孝乎。以臣弒君。可謂仁乎。左右欲兵之。太公曰。此義人也。扶而去之。武王已平殷亂。天下宗周。而伯夷叔齊恥之。義不食周粟。隱於首陽山。采薇而食之。及餓且死。作歌。其辭曰。登彼西山兮。采其薇矣。以暴易暴兮。不知其非矣。神農虞夏。忽焉沒兮。我安適歸矣。于嗟徂兮。命之衰矣。遂餓死於首陽山。由此觀之。怨邪非邪。或曰。天道無親。常與善人。若伯夷叔齊。可謂善人者非邪。積仁潔行如此。而餓死。且七十子之徒。仲尼獨薦顏淵爲好學。然回也屢空。糟糠不厭。而卒蚤夭。天之報施善人。其何如哉。盜跖日殺不辜。肝人之肉。暴戾恣睢。聚黨數千人。橫行天下。竟以壽終。是遵何德哉。此其尤大彰明較著者也。若至近世。操行不軌。專犯忌諱。而終身逸樂富厚。累世不絶。或擇地而踏之。時然後出言。行不由徑。非公正不發憤。而遇禍災者。不可勝數也。余甚惑焉。儻所謂天道。是耶非耶。子曰。道不同。不相爲謀。亦各從其志也。故曰。富貴如可求。雖執鞭之士。吾亦爲之。如不可求。從吾所好。歲寒。然後知松柏之後凋。擧世混濁。淸士乃見。豈以其重若彼。其輕若此哉。君子疾沒世而名不稱焉。賈子曰。貪夫徇財。烈士徇名。夸者死權。衆庶馮生。同明相照。同類相求。雲從龍。風從虎。聖人作而萬物覩。伯夷叔齊雖賢。得夫子而名益彰。顏淵雖篤學。附驥尾而行益顯。巖穴之士。趨舍有時。若此類。名堙滅而不稱。悲夫。閭巷之人。欲砥行立名者。非附靑雲之士。惡能施于後世哉。

（三）莊周列傳

莊子者。蒙人也。名周。周嘗爲蒙漆園吏。與梁惠王齊宣王同時。其學無所不闚。然其要本歸于老子之言。故其著書十餘萬言。大抵率寓言也。作漁父盜跖胠篋。以詆訾孔子之徒。以明老子之術。畏累虛亢桑子之屬。皆空語無事實。然善屬書離辭。指事類情。用剽剝儒墨。雖當世宿學。不能自解免也。其言洸洋自恣以適己。故自王公大人。不能器之。楚威王聞莊周賢。使使厚幣迎之。許以爲相。莊周笑謂楚使者曰。千金重利。卿相尊位也。子獨不見郊祭之犧牛乎。養食之數歲。衣以文繡。以入太廟。當是之時。雖欲爲孤豚。豈可得乎。子亟去無汚我。我寧游戲汚瀆之中自快。無爲有國者所羈。終身不仕。以快吾志焉。

（四）樂毅列傳

樂毅者。其先祖曰樂羊。樂羊爲魏文侯將。伐取中山。魏文侯封樂羊以靈壽。樂羊死。葬於靈壽。其後子孫因家焉。中山復國。至趙武靈王時。復滅中山。而樂氏後有樂毅。樂毅賢好兵。趙人擧之。及武靈王有沙丘之亂。乃去趙適魏。聞燕昭王以子之之亂。而齊大敗燕。燕昭王怨齊。未嘗一日而忘報齊也。燕國小辟遠。力不能制。於是屈身下士。先禮郭隗。以招賢者。樂毅於是爲魏昭王使於燕。燕王以客禮待之。樂毅辭讓。遂委質爲臣。燕昭王以爲亞卿。久之。當是時。齊湣王彊。南敗楚相唐眛於重丘。西摧三晉於觀津。遂與三晉擊秦。助趙滅中山。破宋。廣地千餘里。與秦昭王爭重爲帝。已而復歸之。諸侯皆欲背秦而服於齊。湣王自矜。百姓弗堪。於是燕昭王問伐齊之事。樂毅對曰。齊霸國之餘業也。地大人衆。未易獨攻也。王必欲伐之。莫如與趙及楚魏。於是使樂毅約趙惠文王。別使連楚魏。令趙啗秦以伐齊之利。諸侯害齊湣王之驕暴。皆爭合從與燕伐齊。樂毅還報。燕昭王悉起兵。使樂毅爲上將軍。趙惠文王以相國印授樂毅。樂毅於是并護趙楚韓魏燕之兵以伐齊。破之濟西。諸侯兵罷歸。而燕軍樂毅獨追至于臨菑。齊湣王之敗濟西。亡走保於莒。樂毅獨留徇齊。齊皆城守。樂毅攻入臨菑。盡取齊寶財物祭器。輸之燕。燕昭王大說。親至濟上勞軍。行賞饗士。封樂毅於昌國。號爲昌國君。於是燕昭王收齊鹵獲以歸。而使樂毅復以兵平齊城之不下者。

樂毅留徇齊五歲。下齊七十餘城。皆爲郡縣以屬燕。唯獨莒卽墨未服。會燕昭王死。子立爲燕惠王。惠王自爲太子時。嘗不快於樂毅。及卽位。齊之田單聞之。乃縱反間於燕曰。齊城不下者兩城耳。然所以不早拔者。聞樂毅與燕新王有隙。欲連兵且留齊。南面而王齊。齊之所患。唯恐他將之來。於是燕惠王固已疑樂毅。得齊反間。乃使騎劫代將。而召樂毅。樂毅知燕惠王之不善代之。畏誅。遂西降趙。趙封樂毅於觀津。號曰望諸君。尊寵樂毅。以警動於燕齊。齊田單後與騎劫戰。果設詐誑燕軍。遂破騎劫於卽墨下。而轉戰逐燕。北至河上。盡復得齊

城。而迎襄王於莒。入于臨菑。燕惠王後悔使騎劫代樂毅。以故破軍亡將失齊。又怨樂毅之降趙。恐趙用樂毅。而乘燕之弊以伐燕。燕惠王乃使人讓樂毅且謝之曰。先王擧國而委將軍。將軍爲燕破齊。報先王之讎。天下莫不震動。寡人豈敢一日而忘將軍之功哉。會先王弃羣臣。寡人新卽位。左右誤寡人。寡人之使騎劫代將軍。爲將軍久暴露於外。故召將軍且休計事。將軍過聽。以與寡人有隙。遂捐燕歸趙。將軍自爲計則可矣。而亦何以報先王之所以遇將軍之意乎。樂毅報遺燕惠王書曰。臣不佞。不能奉承王命。以順左右之心。恐傷先王之明。有害足下之義。故遁逃走趙。今足下使人數之以罪。臣恐侍御者不察先王之所以畜幸臣之理。又不白臣之所以事先王之心。故敢以書對。臣聞賢聖之君。不以祿私親。其功多者賞之。其能當者處之。故察能而授官者。成功之君也。論行而結交者。立名之士也。臣竊觀先王之擧也。見有高世主之心。故假節於魏。以身得察於燕。先王過擧。廁之賓客之中。立之群臣之上。不謀父兄。以爲亞卿。臣竊不自知。自以爲奉令承教。可幸無罪。故受令而不辭。先王命之曰。我有積怨深怒於齊。不量輕弱。而欲以齊爲事。臣曰。夫齊。霸國之餘業。而最勝之遺

事也。練於兵甲。習於戰攻。王若欲伐之。必與天下圖之。與天下圖之。莫若結於趙。且又淮北宋地。楚魏之所欲也。趙若許而約四國攻之。齊可大破也。先王以爲然。具符節南使臣於趙。顧反命起兵擊齊。以天之道。先王之靈。河北之地。隨先王而擧之濟上。濟上之軍。受命擊齊。大敗齊人。輕卒鋭兵。長驅至國。齊王遁而走莒。僅以身免。珠玉財寶車甲珍器。盡收入於燕。齊器設於寧臺。大呂陳於元英。故鼎反乎磨室。薊丘之植。植於汶篁。自五伯已來。功未有及先王者也。先王以爲慊於志。故裂地而封之。使得比小國諸侯。臣竊不自知。自以爲奉命承

教。可幸無罪。是以受命不辭。臣聞賢聖之君。功立而不廢。故著於春秋。蚤知之士。名成而不毀。故稱於後世。若先王之報怨雪恥。夷萬乘之彊國。收八百歲之蓄積。及至弃群臣之日。餘教未衰。執政任事之臣。修法令。愼庶孽。施及乎萌隷。皆可以教後世。臣聞之。善作者不必善成。善始者不必善終。昔伍子胥說聽於闔閭。而吳王遠迹至郢。夫差弗是也。賜之鴟夷而浮之江。吳王不寤先論之可以立功。故沈子胥而不悔。子胥不蚤見主之不同量。是以至於入江而不化。夫免身立功。以明先王之迹。臣之上計也。離毀辱之誹謗。墮先王之名。臣之所大

恐也。臨不測之罪。以幸爲利。義之所不敢出也。臣聞古之君子。交絶不出惡聲。忠臣去國。不潔其名。臣雖不佞。數奉教於君子矣。恐侍御者之親左右之說。不察疏遠之行。故敢獻書以聞。唯君王之留意焉。於是燕王復以樂毅子樂閒爲昌國君。而樂毅往來復通燕。燕趙以爲客卿。樂毅卒於趙。樂閒居燕三十餘年。燕王喜用其相栗腹之計。欲攻趙而問昌國君樂閒。樂閒曰。趙四戰之國也。其民習兵。伐之不可。燕王不聽。遂伐趙。趙使廉頗擊之。大破栗腹之軍於鄗。禽栗腹樂乘。樂乘者。樂閒之宗也。於是樂閒走趙。趙遂圍燕。燕重割地以與趙和。趙

乃解而去。燕王恨不用樂閒。樂閒既在趙。乃遺樂閒書曰。紂之時。箕子不用。犯諫不怠。以冀其聽。商容不達。身祇辱焉。以冀其變。及民志不入。獄囚自出。然後二子退隱。故紂負桀暴之累。二子不失忠聖之名。何者。其憂患之盡矣。今寡人雖愚。不若紂之暴也。燕民雖亂。不若殷民之甚也。室有語。不相盡以告鄰里。二者寡人不爲君取也。樂閒樂乘怨燕不聽其計。二人卒留趙。趙封樂乘爲武襄君。其明年。樂乘廉頗爲趙圍燕。燕重禮以和。乃解。後五歲。趙孝成王卒。襄王使樂乘代廉頗。廉頗攻樂乘。樂乘走。廉頗亡入魏。其後十六年。而秦滅趙。其後二

十餘年。高帝過趙。問樂毅有後世乎。對曰。有樂叔。高帝封之樂鄉。號曰華成君。華成君。樂毅之孫也。而樂氏之族。有樂瑕公樂臣公。趙且爲秦所滅。亡之齊高密。樂臣公善修黃帝老子之言。顯聞於齊。稱賢師。

太史公曰。始齊之蒯通及主父偃。讀樂毅之報燕王書。未嘗不廢書而泣也。樂臣公學黃帝老子。其本師號曰河上丈人。不知其所出。河上丈人敎安期生。安期生敎毛翕公。毛翕公敎樂瑕公。樂瑕公敎樂臣公。樂臣公敎蓋公。蓋公敎於齊高密膠西。爲曹相國師。

(五)廉頗藺相如列傳

廉頗者。趙之良將也。趙惠文王十六年。廉頗爲趙將。伐齊大破之。取晉陽。拜爲上卿。以勇氣聞於諸侯。藺相如者。趙人也。爲趙宦者令繆賢舍人。趙惠文王時。得楚和氏璧。秦昭王聞之。使人遺趙王書。願以十五城請易璧。趙王與大將軍廉頗諸大臣謀。欲予秦。秦城恐不可得。徒見欺。欲勿予。卽患秦兵之來。計未定。求人可使報秦者。未得。宦者令繆賢曰。臣舍人藺相如可使。王問何以知之。對曰。臣嘗有罪。竊計欲亡走燕。臣舍人相如止臣曰。君何以知燕王。臣語曰。臣嘗從大王。與燕王會境上。燕王私握臣手曰。願結交。以此知之。故欲往。相如謂臣曰。夫趙彊而燕弱。而君幸於趙王。故燕王欲結於君。今君乃亡趙走燕。燕畏趙。其勢必不敢留君。而束君歸趙矣。君不如肉袒伏斧質請罪。則幸得脫矣。臣從其計。大王亦幸赦臣。臣竊以爲其人勇士。有智謀。宜可使。於是王召見。問藺相如曰。秦王以十五城。請易寡人之璧。可予不。相如曰。秦彊而趙弱。不可不許。王曰。取吾璧。不予我城。奈何。相如曰。秦以城求璧。而趙不許。曲在趙。趙予璧。而秦不予趙城。曲在秦。均之二策。寧許以負秦曲。王曰。誰可使者。相如曰。王必無人。臣願奉璧往。使城入趙而璧留秦。城不入。臣請完璧歸趙。趙王於是遂遣相如。

奉璧西入秦。秦王坐章臺見相如。相如奉璧奏秦王。秦王大喜。傳以示美人及左右。左右皆呼萬歲。相如視秦王無意償趙城。乃前曰。璧有瑕。請指示王。王授璧。相如因持璧却立倚柱。怒髮上衝冠。謂秦王曰。大王欲得璧。使人發書至趙王。趙王悉召群臣議。皆曰。秦貪負其彊。以空言求璧。償城恐不可得。議不欲予秦璧。臣以爲布衣之交。尙不相欺。況大國乎。且以一璧之故。逆彊秦之驩不可。於是趙王乃齋戒五日。使臣奉璧。拜送書於庭。何者。嚴大國之威以修敬也。今臣至。大王見臣列觀。禮節甚倨。得璧。傳之美人。以戲弄臣。臣觀大王無意償趙王城邑。故臣復取璧。大王必欲急臣。臣頭今與璧俱碎於柱矣。相如持其璧睨柱。欲以擊柱。秦王恐其破璧。乃辭謝固請。召有司案圖。指從此以往十五都予趙。相如度秦王特以詐佯爲予趙城。實不可得。乃謂秦王曰。和氏璧。天下所共傳寶也。趙王恐不敢不獻。趙王送璧時。齋戒五日。今大王亦宜齋戒五日。設九賓於廷。臣乃敢上璧。秦王度之。終不可彊奪。遂許齋五日。舍相如廣成傳舍。相如度秦王雖齋。決負約不償城。乃使其從者衣褐懷其璧。從徑道亡。歸璧于趙。秦王齋五日後。乃設九賓禮於廷。引趙使者藺相如。相如至謂秦王曰。秦自繆

公以來二十餘君。未嘗有堅明約束者也。臣誠恐見欺於王而負趙。故令人持璧歸。閒至趙矣。且秦彊而趙弱。大王遣一介之使至趙。趙立奉璧來。今以秦之彊。而先割十五都予趙。趙豈敢留璧而得罪於大王乎。臣知欺大王之罪當誅。臣請就湯鑊。唯大王與群臣孰計議之。秦王與群臣相視而嘻。左右或欲引相如去。秦王因曰。今殺相如。終不能得璧也。而絕秦趙之驩。不如因而厚遇之。使歸趙。趙王豈以一璧之故欺秦邪。卒廷見相如。畢禮而歸之。相如既歸。趙王以爲賢大夫。使不辱於諸侯。拜相如爲上大夫。秦亦不以城予趙。趙亦終不予秦

璧。其後秦伐趙。拔石城。明年。復攻趙殺二萬人。秦王使使者告趙王。欲與王爲好。會於西河外澠池。趙王畏秦。欲毋行。廉頗藺相如計曰。王不行。示趙弱且怯也。趙王遂行。相如從廉頗送至境。與王訣曰。王行。度道里會遇之禮畢。還不過三十日。三十日不還。則請立太子爲王。以絕秦望。王許之。遂與秦王會澠池。秦王飲酒酣。曰。寡人竊聞趙王好音。請奏瑟。趙王鼓瑟。秦御史前書曰。某年月日。秦王與趙王會飲。令趙王鼓瑟。藺相如前曰。趙王竊聞秦王善爲秦聲。請奉盆缻秦王。以相娛樂。秦王怒不許。於是相如前進缻。因跪請秦王。秦王不肯擊缻。

相如曰。五步之內。相如請得以頸血濺大王矣。左右欲刃相如。相如張目叱之。左右皆靡。於是秦王不懌。爲一擊缻。相如顧召趙御史書曰。某年月日。秦王爲趙王擊缻。秦之群臣曰。請以趙十五城爲秦王壽。藺相如亦曰。請以秦之咸陽爲趙王壽。秦王竟酒。終不能加勝於趙。趙亦盛設兵以待秦。秦不敢動。既罷歸國。以相如功大。拜爲上卿。位在廉頗之右。廉頗曰。我爲趙將。有攻城野戰之大功。而藺相如徒以口舌爲勞。而位居我上。且相如素賤人。吾羞。不忍爲之下。宣言曰。我見相如。必辱之。相如聞。不肯與會。相如每朝時。常稱病。不欲與廉頗爭

列已而相如出望見廉頗相如引車避匿於是舍人相與諫曰臣所以去親戚而事君者徒慕君之高義也今君與廉頗同列廉君宣惡言而君畏匿之恐懼殊甚且庸人尚羞之況於將相乎臣等不肖請辭去藺相如固止之曰公之視廉將軍孰與秦王曰不若也相如曰夫以秦王之威而相如廷叱之辱其群臣相如雖駑獨畏廉將軍哉顧吾念之彊秦之所以不敢加兵於趙者徒以吾兩人在也今兩虎共鬭其勢不俱生吾所以爲此者以先國家之急而後私讎也廉頗聞之肉袒負荊因賓客至藺相如門謝罪曰鄙賤之人不知將軍寬之至此也卒相與驩爲刎頸之交」是歲廉頗東攻齊破其一軍居二年廉頗復伐齊幾拔之後三年廉頗攻魏之防陵安陽拔之後四年藺相如將而攻齊至平邑而罷其明年趙奢破秦軍閼與下」趙奢者趙之田部吏也收租稅而平原君家不肯出趙奢以法治之殺平原君用事者九人平原君怒將殺奢奢因說曰君於趙爲貴公子今縱君家而不奉公則法削法削則國弱國弱則諸侯加兵諸侯加兵是無趙也君安得有此富乎以君之貴奉公如法則上下平上下平則國彊國彊則趙固而君爲貴戚豈輕於天下邪平原君以爲賢言之於王王用

之治國賦國賦太平民富而府庫實」秦伐韓軍於閼與王召廉頗而問曰可救不對曰道遠險狹難救又召樂乘而問焉樂乘對如廉頗言又召問趙奢奢對曰其道遠險狹譬之猶兩鼠鬭於穴中將勇者勝王乃令趙奢將救之兵去邯鄲三十里而令軍中曰有以軍事諫者死秦軍軍武安西秦軍鼓譟勒兵武安屋瓦盡振軍中候有一人言急救武安趙奢立斬之堅壁留二十八日不行復益增壘秦閒來入趙奢善食而遣之閒以報秦將秦將大喜曰夫去國三十里而軍不行乃增壘閼於非趙地也趙奢既已遣秦閒乃卷甲而趨之二日一夜至令善射者去閼與五十里而軍軍壘成秦人聞之悉甲而至軍士許歷請以軍事諫趙奢曰內之許歷曰秦人不意趙師至此其來氣盛將軍必厚集其陣以待之不然必敗趙奢曰請受令許歷曰請就鈇質之誅趙奢曰胥後令邯鄲許歷復請諫曰先據北山上者勝後至者敗趙奢許諾卽發萬人趨之秦兵後至爭山不得上趙奢縱兵擊之大破秦軍秦軍解而走遂解閼與之圍而歸趙惠文王賜奢號爲馬服君以許歷爲國尉趙奢於是與廉頗藺相如同位」自邯鄲圍解五年而燕用栗腹之謀曰趙壯者盡於長平其孤未壯舉兵擊趙趙使

廉頗將。擊大破燕軍於鄗。殺栗腹。遂圍燕。燕割五城請和。乃聽之。趙以尉文封廉頗爲信平君。爲假相國。廉頗之免長平歸也。失勢之時。故客盡去。及復用爲將。客又復至。廉頗曰。客退矣。客曰。吁。君何見之晚也。夫天下以市道交。君有勢。我則從君。君無勢則去。此固其理也。有何怨乎。居六年。趙使廉頗伐魏之繁陽。拔之。趙孝成王卒。子悼襄王立。使樂乘代廉頗。廉頗怒。攻樂乘。樂乘走。廉頗遂奔魏之大梁。其明年趙乃以李牧爲將。而攻燕拔武遂方城。廉頗居梁久之。魏不能信用。趙以數困於秦兵。趙王思復得廉頗。廉頗亦思復用於趙。趙王使使者視廉頗尚可用否。廉頗之仇郭開多與使者金。令毀之。趙使者既見廉頗。廉頗爲之一飯斗米。肉十斤。被甲上馬。以示尚可用。趙使還報王曰。廉將軍雖老尚善飯。然與臣坐頃之。三遺矢矣。趙王以爲老。遂不召。楚聞廉頗在魏。陰使人迎之。廉頗一爲楚將。無功。曰。我思用趙人。廉頗卒死于壽春。李牧者。趙之北邊良將也。常居代鴈門。備匈奴。以便宜置吏。市租皆輸入莫府。爲士卒費。日擊數牛饗士。習射騎。謹烽火。多間諜。厚遇戰士。爲約曰。匈奴卽入盜。急入收保。有敢捕虜者斬。匈奴每入。烽火謹。輒入收保。不敢戰。如是數歲。亦不亡失。然匈奴以

李牧爲怯。雖趙邊兵。亦以爲吾將怯。趙王讓李牧。李牧如故。趙王怒召之。使他人代將。歲餘。匈奴每來出戰。出戰數不利。失亡多。邊不得田畜。復請李牧。牧杜門不出。固稱疾。趙王乃復彊起使將兵。牧曰。王必用臣。臣如前乃敢奉令。王許之。李牧至。如故約。匈奴數歲無所得。終以爲怯。邊士日得賞賜而不用。皆願一戰。於是乃具選車得千三百乘。選騎得萬三千匹。百金之士五萬人。彀者十萬人。悉勒習戰。大縱畜牧。人民滿野。匈奴小入。佯北不勝。以數千人委之。單于聞之。大率衆來入。李牧多爲奇陳。張左右翼擊之。大破殺匈奴十餘萬騎。滅襜襤。破東胡。降林胡。單于奔走。其後十餘歲。匈奴不敢近趙邊城。趙悼襄王元年。廉頗既亡入魏。趙使李牧攻燕。拔武遂方城。居二年。龐煖破燕軍。殺劇辛。後七年。秦破趙。殺將扈輒於武遂城。斬首十萬。趙乃以李牧爲大將軍。擊秦軍於宜安。大破秦軍。走秦將桓齮。封李牧爲武安君。居三年。秦攻番吾。李牧擊破秦軍。南距韓魏。趙王遷七年。秦使王翦攻趙。趙使李牧司馬尚禦之。秦多與趙王寵臣郭開金。爲反間。言李牧司馬尚欲反。趙王乃使趙葱及齊將顏聚代李牧。李牧不受命。趙使人微捕得李牧斬之。廢司馬尚。後三月。王翦因急擊趙。大破殺趙

藺。虜趙王遷及其將顏聚。趙滅。

太史公曰知死必勇。非死者難也。處死者難。方藺相如引璧睨柱。及叱秦王左右。勢不過誅。然士或怯懦而不敢發。相如一奮其氣。威信敵國。退而讓頗。名重太山。其處智勇。可謂兼之矣。

(六) 屈原列傳

屈原者。名平。楚之同姓也。爲楚懷王左徒。博聞彊志。明於治亂。嫺於辭令。入則與王圖議國事。以出號令。出則接遇賓客。應對諸侯。王甚任之。上官大夫與之同列。爭寵而心害其能。懷王使屈平造爲憲令。屈平屬草稿未

定。上官大夫見而欲奪之。屈平不與。因讒之曰。王使屈平爲令。衆莫不知。每一令出。平伐其功曰。以爲非我莫能爲也。王怒而疏屈平。屈平疾王聽之不聰也。讒諂之蔽明也。邪曲之害公也。方正之不容也。故憂愁幽思而作離騷。離騷者。猶離憂也。夫天者。人之始也。父母者。人之本也。人窮則反本。故勞苦倦極。未嘗不呼天也。疾痛慘怛。未嘗不呼父母也。屈平正道直行。竭忠盡智。以事其君。讒人閒之。可謂窮矣。信而見疑。忠而被謗。能無怨乎。屈平之作離騷。蓋自怨生也。國風好色而不淫。小雅怨誹而不亂。若離騷者。可謂兼之矣。上稱帝嚳。下道齊桓。中述湯武。以刺世事。明道德之廣崇。治亂之條貫。靡不畢見。其文約。其辭微。其志潔。其行廉。其稱文小。而其指極大。擧類邇。而見義遠。其志潔。故其稱物芳。其行廉。故死而不容。自疏濯淖汙泥之中。蟬蛻於濁穢。以浮游塵埃之外。不獲世之滋垢。皭然泥而不滓者也。推此志也。雖與日月爭光可也。屈平既絀。其後秦欲伐齊。齊與楚從親。惠王患之。乃令張儀佯去秦。厚幣委質事楚。曰。秦甚憎齊。齊與楚從親。楚誠能絕齊。秦願獻商於之地六百里。楚懷王貪而信張儀。遂絕齊。使使如秦受地。張儀詐之曰。儀與王約六里。不聞六百里。楚使怒去。歸告

懷王。懷王怒。大興師伐秦。秦發兵擊之。大破楚師於丹淅。斬首八萬。虜楚將屈匄。遂取楚之漢中地。懷王乃悉發國中兵。以深入擊秦。戰於藍田。魏聞之。襲楚至鄧。楚兵懼。自秦歸。而齊竟怒。不救楚。楚大困。明年。秦割漢中地。與楚以和。楚王曰。不願得地。願得張儀而甘心焉。張儀聞乃曰。以一儀而當漢中地。臣請往如楚。如楚。又因厚幣用事者臣靳尙。而設詭辯於懷王之寵姬鄭袖。懷王竟聽鄭袖。復釋去張儀。是時屈平既疏。不復在位。使於齊。顧反。諫懷王曰。何不殺張儀。懷王悔。追張儀不及。其後諸侯共擊楚。大破之。殺其將唐眛。時秦昭王與楚

婚。欲與懷王會。懷王欲行。屈平曰。秦虎狼之國。不可信。不如無行。懷王稚子子蘭勸王行。奈何絕秦歡。懷王卒行。入武關。秦伏兵絕其後。因留懷王。以求割地。懷王怒不聽。亡走趙。趙不內。復之秦。竟死於秦而歸葬。長子頃襄王立。以其弟子蘭爲令尹。楚人既咎子蘭以勸懷王入關而不反也。屈平既嫉之。雖放流。睠顧楚國。繫心懷王。不忘欲反。冀幸君之一悟俗之一改也。其存君興國。而欲反覆之。一篇之中。三致志焉。然終無可奈何。故不可以反。卒以此見懷王之終不悟也。人君無智愚賢不肖。莫不欲求忠以自爲。舉賢以自佐。然亡國破家相隨

屬。而聖君治國。累世而不見者。其所謂忠者不忠。而所謂賢者不賢也。懷王以不知忠臣之分。故內惑於鄭袖。外欺於張儀。疏屈平。而信上官大夫、令尹子蘭。兵挫地削。亡其六郡。身客死於秦。爲天下笑。此不知人之禍也。易曰。井泄不食。爲我心惻。可以汲。王明並受其福。王之不明。豈足福哉。令尹子蘭聞之大怒。卒使上官大夫短屈原於頃襄王。頃襄王怒而遷之。屈原至於江濱。被髮行吟澤畔。顏色憔悴。形容枯槁。漁父見而問之曰。子非三閭大夫歟。何故而至此。屈原曰。舉世混濁。而我獨清。衆人皆醉。而我獨醒。是以見放。漁父曰。夫聖人者。不凝滯於物。而能與世推移。舉世混濁。何不隨其流而揚其波。衆人皆醉。何不餔其糟而啜其醨。何故懷瑾握瑜。而自令見放爲。屈原曰。吾聞之。新沐者必彈冠。新浴者必振衣。人又誰能以身之察察。受物之汶汶者乎。寧赴常流而葬乎江魚腹中耳。又安能以皓皓之白。而蒙世之溫蠖乎。乃作懷沙之賦。於是懷石。遂自投汨羅以死。

戰國策

(七)司馬錯駁張儀 秦策

司馬錯與張儀。爭論於秦惠王前。司馬錯欲伐蜀。張儀

曰。不如伐韓。王曰。請聞其說。對曰。親魏善楚。下兵三川。塞轘轅緱氏之口。當屯留之道。魏絕南陽。楚臨南鄭。秦攻新城宜陽。以臨二周之郊。誅周主之罪。侵楚魏之地。周自知不救。九鼎寶器必出。據九鼎。按圖籍。挾天子以令天下。天下莫敢不聽。此王業也。今夫蜀。西僻之國。而戎狄之長也。敝兵勞衆。不足以成名。得其地。不足以爲利。臣聞爭名者於朝。爭利者於市。今三川周室。天下之市朝也。王不爭焉。顧爭於戎狄。去王業遠矣。司馬錯曰。不然。臣聞之。欲富國者務廣其地。欲强兵者務富其民。欲王者務博其德。三資者備。而王隨之矣。今王之地小

民貧。故臣願從事於易。夫蜀。西僻之國也。而戎狄之長也。而有桀紂之亂。以秦攻之。譬如使豺狼逐群羊也。取其地足以廣國也。得其財足以富民繕兵。不傷衆而彼已服矣。故拔一國而天下不以爲暴。利盡四海。而諸侯不以爲貪。是我一擧而名實兩附。而又有禁暴正亂之名。今攻韓刧天子。刧天子。惡名也。而未必利也。又有不義之名。而攻天下之所不欲。危。臣請謁其故。周。天下之宗室也。齊韓。周之與國也。周自知失九鼎。韓自知亡三川。則必將二國幷力合謀。以因于齊趙。而求解乎楚魏。以鼎與楚。以地與魏。王不能禁。此臣所謂危。不如伐蜀

之完也。惠王曰。善。寡人聽子。卒起兵伐蜀。十月取之。遂定蜀。蜀主更號爲侯。而使陳莊相蜀。蜀既屬秦。益强。富厚輕諸侯。

(八) 蔡澤感悟應侯 秦策

蔡澤見逐於趙。而入韓魏。遇奪釜鬲於涂。聞應侯任鄭安平王稽。皆負重罪。應侯內慙。乃西入秦。將見昭王。使人宣言以感怒應侯曰。燕客蔡澤。天下駿雄弘辯之士也。彼一見秦王。秦王必相之而奪君位。應侯聞之。使人召蔡澤。蔡澤入則揖應侯。應侯固不快。及見之又倨。應侯因讓之曰。子嘗宣言代我相秦。豈有此乎。對曰。然。應

侯曰。請聞其說。蔡澤曰。吁君何見之晚也。夫四時之序。成功者去。夫人生手足堅强。耳目聰明聖智。豈非士之所願與。應侯曰。然。蔡澤曰。質仁秉義。行道。施德於天下。天下懷樂敬愛。願以爲君王。豈不辯智之期與。應侯曰然。蔡澤復曰。富貴顯榮。成理萬物。萬物各得其所。生命壽長。終其年而不夭傷。天下繼其統。守其業。傳之無窮。名實純粹。澤流千世。稱之而毋絕。豈非道之符。而聖人所謂吉祥善事與。應侯曰。然。澤曰。若秦之商君。楚之吳起。越之大夫種。其卒亦可願與。應侯知蔡澤之欲困己以說。復曰。何爲不可。夫公孫鞅事孝公。極身毋二。盡公

不還私。信賞罰以致治。竭智能。示情素。蒙怨咎。欺舊交。虜魏公子卬。卒爲秦禽將破敵軍。攘地千里。吳起事悼王。使私不害公。讒不蔽忠。言不取苟合。行不取苟容。行義不顧毀譽。必欲覇王强國。不辭禍凶。大夫種事越王。王離困辱。悉忠而不解。王雖亡絕。盡能而不離。多功而不矜。富貴不驕怠。若此三子者。義之至忠之節也。故君子殺身以成名。義之所在。身雖死無憾悔。何爲而不可哉。蔡澤曰。主聖臣賢。天下之福也。君明臣忠。國之福也。父慈子孝。夫信婦貞。家之福也。故比干忠不能存殷。子胥智不能存吳。申生孝而晉惑亂。是有忠臣孝子。國家

滅亂何也。無明君賢父以聽之。故天下以其君父爲戮辱。憐其臣子。夫待死而後可以立忠成名。是微子不足仁。孔子不足聖。管仲不足大也。於是應侯稱善。蔡澤得少間因曰。商君吳起大夫種。其爲人臣。盡忠致力則可願矣。閎夭事文王。周公輔成王也。豈不亦忠乎。以聖論之。商君吳起大夫種。其可願孰與閎夭周公哉。應侯曰。商君吳起大夫種不若也。蔡澤曰。然則君之主慈仁任忠不欺舊故。孰與秦孝楚悼越王乎。應侯曰。未知何如也。蔡澤曰。今主固親忠臣。不過秦孝楚悼越王。君之爲主。正亂批患折難。廣地殖穀富國足家强主。威蓋海內。

功彰萬里之外。不過商君吳起大夫種。而君之祿位貴盛。私家之富過於三子。而身不退。竊爲君危之。語曰。日中則移。月滿則虧。物盛則衰。天之常數也。進退盈縮變化。聖人之常道也。昔者齊桓公。一匡天下。至葵丘之會。有驕矜之色。畔者九國。吳王夫差。無敵於天下。輕諸侯陵齊晉。遂以殺身亡國。夏育太史啓。叱呼駭三軍。而身死於庸夫。此皆乘至盛。不近道理也。夫商君爲孝公。平權衡。正度量。調輕重。決裂阡陌。教民耕戰。是以兵動而地廣。兵休而國富。故秦無敵於天下。立威諸侯。功已成矣。遂以車裂。楚地持戟百萬。白起率數萬之師以與楚

戰。一戰擧鄢郢。再戰燒夷陵。南幷蜀漢。又越韓魏攻强趙。北坑馬服。誅屠四十餘萬之衆。流血成川。沸聲若雷。使秦業帝。自是之後。趙楚懾服。不敢攻秦者。白起之勢也。身所服者七十餘城。功已成矣。賜死於杜郵。吳起爲楚悼。罷無能。廢無用。損不急之官。塞私門之請。一楚國之俗。南攻揚越。北幷陳蔡。破橫散從。使馳說之士無所開其口。功已成矣。卒支解。大夫種爲越王。墾草刱邑。辟地殖穀。率四方之士。專上下之力。以禽勁吳成霸功。勾踐終拮而殺之。此四子者。功成而不去。禍至於此。此所謂信而不能屈。往而不能反者也。范蠡知之。超然避世。

長爲陶朱。君獨不觀博者乎。或欲大投。或欲分功。此皆君之所明知也。今君相秦。計不下席。謀不出廊廟。坐制諸侯。利施三川。以實宜陽。以決羊腸之險。塞太行之口。又斬范中行之途。棧道千里。通於蜀漢。使天下皆畏秦。秦之欲得。君之功極矣。此亦秦之分功之時也。如時不退。則商君白公吳起大夫種是也。君何不以此時歸相印。讓賢者授之。必有伯夷之廉。長爲應侯。世世稱孤。而有喬松之壽。孰與以禍終哉。此則君何居焉。應侯曰。善。乃延入坐爲上客。後數日入朝。言於秦昭王曰。客新有從山東來者蔡澤。其人辯士。臣之見人甚衆。莫有及者。

臣不如也。秦昭王召見。與語大說之。拜爲客卿。應侯因謝病。請歸相印。昭王強起應侯。應侯遂稱篤。因免相。昭王新說蔡澤計畫。遂拜爲秦相。東收周室。蔡澤相秦王數月。人或惡之。懼誅。乃謝病歸相印。號爲剛成君。居秦十餘年。事昭王孝文王莊襄王。卒事始皇帝。爲秦使於燕。三年而燕使太子丹入質於秦。

(九)居奇貨收巨利 秦策

濮陽人呂不韋賈於邯鄲。見秦質子異人。歸而謂父曰。耕田之利幾倍。曰十倍。珠玉之贏幾倍。曰百倍。立國家之主。贏幾倍。曰無數。曰今力田疾作。不得煖衣餘食。今

建國立君。澤可以遺世。願往事之。秦子異人質於趙。處於扇城。故往說之曰。子傒有承國之業。又有母在中。今子無母於中。外託於不可知之國。一日倍約。身爲糞土。今子聽吾計事。求歸。可以有秦國。吾爲子使秦。必來請子。乃說秦王后弟陽泉君曰。君之罪至死。君知之乎。君之門下。無不居高尊位。太子門下無貴者。君之府藏珍珠寶玉。君之駿馬盈外廐。美女充後庭。王之春秋高。一日山陵崩。太子用事。君危於累卵。而不壽於朝生。說有可以一切。而使君富貴千萬歲。寧於太山四維。必無危亡之患矣。陽泉君避席。請聞其說。不韋曰。王年高矣。王后無子。子傒有承國之業。士倉又輔之。王一日山陵崩。子傒立。士倉用事。王后之門。必生蓬蒿。子異人賢材也。棄在於趙。無母於內。引領西望。而願一得歸。王后誠請而立之。是子異人無國而有國。王后無子而有子也。陽泉君曰然。入說王后。王后乃請趙而歸之。趙未之遣。不韋說趙曰。子異人秦之寵子也。無母於中。王后欲取而子之。使秦而欲屠趙。不顧一子以留計。是抱空質也。若使子異人歸而得立。趙厚送遣之。是不敢倍德畔施。是自爲德講。秦王老矣。一日晏駕。雖有子異人。不足以結秦。趙乃遣之。異人至。不韋使楚服而見。王后說其狀。高

其智曰。吾楚人也。而自子之。乃變其名曰楚。王使子誦。子曰。少棄捐在外。嘗無師傅所教學。不習於誦。王罷之。乃留止。間曰。陛下嘗軔車於趙矣。趙之豪傑得知名者不少。今大王反國。皆西面而望大王。無一介之使以存之。臣恐其皆有怨心。使邊境早閉晚開。王以爲然。奇其計。王后勸立之。王乃召相令之曰。寡人子莫若楚。立以爲太子。子楚立。以不韋爲相。號曰文信侯。食藍田十二縣。王后爲華陽太后。諸侯皆致秦邑。

(十)馮煖爲主市義 齊策

齊人有馮煖者。貧乏不能自存。使人屬孟嘗君。願寄食

門下。孟嘗君曰。客何好。曰客無好也。曰客何能。曰客無
能也。孟嘗君笑而受之曰諾。左右以君賤之也。食以草
具。居有頃。倚柱彈其劍歌曰。長鋏歸來乎。食無魚。左右
以告。孟嘗君曰。食之比門下之客。居有頃。復彈其鋏歌
曰。長鋏歸來乎。出無車。左右皆笑之以告。孟嘗君曰。爲
之駕。比門下之車客。於是乘其車。揭其劍。過其友曰。孟
嘗君客我。後有頃。復彈其劍鋏歌曰。長鋏歸來乎。無以
爲家。左右皆惡之。以爲貪而不知足。孟嘗君問。馮公有
親乎。對曰有老母。孟嘗君使人給其食用。無使乏。於是
馮煖不復歌。後孟嘗君出記問門下諸客誰習計會能
爲文收責於薛者乎。馮煖署曰能。孟嘗君怪之曰。此誰
也。左右曰。乃歌夫長鋏歸來者也。孟嘗君笑曰。客果有
能也。吾負之未嘗見也。請而見之謝曰。文倦於是。憒於
憂。而性懧愚。沈於國家之事。開罪於先生。先生不羞。乃
有意欲爲收責於薛乎。馮煖曰願之。於是約車治裝。載
券契而行。辭曰。責畢收。以何市而反。孟嘗君曰。視吾家
所寡有者。驅而之薛。使吏召諸民當償者。悉來合券。券
徧合。赴矯命。以責賜諸民。因燒其券。民稱萬歲。長驅到
齊。晨而求見。孟嘗君怪其疾也。衣冠而見之曰。責畢收
乎。來何疾也。曰收畢矣。以何市而反。馮煖曰。君云。視吾

家所寡有者。臣竊計。君宮中積珍寶。狗馬實外廄。美人
充下陳。君家所寡有者。以義耳。竊以爲君市義。孟嘗君
曰。市義奈何。曰今君有區々之薛。不拊愛子其民。因而
賈利之。臣竊矯君命。以責賜諸民。因燒其券。民稱萬歲。
乃臣所以爲君市義也。孟嘗君不說曰。諾。先生休矣。後
朞年。齊王謂孟嘗君曰。寡人不敢以先王之臣爲臣。孟
嘗君就國於薛。未至百里。民扶老携幼。迎君道中終日。
孟嘗君顧謂馮煖。先生所爲文市義者。乃今日見之。馮
煖曰。狡兎有三窟。僅得免其死耳。今有一窟。未得高枕
而臥也。請爲君復鑿二窟。孟嘗君予車五十乘。金五百
斤。西遊於梁。謂梁王曰。齊放其大臣孟嘗君。於諸侯先
迎之者。富而兵强。於是梁王虛上位。以故相爲上將軍。
遣使者黃金千斤。車百乘。往聘孟嘗君。馮煖先驅。誡孟
嘗君曰。千金重幣也。百乘顯使也。齊其聞之矣。梁使三
反。孟嘗君固辭不往也。齊王聞之。君臣恐懼。遣太傅。齎
黃金千斤。文車二駟。服劍一。封書一。謝孟嘗君曰。寡人
不祥。被於宗廟之祟。沈於諂諛之臣。開罪於君。寡人不
足爲也。願君顧先王之宗廟。姑反國統萬人乎。馮煖誡
孟嘗君曰。願請先王之祭器。立宗廟於薛。廟成。還報孟
嘗君曰。三窟已就。君姑高枕爲樂矣。孟嘗君爲相數十

年。無纖介之禍者。馮煖之計也。

(十二) 巧舌瞞着楚王 楚策

張儀之楚貧。舍人怒而欲歸。張儀曰。子必以衣冠之敝故欲歸。待我爲子見楚王。當是時。南后、鄭袖貴於楚。張子見楚王。楚王不說。張子曰。王無所用臣。臣請北見晋君。楚王曰諾。張子曰。王無求於晋國乎。王曰。黃金珠璣犀象出於楚。寡人無求於晋國。張子曰。王徒不好色耳。王曰。何也。張子曰。彼鄭周之女。粉白墨黑。立於衢閭。非知而見之者。以爲神。楚王曰。楚僻陋之國也。未嘗見中國之女如此其美也。寡人見之。獨何爲不好色也。乃資

之以珠玉。南后、鄭袖聞之大恐。令人謂張子曰。妾聞將軍之晋國。偶有金千斤。進之左右。以供芻秣。鄭袖亦以金五百斤。張子辭楚王曰。天下閉關不通。未知見日也。願王賜之觴。王曰諾。乃觴之。中飲再拜而請曰。非有他人於此也。願王召所便習而觴之。王曰諾。乃召南后、鄭袖而觴之。張子再拜而請曰。儀有死罪於大王。王曰。何也。曰。儀行天下徧矣。未嘗見人如此其美。而儀言得美人。是欺王也。王曰。子釋之。吾固以爲天下莫若是兩人也。

(十三) 張儀主張連衡 楚策

張儀爲秦破從連横。說楚王曰。秦地半天下。兵敵四國。被山帶河以爲固。虎賁之士百餘萬。車千乘。騎萬匹。粟如丘山。法令既明。士卒安難樂死。主嚴以明。將智以武。雖無出兵甲。席卷常山之險。折天下之脊。天下後服者先亡。且夫爲從者。無以異於驅群羊而攻猛虎也。夫虎之與羊。不格明矣。今大王不與猛虎而與群羊。竊以爲大王之計過矣。凡天下强國。非秦而楚。非楚而秦。兩國敵侔交爭。其勢不兩利。大王不與秦。秦下甲兵據宜陽。韓之上地不通。下河東取成皐。韓必入臣於秦。韓入臣。魏則從風而動。秦攻楚之西。韓魏攻其北。社稷豈得無

危哉。且夫約從者。聚群弱而攻至强也。夫以弱攻强。不料敵而輕戰。國貧而驟舉兵。此危亡之術也。臣聞之。兵不如者。勿與挑戰。粟不如者。勿與持久。夫從人者。飾辯虛辭。高主之節行。言其利而不言其害。卒有楚禍。無及爲已。是故願大王之熟計之也。秦西有巴蜀。方船積粟。起於汶山。循江而下。至郢三千餘里。舫船載卒。一舫載五十人與三月之糧。下水而浮。一日行三百餘里。里數雖多。不費汗馬之勞。不至十日而距扞關。扞關驚。則從竟陵以東盡城守矣。黔中巫郡非王之有已。秦舉甲出之武關。南面而攻。則北地絕。秦兵之攻楚也。危難在三

月之內。而楚恃諸侯之救。在半歲之外。此其勢不相及也。夫恃弱國之救。而忘强秦之禍。此臣所以爲大王之患也。且大王嘗與吳人五戰。三勝而亡之。陳卒盡矣。有偏守新城。而居民苦矣。臣聞之。攻大者易危。而民敝者怨於上。夫守易危之功。而逆强秦之心。臣竊爲大王危之。且夫秦之所以不出甲於函谷關。十五年以攻諸侯者。陰謀有呑天下之心也。楚嘗與秦構難。戰於漢中。楚人不勝。通侯執珪死者七十餘人。遂亡漢中。楚王大怒。興師襲秦。與秦戰於藍田。又却。此所謂兩虎相搏者也。夫秦楚相敝。而韓魏以全制其後。計無過於此者矣。是

故願大王熟計之也。秦下兵攻衛陽晉。必關扃天下之匈。大王悉起兵以攻宋。不至數月而宋可擧。擧宋而東指。則泗上十二諸侯。盡王之有已。凡天下所信約從親堅者蘇秦。封爲武安君而相燕。即陰與燕王。謀破齊共分其地。乃佯有罪。出奔入齊。齊王因受而相之。居二年而覺。齊王大怒。車裂蘇秦於市。夫以一詐僞反覆之蘇秦。而欲經營天下。混一諸侯。其不可成也。亦明矣。今秦之與楚也。接境壤界。固形親之國也。大王誠能聽臣。臣請秦太子入質於楚。楚太子入質於秦。請以秦女爲大王箕帚之妾。效萬家之都。以爲湯沐之邑。長爲昆弟之

國。終身無相攻擊。臣以謂計無便於此者。故敝邑秦王。使使臣獻書大王之從車下風。須以決事。楚王曰。楚國僻陋。託東海之上。寡人年幼不習國家之長計。今上客幸敎以明制。寡人聞之。敬以國從。乃遣使車百乘。獻鷄駭之犀夜光之璧於秦王。

(十三) 觸讋諷諫威后　趙策

趙太后新用事。秦急攻之。趙氏求救於齊。齊曰。必以長安君爲質。兵乃出。太后不肯。大臣强諫。太后明謂左右。有復言令長安君爲質者。老婦必唾其面。左師觸讋願見。太后盛氣而揖之。入而徐趨。至而自謝曰。老臣病足。

曾不能疾走。不得見久矣。竊自恕。恐太后玉體之有所郄也。故願望見。太后曰。老婦恃輦而行。曰。日食飮得無衰乎。曰。恃粥耳。曰。老臣今者殊不欲食。乃自强步日三四里。少益嗜食。和於身。曰老婦不能。太后之色少解。左師公曰。老臣賤息舒祺。最少不肖。而臣衰。竊愛憐之。願令補黑衣之數。以衛王宮。沒死以聞。太后曰。敬諾。年幾何矣。對曰。十五歲矣。雖少。願及未塡溝壑而託之。太后曰。丈夫亦愛憐其少子乎。對曰。甚於婦人。太后曰。婦人異甚。對曰。老臣竊以爲媼之愛燕后。賢於長安君。曰。君過矣。不若長安君之甚。左師公曰。父母之愛子。則爲之

計深遠。媼之送燕后也。持其踵爲之泣。念悲其遠也。亦哀之矣。已行。非弗思也。祭祀必祝之。祝曰。必勿使反。豈非計久長有子孫。相繼爲王也哉。太后曰。然。左師公曰。今三世以前。至於趙之爲趙。趙王之子孫侯者。其繼有在者乎。曰。無有。曰。微獨趙。諸侯有在者乎。曰老婦不聞也。曰。此其近者禍及身。遠者及其子孫。豈人主之子侯則必不善哉。位尊而無功。奉厚而無勞。而挾重器多也。今媼尊長安之位。而封以膏腴之地。多予之重器。而不及今令有功於國。一旦山陵崩。長安君何以自託於趙。老臣以媼爲長安君計短也。故以爲其愛不若燕后。太

后曰。諾。恣君之所使之。於是爲長安君約車百乘。質於齊。齊兵乃出。子義聞之曰。人主之子也。骨肉之親也。猶不能恃無功之尊。無勞之奉。以守金玉之重也。而況人臣乎。

(十四) 蘇代說燕昭王 燕策

蘇代謂燕昭王曰。今有人于此。孝如曾參孝已。信如尾生高。廉如鮑焦史鰌。兼此三行以事王。奚如。王曰。如是足矣。對曰。足下以爲足。則臣不事足下矣。臣且處無爲之事。歸耕乎周之上地。耕而食之。織而衣之。王曰。何故也。對曰。孝如曾參孝已。則不過養其親耳。信如尾生高。

則不過不欺人耳。廉如鮑焦史鰌。則不過不竊人之財耳。今臣爲進取者也。臣以爲。廉不與身俱達。義不與生俱立。仁義者。自完之道也。非進取之術也。王曰。自憂不足乎。對曰。以自憂爲足。則秦不出殽塞。齊不出營丘。楚不出疏章。三王代位。五伯改政。皆以不自憂故也。若自憂而足。則臣亦周之負籠耳。何爲煩大王之廷耶。昔者楚取章武。諸侯北面而朝。秦取西山。諸侯西面而朝。曩者使燕毋去周室之上。則諸侯不爲別馬而朝矣。臣聞之。善爲事者。先量其國之大小。而揆其兵之强弱。故功可成而名可立也。不能爲事者。不先量其國之大小。不

揆其兵之强弱。故功不可成而名不可立也。今王有東嚮伐齊之心。而愚臣知之。王曰。子何以知之。對曰。矜戟砥劍。登丘東嚮而歎。是以愚臣知之。今夫烏獲擧千鈞之重。行年八十而求扶持。故齊雖强國也。西勞於宋。南罷於楚。則齊軍可敗。而河間可取。燕王曰善。吾請拜子爲上卿。奉子車百乘。子以此爲寡人。東游於齊。何如。對曰。足下以愛之故與。何不與愛子與諸舅叔父負床之孫。不得而乃以與無能之臣。何也。王之論臣何如人哉。今臣之所以事足下者。忠信也。恐以忠信之故見罪於左右。王曰。安有爲人臣。盡其力竭其能。而得罪者乎。對

曰。臣請爲王譬。昔周之上地嘗有之。其丈夫宦三年不歸。其妻愛人。其所愛者曰。子之丈夫來。則且奈何乎。其妻曰。勿憂也。吾已爲藥酒而待其來矣。已而其丈夫果來。於是因令其妾酌藥酒而進。其妾知之。半道而立慮曰。吾以此飲吾主父。則殺吾主父。以此事告吾主父。則逐吾主母。與殺吾主父。逐吾主母者。寧佯躓而覆之。於是因佯僵而仆之。其妻曰。爲子之遠行來之故爲美酒。今妾奉而仆之。其丈夫不知。縛其妾而笞之。故妾所以笞者。忠信也。今臣爲足下使於齊。恐忠信不諭於左右也。臣聞之曰。萬乘之主。不制於人臣。十乘之家。不制於

衆人。匹夫徒步之士。不制於妻妾。而又況于當時之賢主乎。臣請行矣。願足下之無制於群臣也。

谷 清瀨 校

中等教科 漢文讀本卷之十 終

明治三十二年五月五日
文部省檢定濟

明治三十二年二月二十日印刷
明治三十二年二月二十三日發行

定價
一二三四 各金廿錢
五六 各金廿三錢
七八九十 各金廿五錢

編者 東京市本鄕區追分町十四番地 福山義春
編者 東京市神田區裏猿樂町十八番地 服部誠一
發行兼印刷者 東京市日本橋區本石町十軒店六番地 阪上半七
發兌 同所 育英舍

深井鑑一郎訂正

弘文館編纂

訂正 中學漢文讀本

東京 弘文館發行

訂正 中學漢文讀本卷一

目次

句例一 (一)

句例二 (三)

句例三 (四)

句例四 (五)

句例五 (七)

句例六 (八)

句例七 (九)

學校 貝原益軒 (一〇)

過目皆憶(近世叢語) (一〇)

以繼述爲志(續近世叢語) (一〇)

宜長國學(校正續國史略) (一一)

羣書類從(國史略) (一一)

雪山學書(近世叢語) (一二)

靜心以書(日本智囊) (一二)

探幽爲畫博(國史略) (一二)

國瑞洋學(日本國志) (一三)

勸兵數學 (一三)

山陽歷史(校正續國史略) (一四)

白石史論(校正續國史略) (一四)

赤水地理（近世叢語）　（一五）
地理學　齋藤拙堂（一五）
貞頼檢出無人島（國史略）　（一六）
蘭山博物（續近世叢語）　（一六）
米穀（日本國志）　（一七）
始傳草綿（國史略）　（一七）
雌雄雙蕊（日本國志）　（一八）
動物（格物探原）　（一九）
運動四肢　佐藤一齋（一九）
康健之福（西稗雜纂）　（二〇）
上野公園　菊地三溪（二〇）

淺草寺（扶桑遊記）　（二一）
軍旗授與式（國史略）　（二一）
徵兵（國史略）　（二二）
赤心報國（先哲叢談）　（二二）
西洋銃法（國史略）　（二三）
始得自鳴鐘（日本國志）　（二三）
橫濱　川北梅山（二四）
漆器（日本國志）　（二四）
撒扇（日本國志）　（二五）
神戸港　川北梅山（二五）
楠公廟（扶桑遊記）　（二六）

大日本史（校正續國史略）　（二七）
筑波山　菊地三溪（二七）
勿來關　安井息軒（二八）
八幡太郎（日本外史）　（二八）
仙臺　川北梅山（二九）
松島（日本國志）　（三〇）
金華山　大槻磐溪（三〇）
伊達政宗（日本智囊）　（三一）
林子平（隨鑾紀程）　（三一）
米澤　林鶴梁（三二）
治憲起興讓館（校正續國史略）　（三三）

紀德民（校正續國史略）　（三四）
平田篤胤（隨鑾紀程）　（三四）
秋田欵冬（隨鑾紀程）　（三五）
北海海產（日本國志）　（三六）
小樽鰊（隨鑾紀程）　（三七）
函館港　川北梅山（三七）
五稜廓冰（隨鑾紀程）　（三八）
蝦夷人種　（三九）
伊久波獲羆　久坂江月齋（三九）
巴提便刺虎（國史略）　（四〇）
虎（博物新編）　（四一）

訂正中學漢文讀本卷一目次

馬（博物新編）（四二）
鹿（本草綱目）（四二）
奈良　川北梅山（四三）
大和（大八洲遊記）（四四）
紀元節（國史略）（四五）
寶祚無窮（日本書紀）（四五）
君子國（國史紀事本末）（四六）
富士山（日本國志）（四七）
百不二圖（校正續國史略）（四八）
山愈高愈冷（格物探原）（四八）
琵琶湖（日本國志）（四九）

始試蒸氣船（米利堅志）（五〇）
湖鮒溯鯉　羽倉簡堂（五一）
魚類（漢學入門）（五二）
鰷　寺島杏林堂（五二）
利根川（扶桑遊記）（五三）
白山（日本國志）（五四）
金澤（大八洲遊記）（五九）
九谷燒（日本國志）（五六）
順菴仕加賀侯（近世叢語）（五七）
技藝有四等（先哲叢談後編）（五七）
賴宣封紀伊（日本智嚢）（五八）

和歌山　川北梅山（五九）
紀州柑園（大八洲遊記）（六〇）
枇杷（本草綱目）（六一）
義直封尾張（渉史偶筆）（六二）
名古屋（六二）
靜岡（大八洲遊記）（六三）
家康麥飯（渉史偶筆）（六四）
必非常人（近世人鏡錄）（六五）
岡山（六六）
熊澤蕃山（先哲叢談）（六六）
近江聖人（近世叢語）（六七）

貝原益軒（近世叢語）（六八）
福岡（大八洲遊記）（六九）
時宗鏖元寇　牧百峰（七〇）
黑田如水　賴山陽（七一）
不欲使習奢（近世叢語）（七二）
安藝孝子（近世叢語）（七三）
廣島（七三）
毛利元就（日本智嚢）（七四）
幸盛忠義（武乘）（七五）
錦帶橋（報桑錄）（七六）
隆景老兵（渉史偶筆）（七七）

清正守蔚山（國史略）　（七八）
熊本（大八洲遊記）　（七九）
熊本圍城（國史略）　（八〇）
鹿兒島　（八二）
薩摩薯（日本國志）　（八三）
蕃薯濟人（國史略）　（八四）
農業　（八五）
食力無已時（譚海）　（八六）
寒夜脫御衣（皇朝史略）　（八七）

訂正中學漢文讀本卷一

深井鑑一郎訂正
弘文館編纂

句例一

花開　花開ク

鳥啼　鳥啼ク

百花開。禽鳥啼。

雲起　雨至

黑雲起。驟雨至。

獸走　魚躍

百獸走。羣魚躍。

山高　湖深

富士山高。琵琶湖深。

句例二

喫飯　飯ヲ喫ス

啜茶　茶ヲ啜ル

先喫飯。後啜茶。

觀花　賞月

春觀花。秋賞月。

登山　泛海

獵獸　網魚

登山獵獸。泛海網魚。

修學　習業

修學習業。啓智成德。

持己　及衆

恭儉持己。博愛及衆。聖勅所示。

句例三

放紙鳶　紙鳶ヲ放ツ

騎竹馬　竹馬ニ跨ル

乘順風放紙鳶。騎竹馬走平野。

節飲食　健身體

節飲食圖攝養。健身體耐勞苦。

就小學　入中學

六歲就小學。十二歲入中學。

從師訓。服校紀。

事父母　愛弟妹

事父母盡孝養。愛弟妹不相爭。

句例四

啓發智能　智能ヲ啓發ス

成就德器　德器ヲ成就ス

啓發智能。成就德器。强健體軀。

方今教育之要旨。

攻究物理　發明電氣

攻究物理。發明電氣。架電信。設電話。點電燈。製作機器。獎勵工藝。

創製汽車　可坐而到

創製汽車。便利交通。朝發東京。暮達名古屋。百里之遠。可坐而到。

句例五

起學校于東京　學校ヲ東京ニ起ス

起學校于東京。　授學業於子弟。

稱俊才滿其門。

觀練兵乎青山　稱我軍最守軍紀。

觀練兵乎青山。　知兵士有紀律。

列國用兵於北清。　稱我軍最守軍紀。

句例六

送赴西洋友　西洋ニ赴ク友ヲ送ル

朝送赴西洋友。　夕迎歸本朝人。

恐坐一室害健康

恐坐一室害健康。　欲跋涉山野鍊體軀。

思交惡友可畏　欲集同志資講習

知交損友無益。　恐耽安逸誤一生。

欲會同學圖進益。

句例七

將以所學於學校餘暇興講習之會　將ニ學校ニ學ヘル所ノ餘暇ヲ以テ講習ノ會ヲ與サントス

將以所學於學校餘暇爲研學之計。

盍擇精漢文熟英語善數學者求交親。

學校　貝原益軒

國家不可一日而無學校。無學校則義理之教不興。人倫之教不明。

過目皆憶（近世叢語）

林羅山幼齡讀書於東山僧舍。五行俱下過目皆憶。人目曰襄耳。言入而不漏也。

以繼述爲志（續近世叢語）

原念齋。少喪父。夙夜刻苦。恆以繼述家學爲志。揭念祖二大字於齋楣。以爲戒。

宣長國學（校正續國史略）

本居宣長。伊勢人。寓江戶。從賀茂眞淵學。一時推服。圖像傳播。

羣書類從（國史略）

羣書類從六百三十五卷。瞽僧塙保己一之所輯。著書之浩瀚。古來無比。

雪山學書（近世叢語）

北村雪山。少時淸貧。家唯壁立。上漏下濕。繫洛盤於梁上。端坐其下。泰然學書。

靜心以書（日本智囊）

小早川隆景。使書佐急作書。謂之曰事急矣。宜靜心以書之。書佐於是無誤寫。

探幽爲畫博（國史略）

狩野守信。京師人。號探幽。元信五世孫。

善繼箕裘。掌畫局。名擅一時。寬永中。將軍德川家光。徵爲畫博。

國瑞洋學（日本國志）

桂川國瑞。號月池。曾祖國寶以外科仕幕府。國瑞通蘭學。外國亦聞其名。洋學之興。國瑞尤有力焉。

勘兵數學

文祿中。秀吉臣有毛利勘兵者。善算數。

學。嘗至明學其術。後歸朝。聚徒教授。從是數學行於世。（編者撰）

山陽歷史（校正續國史略）

賴襄字子成。號山陽。以其三樹草堂近望東山。號三十六峯外史。文名震一時。著政記・日本外史・通議・新策等書。

白石史論（校正續國史略）

新井璵。字君美。號白石。好學。潛心經史。

通和漢典故。有著書一百六十餘種。藩翰譜。讀史餘論等書。尤行于世。

赤水地理（近世叢語）

長久保赤水水戸赤濱人。學極該博。最長於地理。著和漢與地數圖。皆上梓。又以侯命。撰地理志。

地理學　　齋藤拙堂

同住天地之閒。聞見僅止於彈丸黑子

之地。不知九州之外。更有九州。信井底蛙耳。而晏然安固陋。不肯講。飛耳張目之方可耶。此地學所以當講也。

貞賴檢出無人島（國史略）

小笠原貞賴爲信濃深志城主。文祿中。奉幕命。檢南島得一島。命以其氏。又曰無人島。航海歲收其利。

蘭山博物（續近世叢語）

小野蘭山。名職博。說本草。徵引羣籍。參證互明。其辨物。恠異珍奇。罕覯希有之品。一目卽言其所産。聞者莫不歎服焉。

米穀（日本國志）

米穀之類。有粳米。有糯米。有大麥。有小麥。有裸麥。有蕎麥。有粟。有豆。有甘藷。有馬鈴薯。皆農民所資以爲食者。

始傳草綿（國史略）

文祿征韓之役。自朝鮮還者。始傳草綿種。民皆知其利。稍稍藝之。遂至與桑麻相鼎立。

雌雄雙蕊（日本國志）

草木之類。有一花內具雌雄雙蕊者。花心中如蜜者。爲雌蕊。其周圍所帶黃粉。爲雄蕊。其配合之法。雄蕊所含黃粉。爲風鼓盪。與雌蕊之蜜粘著。然後結實。

動物（格物探原）

動物類。可分爲四。一爲水物。體圓而無骨。芒岐四出。如鰲魚是。二爲水中介類。三爲無脊骨者。如蟲豸類。四爲有脊骨者。如鱗族・蛇類・飛禽・走獸。

運動四肢　佐藤一齋

觀花木以養目。聽啼鳥以養耳。嗅香草以養鼻。食甘滑以養口。時徜徉園中。以

運動四肢。凡物得其節度。皆足以爲養。

康健之福（西稗雜纂）

學士潤孫曰。康健之福。大於財寶。何則財寶者。可由康健而得。康健者。不可以財寶而求也。

上野公園　菊池三溪

上野。原稱忍岡。林木翳薈。岡阜隆然。前接不忍池。頗爲勝境。即德川氏奕世兆

域所在。今爲公園。

淺草寺（扶桑遊記）

淺草寺。創於推古天皇三十六年。寺中供奉觀音。香火極盛。寺左右。鬻物售茗者。不下數十所。而寫眞者尤夥。寫眞即西洋影像。

軍旗授與式（國史略）

明治七年甲戌一月。　天皇率文武諸

臣。臨御于日比谷操練場。擧行軍旗授與式。操練場今廢爲公園。

徵兵（國史略）

明治五年十一月。詔全國募兵。頒布徵兵令于天下。尋出血稅令。布告以生血報國恩之意。

赤心報國（先哲叢談）

淺見絅齋名安正。近江高島人。兼好武

事。常騎馬擊劍。其所帶劍鐔。鐫三宅觀瀾篆赤心報國四字。

西洋銃法（國史略）

高島秋帆。名四郎大夫。長崎人。嘗學砲術於荷蘭人。頗究其蘊奧。我邦西洋銃法之傳。以此爲嚆矢。

始得自鳴鐘（日本國志）

慶長十七年。新西班牙人。始來通商。始

得自鳴鐘。旋遣京商田中某。附其船往。逾年而還。獻緋紅鵝絨・葡萄酒各物。

橫濱　川北梅山

橫濱。神奈川縣廳所在。人口十九萬參千餘。本牧岬扼灣口。障風濤。深十仞。良港之名。噪海內外。大賈麕集。巨館櫛比。本邦貿易。此爲第一。

漆器（日本國志）

本邦所出漆器・木器・銅器。多精雅工緻。足供翫賞。西人喜其華美。頗以充几案閒物。故亦爲輸出一宗。

織扇（日本國志）

織扇。以竹爲骨。長僅三四寸。皆十三行。或有數十行者。柄或用烏木。或用鯨骨・象牙。西國婦女喜購之。又徧傳於泰西。

神戶港　川北梅山

神戶爲五港之一。兵庫縣廳所在。人口二十一萬五千餘。和田岬斗出灣內。水深。巨艦往來。貿易之盛。亞橫濱。湊川神社。在湊川上。其西爲兵庫。有福原舊址。

楠公廟（扶桑遊記）

廟在湊川北阪本村。楠公名正成。公起師勤王。轉戰至此。乃戰死。後人遂葬於此。故墓亦在焉。碑表曰嗚呼忠臣楠氏之墓。碑陰有贊。爲明遺臣朱之瑜撰。

大日本史（校正續國史略）

德川光圀。賴房之子。天資英毅好學。嘗慨舊史闕文。置彰考館。招致名儒。編輯歷朝實錄。曰大日本史。二百三十卷。自神武天皇。至後小松天皇。

筑波山　菊池三溪

筑波山。在常陸國筑波郡。高三千百十

八尺。與加波・葦尾・雨引諸山相連接。崛起于八州之野。夕而望之。如攢紫雲。故或名紫山。

勿來關　安井息軒

勿來關。常・磐之界也。源鎭守府將軍義家東征過此。詠櫻花以寓敵愾之意。以故其名尤顯。

八幡太郎（日本外史）

源賴義夢八幡神賜劍。其妻有娠生子。賴義喜曰。此兒必與我家。因名義家。及長冠于八幡祠前。稱八幡太郎。

仙臺　川北梅山

仙臺。有宮城縣廳。往時伊達政宗居此。威風張東北。子孫與德川氏終始。人口八萬餘。今尙爲奧羽都市之巨擘。城稱青葉。陸軍置第二師團。城下有櫻

岡・躑躅岡等名勝。近郊存多賀城址。所謂壺碑者建焉。

松島（日本國志）

松島。屬陸前宮城郡。南至千賀浦。北至磯崎。小島數百。海上散布。悉生青松。奇麗美秀。與丹後天橋立・安藝嚴島。名爲本邦之三勝云。

金華山　大槻磐溪

金華山。高八百尺。周廻三里餘。在陸前牡鹿郡海上三里。聖武帝朝。始貢黃金。大伴家持獻國歌以頌焉。有陸奧山兮黃金華之句。自此稱金華山。

伊達政宗（日本智囊）

政宗。幼名梵天。生甫五歲。嘗出遊佛寺。見不動像。指問近臣曰。此何者。何其顏貌之猛也。對曰。不動明王。其貌雖猛。其

心則慈悲濟衆。梵天曰。武將宜如此。

林子平（隨鑾紀程）

林子平。名友直。以字行。號六無齋。慷慨憂國。著海國兵談・三國通覽。切論海防利害。幕府嫌忌。命錮其家。以寛政五年歿。墓在舊青葉城北龍雲院。

米澤　林鶴梁

米府。街衢縱橫。方一里餘。列肆繁錯。貨

物盈市。其民勤於耕織。宜漆。宜桑。宜麻苧。土物充溢。故四方商賈。來者甚多。風俗皆質實撲茂。豪商家女。猶見著木綿衣。蓋昔時鷹山侯美政猶存。

治憲起興讓館（校正續國史略）

上杉治憲。英明銳意政治。安永初。召紀德民。用之。悉革弊政。尋建興讓館。巡行部內。問民疾苦。遍賑給之。弟治廣承後。

亦能繼其志。聲聞四方。

紀德民（校正續國史略）

德民。尾張人。受業秋元維寧。學成。教授江戶。仕尾張侯宗睦。爲侍講。兼明倫堂司教。其講書。聽者感泣。後客米澤。論得失。省政刑。民被其澤。

平田篤胤（隨鑾紀程）

篤胤。舊秋田藩士。少遊江戶。講究國典。

晩年歸藩。弟子益進。蓋所謂國學。至本居宣長。始集大成。篤胤汲流溯源。才大學博著述五百餘部。

戊辰之變列藩抗命。獨佐竹氏君臣守義勤王。篤胤遺教亦與有力焉。

秋田欵冬（隨鑾紀程）

秋田欵冬。異於他產。其莖圍一尺。長六七尺。葉大如張繖。白布全幅。搨染一葉。

以爲包袱。又剪莖爲薄片。漬以糖霜。味尤美。

北海海產（日本國志）

北海道海產。取之無禁。用之不竭。近以人工培育。生生不窮。其輸入清國。亦逐歲加增。遂爲國產一大宗。所輸出多乾腩之類。近學西法。以熟肉盛錫罐中。竟能千里齎行。不至餒敗云。

小樽鰊（隨鑾紀程）

小樽。北海七港之一。多產鰊・鱒・鮑・海鼠・昆布等。而鰊最多。春・夏之交。羣浮水上。吹沫如雪。漁人網而捕之。推積成山。曬肉謂之棒鰊。取卵謂之麗子。

函館港　　川北梅山

函館。五港之一也。人口七萬八千餘。居北海道之咽喉。百貨聚散。商業頗盛。五

稜郭。當時德川氏脫兵。據守抗王師處。南方數里港曰福山。又有松前之稱。舊松前侯所治也。

五稜郭冰（隨鑾紀程）

製冰所。在龜田郡五稜郭外。明治六年。東京府民中川嘉右所創。歲伐冰外壕。販鬻內・外。函館冰之名。噪於世。他有造冰室者。皆不及焉。

蝦夷人種

川北梅山

蝦夷人種。高顴深目。隆鼻而多鬚髯。體軀長大。性勇猛乏智慮。往古蔓延於我北地。奧・羽爲其巢窟。數抗王命。歷朝勦討。其勢不抗。漸逃竄於北陬。生齒不殖。種族益微。今僅棲息於北海道山中云。

伊久波獲羆

久坂江月齋

東蝦夷燕茂岬山中有羆。猛悍害人。部

酋伊久波者兄亦被害。伊久波悲憤飲泣。乃謀復仇。入山遇羆。注箭射之不中。羆咆哮人立而逼。格鬬久之。遂俱絶。既而伊久波蘇。乃獲之歸云。

巴提便刺虎（國史略）

巴提便之在高麗也。一夕大雪。失其幼子。見戶外有虎跡。跡而至虎穴。虎張口來噬。巴提便左手執虎舌。右手拔刀刺

殺之。乃持其皮進獻。

虎（博物新編）

虎身高三尺。首・尾長約七尺。黃脊黑紋。肚色純白。尾毛黃黑相間。齒牙尖銳。爪利如錐。性黠而殘。不激而怒。聲能振物驚人。力能負牛疾走。一胎四五子。孕四月而生。牝虎愛戀其兒。牡虎置而不顧。

馬（博物新編）

家中六畜皆有用于人。而服役之良。則以馬爲最。教之戰。教之耕。教之畋獵。無不如意。其性少悍。其力雄豪。有肝無胆。常不畏怯。天下之馬。以亞喇伯爲最良。身長八尺。日行千里。

鹿（本草綱目）

鹿馬身羊毛。高脚而行速。牡者有角。夏至則解。大如小馬。黃質白斑。牝者無角。

小而無斑毛。雜黃白色。孕六月而生子。性能別良草。食則相呼。行則同旅。居則環角外向。以防害。

奈良　川北梅山

奈良之爲地。屬古奈良。皇都之一部。今置奈良縣廳。人口參萬餘。舊蹟之多。亞京都。春日祠及東大・興福二寺。最熟于人口。自畝傍及歷代山陵。至法隆・藥

師寺等。所謂南都七大寺。又皆散在於縣下。

大和（大八洲遊記）

大和所謂大倭。浦安・細戈千足・磯輪上秀眞・玉牆・靈・空見日本等之名。已著於神世。神武帝奠都於橿原。又有秋津洲之名。歷代諸帝。雖所都不一。率在此國。而奈良元明帝而下。七世・八十四年。都

之。至桓武帝。遷都於山城。因稱爲南都。

紀元節（國史略）

明治五年十一月。詔廢太陰曆。頒行太陽曆。以十二月三日。改爲明治六年一月一日。遂推步時月。改定天長節及諸官祭。以神武天皇卽位。爲紀元。尋此日名紀元節。

寶祚無窮（日本書紀）

天照太神。賜天津彥火瓊瓊杵尊。八阪瓊曲玉。及八咫鏡・草薙劍。三種寶物。因勅皇孫曰。葦原千五百秋之瑞穗國。是吾子孫之可王之地。宜爾皇孫就而治焉。行矣寶祚之隆。當與天壤無窮者矣。

君子國（國史紀事本末）

大寶二年夏六月。粟田眞人等聘於唐。會唐主母武氏簒國。更號曰周。國人謂

眞人。曰、聞海東有大倭國。謂之君子國。人民豐樂。禮義敦厚。今見使人。儀容果然。

富士山（日本國志）

富士山。跨居富士郡及北甲斐都留・八代二郡。本土第一高山也。直立凡一萬貳千三百七十尺。其狀如芙蓉。四面皆同。四時戴雪。皓皓積白。蓋終古不化。十

三州皆望之。本噴火山。山巓猶有巨洞。

百不二園（校正續國史略）

池野無名。京師人。幼善書・畫。長就柳澤里恭而學。模元・明名蹟。又法清蕭尺木。遂成一家。號大雅又九霞山樵。數登不二山。作百不二圖。妙寫其秀逸峭拔之勢。

山愈高愈冷（格物探原）

山愈高。其上愈冷。上至三百五十尺。以寒暑表測之。增寒一度。如地面上。北行二百里相同。上至千尺。五穀不能生。祗餘樹木。再上無大樹木。再上凡物不生。祗餘雪。

琵琶湖（日本國志）

琵琶湖。以形似得名。又有淡海・鳰海之稱。亘十一郡。國中第一大湖也。容八百

八水。末流入勢多川。而注山城。周廻七十三里餘。東西五里。南北十五里。近年湖中設小汽船。以通往來。

始試蒸氣船（米利堅志）

邊邦人布亞爾頓者。精究理學。以爲蒸氣可以行舟。精思累年。一千八百七年。始試蒸氣船于赫遜河。舟行自紐約至亞拉巴麻。經七八日。以蒸氣船行之。僅

三十六時耳。衆便之。各國爭倣其式、蒸氣船遂行于全世界。

湖鮒濺鯉　羽倉簡堂

鮒魚以琵琶湖所產爲上。土人名源五郎。頭小身濶鱗帶銀色。鬐鬣微紅。呼紅葉鮒。尤珍。又有圓鮒・底鮒・夷鮒等。無慮八十餘品。鯉魚濺城筒車下出。肉色鮮紅、頭小而差扁鱗帶金色。是爲最品。宜

乎世稱湖鮒濺鯉。

魚類（漢學入門）

魚類處於海・河・溪・湖。身皮光滑者有之。鱗蓋其身者有之。魚骨軟而白。魚皆生卵。一魚每至生卵數千粒。其卵名魚子。或在海中・河中・泥中。皆能出魚。魚類無聲。

鰷　寺島杏林堂

鰷二三月初生。在江・海之交。大一二寸未生鱗。骨潔白。惟見黑眼。呼曰小鰷。熬食甚甘美不腥。三・四月。大如柳葉。生鰭及細鱗。頭尖嘴白。背淡靑。腹白。尾端鰭端有微赤花。其頭後背前有凝脂。味最佳。泝流至山川。食石垢苔藻。其潛行甚速。

利根川（扶桑遊記）

利根川。分爲新・舊二道。舊者發源於上毛利根郡文珠山。衆流匯積而成巨浸。至銚子港入海。新者鑿於關宿。經武・總界。由行德入海。長七十餘里。爲日本第一大河。故以阪東太郎稱。水底有沙無石。諸州轉運之舶帆檣出入。日約數百艘。

白山（日本國志）

白山北陸道第一高山也。跨越前・美濃・飛驒諸國。有三峯。南稱別山。北稱大汝。中央稱御前。最高峻。登其絕頂俯瞰六州。直立凡八千九百四十尺。御前峯後。又有劍峯。其狀如立五劍。積雪四時不化。故總稱白山。

金澤（大八州遊記）

金澤舊前田侯所治。居民八萬參千餘。

其繁盛冠北陸。有第八師團及石川縣廳。兼六園則前田侯別館。君侯致仕。多居此。園有六景。故爲名云。老樹陰翳錯以花木。曲水環流幽邃殆如入深林。

九谷燒（日本國志）

九谷燒摶泥甫就。先用銅絲。嵌作山水花草翎毛之形。俟著色時。施藍作地。以青綠諸色。圖肖物形。毫髮悉備。所著色

皆用藥料。光艷照人。神采如生。

順菴仕加賀侯（近世叢語）

順菴幼穎悟。入松永遐年門。勤學勵行。業大進。聲名益顯。加賀前田氏厚禮聘之。嘗謂新井白石・榊原篁洲曰。卿等勤學。其所志如何。二人對曰。冀有益國家也。於是白石講習典故。篁洲窮綜法律。

技藝有四等（先哲叢談後編）

榊原玄輔。號篁洲。和泉人。爲紀州侯儒官。常云。天下技藝。各有四等。一曰偏多。二曰功者。三曰上手。四曰冥盡。上下三千年。縱・橫一萬里。所存不出於此。學者之於道亦然。

賴宣封紀伊（日本智囊）

德川賴宣家康第十子。封紀伊五十五萬石。治和歌山。賴宣股有痕。每浴不拭

之。侍臣怪問故。曰。昔吾怒侍者。執刀擊之。室碎。安藤直次聞之走來。搯吾股曰。暴怒如此。豈國君之爲乎。及去見之。衣裂。是其痕也。今也直次死。吾亦老矣。見痕日滅。不忍拭也。

和歌山

川北梅山

和歌山在紀伊川南岸。人口六萬參千餘。爲南海大邑。舊德川侯治焉。鐵路通

於大阪。盛織毛布。所謂紀州織者偏全國。南方爲和歌浦。風光如畫。咏於古歌。更南十數里。得田邊灣。亦爲名邑。

紀州柑園（大八洲遊記）

柑園皆據山。山腹甃石爲防。形如壘壁。種柑其中。其下亦倣之。層累相屬。以至平地。有田一郡。環以山阜。每皆然。或有種以枇杷者。紀柑聞於天下。而柑之美

此郡爲第一。每年鬻之四方。得四十萬金云。其盛可知矣。

枇杷（本草綱目）

枇杷高丈餘。肥枝長葉。大如驢耳。背有黃毛。四時不凋。盛冬開白花。春實。其實簇結有毛。四月熟。大者如鷄子。小者如龍眼。皮肉甚薄。核甚大如茅栗。色白者爲上。黃者次之。

義直封尾張（涉史續筆）

義直家康第九子。封尾張六十二萬石。治名古屋。義直岐嶷夙成。當時猿樂盛行。侯伯子弟競學。義直獨不爲。曰。吾生將家。弓・馬・刀・槍。不可不學。俳優雜技。將何爲。

名古屋

川北梅山

名古屋在東西兩京之中間。百貨輻湊。

人口殆二十四萬四千餘。其盛亞三府。舊爲德川侯居城。城上尚存天主閣。第三師團及愛知縣廳在焉。熱田之於神宮。清洲之於古城址。桶狹・小牧山之於古戰場。皆相去不遠。

靜岡（大八洲遊記）

靜岡。縣治所在。古者置國府於此。德川公老於此。其後置城代鎭焉。曰府中。維

新。後更靜岡。治本國及遠江・伊豆三國。市坊八千餘。居民四萬二千餘。屑樓跨街。百貨駢集。在海道則繁盛亞名古屋。

家康麥飯（涉史偶筆）

家康在三河。常食麥飯。一日厨人麥飯面而進。家康作色曰。方今連年兵役。民不飽藜・藿。吾獨忍勞百姓而侈飲食乎。且余儉口腹。將優軍需也。汝輩在左右。

未達此旨乎。家光飲膳不適口。春日氏責厨宰不謹。使日設飯七種。未出百年。勤儉此風。蕩然掃地。

必非常人（近世人鏡錄）

光政生五年。始見於東照公。公手自執刀以賜。撫其首曰。輝政之孫也。孤日望成長。光政拜受刀。卽拔見之。公驚爲執欛。納之室。旣退。公目送謂左右曰。眼彩

電發。必非常人矣。

岡山

岡山爲池田侯舊治所。人口五萬六千餘。街衢在旭川右岸。近者戶口日稠。延及左岸。後樂園在岡山城北。舊爲藩侯觀遊之所。清疎有雅趣。爲本邦三公園之一。

熊澤蕃山（先哲叢談）

蕃山年甫十六。仕岡山烈公。比弱冠。公驟加奬眷。將大用。而辭以未學。乃乞遊學。越七年。公召還之。信任愈厚。亡何當要路。於是布德流惠。賑貧救困。明聖教以闢異端。嚴武備以戒不虞。諸新政海內驚耳目。

近江聖人（近世叢語）

中江藤樹。爲人溫厚。帥人以躬。人無賢

愚。皆服其德。莫不興起于善。嘗之京師。行路轎中。說心學。轎夫感動流涕。其德之薰人類此也。故一時稱曰近江聖人。備前侯聞其篤學修行。使人聘之。不就。侯渴仰益切。迎師崇之。

貝原益軒（近世叢語）

益軒筑前福岡人。世臣福岡侯。好著書。以利人濟物爲要。其所選著。不爲名高。

務益後人。乃至家範・鄉訓・樹藝・製造・養生等。亹亹懇懇。又好探討奇勝名區。足幾遍天下。亦皆詳紀行程勝跡。以便旅人。

福岡（大八洲遊記）

博多。古昔爲外國往來之要津。今猶人烟繁盛。業唐織者極多。世之所謂博多織者是也。川南則福岡。纔隔一橋。卽舊

黑田侯所治。居民六萬六千餘。九州地方推繁盛者。此地及熊本爲最。千代松原存元寇舊跡。今爲公園。箱崎八幡・香椎宮。皆不太遠。

時宗鏖元寇　牧百峰

弘安中。元主既滅趙宋。來使致書。求通好。事下鎌倉。議北條時宗時爲執權。以書辭無禮。却之。元主大怒。發兵十萬來

寇。入侵太宰府。北條實政拒之。會大風遽起。我兵因奮擊鏖之。得生還者厪三人。外寇遂絕。

黑田如水　　賴山陽

高麗之役。太閤使日根野某于海外。某乏資。介三好某。借銀三百枚黑田如水。使事竣。齎其子本共三百三十枚。與三好俱造如水氏座定。如水呼其人命曰。

嚮所獲紅魚。聶切爲三。而羮其骨以供客。客心薄之。及酒罷。出銀袖。謝而返之。如水曰。吾資之也。非貸之也。

不欲使習奢（近世叢語）

綾部道弘。豐後杵築人。自處節儉。不喜華飾。嘗有人遺彩服於其子。遂不許服曰。先君貧素卽世。吾亦辛勤多年。幸享俸賚。煖養兒女。是君之惠也。夫人情勤

於儉。而易於奢。予非不愛兒也。不欲使習奢耳。

安藝孝子（近世叢語）

安藝有孝子。將出。母曰。雨後土濕。穿木屐而行。孝子曰唯。乃著屐。父睹之曰。天既晴。草履可也。孝子謹脫屐。母又曰。何不穿木屐。則又屐。父復曰。草履。則又履。且脫且穿數四。竟左右各著一隻而行。

廣島

中國都會。推廣島。人口十貳萬二千餘。商業頗盛。舊淺野侯治焉。今置第五師團。明治廿七年。有事於淸國。設大本營於此。宇品港在其南數里。亦著於當時。東北有邑。曰吉田。毛利氏基業之地。有元就墳墓。

毛利元就（日本智囊）

元就病將死。致諸子於前。取箭數條。一如其子數。自糾爲一束。極力折之。不能折也。單抽其一條。隨折隨斷。因戒曰。兄弟猶此箭也。和則相依濟事。不和則各敗。汝等勿忘。隆景進曰。夫兄弟之爭。必起於欲。棄欲思義。何不和之有。元就悅曰。宜從仲兄之言。

幸盛忠義（武乘）

山中幸盛。勇敢有力。八歲殺人。十歲能戰。作鹿角長六尺。用以挿冑。望之嶽然。故號曰鹿助。世仕尼子氏。爲人精忠。性能忍辱。間關流離。身歷大小百餘戰。一出忠義。尼子氏之族。悉爲毛利氏所滅。乃佯降。密謀報讐。發覺遭害。

錦帶橋（報桑錄）

岩國。長老吉川氏治焉。四面皆山。邸蔭

樹而不見。水經邸下。有橋架之。長三十餘丈。承以五柱。每柱成橋。連成一大橋。柱皆疊石。鎔鉛塡補。橋架巨木。數十相貫。板布其上。鐵釘密綴。令其堅牢不壞。先是洪水屢至。橋輒圮。自造此橋。遂名曰錦帶橋。

隆景老兵（涉史偶筆）

諸將棄國都。慮韓人爲亂。曰。悉殺韓人

在城者。以絕禍根。議未決。小早川隆景坐睡不應。石田三成呼曰。此豈鼾睡時乎。隆景徐曰。若悉殺韓人。誰運輜重者。不如放火乘閒撤兵。明兵怯懦。何暇尾擊。衆曰。善。乃火營而去。每頓兵。分番迭休。明人欲尾擊。無隙可乘。深服其老兵。

清正守蔚山（國史略）

蔚山之役。明兵絕我汲道。於是城兵飢

渴。夜汲濠水。濠中有屍。水血相半。飲之救渴。或嚼故紙。煎壁土。刺馬飲其血。馬盡。乃飲溺。夜出城外。搜明人尸。取其所佩糗糧牛炙食之。天大雪。士卒瘒瘃。有墜指者。而清正意氣自若。益修守具。用銃及紙礮。日斃明兵數百人。既而援兵至。清正開門合擊。敵衆崩駭。

熊本（大八洲遊記）

熊本。舊細川侯所治。市坊三百八十七。居民六萬一千四百餘。繁富殷賑。冠於九國。熊本城。即肥州所築。細川侯數世居之。今爲鎭臺。統第六軍管。其城依高岡築之。自遠望之。似不崇高。然至壘下。則高出市街上。丁丑之亂。舊譙樓皆爲焦土。今則鎭臺營屋相屬。壘壁之雄壯。亦爲九州第一。

熊本圍城（國史略）

丁丑之役。薩軍四面圍熊本城。時城中糧乏。翹足日望援軍至。而官軍未能達城下。城中益困。於是減一日四飰之制。以爲三飯。至文官在幕中者。日給粥二次。城兵乘夜。索食城外。獲豆則製豆腐。獲麥則作餡。上下協力。盡力守城。而糧食日乏。所餘厪支十三日耳。既而官軍

連戰破薩軍。逐長驅至熊本城。薩兵大敗。解圍而去。

鹿兒島

鹿兒島之爲地。負山臨海。櫻島屹峙於海面。風光頗佳。人口五萬四千餘。舊島津侯治焉。城山之麓。曰岩崎谷。丁丑役薩將西鄕隆盛等勢不抗。遂退死於此。南方之邑。曰揖宿。製陶器。所謂薩摩燒

是也。

薩摩藷（日本國志）

蕃藷。本呂宋國所産。元祿中。由琉球得之。關西曰琉球藷。關東曰薩摩藷。江戸婦人皆稱阿薩。店家榜曰八里半。煨而熟之。江戸八百八街。每街必有藷戸。自卯辰至亥夜。竈烟蓬勃。不少息。貴賤均食之。然無告窮民。尤食其利。蓋所費不

數錢。便足果腹也。

蕃藷濟人（國史略）

青木敦書。字文藏。武藏人。嘗嘆曰。凡罪人減死。刑處流者。要在其終天年。然諸島少穀。動至餓死。恐非國家好生之意也。意者穀之外。可以當穀者。莫如蕃藷也。願得其種子於薩摩。宜頒之諸國。以種之。乃刊其所著蕃藷考行之。民被其

利。號曰甘藷先生。

農業

古曰。國之大事在農。我邦歷代重農政。稼穡樹藝。其道夙開。二分國人。農過其一。三分國土。耕地過其一。水田三百七十餘萬町。陸田三百八十萬町。每年獲米凡四千五百萬石。麥二千萬石。豆・粟・稗・黍・蕎麥・甘藷・棉・藍・煙草等次之。又蠶

絲二百五十萬貫。茶八百五十萬貫。二一者居貿易品之首位。

食力無已時（譚海）

西國有一農夫。平生力耕稼。自云累萬金。不示其所藏也。疾病。諸子環跪乞言。農曰。余嘗窖於田畝。深廣各數千尺。我死矣。兒輩取之。勿爲他人有也。言終。歿。諸子爭往。鋤犁交遍。千畝之地。發掘而

盡。逐不知其所在。而耕耘有効。稼穡繁茂。其收穫過平日。諸子乃悟曰、田畝之藏、果是矣。語曰、可自食其力。不可坐食其金。食力無已時。食金當有盡。

寒夜脫御衣（皇朝史略）

醍醐帝。臨御日久。勵精圖治。延喜中。新立格制。而風俗奢侈。多犯者。帝患之。一日藤原時平盛飾而入。帝見而大怒。使

職事讓之曰。今者嚴立格制。左大臣身長百僚。首犯國禁。大臣舉動。豈宜如此。時平惶懼歸第。屛居月餘。自是奢侈頓改。帝性慈仁愛民。寒夜親脫御衣。以省民間凍餒。每見羣臣。假以顏色。嘗曰。持己嚴恪。人難盡言。故朕常溫顏色。以來諫者。

訂正中學漢文讀本卷一終

（訂正中學漢文讀本全五册）

明治三十四年十月廿五日印刷
明治三十四年十一月三十日發行
明治三十五年二月二十日訂正再版印刷
明治三十五年二月廿五日訂正再版發行
明治三十五年十一月廿五日訂正三版印刷
明治三十五年十二月五日訂正三版發行

訂正者　深井鑑一郎
編輯兼發行者　弘文館
發行所　東京市京橋區南傳馬町一丁目　吉川半七
印刷所　東京市京橋區柳町五番地　吉川印刷工場

深井鑑一郎訂正
弘文館編纂

訂正 中學漢文讀本

東京 弘文館發行

目次

國體 川北梅山 (一)
天長節(日本國志) (二)
追賞忠義(國史略) (二)
君平作山陵志(續近世叢語) (三)
正之勤王 鹽谷宕陰 (四)
高德題櫻樹(日本外史) (五)
櫻花 稻生若水 (六)
墨田川(扶桑遊記) (七)

吾妻橋(譚海) (八)
新燧社(扶桑遊記) (九)
工業 川北梅山 (一〇)
日光廟(扶桑遊記) (一一)
東照宮石華表 藤野海南 (一二)
奈良大佛 重野成齋 (一三)
半田銀山(隨鑾紀程) (一四)
北海炭坑(隨鑾紀程) (一五)
汽車(隨鑾紀程) (一六)
人力車 大槻如電 (一七)

上海（觀光紀游）　（一八）
長崎（日本國志）　（一九）
朱印船（日本國志）　（二〇）
砂糖（隨鑾紀程）　（二一）
永富製糖（國史略）　（二二）
源內製寒暖計　片山沖堂　（二三）
氣候　川北梅山　（二四）
北海道　川北梅山　（二五）
臺灣　重野成齋　（二六）
鄭成功（國史略）　（二七）

後樂園（扶桑遊記）　（二八）
戒太田秀實書　德川景山　（三〇）
遊學中第一緊要事　山田方谷　（三一）
習說　尾藤二洲　（三二）
熊說　齋藤竹堂　（三三）
象（博物新編）　（三四）
暹羅（瀛環志略）　（三五）
長政入暹羅　羽倉簡堂　（三六）
政宗偵羅馬　齋藤竹堂　（三七）
羅馬　重野成齋　（三九）

獅識奴（譚海）　（四〇）
宗行家士斃虎　青山佩弦齋　（四二）
朝鮮　桂山彩巖　（四四）
碧蹄館之戰（日本外史）　（四五）
我軍攻旅順　重野成齋　（四七）
金鵄勳章　依田學海　（四八）
軍制　川北梅山　（五〇）
電報（隨園漫筆）　（五一）
商業　三島中洲　（五三）
商人本色（西稗雜纂）　（五四）

尺絲亦係天物（名賢言行略）　（五五）
貿易　三島中洲　（五七）
水產　依田學海　（五八）
鯨鯢（博物新編）　（五九）
捕鯨　齋藤拙堂　（六一）
紀文海運　菊池三溪　（六二）
相州洋　大槻西磐　（六五）
軍艦　依田學海　（六七）
觀橫須賀造船場（得閒瑣錄）　（六九）
富士艦の廻航　佐佐木高志　（七一）
富士艦廻航（國文漢譯）　依田學海　（七一）

訂正

中學漢文讀本卷二

深井鑑一郎 訂正
弘文館 編纂
川北梅山

國體

坤輿之上。環而國者以十數。有君政。有民政。國體各異。而大率出於上下爭奪。强弱抑制之餘。如我邦獨不然。開闢以還。皇統一系。億兆臣事無他志。且士民概亦屬皇祖支裔。列聖視民猶子。士民仰上猶父。義則君臣。情則父子。不敢容覬覦。是我國體之所以卓越萬國也。嗚呼。建國二千五百六十餘年。國運昌盛。

金甌無缺。爲臣民者。安可不思其所自乎哉。

天長節（日本國志）

十一月三日。爲今帝陛下生日。名曰天長節。質明裝飾正殿。午前十一時。式部頭奏請御正殿。帝正服御寶座受賀。皇后陛下陪坐寶座之左位。皇族親王暨大臣以下。文武勅任・奏任官。皆上萬壽。行最敬禮。禮畢還御。賜羣臣酒饌。此間奏歐樂。宴止衆退。全國臣民。每戶揭旭光旗章。以表慶賀。

追賞忠義（國史略）

明治元年四月。詔諡贈正三位楠正成神號。造築社

壇。合祀正行以下諸將。殉于國事者。是爲湊川神社。同二年十二月。追賞從二位德川光圀存心於尊王。專功績於修史。贈從一位。追賞蒲生君平・高山正之。節操賜米其子孫。旌表里門。維新以降。屢下恤典褒賞勤王忠義之士者。筆不勝書。而今又有正成以下追謚追賞之典。其萬姓悅服。遂開無窮鴻基者。其在於此耶。

君平作山陵志（綴近世叢語）

蒲生君平名秀實。君平其字也。下野宇都宮人。系出藤原秀鄉。君平嘗聞古先帝王之山陵。或有荒廢者。

欲告之當路。以圖修復。躬自歷視其地。參攷古圖舊記。作山陵志。書成獻之京師及江都諸公用事者。有司嫌其論建非處士所宜。召詰之。君平乃引律文。誦故事。以對。於是君平慷慨自奮曰。雖由是獲禍不顧也。時人目君平以狂妄。殆將罹奇禍。適有知君平之爲人者。憫而救之。因獲免。

正之勤王　鹽谷宕陰

高山正之者。上野人也。字仲繩。又字彥九郎。爲人精悍有奇節。深有志於尊崇王室。嘗過京郊。問足利尊氏墓。聲其大逆而數之曰。而何物。敢害忠良。戕皇子。

虐萬乘之君。罵且鞭碑者三百。然後已。每入平安。先至三條橋上。遙望皇闕。跪地振董曰。草莽臣高山彦九郎。途人怪顧譁笑。弗以爲意。至其與同志語。慷慨淋漓。聲淚共隨。其音足感木石。正之同時。有蒲生秀實者。其志趣亦與正之相肖。二人之有志於王室。皆昉於少時讀源平盛衰記而始。不相識也。秀實久聞正之名。必欲見之。天明季年。正之在奧。踪之追尋。竟不得相遇。以爲終身之憾云。

高德題櫻樹（日本外史）

兒島高德稱備後三郎。帝之在笠置也。範長・高德欲

赴援。聞笠置陷楠氏敗。乃止。已而聞帝西遷。高德謂其衆曰。吾聞志士仁人。有殺身以爲仁。見義不爲無勇也。盍要駕以擧義。衆奮從之。伏舟阪山而待久之。不至。遣人候之。曰。駕向山陰道。乃間道至杉阪。則已過矣。衆乃散去。高德悵恨不能去。乃變服尾駕而行。數日。欲一見帝有所言。而不得間。於是夜入帝館。白櫻樹而書之曰。天莫空勾踐。時非無范蠡。旦日護兵聚視。不能讀也。乃奏之。帝熟視之。欣然心知有勤王者也。

櫻花　稻生若水

櫻花。三月初生葉開花。略似薔薇長春花形。其色有白。有紅。又有重瓣單瓣之異。蒂長三四寸。於葉間或三蕚至五六蕚。爲叢而生。一如海棠花。而蒂差長。單瓣者結實。形似郁李子而小。生青熟紫。赤味甘。其葉穉者淺紫色。大者縹綠色。至霜後葉丹可愛。花品甚多。至數十百品。其最可觀者。有都勝。粉紅重瓣。花頭甚豐。特極嬌麗。有御愛。單瓣粉紅。比常花差大。有美人紅。重瓣嬌紅。開早。有緋櫻。千葉初綻深紅。及開色漸衰。有香櫻。芬郁特甚。

墨田川（扶桑遊記）

墨川。乃東京名勝地也。兩岸白櫻。一江墨水。道經三圍祠。距數武爲白髭祠。廟宇崇煥。香火頗盛。對面則金龍山也。樹木森茂。望之鬱然深秀。墨江上流。有鷗渡。又稱鷗津。其別墅曰梅莊。梅兒墳在焉。墳前則木母寺也。昔有遊俠公子在原業平。來此倡咏和歌。膾炙人口。按墨川之水。來自西北。一碧瀠洄。四時之景。無不相宜。宜雨宜晴。宜晝宜夜。宜雪宜月。宜於斜陽。宜於曉靄。總之淡粧濃抹。俱有意致。而尤宜於夏夜納凉。宜於陽春觀花。

吾妻橋（澹海）

吉岡雨岡。江戸人。爲人明敏。精練吏務。明和中。幕府議架橋淺草川。皆曰。水底多巨石。無以置柱。卽樹之。其費甚洪。遂不果。安永初。雨岡管工事。令善游者入水營作。橋乃成。因課人橋稅二文錢。後修造。用材頗鉅。皆藉以資給。不費官庫一錢。公私便之。卽今吾妻橋也。天明丙午。關東洪水。河亦大漲。橋將壞矣。雨岡見之曰。尙可救也。因命斷其閁數丈。以殺水勢。橋得完。人稱其機警。

新燧社（扶桑遊記）

新燧社。在本所。或謂之火寸製場。蓋卽自來火。其所

製實爲一大利藪。於日本國中。推巨擘。屋宇廣深。工作八百餘人。婦女居多。截木作條。車凡十架。熬煮硫黃。鑪竈。悉用西法。暫入一處。已覺其氣不可向邇。製匣裝貯。悉以女工。運售於香港・上海。年中不知凡幾。勸業博覽會特稟於官。畀以鳳紋賞牌。用彰激勵。主人淸水誠。赴法國博覽會。往遊瑞士。購新法器具而歸。

工業　　川北梅山

邦人自古有技巧。是以工藝畫繪之美。頗詣奧妙。外人稱以東洋美術國。非無謂也。然其妙止手工。近者

工業發達。往往設機器。事製作。織絲最盛。役工一百萬人。一歲產額殆二億餘萬金。又各地興紡績場。錘數一百萬。獲綿絲二千七百萬貫。漆器稱邦人擅技。獲三百三十萬金。陶磁器得五百三十萬金。釀酒四百餘萬石。醬油一百五十萬石。是最著者。其他抄紙・燧木・銅器・兵器・船舶等。頗有可觀者。

日光廟（扶桑遊記）

東照宮。窮土木之奢侈。極金碧之輝燿。幾於竭天下之力。以奉一人。宮亭左右。有二鐵爐。右爲朝鮮所獻。左爲琉球所貢。殿上榱桷梁棟。悉塗純金。慶長年閒。

金坑甫開。故得成此鉅觀。是時凡有建造。皆係列藩供役。此爲世襲肥前侯鍋島氏所建。距今二百餘年。楣之中閒。刻孔門十哲。上方爲堯舜像。下方爲巢由像。木柱悉白質。不加彩繪。而雕鏤精絕。幾於人巧極。而天工錯。殿旁偏室。爲法親王宴坐處。鏤金錯采。亦髣髴東照宮。

東照宮石華表　　藤野海南

石華表。在東照宮外門前。以花崗石造之。兩柱直徑三尺七寸。高二丈七尺五寸。蓋石長四丈一尺。元和四年。筑前侯黑田長政所寄進。蓋石中央。揭紫銅匾

額。金字凸起。成東照大權現五字。係後水尾天皇御書。黑田家記云。長政將獻大華表。索巨石國中。諸臣難其運輸。長政曰。我思之尙矣。我享此大封。皆我公恩也。爲公抛財。雖竭數歲之入。無憾。海則每柱各搭一船。以虛船二隻夾持之。陸則鋪厚板。以承車輪。至山則傭壯夫數千。挽之。擧蓋石。則購米數千苞。堆積。以轆轤捲上之。何難之有。諸臣如其言。

奈良大佛　重野成齋

鑄物在我邦美術工藝中。爲最巧。自古有聞。若奈良大佛最著。聖武天皇勅造盧舍那佛大像。以孝謙天

皇天平勝寶四年。成。像長五丈三尺餘。前後改鑄八次。用熟銅七十三萬九千五百六十斤。白鑞一萬二千六百三十八斤。鍊金一萬四百四十六兩。水銀五萬八千六百二十兩。炭一萬八千六百五十六石云。可以知其工事之大。其他奈良朝所鑄造佛像器物甚多。今有猶存於大和等者。皆妙巧可觀。

半田銀山（隨鑾紀程）

半田山有銀坑。余往觀焉。礦師導至坑口。口廣方丈餘。深不知幾千尺。取路口外。攀至山腹。廠舍連軒。內設蝦蟇爐。坩鍋土甑。有搗礁者。有鎔鉛者。有鹿皮囊

漉水銀者。蓋本坑創開。未詳其年代。寬文中。幕府置銀山奉行。聚徒採掘。歲得銀數千貫。與佐渡金山・但馬銀山。並稱爲海內三大坑。然歲久衰廢。衆病凍餓。有富民早田某者。捐貲再興。居無何。其孫武助與坑夫十三人。入坑中毒死。其業遂廢。近歲五代友厚。請官借地。復開採。而淘洗煎煉。悉用洋法。又取昔時所棄之礦砂。製爲純銀。大得贏利。

北海炭坑（隨鑾紀程）

北海產煤處。曰幌內。曰岩內。岩內距札幌。僅二十六町。慶應中。幕府雇洋人。開採。府廢事寢。近年官復使

米國礦師雷曼氏。遍檢諸坑。亦以此爲良坑。曰。煤質宜爐用。掘地深及四千英尺。當獲三千八百五十五萬噸。乃聚徒起工。幌內在札幌北東十八里。廣袤里許。煤炭七層。各厚四尺餘。據雷曼言。一坑中有一億零零三十一萬噸之多。礦脈通犇別・郁春別。其所蘊藏。又巨萬萬。但地距海口遠。不便搬運。因開鐵路。路長九里十六開四尺。駕長橋五。鑿竇道五。

汽車（隨鑾紀程）

鐵路之制。用木長八尺方七寸者。橫鋪路上。每木相去二尺。兩旁釘鐵條。成凹字形。以銜車輞。其行車也。

前車載煤水機器。御者次之。次載貨物。次為客車。廣可坐二十人。車有最上等及上中下四等之別。左右長椅。玻璃窗二十扇。啓閉隨手。汽笛一聲。衆車轉輪。時車行尚緩。四顧遊矚。漸進漸疾。電掣風馳。兩邊村落若飛鳥之過眼。山水樹石滾轉不止。過橋梁。入隧道。亦不得而知。

人力車　　大槻如電

東京呉服坊有鈴木德次郎者。嘗謂外國人所凭椅子。架之車輪以曳焉。勝二人舁一輿之迂。乃與輪匠高山幸助謀。創製安車。名曰人力車。稟准東京府以

行。事在明治三年。當初必標以官許二字。蓋防輿丁阻害也。以其便捷且其價廉。乘者日加。造者月多。行之期年。輿遂至絕其跡。爾來三十餘年。京中今有四萬車。計之全國。不知幾十萬。實為行路一大變革矣。而不徒國內而已也。十數年來。輸支那朝鮮者。每歲三四千輛。彼土稱之東洋車。行將遍八道十九省。語曰。車同軌。書同文。三國既為同文之國。今又同軌。而自我導之。豈不快乎。

上海（觀光紀游）

市街分為三界。曰法租界・英租界・米租界。每界三國

置警署。邏卒巡街。警察沿岸大路。各國公署。輪船公司。歐米銀行。會議堂。海關稅務署。架樓三四層。宏麗無比。街柱接二鐵線。一為電信線。一為電燈線。瓦斯燈・自來水道。皆鐵為之。馬車洋製。人車東製。有一輪車。載二人。自後推之。大道五條。稱馬路。中土市街不容馬車。唯租界康衢四通。可行馬車。故有此稱。市街閧大路。概皆中土商店。隆棟曲櫺。丹碧煥發。百貨標榜。爛然炫目。人馬絡繹。晝夜喧闐。王夢薇紀上海殷賑。曰連街車馬達旦笙歌。海水為沸。眞盡其狀。

長崎（日本國志）

長崎與支那通商。既三百餘年。每歲船以八九月至。舊有唐館。多以糖・棉花入口。皆日用必需物也。書畫紙墨。尤所欣慕。近世文集。朝始上木。夕既渡海。東西二京文學之士。每得奇書。則珍重篋衍。誇耀於人。而贗鼎紛來。厖沙爭購。亦所不免。修好以後。得之較易矣。輸出之貨。銅最為大宗。餘則昆布・鰒魚及銅・漆雜器。各口流寓商民。今有三千餘人。

朱印船（日本國志）

慶長五年。荷蘭船至和泉界浦。英吉利人從至。皆乞互市。德川秀忠延見之。其至也遭風船壞。秀忠命資

廩穀五十口。設館居之。時時引見。詢外域風俗。越十年後船至。乃載還。六年。呂宋船亦至。德川家康給以印票。允通商。又頒信牌於國民。令航外海。八年。始設長崎奉行。專司外舶事。島津氏所隷之坊津海商蕃客。日益輻輳。十三年。呂宋船至浦賀。十四年。將軍秀忠又給印票於澳門葡商。於荷蘭。於英吉利。均許互市。當是時。安南・暹羅・柬埔寨以外南洋諸島。及西歐各國。通商者凡十許國。皆給印票。旋定以長崎。爲互市場。禁進他港。

砂糖（隨鑾紀程）

製糖之法。徵之洋籍。印度地產甘蔗。希臘人・羅馬人搾汁。充醫藥。其製砂糖。創於亞剌伯人。及十字軍起。其方始傳於歐洲。製造加精。而其用甜菜根者。以德國化學博士馬兒克拉弗氏。爲嚆矢。初西曆一千七百四十七年。馬兒克拉弗氏始知甜菜有糖氣。後五十年。門人亞沙爾德氏。作器造糖霜。又十餘年。法帝那勃列翁。給國人業此者。以地三萬二千町。貨幣一百萬法。於是遠邇傳習。歐米各國。一歲所製至二十五億萬斤之多云。

永富製糖（國史略）

永富鳳。字朝陽。號獨嘯菴。長門人。初在京師。在山脇尙德塾。與飛鳥翰相善。一日談及製糖事。翰曰。我鄉長崎。在長慶者。嘗受製糖法於淸人。鳳與其兄往師之。後兄弟相分。一赴尾張。一至長門。乃俱製糖。頗稱精品。先是將軍德川家重。令長崎・平戶造糖蜜。皆不得其製而罷。既而尾張・長門多出糖。品踰漢製。乃遣吏各地按問鳳等。盡授其祕訣。時寶曆六年也。

源內製寒暖計　片山沖堂

平賀源內名國倫。號鳩溪。讚志度浦人也。爲人聰敏奇傑。少好本艸赭鞭之學。源穆公聞之。辟掌藥方。賜

俸四口。銀十錠。公多聚和漢西洋動植諸物。辨其名。寫其形。以備參考。源內與有力焉。寶曆十一年。致仕僑居江戶。師官醫田村元雄。專精物產。頗得出藍之稱矣。明和改元甲申。手織火浣布。獻之府朝。七年庚寅。遊瓊浦。主大通詞吉雄某。學喎蘭本草。先是製電理器・寒暖計諸器。其他發明出人意表者甚多。不遑枚擧。又傳人蔘培養之術。大利國用。而我讚之製砂糖。亦其所嚆矢矣。

氣候　川北梅山

茫茫坤輿。地味有肥瘠。氣候有寒熱。天之賦於人。素

無私。人之享生則有幸不幸焉。北地沍寒。稱之寒帶。南方暑熱。稱之熱帶。而夏不太熱。冬不太寒。稱之溫帶。如我邦是也。北海道頗寒。然約計一歲氣溫。不過五度。冬寒未至廢人事也。臺灣頗熱。然約計一歲氣溫。不過二十五度。夏熱亦未至廢人事也。而本州及四國・九州氣溫。以九度乃至十七度爲恆。氣候中和。動植繁育。凡享生於此者。其幸何如也。方今坤輿上。稱爲文明邦土者。皆屬此氣溫者也。

北海道

川北梅山

北海道。古所謂蝦夷也。島形似鰈魚掉尾。北端有二

岬。右曰納沙布。左曰知床。是其頭也。兩岬之閒。曰根室灣。是其口也。中腹左右張爲二岬。右曰襟裳。左曰宗谷。是其鰭也。而渡島半島掉其尾也。隔津輕海峽。對陸奧。全道十國。置道廳於札幌管之。環海五百八十三里。海上漁獲之利不貲。千島有五十五島。海岸延長亘六百十三里。

臺灣

重野成齋

昔時國人呼此島。曰多加沙古。嘗爲和蘭所占。邦人之相往來居住者亦多。後鄭氏據之。清國滅鄭氏。遂取之。明治七年。島蕃殺沖繩及備中漁民漂流者。我

責其罪。遣軍征之。諸酋長多投降。牡丹社兇頑不服。我軍破之。牡丹社遂降。是爲揭我國旗於此島之始。清國遂償以金五十萬兩。乃約束島民。以班軍。島民懷我恩威。臨去惜別。有泣下者。

明治廿七年。征清軍興。清國大敗。明年清遣使請和。弭兵。以臺灣歸我。自是全島爲我版圖。在皇國諸島。爲最大。氣候燠熱。不知沍寒。然暑時亦海風送涼。洗熱散暑。無復太難堪者。土地肥沃。植物稠茂。最適茶・蔗。山又多產樟腦。基隆・淡水・臺中・打狗等。爲其良港。

鄭成功（國史略）

正保三年冬十月。明遣使奉明主及鄭芝龍書。來乞援兵。將軍家光召三藩・老中議之。三藩請往。執政井伊直孝沮之。議不決。既而聞清兵入閩。芝龍等降。終辭出兵。初芝龍來肥前平戶。娶田川氏。生子成功。芝龍還明。迎成功母子。清兵陷泉州。田川氏登城樓自殺。投河水。清兵吐舌曰。婦女尙能爾。倭人勇決不負所聞。及芝龍降。成功獨擁衆不降。後成功入臺灣。寬文二年。成功卒于臺灣。年三十九。

後樂園（扶桑遊記）

園在砲兵廠內。今爲陸軍省所管理。以名賢遺跡。不

敢毀也。當明季時。源光圀讓國於其兄之子。解簪紱
老於藩。開史館於江戸邸內。稱彰考館。館旁設園池。
即此地。木石蒼古。池水瀠洄。臨水一椽。即當日修史
亭也。常會集諸名士於此。流觴飛斝。時明遺老朱之
瑜。以避難航海來此。源光圀方爲水戸藩侯。特以師
禮事之。園之甫建。朱君實爲之經營。引水成池。廣袤
無際。髣髴小西湖。池畔作山。盤旋而上。有得仁堂。以
祀孤竹二子伯夷・叔齊者也。源光圀讓國後。多居西
山。亦以自號。蓋有慕於孤竹之高風歟。其地亦號礫
川。園中多數百年古木。園額尚是舜水所書。

戒太田秀實書　　徳川景山

久慈郡太田郷。有奇童。稱長吉。家極貧。父耕母織。僅
免饑寒。而長吉好讀書。年甫十一。善講誦經史。今茲
暮春。余以放鷹投太田。臨益習館。一見異焉。乃又召
之於旅館。特試以經史。旁及翰墨。余熟視其爲人。其
好學出於天性勿論已。其鳳目豐下。貌溫而氣勁。進
退周旋。嫺雅可觀者。其前程易測耶。命有司給以月
俸。使其專力於文學。且賜姓名曰太田秀實。抑幼而
聰慧者。長不必偉。甚者驕慢自持。曾不若衆人。余深
憂焉。嗚呼。秀實勿生躁進之念。勿萌怠慢之氣。澹泊

寧靜。明志致遠。維孝維敬。立身行道。以顯其父母。不
亦善乎。遂書其由。授郡宰鈴木宜尊。以戒秀實。天保
壬寅夏四月。景山。

遊學中第一緊要事　　山田方谷

家有老父母。而辭之遠遊勉強者。每日清晨遙拜畢。
輒復思。今日光陰。實爲可愛之日。而費諸遊學。闕定
省。曠溫凊。使父母懷遠望之憂。爲天地閒一罪人矣。
然今日所學之業。乃重大事件。有勝於定省溫凊者。
故競寸陰。以成其業。然後歸養奉歡。僅足以贖其罪
矣。反覆思之。而後速就業。至於夜閒。又把終日所學

之業。一一點檢。考其重大果有勝於定省溫凊者否。
心神已安。而後敢就寢。此則遊學中第一緊要之事
矣。若一日沒了這念。則不孝之罪。竟不得免焉。

習說　　尾藤二洲

兩兒相嬉在于閭巷之中。跨竹而走。驅犬而鬭。其所
爲莫不相似也。稍長各異趨舍。日疎月遠。其所爲莫
不相反也。訖其壯也。乃一猪一龍。奚啻韓子所言而
已哉。嗚呼。此何故也。豈非習使之然也歟。是故習可
以成智。可以爲愚。可以爲賢。可以爲不肖。習之於人。
所係其不大乎」。吾視馬之習于火者。聞災即嘶。見燄

卽馳。與常馬慄而卻走者。殆如殊其類。故君子愼乎習。習而不解。何憂其無成焉。夫子曰。性相近也。習相遠也。習之於人。其可不愼哉。

熊說

齋藤竹堂

西土之獸。猛莫如虎。而我無有也。我之獸。號爲猛者熊耳。熊藏於穴。春出冬蟄。人欲捕者。積薪於穴口。熊便怒取而移之於尾。復積之。亦如初。久之穴中皆薪。熊無所跧伏。全身皆出。人擒縛之。撾殺之。向使熊深居穴中。雖有孟賁之勇。烏獲之力。孰敢攖之。今乃不勝一怒。致失其所。而死於山野匹夫之手。良可悲已。

然彼獸也。無足言者。獨怪世人所爲。亦有類此者。何哉。熊雖死。皮爲茵褥。膽爲藥餌。尙足適用。人死骨朽肉爛而止。是乃熊之不若也。噫。

象（博物新編）

象與豕同類。其種有二種。一產于亞細亞洲。一產于亞非利加洲。長約一丈。身高七尺。力勝九馬。亞非利加國。有荷蘭獵戶。兄弟三人。皆以捕象採牙爲業。後以此致富。將欲歸享。治任既畢。更獵一圍。以快餘勇。不料反爲象困。莫救急難。遂被捲卻一人。拋擲半空。復以兩齒接承其腹。斯人竟貫胸死焉。夫象之爲獸。

龐然大物。乃爲牙故。而戕其生。亦事之殘忍者。至若暹羅之事象。又爲詐僞之愚。均可慨矣。暹羅國重佛。敬白象爲神。謂善人之死。魂居其中。每獻食物。載以金銀碗盎。惟恐褻瀆獲罪。其俗陋如此。

暹羅（瀛環志畧）

暹羅。南洋大國也。其地古分兩國。北曰暹。南曰羅斛。暹多山瘠。食羅斛傍水有餘粮。暹乃降於羅斛。合爲暹羅國。國有大水二。一曰瀾滄江。發源青海。至東埔寨入海。一曰湄南河。發源雲南。至羅斛南境入海。海口曰竹嶼。由竹嶼入內港。至曼谷都城。長一千數百

里。水深濶。容洋艘出入。大城皆在河濱。沿河一帶居民皆架屋水中。中土人構瓦屋。樓閣相望。土人所居皆蘆葦。湄南河勢緩而散。田疇藉以肥沃。農時棹舟耕種。揷秧畢而河水至。苗隨水長。不煩疇漑。水退而稻熟矣。米極賤。每石値銀三星。時載往粤東售賣。王衣文彩佛像。體貼飛金。用金皿。乘象車。以閩粤人爲官屬。理國政。掌財賦。俗崇佛。僧沿門募食。各施精飯。食餘則餉鳥雀。闌若無擧火者。

長政入暹羅

羽倉簡堂

山田長政。稱仁左衞門。駿府宮崎巷染工。或云。藁科

農家子。倜儻有大志。不屑治生産。學劍及兵法。遊寓四方。久之無所遇。乃航海入暹羅。實慶長・元和間也。會其國有六昆之寇。長政以策干王。王授以兵拒擊之。長政令其兵皆爲日本裝。揚言日本遣兵來援。戰大克。追至六昆國都而還。王以女妻之。益任以國事。數年威聲大振。服屬旁諸國。王遂以位讓之。長政即位。自稱啥普羅。暹羅謂天曰普羅。啥普羅猶言天王也。

政宗偵羅馬

齋藤竹堂

貞山公命支倉六右衛門・橫澤將監往南蠻台德公

賜皇國名産諸種爲幣物。且付船手。發帆於牡鹿月浦。二士約浦人曰。歸來之日。必鳴銃于此洋中。則出迎也。經三年。歸放銃。浦人不應。二士不能近岸。漂蕩海中數年。始得近岸。又放銃。浦人應之迎歸。漂蕩之間。凡六年。將監及船手皆死。獨六右無恙。奉呈南蠻王回翰及諸物。中有蠻王畫像。蓋王贈像。謂六右曰。日本人未見余面。則見此畫。誰辨眞僞。故畫卿像副之。知卿像眞。則又知我像之非僞矣。畫彩用油。宛有生色。公聞之。稱其知慮云。公之窺察外國。如此。而不肯擧兵。豈以其路遼遠。運糧難給故歟。

羅馬

重野成齋

伊太利首府羅馬。夙著于歐洲。古史相傳。其創立。在紀元前七百五十四年。方其隆盛。有宮殿一萬七千。噴水井一萬三千。諸銅像四千二十七。浴場一萬。劇場三千云。府周圍凡四里餘。繞以城壁。設城門十六。然居民不過三分一。別有開市園・葡萄園・游步場。其餘率屬荒蕪。而所至多名勝舊蹟。過者皆有懷舊之感。跋的汗宮・聖彼得寺極宏壯。跋的汗宮。羅馬法皇每冬季駐駕。宮內設房室一萬一千。大樓八。他有內庭二十。及許多花園。雜植樹木花卉。設噴水井。又貯

古今珍器・書籍十數萬卷。聖彼得寺。有圓頂閣。貼以古代名畫。裝飾極盡善美。建築費一千萬磅。閱百七十六年。始竣功。前有游步場・噴水井。更加景致。斯二者。築造之大。宇內罕匹。集議院・居利昔安遺址。在府南。古昔羅馬盛時。此並屬城內。部殘礎遺基。往往猶存。使人想見當時構造之偉。

獅識奴（澤海）

羅馬都會。圈養猛獸者以千數。而其最猙獰者爲獅。有一鐵檻畜之。吼聲一震。百獸皆伏。嘗有奴安都鹿格斐。謀逃脫。主怒。投之檻中以飼獅。觀者如堵。忽見

獅瞋目疾視、張爪而進。既屹立不動。若有所思。忽搖尾、帖耳。稍近奴。四周齅之。齅畢舐其手。奴始面無人色。及見獅無害意。茫然熟視。若遇舊識、謝其錯記者。又若曰不圖邂逅於此者。於是觀者魂迷神駭。若醉、若痴。不覺大呼。

羅馬主適過奇之。召奴問其故。奴對曰、奴昔從主於亞弗利加。不堪苦役。逃入山中。巖洞窅冥。忽聞獅吼聲。奴自分必死。獅見奴至。擧其蹠。如示奴者。奴諦視之、則刺在焉。蓋棘芒也。乃爲拔去。拭其血。既而獅橫脚臥。奴乃手撫摩之。未久痛已。獅色喜去。啣一鹿脚、

餉奴。奴生啖之。得無死。起臥洞中十餘日。與獅別。去入都邑。爲主所縛。在獄數歲。及入檻見之、則奴嘗爲拔刺者也。不知彼何時見鎻在此。衆聞之、皆嘉其義。爭請宥奴罪。帝乃命其主放之、賜以獅。奴喜躍拜謝。牽獅去。馴伏如家狗。觀者以食飼之。或與以錢物。奴因以致富云。

宗行家士斃虎　青山佩弦齋

壹岐守宗行。嘗欲殺家士某。某航海、走新羅。一日至金海。有虎食人。衆驚擾。某謀衆曰、吾能射殺之。爲吾告有司。衆從之。有司乃召而問之。某曰、不入死地、敵

不可獲。貴國人唯恐傷身。安能殺虎。吾國則不然。一執弓箭、有死耳。有司曰、子果能殺虎否。曰、吾之死生。不可逆料。然虎吾必能殺之。有司請射之。某問曰。虎食人。其狀如何。有司曰。虎之食人、猶猫捕鼠。伏而熟視。一躍咥之。某曰。虎焉在。曰、在西郊麻田中。迺執弓矢赴之。衆笑曰、甚哉日本人之駤也。彼今斃矣。某搜麻田。果有伏虎。乃注矢以待。虎果熟視。張口跳進。某發中其口。虎仆。某復發兩矢斃之。還報衆。衆皆往視。驚曰。甚哉日本人之猛也。雖有百虎、使渠濟十人當之。可以殲之。有司厚賞某。某尋還壹岐。宗行聞之曰。

彼能揚國威於異域矣。乃宥之。賞以財物。

朝鮮　桂山彩巖

朝鮮在鴻荒之世。檀君開其國。而自漢土入治者、以殷箕子爲祖。初有朝鮮之號。是稱前朝鮮。逐箕氏王其地者、衞滿也。是爲後朝鮮。至孫右渠。而朝鮮之域。盡入於漢。以爲郡縣。厥後漢人號令不及殊方。由是種類分爲數郡。其爲君長者三。馬韓・辰韓・弁韓是也。後三韓各改國名。馬韓稱百濟。辰韓稱新羅。弁韓稱高麗。當唐時。新羅滅高麗・百濟而一之。五季之初。新羅之臣王建。自立爲王。國總稱曰高麗。逮明主中國。

其臣李成桂滅王氏立國。復朝鮮之號。傳迄於今。是其大略也。

碧蹄館之戰（日本外史）

文祿之役。明軍乘勝。鼓行而東。國都將吏。令大同以東諸城。撤守來會。諸城聽命。獨小早川隆景不可曰。諸君皆去。吾當獨留。吾受命外征。固不期生。吾老矣。願與明人一戰。使明人知日本有小早川隆景者也。即敗死。喪一老翁。何損於國哉。三奉行促之甚急。乃退合兵二萬。未至國都三十里而陣。

李如松率蕃漢步騎十萬。陣于碧蹄館。隆景奮然。乃

分兵爲六隊迎戰。前軍二隊不利卻。隆景揮槍大呼而進。士卒皆奮。莫不一當百。大戰良久。立花宗茂與毛利秀包橫擊之。如松以火器襲平壤。一戰得志。謂倭兵易與耳。乃輕進不具銃礮。以短兵接戰。我軍兵銳刃利。縱橫揮擊。人馬皆倒。莫敢當其鋒。我兵呼聲動天。遂大破明軍。如松墜馬。隆景將井上某鏦之。不中。與其將李有聲鬭而斬之。如松厪以身免。追北至臨津。擠明兵于江。江水爲之不流。斬首萬餘級。而我兵死者厪百餘人。如松入坡州。覘其所失亡。痛哭徹曉。明之乞和。本於此戰也。

我軍攻旅順　重野成齋

清國旅順口。最稱險要。面扼渤海咽喉。背設椅子山・松樹山・二龍山等砲墩。明治廿七年。我軍之攻此也。始議第一師團。先進攻椅子山。繼攻松樹山。別遣第廿四聯隊。攻二龍山。進軍攻之。第一師團。以午前七時。陷椅子山。而將向松樹山。其路甚阻。且結敵營於其閒。以拒之。故我軍難進遷延移時。廿四聯隊見之。駐三中隊。以當松樹山。餘兵進攻二龍山。敵亦據險固守。開砲數十座。巨丸雨飛。我兵勇奮突進逼之。敵豫伏地雷。轟發五回。我兵不顧。鼓勇排烟。直攀敵壘。

午前十一時。遂陷之。外國武官在後觀戰者。疾驅來賀。奬其勇猛不措。松樹山尋陷。一擧取旅順口。初清國之構難佛國也。佛國水師提督谷路倍。來覽此地曰。自非具甲鐵艦萬噸以上者二十隻。及水雷艇三十隻。以攻之。費半年日子者。難遽陷之。而我軍陷之不終日。可以想其激戰奮迅。忠烈壯快之狀也。

金鵄勳章　依田學海

勳章者。表勳功也。中古有勳等。事見於大寶令。西洋諸國有勳章。我邦亦倣之。有菊花・寶冠・旭日・瑞寶諸章。而金鵄亦其一云。蓋神武帝東征長髓彥時。天俄

晤黑。雷雨大作。不能軍。忽有一鵄鳥。飛止帝所持弓端。金光燦然。全軍大振。遂破賊平之。是所以採名此章也。

明治廿三年紀元節。始造此章。　詔曰。朕惟太祖神武帝。恢弘皇業。繼承及朕。寶算登極。紀元二千五百五十年。朕際此期。徵故事。創造金鵄勳章。授將校武功拔羣者。宣揚　太祖威烈。以奬勵忠勇義烈之士。汝衆庶敬體此旨。

蓋勳章。必與其功。與其人稱者授之。苟得此章者。克愼其身。保其勳。是可以傳芳百世矣。不然辱　聖上

無窮之洪恩。幷負太祖威烈之大德也。可不念乎。可不戒乎。

軍制

川北梅山

我帝國軍制。分爲陸海兩部。各有省廳。掌軍政。陸軍有參謀本部。海軍有軍令部。掌國防用兵之事。而天皇總帥之。兵制。男子自十七歲至四十歲。皆有兵役義務。分爲常備・後備・補充・國民四種。常備又有現役及豫備。全國負兵役義務者。凡七百萬人。而陸軍現役十三萬七千人。豫備十一萬一千人。後備七萬二千人。海軍現役一萬八千人。豫備・後備三千三百人。

陸軍區。分爲十三師管。一師管置師團。師團成於二旅團。旅團成於二聯隊。全國有五十二聯隊。三都督部統轄之。曰東部。曰中部。曰西部。臺灣別置混成三旅團。臺灣總督管之。海上重要之地。別有要塞兵。要害之島。別有警備隊。

海軍區。分爲五區。區有軍港。橫須賀・吳・佐世保・舞鶴・室蘭是也。港有鎭守府。有海兵團。軍艦分爲四。其一曰常備艦隊。其三屬橫須賀・吳・佐世保三鎭守府。諸種兵艦六十餘隻。排水總量貳拾餘萬噸。

電報（隨園漫筆）

世之至神至速。倏去倏來者。蓋莫如電。藉電以傳信。則其捷也可知。昔有美國之士。好學深思。精於格致。得引電之法。以利世用。此電線所由昉焉。今泰西各邦皆設電報。無論隔山隔海。頃刻通音。誠啓古今未曾有之奇。洩造化莫名之祕。如有兩國構釁。賴電報以傳軍機。則有者多勝。而無者多敗。商賈貿易。藉電報以通達市價。則無者常絀。而有者常贏。强富之功基於此矣。卽以英國而論。其電報設於王家商民。欲通電報者。須徵工費。每年所入。除電線局開鎖之外。餘充國用。至本國有軍機密事。分文不費。其利豈不

溥哉。然此猶言承平時耳。若兩國交戰。出奇制勝。則電報更爲要圖。昔年普法構兵。普人於行軍之處。俱設電線。而法人所設之電線。悉爲普人所毀。是以法敗而普勝也。

商業　　三島中洲

我邦自古尚武成風。士賤商賈。德川家光之爲將軍也。嚴禁海外通商。僅許淸・韓及和蘭。是以商業益萎靡。延至嘉・安之際。外邦請互市者踵至。形勢漸變。明治維新之後。朝廷廢四民之別。勸農勵商。或闢通路便往來。或設郵便・電信・通運諸制。以資交通。又開諸

港。許外人貿易。於是面目一新。商業換觀。其最盛推大阪及東京。而仙臺・名古屋・廣島・熊本等。亦爲要地。如橫濱・神戶・長崎・新潟・函館五港。尤便運輸。貿易甚盛。其貨物。米居首位。麥・大豆・食鹽・淸酒・醬油・砂糖・綿絹・生絲・茶・藍・煙草等次之。蓋我邦地形狹長。四方環海。產物之饒。航路之便。自有天惠。商業國之名。豈可使西人獨擅之乎哉。

商人本色（西稗雜纂）

西曆一千七百七十一年。倫敦一巨商。由其妻愛奢侈。致多借財於人。一日有所悟。盡請債主至家。商乃

對衆陳曰。諸賢皆借與財於我者也。我知諸賢持券責我之期不遠矣。然總算借銀。其數甚多。勢必不能償完。回思生平。徒事奢侈。靡費耗財。深可羞慙。因謹有所請願。諸賢寬我以二年之期。我欲賣大屋美車。遣去婢僕。務行節儉。歸商人本色。如此則迨期必不負約矣。債主聞之。感其朴實不飾。僉言曰。奚必二年爲限。聽從君便可也。屆期商悉償還舊債。其後復致殷富。

尺絲亦係天物（名賢言行略）

土井利勝嘗見席間有唐絲一尺許。呼侍臣大野仁

兵衞適在直廬。應聲而至。利勝曰。屬諸汝善藏之。大野受而退。左右竊笑。經三年。問大野唐絲。即出諸荷囊以進。利勝取之。結刀鞘條首之解者。召老職寺田與左衞門。示之曰。往年見此絲在地。屬仁兵衞藏之。左右皆笑我纖嗇。仁兵衞顧能謹藏之。忠實有餘。宜與祿三百石。抑此絲乃唐山之民。所飼蠶而製。唐商貿遷。航海入崎港。崎商又轉販京攝之閒。然後入江府。其費人力乃爾。雖一尺斷絲。亦係天物。寧忍委塵土。今取以結條首。使不廢其用。亦所以事天也。但予託之仁兵衞。爲侍臣所姍笑。今又以三百石買之。不亦

好笑乎。

貿易　三島中洲

孟子曰、不通功易事、以羨補不足、則農有餘粟、女有餘布。是貿易之所以興也。而其利不止於此也。蓋貿易之行、彼此往來、觀風省俗、去其陋、成其材、開世運、進人文者、不可勝言。且人有所長、土有所宜、各遂其天賦、不至戕賊者、皆貿易之賜也。譬之某國造械器、某國產穀粟、有無相通、爲二國民者、各就其所宜、與所長、專力經營、無顧慮、故所宜益殖、所長加精、天下蒙其利。嗚呼、貿易之利、不亦大哉。

水產　依田學海

我邦四面皆海、故富於魚介海草、比之西洋諸威、及北米海濱、並爲全世界有名漁場、就中以北海道爲最焉。凡海內所獲三分一、係其產、次之爲千葉縣、而長崎・茨城・靜岡・神奈川・山口・新潟諸縣又次之、河湖池沼所產、亦大利於世云。

凡水產、其所主在鰮・鯡・烏賊・鮑・海參・鱈・鮭・鰻・鰹・海苔・粧飾器玩、不獨用於國內、而輸於海外、以獲重利、又如食鹽、爲海產中最重者、蓋我邦天候順和、頗適造鹽、是以瀕海多以此爲業、自攝津至周防內海沿岸、

一歲少雨、便於製造、播・備・防・阿・讚・豫諸州、以良鹽著名。

我邦海產最夥、利頗浩大、每歲所獲、不可勝數、然疎於漁法、未及西洋諸國之精也。是以網罟繩鉡、未盡捕獲鯨鰐之大利、甚爲可恨。若改漁法與漁具、從事遠洋、其利必爲有數倍於今日矣。

鯨鯢（博物新編）

北溟有魚、其名爲鯤、雄曰鯨、而雌曰鯢。色黑如牛、眼細如馬、睫有毛而時睡。耳有孔無輪廓、頰骨如網、無牙嚼食。口濶如房、喉嚨極小、飢則張口、以撞魚蝦游

則成羣、以吹波浪。胎一歲而生。䱇長一十有二尺。乳一年而長、經二十餘年、而始大。母性愛子、依傍同游。呼吸有聲、鏺聞數里。每一沉潛入水、深數百丈。每一浮起、呼吸約八九息。皮內有網脂、一層深約十尺。曾有孤鯨、悞入淺港、西人殺而量之、自首至尾、長七丈六尺、胸濶十四尺四寸、頭長十七尺六寸、脊骨六十二椎、脅骨每邊十四肋、每肋長九尺六寸、翅長一丈、尾尖橫濶一丈八尺、骨重三十五敦、肉重八十五敦、骨肉皮血共重二百四十九敦、脂油約得三十敦。水族衆類固、以鯨魚爲最大、卽地上衆生、亦當以鯨

魚爲最大矣。然莊子謂鯤之大不知其幾千里。蓋亦滑稽之言耳。近年英吉利・花旗國人多以打鯨取油爲業。有一漁船。曾殺四十四鯨。前後獲利以數十萬計據云。鯨之力在尾。奮怒一掉。則船爲之破。而艇爲之沉。亦險哉。

捕鯨

齋藤拙堂

今玆天保辛卯夏初。玉井生自南紀來。盛談熊野捕鯨事。曰。鯨之來。每在冬春間。羣漁預具走舸以竢。聞螺鳴。輒發。疾如電。各載三人。一人操櫓。一人持鏢。一人瞻旄。旄長三丈。漁長執之。立高岡上。麾之右。衆舸

從而右。麾之左。亦從而左。進退分合。惟旄是瞻。往逆鯨於洋中。鯨來如山嶽之移。噴沫成雨。不可嚮邇。乃轉出於其背。鼓譟怖之。驅入灣內。衆舸從之。爭擲鏢攢於鯨背。及鯨創重將斃。募一壯夫入水。刀屠其腹。貫索而出。繫以兩大船。邪許曳之。比至沙際。金鳴舸散。乃置酒饗衆。賞先登及入水者。各與十金。餘有差云。余聞而壯之。以爲雖赤壁・釆石之戰。何以過之。其紀律之嚴。進退之節。及高募重賞。得人之死力。似深於兵法者矣。

紀文海運

菊池三溪

文左衛門。幼字文吉。紀州加田浦人。或曰。熊野人。南紀提封多藝柑子。以充租稅。每歲船載運之三都。利市鉅萬。往往有致富者。此歲東洋風浪大作。四方海船輻輳于江門者。皆怖風不敢發。是以江門柑子俄增其價。一顆率至二三錢。都人引領日望其入港。文左聞之。欲航海輸柑子。會有邑人藏海船者。以其敗漏不可用。欲解以爲薪材。文左假而修理之。三數日竣工。乃揚言曰。有能冒風浪航海者。人與百金。人皆笑其虛妄。有一人應之。輒予百金。僉駭曰。文左信人。豈食言詭人者邪。近邑壯丁。一時來應募者十有餘

人。皆賭博縱酒。無賴惡少。文左大悅。悉踐其約。大具酒饌。痛飲累日。呼以爾汝。意氣相投。約爲兄弟。

時海上風益暴。逆浪蹴天。一行十有九人。皆著凶服。預分必死。明日質明。文左大船載柑子數千箱。徑拔刀截其髮。獻之龍王。默禱食頃。禱訖立船頭。一刀斷其纜。船飛帆怒。轉瞬百里。破洪濤東走者半日。迨遠州洋。風益順。帆益驕。凡海上三百里。行程一晝夜。而達于江門。此時海船入港者。獨此一船隻耳。都商欣迎。以爲神助所致。文左乃定價售柑子。利市萬倍。一朝獲五萬金。

上國原乏鹽收鮭魚。即市十萬尾。又舶載開帆。鬻之京・攝諸國。利市復十倍。江・紀往還旬有餘日。博十五萬金。亡何富甲于鄕。後竟絜家而趣江戶。利市鉅萬。文左遂冠於三都。凡三數年而至累百萬金。

相州洋　大槻西磐

余每窮登山之遊。而未嘗極航海之觀也。自下田至浦賀。海程十六里。號相州洋。航海最爲壯觀。此行欲果之。時屬晚秋。風潮不順。淹留二旬。意殆絕矣。至閏九月四日。風俄然變。帆皆北指。舟子曰。可矣。乃解纜。港內風力不足。運舶檣頭施綆二條。漁船數隻。分隊

力挽。出港。風銳。船駛。海島皆走。東南滄溟。南方與天一色。三島現出。曰利。曰新。曰大。所謂伊豆七島之三。大島最近。其山發火。迸烟抹天。聞之晴明烟少減。晦瞑則烟愈熾。其理不可究。

時波閒轟然有聲。飛沫雨注。蜿蜒如有物。舟子曰。是鯨魚也。余曰。恨不能鞭其背。窮所謂十州三島耳。從出港殆二十里。右窗望大島而行。過此風波甚惡。船浮沈簸蕩。頭涔足縮。幾不能起。遙視兩山夾峙成門。南爲房之洲崎。北爲相之三崎。相距二里。寔爲海門衝要。入門波平如鏡。與門以外敻絕。既而見一簇人

家。即浦賀也。辰時出下田。申時入浦賀。其閒僅五時。極爲快捷。然前後上舟者三。始得達。其不葬魚腹者。蓋幸矣。

軍艦　依田學海

我邦之兵備。莫急軍艦焉。蓋海環成國。若無軍艦。是無手足矣。或用海戰。或用邊防。或擁護商舶。然則軍艦豈一日可少哉。軍艦有二。曰甲鐵艦。曰非甲鐵艦。甲鐵者。用鋼鐵若鍛鐵。覆其艦側。非甲鐵者。係木製也。古昔軍艦。皆木製。借帆若櫓運轉之。距今五十年。始用蒸氣轉其輪。疾行如飛。軍艦之用大著矣。後射

砲・火藥彈丸。日益精巧。動爲其所破碎。於是不得不以鐵裝之。初用鐵板。厚不過四印智半。今則及二十印智。是砲丸之銳。足以洞貫鐵板也。

軍艦有數種。各異其任。如戰鬪艦・海防艦・巡洋艦・水雷驅逐艦・報知艦・練習艦是也。戰鬪艦至驅逐艦。皆用之戰者。裝置大砲數門若數十門。戰鬪艦以襲擊敵艦。轟破砲臺。海防艦以防禦我沿岸。或擊敵國軍艦。巡洋艦以保護我要港及商舶。或掠奪敵艦。以備近海戰。水雷驅逐艦以驅逐敵水雷。或狙擊之。報知・練習。並如其名。皆不可少於海軍者也。軍艦之用亦

大矣哉。

觀橫須賀造船場（得閒瑣錄）

四日晴。早發。上汽車於逗子。過六寶道。抵橫須賀。投旗亭。則橫山正恭先在焉。相携遊步。斯地山巒四繞。囊括海水。獨北方開小口。船舶從此而入。尤宜避風濤。一路踰丘到東浦。大洋浩蕩。遠望房山。近對猿島。沙洲烟渚。斜連觀音崎。昔者鎌倉右大臣來遊賞花。夢窓國師亦誅茅開居。號泊船庵。其後僧義堂與林翁・無外・雲溪等。追尋遺躅。詩賦唱和。事見空華集。蓋仙郷也。自國家置鎭守府。帆檣集簇。仙郷變爲熱地。

沿岸人家一萬餘戶。有兵營焉。有學校焉。有造船場焉。正恭導入場內。瓦屋磚壁。工廠連甍。鍛鐵截木。皆用火輪機。鋸聲・椎聲・車聲。與邪許聲相雜。廠外三渠。左右疊石。底深數尋。開門納船。闔門去水。洋語謂之獨區。今浪華艦在渠中。加修理焉。長六十間。大礮小銃。森列兩邊。又設水雷筒。一發可以破敵船於數里外云。別有乾渠。架廣屋。舖長板。造艦者。聚衆材。結構於斯。功竣則自板上走到海上。謂之船卸。今造秋津洲艦。竣功在近。而往日所卸橋立艦。亦碇泊於港內。則海軍之盛。可知矣。於是巡覽既畢。復乘汽車。馳十六里。達東京新橋。晚歸於家。

富士艦の廻航

佐佐木高志

戰艦富士號は、明治三十年六月十九日、「ていむす」鐵工場より、我が廻航員の手に受領し、廿日「ちゆるぶり」船渠を出で、廿六日、「ていむす」河口なる、「すぴっとへっど」にて擧行せられし、英皇觀艦式に列したり。同艦が、世界にその名を知られ、各國の艦長をして、三浦大佐の技倆を、贊稱して止まざらしめしも、實に此の時なりき。

此の日、英國軍艦の此の式に列するもの、一百六十五隻にして、各國の軍艦は、十有四隻なり。艦隊は、五列に整列し、艦旗帆檣は、天を蔽ひ、誠に世界の壯觀を極めたり。我が富士號は、諸艦に後れて、此の式場に臨みけ

れば、一百七十有九隻の艨艟の艦員等は、彼の東洋未曾有の新艦が、如何なる擧動をか爲すらむと、萬目を注ぎ、堅唾を吞みてぞ見守りたる。

三浦大佐は、徐徐艦首を廻らしつつ、歐米諸國の艦員に、「日東男子の技倆を示さむは、此の時ぞ」とて、第一列と第二列との間を、東より西へ艦體を進ませ、第十四號の「すてえつ」に、碇を投じて、靜に各艦に向ひて色代してけり。此の時、一齊に起れる讃美の聲は、しばし、「ていむす」河水を動かし、且、並居る列艦の船員は、皆、均しく、其の操縱の巧なるに感じけりとぞ。

かくて後、富士號は、七月一日、英國の要港、「ぽうとらんど」に赴き、大砲ならびに、水雷發射管の殘工事に取掛

かり、同月十七日に、全く其の工事を終へ、翌十八日、始めて本邦へ廻航すべき途に上りぬ。八月廿七日、「まるた」に著し、同三十日「ぼうとさいど」へ向かひて拔錨し、九月三日同所に到著し、此所にて、有名なる蘇西の運河を通航する準備を成せり。

さて、富士號の、蘇西の運河を通航することは、當時、世界の一問題なりき。はじめ、同艦が本邦へ向かひて、廻航の途に上らむとする時、或は好意より、深く其の危險を慮りて、遠く喜望峯を迂する方、遙に安全なるべきを說き、或は妬心より、歐米人すら、かゝる巨艦を以て、いまだ經驗せざる所を、東洋人に通過せられむことを、甚だ遺憾とや思ひけむ。ある者は冷笑し、ある者

は憂慮して、悉く運河の通航を拒否せり。然れども、大佐の胸中には、確乎たる成算やありけむ。有名なる各國の艦員等が、かく氣遣ふことをも顧みず、蘇西の運河を通航せむと欲して、まづ「ぼうとさいど」には著きしなり。

はじめ、大佐は、艦上に搭載せる武器をば、悉く取り卸して通航すべき決心なりしが、此の時、富士號の吃水は、廿五呎八吋なり。運河の深さは、廿五呎六吋にして僅少の差なりければ、武器をば卸さで、やがて、石炭と水との量を減じ、吃水を淺くして、二十五呎三吋となし、一隻の曳船を傭ひて、之に曳かしめ、常の如き一路の海水を、四節乃至五節の速力を以て、やすやすと通

過し得たり。富士號の如き、巨艦を通航せしめたるはいまだ、世界に例なきことなれば、各國人が一齊に、其の測量の精密なるを稱し、我が國航海術の發達を嘆美せりとぞ。

それより、富士號は、亞丁「ころんぼ」新嘉坡等の諸港を經て、香港に著し、此處にて、船體の外部を裝飾し、十月廿四日、同港を發し、航路を臺灣海峽に取り、琉球諸島を左側に見て、大島・屋久島の間を通過し、四國・九州を左舷に取りて進航し、十月卅日の夜は、伊豆國神子島附近に碇泊し、卅一日午前七時過ぐる頃、横須賀軍港に入りぬ。檣頭の國旗は、遙に富士山巓の雪と相映じて、旭日に暉き渡れるこそ、いと心地よきことなりけ

れ。

富士艦廻航（國文漢譯）　依田學海

我海軍造軍艦於英國提摸斯工場。明治三十年六月十九日成。我廻航員等受之。以明日出船渠。廿六日。英帝行觀其軍艦於提摸斯河口斯瑟度邊土。先是。我軍艦名富士。以其大且堅牢也。乃往會焉。三浦大佐爲艦長。以操縱之。

是日英國軍艦來會者一百六十五隻。而諸國軍艦十有四隻。排爲五陣。旗幟鮮明。帆檣蔽天。極爲壯觀。我富士艦稍後至。諸軍艦爭覩之。謂東洋新造軍艦。

果爲如何操法。莫不屬目焉。艦長三浦大佐。命進艦。意謂欲著日東技倆。以服歷萬邦。是其時矣。馳進第一陣第二陣間。自東向西。徐出下碇於第十四號。斯捏斯。乃行揖禮。操縱如法。毫無罅漏。諸國軍艦。一齊喝采。聲如雷。河水洶湧。不風而波矣。

七月一日。馳趣慕士蘭港。裝大砲・水雷等。十七日而畢。明日乃發。八月廿七日。泊麻兒達。三十日向慕士祭土。以九月三日。至欲過蘇斯運河。運河沙淤。極爲難路。人疑其危。大佐曰。不冒難。何以著我名。初大佐之欲過蘇斯也。歐人勸以出喜望峯爲利。或姤通巨

艦於運河。雖歐人難之。使東洋人爲之。我恥也。因沮之。大佐不聽。蓋胸中既已有成算耳。初大佐欲卸所搭載武器輕之。既而知我艦吃水爲廿五呎八半。而運河深爲廿五呎六半。於是不卸武器。減炭與水。淺其吃水。爲二十五呎三半。僦一隻船。挽之。一路運河。馳以四節乃至五節焉。蓋巨艦過運河。此爲始。歐人聞之。莫不贊稱其測量之精。操縱之妙焉。

爾後過亞丁・胡侖部・新嘉坡等諸港。至香港。有所施裝飾。以十月廿四日。經臺灣・琉球諸島・四國・九州。卅日。泊伊豆元島側。卅一日午前七時。入橫須賀軍港。

時國旗高與富峯白雲相映。旭日燦爛。海波如席。富士艦可以振我海軍之威矣。

訂正

中學漢文讀本卷二 終

(訂正中學漢文讀本全五册)

明治三十四年十月廿五日印刷
明治三十四年十一月三十日發行
明治三十五年二月二十日訂正再版印刷
明治三十五年二月廿五日訂正再版發行
明治三十五年十一月廿五日訂正三版印刷
明治三十五年十二月五日訂正三版發行

訂正者　深井鑑一郎

編輯兼發行者　弘文館

發行所　代表者　吉川半七
東京市京橋區南傳馬町一丁目

印刷所　吉川印刷工場
東京市京橋區柳町五番地

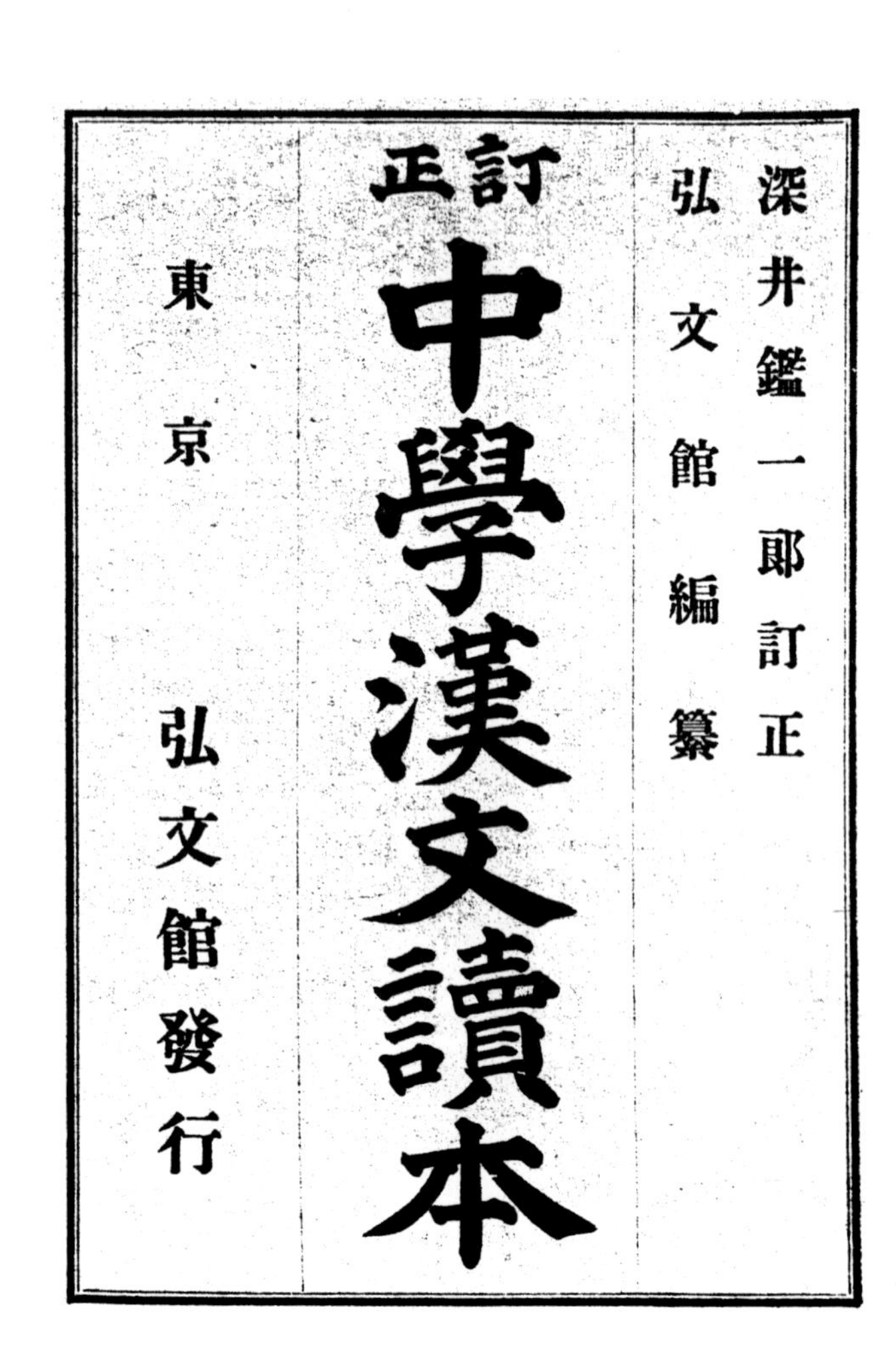

訂正
中學漢文讀本

深井鑑一郎訂正
弘文館編纂

東京　弘文館發行

訂正中學漢文讀本卷三

目次

宮城 依田學海 (一)
江戸城 鹽谷宕陰 (三)
江戸水道 重野成齋 (四)
江戸大火 青山佩弦齋 (六)
靖國神社 依田學海 (八)
東海道鐵道 重野成齋 (一〇)
京都 依田學海 (一二)
平安京(國史略) (一四)

平安神宮(詩) 小野湖山 (一六)
嵐山 大槻西磐 (一七)
護王神社 橋本晩翠 (一九)
石川丈山 鹽谷宕陰 (二二)
富士山(詩) 石川丈山 (二四)
題豐公神廟壁(詩) 石川丈山 (二五)
大阪 依田學海 (二五)
浪華(詩) 岡本黄石 (二七)
高津宮(皇朝史畧) (二七)
湊川之戰(日本外史) (三一)

楠公別子圖(詩) 賴山陽 (三四)
楠氏論(日本外史) (三五)
新田義貞(詩) 副島種臣 (三八)
日本刀說 阪田警軒 (三八)
士規七則 吉田松陰 (四〇)
男兒(詩) 尾藤二洲 (四二)
教育 三島中洲 (四二)
觀墨水走舸記 信夫恕軒 (四四)
書二松學舍生徒寫眞圖背 三島中洲 (四七)

送三菱商業學校生員往香港上海各地序 南摩羽峰 (四八)
會社 三島中洲 (五〇)
勸業博覽會 依田學海 (五一)
陶器 重野成齋 (五四)
陶工巴律西 中村敬宇 (五七)
忠益說 中村敬宇 (六一)
科倫布檢出新地 其一 岡鹿門 (六三)
科倫布檢出新地 其二 岡鹿門 (六六)
米國獨立(瀛環志畧) (七一)

吉田佐久閒二氏下獄 岡　鹿　門 (七四)
送吉田松陰(詩) 佐久閒象山 (七九)
下岐蘇川記 齋藤拙堂 (八〇)
下岐蘇川(詩) 賴　山　陽 (八五)
記信州地震 鹽谷簀山 (八五)
磐梯山噴火記 依田學海 (八九)
赤十字社 依田學海 (九三)
送岡山縣近衞將卒出征序 三島中洲 (九五)

訂正

中學漢文讀本卷三

深井鑑一郎訂正
弘文館編纂

宮城

依田學海

宮城在東京市中央。我天皇居焉。距今四百餘年。上杉氏部下太田持資。始築於此。天正中。德川將軍大起土木。修築之。爾來二百七十餘年。據以號令天下。當時分爲本城・西城・天主閣。高矗雲霄。宏麗雄壯。然數罹火災。本城・天主閣皆燼。中興初。車駕遷幸於此。以西城爲皇居。稱爲東京城。明治六年五月。災。八年。勅建宮城。起功於十七年。竣於二十二年。一月十一日遷幸焉。號宮城。宮城周圍。繞以深濠。有櫻田・大手・桔梗・竹橋・半藏諸門。二重橋爲正門。東望疊見二橋。故名。一築以石。一造以鐵。城內古松蒼鬱。瑞雲靉靆。可以見太平氣象矣。正殿・豐明殿・樓閣臺榭。隱現樹閒。人民徘徊顧望。有垂涙拜伏者。非無故也。城外平坦。細莎如茵。道路縱橫。有楠木中將銅像立焉。極偉觀也。宮城內外。置電燈數十基。煌若白晝。

江戸城

鹽谷宕陰

東照公之奠府江戸也、羣下多謂江戸城者古昔陪臣所建、規模狹隘、非八州太守之居也。城東澤藪接海、蘆荻叢生、西北培塿坡陀、灌莽翳薈、渺無際涯、無地可以列邸宅寘廛肆。東照公相地、增築牙城於中央最高處、以舊構處爲西城、闢西北爽塏地、鏟高塡卑、給庶士宅地、曰番町。開市廛於麴町、東南芟蒲葦、埋洲渚、鑿川渠、架橋梁、瀹淤塞、流垢穢、荒蕪之地、坦爲車馬之衢、四達旁通。大城以正東爲正門、其東爲日本橋、四方里程、自日本橋始。海運船艦、自浦賀入者、泊於品海・深川、換艇舸、以集於日本橋。百貨輻輳、

萬物豐阜。自捷關原、諸侯皆朝于江戸、賜第邸于廓内。商賈日益麕集、坊肆年增、都下方四里、屋舍鱗次櫛比、至有土一升金一升之諺。而四郊新墾之野、皆爲沃壤、田疇棋布、聚落星羅、租賦之入、十倍往時。皆揆之創業之日、而成算如合符契。

江戸水道　重野成齋

德川氏之城江戸也、其東瀕海、沿岸之地、井水鹹濁、不可飮、民常苦之。將軍德川家光深憂之、命江戸町奉行神尾元勝講救之之策。元勝廣諮之於衆。多摩瀕河之民、兄弟二人、曰淸右衞門、曰莊右衞門、頗通

水利、獻策曰、設水道、引多摩川可也。因規畫具狀上之。元勝乃告之家光。家光下羣臣議、皆謂是不利於大城要害、議將中止。獨保科正之抗言曰、政府當務之職、在興是工矣。固執其有利無害、議遂決。會家光薨、未果行。及家綱襲職、再命之元勝。元勝乃擧淸右衞門兄弟、任以工事。二人乃考測量之法、每夜命役夫近處執線火、遠處執提燈、望火光以測地高低、遂得審其水路。起功承應二年四月四日、至十一月十五日而竣。官給金若干、二人又捐私財數百金助費、工遂成。自多摩郡羽村至四谷柵門、鑿渠以導多摩

川、長十三里、廣十八尺、深八尺。自四谷設暗溝、以引之市中、都民因以得水。且自羽村至四谷、所過分疏渠水、以洪灌漑、闢田圃數十萬頃。家綱賞其功、賜二人姓玉川、給以祿二百石、列之士伍。當時學術艸昧、無測量器具、而二人黽勉成業、益世利民、其功偉矣。

江戸大火　青山佩弦齋

明曆三年正月二日、四谷火。十八日、風霾蔽天、本鄕火、延燒神田・駿河臺、至鐵砲洲、夜半始滅、死者數百人。十九日、又大風、小石川火、適麴町亦火、風益猛、煙燄四合、延及府城殿守。將軍避之西城。火不滅者一

晝夜。諸橋皆斷、焚溺無算。海濱士庶、航海而逃。風濤暴急。舟皆覆沒。衆或逃至廓門。門閉風燄將及。爭緣石壁。擲下死者相枕。二十日。火始滅。大城蕩盡。西城僅完。府下悉爲焦土。萬石已上罹災者。一百六十家。將軍命有司給粥。市人皆無食器。至拾瓦片受粥。初酒井忠勝聞火作。遣人近郊。買米穀。已而米價騰踊。忠勝賑贍多所全濟。信綱建議。以金代穀。給麾下倍其價。諸國聞之爭輸米於江戸。米價稍平。紀伊大納言。素有重名。至是府下流言。紀伊殿乘災謀不軌。適紀伊漕船。以穀三千斛至。大納言悉獻之。流言乃熄。

二月八日。停諸侯在國者。今年參府。時土功竝起。木價踊貴。是日令曰。大城營築。必待來年。諸藩第宅士庶廬舍。務從質樸。於是諸侯皆取材於國。木價頓賤。九日。賜麾下士罹炎者銀。十日。貸諸侯罹災者銀。十五日。頒賜金十六萬兩於江戸市人。二十九日。先是。將軍使源正之詣增上寺。正之途見焚尸成丘。憫之。謂執政曰。方今海内人民輻輳府下。而一旦焚死投尸溝塹。任其漂去。何慘也。宜收瘞焉。執政然之。是日瘞焚尸於本莊牛島。凡九千六百五十三人。創一寺。號回向院。(節錄)

靖國神社

依田學海

功績忠烈。以照映今古者。祀之禮也。中興前後。效死王事。合祀之一祠。加以近時征清役死事者。是爲九段阪靖國神社。祠宇宏壯。園池蒼秀。實爲東京所希有焉。社創建於明治二年。初名招魂社。十二年。改賜今名。列別格官幣社。爾後以每歲五月十一月。施行祭典。朝廷遣勅使。賜幣帛。爲例。本日命陸海軍。行整列式於社前。又擧競馬角紙・烟火・能樂諸戲。賽者如堵。社東向。其造構摸古式。無金銀丹碧之飾。純從素樸。然高潔清淨。使人生畏敬之心。境内多植梅櫻。泉

石極工。有假山。有瀑布。有噴泉。池水清徹。游魚可數。社前置兵部大輔大村益次郎銅像。以其中興時多功也。銅像西有一高樓。高聳雲際。爲遊就館。中藏今古武器。及係兵事諸物。以供衆庶縱覽。又有戰事帶血武器。蓋悼其死。而標其勞也。

東海道鐵道

重野成齋

鐵路之用。以通有無。應緩急。固廣矣。大矣。不待言也。而又有可以俯仰古今。挹攬形勝者。東海鐵路。自東京以至京都。十八時間。可以達百四十里程。其間眺矚之忽變。感慨之所觸。不遑枚擧也。乘第一發汽車。

發新橋、抵横濱。又西走、過大船、到國府津。大船有抵横須賀支線。若遊箱根・熱海者、當於國府津下車。相駿之界、有足柄嶺。山重谷複。其開鑿隧道、架鐵橋者數所。自國府津路漸躋、登極則達御殿場。御殿場在東海鐵路中、爲最高處。自御殿場路低下、車行太迅。過沼津・浮島、渡富士川。川西卽爲治承中平軍與源軍對閭、水禽羣起、聲相驚遁走處。午時可達靜岡。自沼津到此、右顧則芙岳聳雲表。左眄則田子浦・清見潟與三保松原相對、稱爲東海第一景勝。自靜岡西渡大井・天龍二大川、過濱松、則有濱名湖。架鐵橋、其

長在鐵路中、亦爲第一。經豐橋岡崎、日暮抵名古屋。有關西鐵道、可以達伊勢神宮。發名古屋、過尾濃平野盡處、爲關原。德川家康大破石田三成軍、卽此處也。德川氏覇業實基於此。今則山丘回互、郊原荒涼。感慨係之矣。自米原沿琵琶湖東、經彦根・草津、踰勢多、抵大津。湖上遙望比叡・比良諸山、風光明媚可愛。過逢阪隧道、則達京都。百里之遠、可坐而到。豈非雍熙之化使然乎。

京都　　依田學海

京都又稱西京、以對東京也。在山城國、東西一里餘。

南北一里有半。東西北環山、有鴨水東流、淸冽無比。蓋山水明媚、爲全國之冠焉。往昔桓武帝奠都於此。明治初、車駕遷東京。蓋自桓武帝時、相距千餘年。爲歷世帝都。屢經兵燹。然神祠佛剎存者猶多。造構古雅、可以徵舊典、可以觀往迹也。舊皇居在市東北。紫宸・淸涼・常寧諸殿及日月門、不改舊觀。又有二條城。桂宮・修學院・離宮殿閣、高敞幽雅、庭園瀟灑淸潔、使人有遊仙境之想。神祠之有名者、加茂・八阪・北野・護王等是也。寺院則智恩院及東西本願寺・金閣・銀閣・清水・仁和・大德寺等。泉石之巧、建築之妙、他州所無

也。遊賞之地、則嵐山・御室之櫻、栂尾・高尾之楓、四條之納涼、圓山之眺覽、爲最焉。而圓山之埀絲櫻、其蔭覆百畝、花爛熳如紅雲湧出。實壯觀也。其他不可勝數。古歌云、都之春成錦。其盛可知矣。此地亦以美術巧藝著名於天下。就中西陣紝織最美。金襴・錦・繻・紬緞、在他州不得摸擬也。又有友禪・鴨川染絹、渲法巧麗、爲世所珍異。其他磁器・漆器雕刻、及諸製造器具、莫一不精美焉。蓋千餘年風氣自然致之。豈偶然已哉。

平安京（國史略）

延暦十三年。遷山背宇多新京。前年遣大納言小黑麿左大辨紀古佐美等。相宅。尋車駕巡覽之。奉幣賀茂・伊勢等神廟。以告定都。詔曰。山背爲國。山河襟帶。自然作城。宜改作山城。又曰。子來之民。謳歌之輩。異口同辭。號曰平安京。今宜從之。於是造土偶人長八尺。著甲冑。佩太刀。西面埋諸東山。誓爲鎭護神。號曰將軍塚。

松苗按。皇祖神武天皇。都橿原。厥後屢遷徙。長者百餘年。短者二三年而已。自橿原至平城。在大和者。前後凡三十所。歷一千二百四十餘年。其他在近江

志賀。及保良・長門。豐浦・攝津難波・河內丹比・山背綴喜・乙訓・恭仁・長岡等十餘所。其間凡二百二十餘年耳。通計四十餘所。一千四百六十四年也。自帝定鼎于此。以爲萬世不遷之都矣

平安神宮　小野湖山

明治廿八年三月。平安神宮成。十五日。奉安桓武帝靈位。時征淸之師。海陸大捷。振古未曾有之偉勳。千載一時之盛典。恰同其時。誠是幽顯齊歡。人神共抃。恭賦以記。

千古平安地。　平安宮始成。　聖朝追遠典。　羣姓

奉崇情。　金碧相輝映。　山河亦顯榮。　威靈及殊域。　豈啻鎭東瀛。

嵐山　大槻西磐

嵐山在京都西。其山蓋自西北來。疊重起伏。十有餘里。抵此戛然而止。故其勢峻而秀也。有河淙淙然抱山而東。曰大堰之河。土人橋焉。長數十步。可達山巓。曰渡月之橋。山多櫻樹。亂發于翠松閒。紅綠相映。參差披拂。橋之西。沙平而潤。且有居者。就而望之。則山之高。水之淸。與花之濃淡。皆在枕席下也。吾居京城匝歲。頗窮近洛山水之勝。而此境未肯遊也。今年二

月。從夬齋公探嵯峨之勝。遂往遊焉。舟行竟日。極其快而止。噫嚮之未肯遊也。是其果有待于今日耶。是歲弘化四年也。從橋而西。河之廣。不過百步。源遠而末益大。東流入於鴨水。其水淸洌。多香魚。漁人擧網。獲數十頭。味甚美。或曰。餌櫻花之英以生。故肉肥而味美也。西崕大石駢立。水停蓄爲潭。深碧不可測。其上多櫻花。粲然如堆雪。有瀑懸焉。高十餘丈。曲折屬墜。沈沈有聲。心甚樂之。舟行數里。出於小邱之北。邱之上有碑焉。問其事。曰。往者壅塞河流。舟觸之輒破碎淪溺。田氏捐私財疏之。其害始去。有閣曰大悲。地

高而望遠。巍巍之山、洋洋之流、皆聚目前。望之、超然神往。恍惚若喪。既下而西、有山聳溪上。爲龜山。夾溪峭壁森立、爭成奇狀。若禽之翔、若門之峙。高者數仞。卑者踰丈。大都嶄然露頭角。夐異於京師人物之溫秀。毋乃別成一家乎。（節錄）

護王神社　　橋本晩翠

和氣淸麻呂、備前藤野郡人。其先、出自鐸石別命。舊姓磐梨別公。神護中、授勳六等。改賜姓吉備藤野和氣眞人。進從五位下。遷近衞將監。封五十戶。景雲三年、又改賜姓輔治能眞人。爲因幡員外介。淸麻呂爲

人抗直。有不可奪之節。是時帝寵僧道鏡、爲法王。道鏡竊蓄不臣之志。太宰主神中臣阿曾麻呂、希旨矯神敎曰、道鏡踐帝位、則天下太平。帝乃命淸麻呂、詣宇佐、受神敎。臨發、道鏡按劍瞋目、呪淸麻呂曰、大神欲使我卽位。事之成否、決于使者之一言。汝使我得所欲、則授汝太政大臣。如違我言、則誅滅立至矣。既出。有路豐永。謂淸麻呂曰、道鏡登天位、吾何面目事之。吾將與二三子從伯夷而遊矣。淸麻呂感憤、矢死而往。詣宇佐、默禱終夕。還奏于朝曰、神憑臣曰、我國家開闢以來、皇統一系。君臣之分定矣。道鏡何爲

者、敢覬覦神器。大逆無道、罪不容于誅矣。帝默然。百官失色、兩手握汗。道鏡大怒曰、淸麻呂矯神敎。欺罔朝廷。改姓名、別部穢麻呂、流于大隅。潛遣人、殺之于途。俄雷雨晦冥、受命者猶豫。會勅使來、赦。參議藤原百川、愍其忠烈、割封戶與之。光仁帝踐祚、竄道鏡于下野、復淸麻呂姓名、召還之。明年復本位。爲播磨員外介、遷豐前守。延曆中、至正四位下。十八年薨。贈從三位。嘉永中、孝明天皇追賞其忠烈、贈正一位、賜號高雄山祠、曰護王大明神。明治七年、改號護王神社。列別格官幣社。

石川丈山　　鹽谷宕陰

石川重之、三河人。幼而岐嶷。其父信定曰、之兒不揚芳於千載、必魁惡乎四海。及長精悍、武技絕倫。東照公召爲近侍。大阪之役、從入京、病熱甚。其母以書勗之云、汝已從軍、非立功無復見我。重之感泣、力疾起。家康過東寺。見重之乘輿曰、彼病重。奈何至此。重之避路旁、待駕過、騎馬渴甚、飮水三勺、覺胸閉頓爽。家康聞之、驚曰、得無有神助。明日加賀先鋒本多政重既交鋒。重之潛離伍、稱使者、入政重隊、刺敵殪之。有人奪其首、棄不顧、突入城門、復獲甲首。政重曰、卿

盍見吾主叙功。重之曰。吾非貪名。欲不忝祖先耳。事平。以犯軍律。薙髮匿于京師妙心寺。閒從信勝・正意等遊。信勝奇其才。勸藤原粛。重之素鄙文儒。不肯強而後可。粛爲說倫理道德。於是痛自悔悟。發憤潛研經傳。粛讀其詩。嘆曰。異日必爲一代詞宗。重之遂還俗。然素懷在嘉遯。不畜妻。板倉重昌雅相友善。薦之淺野長晟。重之有老母。乃曰。家貧親老。不擇祿而仕。因與母往安藝。居久之。母歿。去還京師。結廬叡山麓。放情山水。題其景勝。有百花塢・洗濯瀑・老梅關・嘯月樓等之目。壁上畫漢晉唐宋善詩者三十六人。各題

其一詩。名曰詩仙堂。因自號六六山人。風騷自娛。口絕兵革。人叩之。輒云。衰老昏耄。前事瞢然。每出行。使童奴擔偃月刀以從。有詩曰。枕頭三尺劍。瓶裏一枝梅。又曰。腰閒無寸鐵。胸裏揷三軍。人謂山人雖隱。而壯心未已也。京尹板倉重宗。將疏薦之。重之愕曰。一晦一顯。妄人已。妄人何益乎國家。重之善隸書。晩節詩律滋細。韓人來聘。有權式者。見其詩曰。東海李・杜也。士無文武。莫不慕其風采。獲翰墨者。珍賞如拱璧。學者稱曰丈山先生。

富士山　石川丈山

仙客來遊雲外巓。神龍栖老洞中淵。雪如紈素烟如柄。白扇倒懸東海天。

題豐公神廟壁　石川丈山

零落東山古廟廊。蒼苔蔓艸上頹牆。英靈飛散無巫祝。秋月春風作主張。

大阪　依田學海

大阪在攝津國。東西一里半。南北一里許。市街繁華。店肆密櫛。淀川通市北。潢漾浩蕩。架以難波・天滿・天神三大橋。其宏壯堅緻。全國無比。自此通土佐堀・道頓堀・橫堀等。溝渠各有橋架焉。俗有八百八橋之稱。

言其多也。淀河口卽爲大阪灣。海舶雲集。萬貨輻輳。日夜不絕。加有鐵路之便。以通山陽及東西京。故海陸交通極利。全國之財貨多來會於此。商業之盛。爲我邦第一。此地亦以製造爲盛。有砲兵工廠・造幣局。在市街東。高敞鞏固。鐵作閒架。甎不爲壁。廠鑄冶大砲。局製造貨幣。煤煙颺空。輪聲震地。又有紡績場・硫酸製造所及麥酒釀造所。其建造之牢。機器之巧。皆足以駭人目。大坂古城在市東北。一帶卯土。距今三百餘年。豐太閤所築。當時樓閣巍峩。金碧熒煌。極天下之美觀矣。後罹兵燹。一朝蕩盡。然峻壁深濠。今猶

昔日爲第四軍營。觀遊之地。在中島。櫻宮等。卽公園也。中島在市北。臨淀河。最宜納涼。櫻宮亦瀕焉。花時如錦。

浪華　　　　岡本黃石

千帆日來往。長河一道流。豪華多舊俗。輻輳冠諸州。十里無餘地。萬家盡有樓。廢興何用說。逝水夢悠悠。

高津宮（皇朝史略）

仁德天皇。應神帝第四子也。母仲姬皇后。帝之生也。有木兔入殿。是日大臣武內宿禰亦生子。鷦鷯入室。

應神帝以爲祥。謂武內曰。今朕子與大臣之子。同日而生。並有瑞祥。取其鳥名。相易名子。因名帝曰大鷦鷯。應神帝既立少子稚郎子。爲太子。令帝輔之。及應神帝崩。太子讓位于帝。避之菟道宮。帝以名分素定。不聽。會大山守皇子謀反。帝知其謀。密告太子。殺之。太子固欲帝踐位。而相讓三年。帝執志益確。太子知其不可奪。乃自殺。帝遂卽位。都攝津難波。謂之高津宮。宮室不堊。務從節儉。一日帝登臺遠望。人烟不起。以爲百姓窮乏。家無炊者。詔除課役三年。宮垣頹敗。無所營作。比及三年。五穀豐穰。百姓殷富。歡聲盈路。

其後帝復登臺遠望。見炊烟盛起。謂皇后曰。朕既富矣。復何憂乎。后曰。今宮室朽壞。不免暴露。何謂富乎。帝曰。君以民爲本。民貧則朕貧也。民富則朕富也。未有民富而君貧者矣。今炊烟盛起。富庶可知也。諸國請輸稅調。以修宮室。不聽。後數年。始科課役。造宮室。百姓扶老携幼。爭先來赴。運材負簣。日夜營作。未幾宮室悉成。帝性明叡。專心政事。躬行節儉。輕賦薄斂。百姓殷富。敎化大行。稱爲聖帝。嘗與皇后避暑高臺。聞菟餓野鹿鳴。愛之。一夕鹿不鳴。明日猪名縣佐伯部獻鹿。帝問何處獲之。曰獲之菟餓野。帝謂皇后曰。

計獲鹿之日。與所獲之地。蓋朕所愛者也。獲者雖無心。朕未釋然。不欲使彼近皇居。乃命佐伯部於安藝。其慈仁愛物如此。

外史氏曰。立子以長。年鈞以賢。此萬世不易之大經也。應神以私愛。立少子。固失長幼之序。夫帝之立之以嫡耶。仁德嫡也。稚郎子庶也。則仁德宜立。而稚郎子不宜立焉。以賢耶。則仁德尤賢。稚郎子雖賢不宜以弟先兄。雖然稚郎子既居儲位。名分已定。則稚郎子之讓。仁德不得不辭焉。然則稚郎子。何以不讓於應神建儲之時。而於應神既崩之後。曰應神愛稚郎子而立之。而稚郎讓之。是傷父志也。故隱忍至是。殺身以成其志。若稚郎子者。可謂仁且孝矣。稚郎子之薨。仁德不獲已。而後卽位。則兄弟相讓。兩得其宜。應神始崇文教。以禮讓爲天下。其効如此。國家之所以興。非徒然。

湊川之戰（日本外史）

賊軍乘勝而進。義貞軍兵庫。飛書告急。朝廷震動。時北畠顯家已歸鎭。京師兵寡。帝命正成。行援義貞。正成答曰。尊氏新擧九國而來。其鋒甚銳。我以疲兵格鬪。無他奇道。其敗必矣。爲今計者。陛下復幸叡山。召

還義貞。縱賊入京師。而臣歸河內。絕其糧道。則賊兵日散。我兵日聚。於是夾而攻之。可一戰而破也。義貞之計。蓋亦出此。顧慮人言耳。戰道非一。要歸於勝。願朝廷再計之。諸公卿皆然之。獨參議藤原淸忠不可曰。賊雖衆盛。不過如前役。王師有天命。宜防之外也。帝從之。正成退謂其子弟曰。事既至此。何必抗議。五月十六日。與弟正季。子正行等。辭闕而西。至櫻井驛。正行時年十一矣。正成遣歸之河內。誡之曰。汝雖幼。已過十歲。猶能記吾言。今日之役。天下安危所決。意吾不復見汝也。汝聞吾已戰死矣。則天下盡歸足利

氏可知也。愼勿計較禍福。嚮利忘義。以廢乃父之忠。苟使我之族隸。而有一人存者。則率以守金剛山舊址。以身殉國。有死無他。汝所以報我。莫大於此。因以帝所嘗賜寶刀授之。訣別。正行請從共死。正成叱之起。正行揮涙而去。正成乃至兵庫。慰勉義貞。訣飲終夜。當是時。尊氏將水軍。直義將陸軍。陸軍稱五十萬。正成率手兵七百。陣于湊川。以當之。義貞以三萬騎。陣于和田岬。以扞水軍。水軍先鋒過而東。義貞拔軍循之。而尊氏全軍已上和田岬矣。正成顧謂正季曰。我腹背受敵。不可遁也。先破前者。而後接背者。如何。

正季曰。然。於是兄弟並突入陸軍。七離七遭。欲獲直義。直義馬傷而墜。我兵垂及。有一敵將。遮鬪而逸之。尊氏亦分兵來援。包我軍後。正成兄弟回馬當之。血戰十六合。盡亡其騎。所餘七十三騎。猶可以潰圍。而正成心不欲生。乃走入湊川北民舍。坐釋鎧。身被十一創。顧謂正季曰。死而何爲。曰願七生人間。以殺國賊。正成欣然曰。是獲吾心。耦刺而死。正成年四十三。宗族十六人。從士五十餘人。悉死之。

楠公別子圖　賴山陽

海甸陰風草木腥。史編特筆姓名馨。一腔熱血

存餘瀝。分與兒曹灑賊庭。

楠氏論（日本外史）

外史氏曰、余數往來攝播間、訪所謂櫻井驛者、得之山崎路。一小村耳。過者或不省其爲驛址。蓋經足利・織豐數氏、世故變移、道里驛程、隨輒改耳。余於是低回不能去。顧望金剛山、嶷立雲際、想見公擧義之秋。及其子孫、據以扞護王室也。觀公詣行在、對天子曰、臣而未死、賊不患不滅。夫以一兵衛尉、而居然以天下之重自任、豈非感激値遇、以身許國哉。故能以赤手障江河、回天日於既墜。何其壯也。公歿、北條氏精

銳、於一城之下、而使新田・足利之屬、擣其空虛、以殪其渠魁、帝之復辟、醻爵任職、宜以公爲首、而纔能與結城・名和輩比肩、其失於擧措、足以知中興之無成矣。及足利氏叛、朝廷方倚新田氏爲重、公特充褊裨、供其驅使、亦以其門地有不若焉爾。然京師大捷、殆致掃殄者、非因公之策邪。嚮使帝以其所任新田氏者、以任於公乎、曷至使大羊狐鼠之賊、蹂踐吾朝廷哉。然觀其臨死戒子、又曰、吾死天下悉歸足利氏。夫知天下之不可爲、而猶留其子孫、以衞天子、其設心雖古大臣、何以遠過。故子孫能守其遺訓、護正統、天

子於彈丸黑子之地、以防四海寇賊者、及三朝五十餘年之久、擧一門之肝腦、而竭諸國家之難、至其澌盡灰滅、而後足利氏始得大成其志於天下。蓋朝廷不能大任楠氏、而楠氏所以自任、莫以加焉。世之論中興諸將、尙視其資望大小、而不深揆其實、亦與當時之見等耳。不有楠氏、雖有三器、將安託焉。以繫四方望哉。笠置夢兆、於是益驗。而南風不競、俱傷共亡。終古莫以恤其勞、悲夫。抑正閏雖殊、卒歸於一、能熙鴻號於無窮、使公有知、亦可以瞑矣。而其大節巍然、與山河並存、足以維持世道人心於萬古之下、比之

姦雄迭起、僅傳數百年者、其得失果何如哉。

新田義貞　副島種臣

精忠本資英雄才。勤王意氣叱咤來。八州將士迎馬拜。百年覇府隨手摧。讒言易入古所嘆。貪人數類國頻災。守死竭盡宗黨力。山川滿地骨堆堆。

日本刀說　阪田警軒

日本刀之利、赫然於萬國矣。然懦夫執焉、嬰兒狎之。弱將執焉、敵國輕之。庸君執焉、夷狄侮之。而亂臣得以弑其君、賊子得以弑其父。執非其人、果不可歟。然

則恃刀。不如恃人。磨日本刀。不如磨日本膽也。今也人之不恃。膽之不磨。是非榮辱。來襲而不知拒。聲色貨利。來侵而不知防。揚揚然横三尺秋水。一庸夫當前焉。强夫則悍然抗之。懦夫則戰慄避之。其何問敵國哉。其何問夷狄哉。所謂日本膽何也。曰仁。曰義。曰忠。曰孝。夫仁義忠孝。人之固有。而列聖之所以維持世道人心。於千萬年。善磨之。則其光芒威靈。足寒姦賊之心。而禦腥膻之侮矣。嗚呼。是人也眞可執日本刀也。故藤原氏能誅入鹿。北條氏能攘蒙古。名和・楠氏諸將。能復王室。是豈非不恃刀而恃人。不磨刀而

磨膽之效耶。不然。赫赫日本刀。安知不爲亂臣賊子之用哉。

士規七則

吉田松蔭

披繙冊子。嘉言如林。躍躍迫人。顧人不讀。卽讀不行。苟讀而行之。則雖千萬世。不可得盡。噫。復何言。雖然。有所知矣。不能不言。人之至情也。古人言諸古。今我言諸今。亦詎傷焉。作士規七則。

一凡生爲人。宜知人所以異於禽獸。蓋人有五倫。而君臣・父子爲最大。故人之所以爲人。忠孝爲本。

一凡生皇國。宜知吾所以尊於宇內。蓋皇朝。萬葉一

統。邦國士夫。世襲祿位。人君養民。以續祖業。臣民忠君。以繼父志。君臣一體。忠孝一致。唯吾國爲然。

一士道莫大於義。義因勇行。勇因義長。

一士行以質實不欺爲要。以巧詐文過爲恥。光明正大。皆由是出。

一人不通古今。不師聖賢。則鄙夫耳。讀書尙友。君子之事也。

一成德達材。師恩友益居多焉。故君子愼交遊。

一死而後已四字。言簡而義廣。堅忍果決。確乎不可拔者。舍是無術也。

右士規七則。約爲三端。曰。立志以爲萬事之源。擇交以輔仁義之行。讀書以稽聖賢之訓。士苟有得於此。亦可以爲成人矣。

男兒

尾藤二洲

君曹欲爲士。須先爲男子。男子貴剛正。陽道斯爲爾。何乃今世人。一與兒女似。孳孳務言貌。不務却爲恥。男子有當行。可恥豈在此。須去妾婦態。速會剛正字。良馬不在毛。爲士在其志。

教育

三島中洲

上自帝國大學下至小學校。爲校二萬八千餘。學徒四百萬。是爲我現今教育之大勢。我邦中古武門成治。教學非所重其有之亦主武士。明治改元。王政維新始憂學制之不備教化之不洽。五年。布新令。命鄉村設小學校。士民兒童皆就學。又設中學・高等學校・大學及專門學校等。益廣進修之門戶。二十三年。下教育勅語。令國民知所遵由。自是海內駸駸嚮學。遂致今日之盛焉。小學校。分爲尋常・高等。各四年卒業。中學校。授普通學科。高等學校。設大學豫科。便於進入大學者。帝國大學者。學問最高之府也。其在東京

者。成於法・醫・工・文・理・農六分科。又設大學院。資於進修之便。其在京都者。係近年創設。今有法・理・工三分科。陸海軍。各有學校之設。又關於農・工・商者。有實業學校之目。養成小學教員者。有師範學校之目。女子有女學校。其他市井閭巷。建學設塾者。有私立學校之目。凡十室之邑。莫不有學。販夫輿丁。亦皆識字。眞昭代之餘澤也。

觀墨水走舸記

信夫恕軒

今茲十月十七日。東京大學生徒百有餘人。走舸競漕於墨水。蓋恐平生業讀書。不勞動手足。以生病也。

水面則文部省書記官・大學幹事・教員。重足而凝視。初令曰。舸長見前伍發舸。則整束後伍櫓手。一也。舸長櫓手。解裝更服。各戴色帽。二也。舸長豫定其號次與位置。三也。前伍上陸。後伍乘舸。四也。櫓手漕到中河。必待號砲而發。五也。舸必在旋回標船而位。六也。回標浮標之間。距六步。爲舟路。七也。判決人發砲。翻色幟。報其勝。八也。勝舸則使櫓手建其櫓頭。九也。競漕已終。繫舸于岸。納櫓於舸而上。十也。上流下流。相距凡四町十間。浮三標于三處。以定其位置。舸有建赤幟。有建白幟或青幟。帽色亦如此。一舸七人。一人

執楫。以指令。六人分左右櫓之。三舸定位。宛在水中央。皆謂一勝可唾手而取。神旺氣奮。須臾砲聲一發轟天。載令載櫓。櫓如蜈舸。大呼競漕。擊汰破波。兔兒走水巨魚闖江。鳥疾箭駛。叱叱促櫓者。聲氣副力者。先緩而後急者。始神速而終遲滯者。右船左舸爭勢。中行之舟如飛。觀者悅白愛赤。勝負未決。青幟之舸。忽鼓勇而進。砲發幟翻。拍手喝采之聲。江流翻覆。勝者意氣揚揚上岸。直受銀賞盃。以誇詡於衆。可謂盛矣。或曰。舸大船也。揚子所謂南楚江湘。凡船大者謂之舸。左思蜀都賦。弘舸連舳是也。今船不甚大。命名

之義。無乃不可乎。曰否。昔者孫權名舸爲赤馬。言如駿馬走路也。然則不必拘舟大小。其神速者皆謂之舸。亦何妨。法學部長穗積君謂余曰。子文有奇氣。盍記其奇競。乃筆之以爲奇觀。

書二松學舍生徒寫眞圖背

三島中洲

明治十二年十一月三日。我二松學舍生徒進曰。生等雖親奉先生教。同與諸友交。明日離散。亦不可知。欲及今合寫師友像。以永不相忘。何如。余曰。善。圖成。老顏枯瘦戴帽。而踞于中央者。卽余也。當余右肩而立者。爲兒桂冠者。童子或立或坐。擁其前後左右者。

爲生徒某某。總計六十三人。皆風采秀茂。有前途之望。余甚樂。因告之曰。人欲不相忘者。不在面貌。而在學行。他日若余與諸子學廢行壞。則雖有此圖。或塗抹其面貌。欲早相忘。亦不可知。請與諸子戒旃。抑今日同舍生徒。有故不相會者。尚百數十人。然其人皆學益進。行益修。則將使人想像其面貌。永不相忘。豈憾不入此圖哉。併書以勉圖外生徒。

送三菱商業學校生員往香港上海各地序

南摩羽峯

商之道。廣矣。大矣。而其要有二焉。學也。事也。學以究

其理。事以施之實地。此二者之相資。猶兩輪雙翼相待。能飛行也。岩崎君有見於此。創建三菱商業學校。以講其理。開會社。以施之航海商業之實地。於此乎海外船舶。皆讓其航路焉。遂設支社於內地諸港。遠及上海・香港。駸駸乎進而不止。往將建三菱章旗於歐米各港。何其盛也。明治十三年一月。擇生徒卒業者。派遣村上子於香港。奧宮子於上海。長崎有賀二子於神戶。野田子於箱館。使施之實地。余乃與諸氏餞之東京某樓。屬杯諗之曰。聞岩崎君之創此社也。時或有船破事件。左支右吾。極困頓者矣。而百折不

撓。竟能致此隆盛。以耀國光於海外矣。今諸子當派遣之選。何榮若之。宜深體其意。亦能百折不撓。施其學於實地。輪翼相資。以飛行萬里也。若更擴之。能收海外商權。歸之我。則國可以富矣。兵可以强矣。英・佛・普・魯之膽。可以奪矣。吁。諸子之任。亦重矣。諸子之榮。亦大矣。諸子其酬之。諸子咸曰。所不踐此言者。有如此杯。一飲酹之。余乃識之。爲送序。且以爲他日證左。

會社

三島中洲

小積則大。故塵土之積。爲邱山。近世有會社者。或通鐵路。或設電燈。或備大小船舶。便漕運。或稱貸士民。

瞻不足。曰紡績、曰製紙、曰保險。凡如此之類、指不堪僂。而其資皆募之衆人。巨萬之資、則零碎之積也。細之不可輕。微之不可侮。如此。其法會社有贏、社員分之。若有負、社員償之。謂之會社責任。責任有二。曰有限。曰無限。其所償、止于其初所投之資、是爲有限。不問投資之多少、必贖其全負、是爲無限。我邦方今所行、有限之制爲多。而又多係於株式制。其法分會社所要資金、爲數百若數千、謂之株。株有券。人人出資受株券、謂之株主。選擧幹事於株主中、託業務、謂之重役。大事則會株主議決、謂之總會。是其大概也。

勸業博覽會

依田學海

臚陳製造工作美術諸物於一場、以普使衆庶審察之量其優劣。簡其精麤、是爲勸業博覽會。會畢、有審查官、判定其優劣精麤、授以賞牌若襃狀、誘導獎勵之。精者益精、優者益優。其麤與劣者、必勉焉從之。國家富强、亦基於此。我邦諸物、嘗輸之墺國維納萬國博覽會、爲始。尋而北米合衆國比剌的爾比亞・佛國巴里、及米國斯哥格、皆爲外人所推獎。在內則開會凡四。其三開於東京、每會益熾。其一開於京都。爲明治廿八年。時有征淸大捷、觀者雲集。諸物日精。陳列

者二十萬八千餘。其爲工人八萬六千餘。比之首會、增十九萬二千餘。於諸物、增六萬九千餘。於工人、可以知殖產興業之日進矣。會場分爲工業・農林・機械・水產・美術等諸館。館區爲府縣。一見以知其盛衰優劣。工業則繡織・磁器・漆器類、皆係製造諸種、就中京都所出縟珍・友禪染絹、精巧美麗、使人目眩。農林則穀粟・菜蔬・蠶繭諸種、生絲・茶藍綿・砂糖・木材・林業方案。森林用器、雖不足悅人目、然我富源在於此。不可輕視也。機械則諸般製造機器、及電氣機具發電器。可借電力以運搬諸物者、獨慊比之他館、其數稍寡。

蓋我學術未精乏新造機器者耳。水產則江海所產魚介類。又昆布海草、有許多異種。別置水族室、畜羣魚於玻璃器、歷歷可數、亦奇觀也。美術則圖畫・彫刻・鏤金・篏金・刺繡等、燦爛驚人。又有一種雅致、不獨精巧也。動物園飼養牛・馬・雞・豚、羣然蠢然、可以供使用充食料者。凡益於民間者、蓋莫大於此會焉。聚天下諸物於一場、觀之精麤優劣、一目瞭然。故人民慕其優、與精、恥其麤與劣、相競相勵。或講其方法、或審其制度、或索其原料、或論其價直。在製造工人、以示工著能、蓋大利於世。是歐米各國之所以重此會也。

陶器

重野成齋

陶器爲我國產之最。作之之方。細碎粘土之精良者。及磁土・長石。與水溶合捏和。隨意製形。納於窯以陶化。名之素燒。磁土狀如白砂。如單用粘土。則其形縮小。故必加之。然二者粘合寡力。易致崩潰。故必加長石。長石爲熱鎔解。如飴如硝子。能接合粘磁二土。蓋陶器爲日用必需之具。故各地製造甚盛。多輸出海外諸國。其額與生絲・漆器相比。素燒其觀不美。有存汚點。及浸染液體之患。故施之以釉藥。塗之器面。再置窯中。陶成則釉藥鎔化。形制完具。陶器有繪紋。山

水花鳥等不一。畫之多先以色料。繪素燒之面。後塗釉藥。上古陶器。其製甚粗。類今土器。奈良朝時。僧行基始傳用釉藥之方。後五百年。至鎌倉氏之始。加藤四郎左衞門景正者。遊於宋。研究其術。開陶窯於尾張瀨戶。後又四百年。足利氏時。詳瑞五郎太夫。赴明修其術。迨還開業於肥前唐津。豐臣氏之征朝鮮。肥前鍋島氏。擒良工。歸。起業其領土。其後各地陶窯繼興。其技益進。精巧迥出乎支那・朝鮮之上。稱爲萬國之冠。陶窯。肥前伊萬里。尾張瀨戶。加賀九谷。京都清水・粟田尤著。備前美濃・會津・伊勢質較下。而瀨戶自景正創業。凡七百年。地舊技熟。故其所製。色淸白而質堅剛。價亦頗廉。最適衆人需用。世呼曰瀨戶物。以爲陶器通稱。

陶工巴律西

中村敬宇

巴律西名曰培那德。法國人。一千五百十年。生于亞染。其父貧不能使巴就鄕塾。巴常語人曰。我少時無書。以森羅萬象爲書耳。往設因的畫玻瓈爲活。自有妻子。所得不足糊口。一日有人示以意太利名工所作磁杯。光色潔白可愛。巴心謂我亦可能作之矣。自是專注心于此。始欲究知燒五色之藥。集諸藥舂爲

粉。破土器爲幾片。塗以藥燒之於竈。經試不效。巴作竈於戶外。試驗多年。家財爲之蕩盡。隔家三里有燒磚窯。又買土器塗藥往試焉。終不成。巴又往近村玻璃窯。燒土器三十餘。火熾熱透。諸藥中有鎔發綵色者。至於白色則未也。後二年。繼續經驗。猶無功。巴思爲一大試驗。塗諸藥於三百餘土器。燒于玻璃窯。可四時出窯。則鎔和者有一焉。熱退藥乾。色漸爲白。巴狂喜奔歸示之于妻。巴意益奮。擇近地自運磚作玻璃窯。八月而成。自埏埴作土器。煉藥物。貯薪柴。百物備辨。然後起火煬竈。視火候。不交目睫者六晝夜。而

白色終不成。巴深思其故。又欲新合藥物。而囊已虧空。遂借財于友人。以新藥試之。妻子交謫。他人嘲笑。巴如不聞者。投土器于窑。火既熾。藥猶未溶。欲添火力。而薪盡矣。毀籬墻燒之。猶不溶。俄而屋內有摧裂聲。妻子驚視。則家中椅卓投於火矣。廚裡庋架折爲薪矣。妻子號哭。四鄰笑以爲狂。然以是火候漸至。棕色之缸變爲白滑澤可鑑。於是經驗之功始成焉。會有酒家翁。恤巴窮。許以寄食。巴所造尙未滿意。故或欲買之。未肯。曰。我不敢賣粗品。以損名聲也。愈益刻苦。一蹶一進。漸精漸熟。終至妙境。自始從事。至于發

賣。歷十有八年矣。艱難苦楚。不可殫述。巴嘗曰。始余作窑。上無屋。風雨交侵。衣裳沾濕。渾身蹣跚于泥中。數日不眠不食。體羸肉消。匍匐僅行。妻子怒罵之聲。與狗吠猫嘷相鬩。當是時。予之瘦思泣血如何也。予自怪予之不死也。巴既爲名工。猶謂圖畫未工。因集草木鳥獸蟲魚。躬寫其眞。數年不已。遂究極蘊奧。雖本草名家。無以過也。故巴所製碗碟缸瓮。其圖精妙無倫。至今稱陶工者。必推巴爲巨擘矣。

贊曰。教法獄與。巴被繫于囹圄。法國王親往視之。謂曰。汝能舍汝教法而從我乎。可以不死矣。我本憐汝。

不忍寘汝于死。迫于國人。以至此也。巴曰。迫之一字。豈王者所宜言乎。僕身殉法教。是得死所矣。僕則憐大王。大王烏得憐僕。遂殞於獄中。嗚呼。人而無恆。不可以爲巫醫。巴臨死生之變。毅然不易其操。爲陶而冠絕一世。豈足怪乎。

忠益說

中村敬宇

把耒而耕者。農夫之忠益於邦國也。製造貨物者。工人之忠益於邦國也。運物行遠者。商賈之忠益於邦國也。操練備非常者。步卒之忠益於邦國也。至公無私。興利除害者。居官者之忠益於邦國也。蓋人不問

貴賤。苟能勉強其職事。則心廣體胖。浩然之氣生矣。而其利益必及於他人。加於邦國。不獨能安一家而已也。若夫暖衣飽食。無所事事。則終日昏昏。嗜欲橫生。不獨不能忠益於他人。一生之閒。徒耗損他人所力作之粒米布疋也。如此則禽獸之不若矣。禽獸之肉。尙可用以充食。懶惰之人。成何用乎。老同二十歲時。題其記簿曰。余今二十歲。一生三分之一已過矣。然未有利益於邦人之事。是可恥也。大未二十歲時。題記簿曰。余不生於富饒之家。又不生於權勢之家。又不生於門閥之家。然余自期一生之閒。裨益於一

世。裨益於朋友者。應不減於生此三者之家。老同農學大家。大未爲化學名家。皆著有用之書。利益天下後世。果能成其志。人生斯世。其可不思所以忠益於邦國乎。

科倫布檢出新地其一

岡鹿門

大地體圜如球。分爲兩大陸。一曰東半球。一曰西半球。中間有二大洋隔之。歐羅巴・亞細亞・亞非利加。是爲東半球。南北亞米利加。是爲西半球。亞細亞・亞米利加中間大洋。曰大平洋。歐羅巴・亞米利加中間大洋曰大西洋。非航此二洋。則不可週行全地。距今四

百年前。地學未開。不知地體圓轉之理。皆謂航海至地盡處。則顚墜鬼界。或謂大洋地盡處。有恠物充斥焉。葡萄牙以西八百里。有亞藏爾島。航海者皆謂自是以西無復國土。伊太利國熱那亞人。有科倫布者。其家甚貧。然父母教育有法。布幼好航海。一日舟中失火。舟人皆焚死。布獨投海僅免。而猶不懲艾。愈講航海術。年既長遍遊諸國。遂悟地如圓球之理。以爲大洋西。必當有一大陸與亞細亞地相接。其地無不可航之理也。會有一異樹漂海濱。人人異之。後二人尸。漂至亞藏爾島。皆不似歐羅巴・亞非利加人。布於

是益信西方有國。欲往覔之。家貧無可裝舟。屢以是事說鄕人。皆大笑。乃歷說歐洲諸國。無敢顧之者。後見葡萄牙國王。說此事。王嘉其說。而欲其功出己。不敢命布。命大臣督其事。事遂不成。當是時。西班牙王及其后以色罷喇。以聰明聞。將往說之。途中窮甚。乞食以哺其子。至西班牙。會西班牙與莫臥兒戰。不決。無由見王。乃鬻地圖以自給。每見人。必說是事。聞者嘲笑。然而布益自信不疑。得見西班牙王。說是事。王爲然。唯兵荒後。國計窮困。無由給其資。先令大臣有才能者。與布會論於薩拉蒙加。大臣固非笑布。曰。汝

以地體爲圓。果如汝說。則地底國土。雨雪倒下。物類亦必倒墜。舟至凸處。不可復航。天下安有此理。布反覆爭論。皆大笑不敢應。布大失望。猶望王后或信其說。見后說之。后既爲諸大臣所蔽。無意用布。布將行。后有所思。召布縱論。后知其理不誣。遂排羣議。使布航海驗其說。以兵後帑藏匱乏。典寶玉粧具。給布大船一・小船二。募水手九十人。行覔新地。一千四百九十二年八月十二日。解纜於安達盧西亞之巴魯斯港。布時年五十七。

科倫布檢出新地其二

岡鹿門

向西而駛二十餘日。水天無際。不見陸地。水手欲反舟。布不聽。且諭曰。此事成。則當得大賞。否則國后嚴明。必正欺罔之罪。更行數日。不見國土。水手疑懼。謀投布於海以反舟。布揣知之。與衆約。從今三日。不見陸地。則返棹。愈行水漸淺。時見小鳥羣飛。及樹枝結菓者。隨波漂來。知其近陸地。愈進。夜半。一水手忽報曰。有陸有陸。衆喜極欲狂。拜布謝日來之無禮。天明日出。見海岸一帶。奇卉異葩。鬱蒼連天。土人立岸上。注視布船。大駭以爲神乘大鳥而至。蓋以船爲大鳥。以白帆爲鳥翼也。布率衆上陸。拜跪嘗土。拜上帝。祝

其成功。時十月十二日也。此地卽南北亞米利加中閒巴哈廝諸島之一。布誤認爲印度西極海岸。遂稱曰西印度。名其繫舟處曰桑撒岱突兒。桑撒岱突兒洋語神聖救護也。此時南北亞米利加全州。草昧未闢。灌莽叢雜。獸蹄鳥跡。所在充斥。土人面紅帶銅色。躶體跣足。竄居野處。以樹皮獸革構屋。僅蔽風雨。殆盤古世之人也。布欲更覓新地。乃裝三船發。達古巴・海地二島。一船擱不中用。乃令所載諸人。土著于此。載土人及產物而歸。途遭颶風。舟殆覆。布度不免。乃書檢出新地始末。封納桶中。投之海。蓋期其漂入歐

羅巴人手也。幸蒙天帝之愛護。風波漸收。得達西班牙某港。祝砲一發。國人知其爲布船。岸上出看者如堵。無不驚愕。見其所攜亞米利加人。殆如來自月世界者。布朝見。王及后大嘉賞。以爵。歐洲人聞布檢出新地。驚歎。向之嗤笑布者大慙。且聞其地夥產金銀。人人皆意。苟到其地。金銀如瓦礫。巨萬之富可立致也。爭製舟艦。從布航至南亞米利加疴勒諾哥近傍。至則廣漠荒涼。衆大失望。互致紛爭。嫉布者譖其欺罔。王及后大怒。械送西班牙。布訴寃。不許。憤懣曰。吾死則當與械鎖共埋耳。久之被赦。後再航洋中。舟破

泊牙買加海岸。土人厚遇。西班牙人。西班牙人伺布不在。私出鹵掠。土人怒。不給糧餉。欲乘飢擊之。布固善推步。知是夜月蝕。召土人。詭之曰。天神怒汝輩遇我亡狀。將使日月不復照。汝輩。既而月漸暗。土人惶懼無措。泥首謝罪。曰爲我謝天神。金銀財寶。唯命之從。布許之。既而月漸明。土人以布爲神。給糧厚。遺后既死。無復知布者。遂以貧賤終于家。布爲人强毅。平生數奇。患難流離。瀕死數回。而奮然勇進。意氣自若。前後四航海。遂覓亞米利加全州。以證明大地如球之說云。

米國獨立（瀛環志畧）

英吉利探得北亞米利加之地、驅逐土番、據其膏腴之土、徙三島之人、實其地。英人趨之、如水赴壑。佛郎西・荷蘭・嗹國・瑞國無業之民、亦航海歸之。日漸墾闢。遂成沃壤。英以大臣居守。沿海遍置城邑、榷稅以益國用。貿易日益繁盛。以此驟致富強。先是英與佛蘭西構兵。連年不解。百方括餉。稅額倍加舊例。茶葉賣者納稅。英人下令。買者亦納稅。米人不能堪。於是紳耆聚公局。欲與居守大酋酌議。酋逐議者。督征愈急。衆皆怒。投船中茶葉於海。謀擧兵拒英。有華盛頓者。

米別部人。十歲喪父。母教成之。少有大志。兼資文武、雄烈過人。嘗爲英吉利武職。時方與佛蘭西構兵。土蠻寇鈔南境。華盛頓率兵禦之。所向克捷。英帥沒其功、不錄。鄕人欲推華盛頓、爲酋長。華盛頓謝病、歸杜門不出。至是衆既畔英、強推華盛頓、爲帥。時事起倉卒。軍械・火藥・糧草皆無。華盛頓以義氣激厲之。部署既定。薄其大城。時英將屯水師於城外。忽大風起、船悉吹散。華盛頓乘勢攻之、取其城。後英師大集、轉戰而前。華盛頓軍敗。衆恇怯欲散去。華盛頓意氣自如。收合成軍、再戰而克。由是血戰八年、屢蹶屢奮。華盛

頓志氣不衰。而英師老矣。佛郎西擧師、渡海與華盛頓盟。夾攻英軍。西班牙・荷蘭亦勒兵勸和。英不能支。乃與華盛頓盟。畫界址爲鄰國。其北境荒寒之土、仍屬英人。南界膏腴之土、悉以歸米。華盛頓既定國、謝兵柄、欲歸田。衆不肯捨。堅推立爲國主。華盛頓乃與衆議曰、得國而傳子孫、是私也。牧民之任、宜擇有德者爲之。仍各部之舊、分建爲國。每國正統領一、副統領佐之、以四年爲任滿。集部衆議之。衆皆曰賢、則再留四年。否則推其副者、爲正。副或不協人望、則別行推擇。鄕邑之長、各以所推書姓名、投匭中。畢則啓匭、

視所推獨多者立之。或官吏、或庶民、不拘資格。退位之統領、依然與齊民齒、無所異也。各正統領之中、又推一總統領、專主會盟戰伐之事。各國皆聽命。其推擇之法、與推擇各國統領同。亦以四年爲任滿。再任則八年。自華盛頓至今無渝。

吉田佐久間二氏下獄　岡鹿門

長州藩士吉田寅次、英邁不羣。少講韜畧。藩主聽其講孫呉、歎曰、頓使七書爭光六經。遊學江戶、用心時事。米艦入浦賀、草私言急務・時勢條議・接夷私議三篇。曰、彼固侮我。不有所懲、則無以張國威。是時佐久

開修理修洋學。講砲術。以慷慨論時事。爲一時所宗。上書阿部勢州。論開航海學爲急務。不報。憤曰。九里濱之事。何異城下之盟。寅次往見。痛論時事。頗會其心。會俄艦入長崎。奮曰。知彼知己。兵家第一義。我邦禁外交。離陸咫尺。茫不辨東西。幾何不長彼侮慢乎。余將私請俄人乘艦。偵海外各國。修理亦深以用閒爲急。大嘉其志。贈詩勗之。比至長崎。俄艦已去。途經熊本。訪宮部鼎藏。與論時勢。慨然共東。會米艦入內海。以用兵要我。幕吏恐怖。築館横濱。見陂理。二人往觀。不勝憤懣。攬袂曰。剌乎。鼎藏棹頭曰。無益。於是意

以爲。私見米人。懇請附乘。可以達素志。夜會同友語志。衆拊髀贊之。鼎藏沈吟久之曰。徒危身耳。寅次奮曰。成否天也。豈可坐失機會乎。揮袂而起。金子貞吉微者也。從寅次受學。慷慨請從。乃赴下田。夜棹小舟近米艦。艦卒堅拒。不得乘艦。翌日。途見米人。投書陳情曰。僕輩不幸。生東洋一小島。周遊國內。不能出十數緯度。比之諸君周遊五洲。何啻甕鷄於鵬鯤乎。夫跛者羨步者。步者羨騎者。人情之自然。僕輩局束一隅。自諸君大艦大砲。豪遊五洲者而觀之。跛者耳。步者耳。其所以欽羨。果爲何如。願諸君收僕等二人爲

役卒。令得一遊海外。是夜駕漁船近艦。艦無梯索。解帶縛棹竿。攀梯索。艦人怪訝。手執棍揮擢。一人執手扳上。示畫閒所投書。曰。督將嘉二君志。唯兩國禁私交。君等盍請官遊海外。貞吉加手其頸曰。僕等已犯國法。還則斬戮。米人曰。暮夜無知者。寅次請見解漢文者。筆陳情事。不許。驅迫下艦。風暴波高。漁舟已爲激浪所漂。佩刀行李。不知所在。米人下小舸。送達岸上。寅次仰天大息曰。天也。將引決。恐累君父。貞吉曰。盍首實。曰。不可。累象山先生。彷徨至曉。米人報狀官吏。會舟人上二人所遺佩刀・行李。發卒索捕二人。四

一村家。有三米人。過其前。愍然近視。寅次出筆書示曰。英雄之謀事。成則坐廊廟。擁矛戟。與王侯齒。敗則陷縲絏。宛轉鼎鑊。與盜賊伍。古今皆然。僕童丱聞有五大洲。欲就諸君。果四方之志。不幸罹此禍。以六尺身材。坐臥樊籠之中。欲泣近愚。欲笑類狂。嗟乎。可如何。陂理曰。此豪傑之士也。發使告官吏曰。此人容貌魁梧。志氣不凡。余爲貴國。惜此壯士。莫以犯禁之故罪之。吏檢漁舟所載行李。得修理送別詩。修理固以慷慨論事。爲俗吏所指目。乃并逮修理。下獄詰狀。寅次勵聲曰。吾豈受人旨。而謀大事者乎。且此事成則

上供國用。下報藩恩。敗則延首伏戮。貫高所謂成則歸王。敗則獨身坐者。固不受人指導也。吏爲之改容。九月。檻致二人其藩。輿僅半閒。交膝起臥。貞吉不勝斬辱。憤恚罵詈且泣曰。余與先生謀此事。飽肉鯨鰐暴骨原野。固所不辭。唯受辱至此。何顏視息人閒。寅次正色曰。不知命則無以爲君子。貞吉謝曰。吾病熱喪心乃爾。二人坐獄踰歲。貞吉瘦死。藩主固奇寅次。錮諸其家。許集弟徒講書。修理亦錮本藩。志士下獄始于此。

送吉田松陰　　佐久間象山

之子有靈骨。　久厭蹩躄羣。　振衣萬里道。　心事未語人。　雖則未語人。　忖度或有因。　送行出廓門。　孤鶴横秋旻。　環海何茫茫。　五洲自爲隣。　周流究形勢。　一見超百聞。　知者貴投機。　歸來須及辰。　不立非常功。　身後誰能賓。

下岐蘇川記　　齋藤拙堂

天保丁酉四月。余竣役。與兩藩士俱自江戶還。取路東山。舍輿步行。旁探名勝。五月四日。下十三嶺。晚宿伏見驛。連日崎嶇。經涉山閒。頗疲。至奴輩把槍荷鎧者。或瘏痡不能起。且聞水路之勝熟矣。因謀賃舟下

岐蘇川。至桑名。殆二十里。不一日而達。乃召舟人戒之。翌日夙起。趨水濱求舟。舟人家在前岸樹林中。閉戶未起。阻以灘聲喧豗。累呼不達。唇焦舌燥。久之乃應。與其兒艤舟來迎。日已加辰。乃發舟。狹長薄板爲之。呼爲鵜飼。兒纔十二歲耳。父在舳。兒在艫。各持櫂操縱。甚習灘急。舟走。兩崖巒巘一時皆搖。當前所見。倏忽在後。唯見岸行山走。而不覺舟移。山皆石。身戴土。松爲之髮。而紅杜鵑粧點於其閒。腥血如滴。又處處有水簾懸焉。綏綏灑灑。墜於潭石上。石皆奇狀。羅列兩岸。或特立若柱。或拆裂若門。或若渴驥飲淵。或

若臥牛橫道。五色陸離相閒。皴率作大小斧劈。閒有作荷葉披麻者。濯波浪以出。交替去來。不暇應接。蓋譎詭變幻中。帶清秀深穩之態。非荊・關之筆。倪・黃之手。不能狀也。雖僕隸輩不解山水之趣者。皆連呼奇不絕聲。忽遇一大巖屹立水中。舟殆觸之。少誤則虀粉矣。衆懼而默。舟人笑捩柁避之。輒掠巖角過。如此者數處。未嘗差絲毫。但經巖際。波激舟舞。飛沫撲人。衣袂盡濕。回視僕從。各握兩把汗。殆無人色。舟人甚閒暇。從容吹煙而坐。視上流船併力挽上者。難易懸絕。已而離峽漸平遠。犬山城露於翠微上。粉壁鮮明。

衆望見歡然。比至城下。又有暗礁齧舟。砉然欲裂。衆復相顧瞿然。過此以往。漁舟相望。歌唱互答。衆心始降矣。蓋始發抵此。爲陸行半日之程。不一餉時而至。其快可知矣。嘗讀盛廣之酈道元所記。誇稱江水迅急之狀。至唐李白。述其意云。千里江陵一日還。平生竊疑以爲文人虛談。今過此際。始知其不誣也。但舟行甚迅。不能徐翫峽中之勝。爲可恨已。又三里。抵笠松。鳴鐘方報巳。登憩岸上店。目猶眩。仰見屋椽。動搖不定。瞑坐良久乃止。進鱒。脆美媚口。此行跋涉山谷。蔬食彌旬。獲之以解菜飯。已復入舟。岸愈濶。水愈緩。

險阻已遠。無復可觀。枕藉而臥。風方逆。舟人用力。搰搰甚勞。櫓聲喧聒。使人煩寃。午下。稍得風便揚帆。復走。衆乃睡熟。比醒達於桑名。日尚高。謝遣舟人。登陸而行。至四日市宿焉。自伏見至此。殆爲二日半路程。道上行見家家挿菖蒲。彩旗翩然翻風。衆在行旅。倥偬涉日。殆忘月日。至是乃知屬端午節。不圖今日舟行爲弔屈之擧。抑亦奇矣。且舟凌危險。布帆無恙。免爲汨羅之鬼。不亦厚幸乎。蓋天下之至奇至美者。每在於艱難危險之地。不獨山水之勝也。求之者比於入虎穴。探龍頷。危而後有所獲矣。余於是乎有感焉。

未可以語千金之子也。姑記之。以示苦學勵行之人。

下岐蘇川　　賴　山陽

蘇水遙遙入海流。櫓聲雁語帶鄕愁。獨在天涯年欲暮。一篷風雪下濃州。

記信州地震　　鹽谷　簣山

禍災之變。莫慘于地震矣。凶荒雖厄。豫備可以濟之。疾病雖厲。醫藥可以療之。火災則防而滅焉。水患則導而治焉。獨至地震。忽然飆發。比屋傾倒。不可逃避。甚則山崩海翻。水陸變遷。係其地方者。併人畜死亡幾盡矣。豈可不恐而畏哉。弘化四年三月廿四日。信

州地大震。閲數日而止。當其始發。如巨礮斯發。轟轟殷殷。震天噴地。山崩川溢。地坼砂噴。五郡數百里之地。振蕩最甚。罔論城郭宮室。山陵藪澤。凡存乎地上者。靡不悉被其害。地脈所接。延及北越高田治下。猶與信之五郡同。加之以火災。重之以水患。死亡不可勝算。蓋近古以來。所未有也。適屬善光寺啓龕。蚩蚩之民。自遠而來。雲聚烟簇。闐噎街衢。家倒火發。得生還者。百無一二。積尸爲丘。煤黑不能辨。認人子以爲父。認人父以爲子。收糜爛之餘。以歸葬者不尠矣。有參州士二人詣佛者。寢逆旅樓上。驚震動而覺。覺而

見星。意棟折屋壞。急呼其友。欲與下樓。振振顚仆。狼狽失度。友曰。樓既倒矣。何下之爲。於是乎始知其躬在于地上也。辛苦遁去。登猿嶺。則炎焰燭天。哭聲振山野。二人相見而嘻。乃祝其無恙云。此雖一事。亦可以類知矣」。岩倉山。枕于犀川。而高山崩壓川。川上更突出二山。眞神山亦崩。埋沒其下流。河水爲之不流。汪洋渺漫。瀦爲巨浸。日又一日。平地水高數丈。而未知其所決也。土人遁逃四散。入山林以避焉。至四月十三日而決。拔大木。轉巨石。雷蕩雲奔。不可防遏。衝川中島及松代城下。城內僅以免。村落數十。民家數

千。盡爲所流蕩。嗟呼。此變也。地震火水。一時併臻。信人之不幸。何至此乎」。蓋地震。由于伏陽。陽氣伏于地底。磅礴鬱積。極而發焉。在天爲雷電。在地爲震動。無足怪者。西洋之說曰。地震多在于山國。而又善發于火山近傍。蓋地底有伏道。與火山相通。硫黃・硝石凝結既久。一有陽氣透入其閒。則焮灼燃烘。一時勃發」。夫淺閒山。爲信之巨嶽。天明中。山巓火發。炎焰熾盛。雨砂土數州。赤地百里。人畜俱死。距今六十餘年。顧復有伏道貫通于地底。硫黃硝石與伏陽相感。薰灼激發。以成斯災耶。天明則發之乎地上。今日則發之乎地下。其事雖異。其理則同。併記以爲戒。且質諸有識者焉。

磐梯山噴火記　　依田學海

地心是火也。道線縱橫。猶人身之有脈絡焉。火道所在。若遭熬熱沸騰。俄然崩潰雷轟。山川壞溢。而人畜死傷。猶血液痛僨。脈管破裂。皮膚枯死。而心神消滅。嗚呼。痛矣哉」。明治廿一年七月十五日。岩代國耶麻郡磐梯山噴火。山北三里。東一里。蕩爲平地。沒溫泉場二。村落三。不見其痕跡。死者四百七十六人。馬四十五口。被害面積八千二百六十三町云」。先是山之

背溫泉。名沼尻。相距四五町。地生硫黃。有礦夫七八百名。日採掘之。至是二山震動不已。俄而黑煙自地中噴出。次以火焰。勢如潮湧。飛沙石。雨熱土。老杉古松。連根拔起。跳上數十丈。焰煙亦隨出。礦夫九十餘人立死。天地晦冥。日月無光。殆地維斷而坤軸折矣。所噴土石。其輕者。東踰山巓。飛揚漫天。其重者。北陷沒民屋。壓死人畜。一望沙磧皓如敷雪。施及川上・長阪・澁谷・沼倉・見禰。又巨石擁塞長瀨川。水勢怒漲。欲沒田圃。其罹禍者。或熱灰滿身。呼吸窒塞而死。或大木巨石。轉壓而死。或屋倒棟折。腦裂而死。肢體分裂。

血肉狼藉。有嬰兒之頭。帶血懸樹枝者。嗚呼。慘矣哉。按舊記。磐梯山之著。在我紀元八百七年。山舊五峯。其最高名大磐梯。次爲赤埴及櫛形。次爲中磐梯。又名北磐梯。次爲小磐梯。今火爲害者。中磐梯也。赤埴震裂半腹以上。樹木皆倒。櫛峯亦。石跳。樹劈。其麓亦白灰泥。小磐以接中磐。被害最甚。獨大磐得完。唯東西成赭。而白灰被覆。中磐則悉皆崩頹。悉化爲硫煙矣。聞之地理學士。曰。本邦火脈有三焉。其一。起東北。走北海道。延亘千島。磐梯亦在其內。而吾妻・安達二山連接之。並有火脈。獨不聞磐梯之有之。然近山產

硫黃。凡五所。古老又傳。古昔噴煙。硫氣薰蒸十里。人畜皆病。自猪苗代湖始成。煙滅氣熄。又東國旅行談。猪苗代湖東。有磐梯山。炎火騰上。其光燭天。奧羽便覽誌。會津山。一名磐梯。其嶺吐煙。理當有之。至噴火爲害。古所未聞。唯會津風土記載。往昔磐梯山崩。其土爲赤埴山。時土石壅塞。酸川漲。沒檜原。故小田村西。有大浪寄・小浪寄名。然此皆水患。非火災也。於是事聞。皇上震悼。發特使。賜周恤金三千圓。福島縣派吏數十名。舁送難民於縣。厚賑救之。東京赤十字社。發醫。帶藥餌

器械。治其負傷者。夫脈管破裂。不可復救。而不甚傷者。或得蘇生。然非良醫。無能爲焉。國家有人。仁民愛物。用意周到。吾知被難之民。必有依歸也。右噴火始末。據改進新聞。畧次第之。東京諸新報。大同小異。商較校訂。請俟他日。

赤十字社　　依田學海

赤十字社。蓋創於英國貴夫人弗魯連斯孃。距今四十餘年前。英・佛兩國與露軍大戰於格利美亞。死傷縱橫。充滿山野。孃聞悼之。與同志士女。馳赴戰場。施藥裹創。不問彼我。人異之。後墺國與佛國。戰於蘇兒

邊利。亦大有死傷。瑞西人邊利。著論其救法。於是始建盟約。創會於瑞西都。瑞西國旗。赤質白章畫十字。乃翻用白質赤章。以爲會旗。名曰赤十字社。爾後諸國贊其義擧。加盟者十一國。凡兩國交戰。實出於不得已。其爲兵者。忠國愛君。非私怨也。其並死傷。殊堪痛惜。苟不救護之。使其死非命。本社憫之。醵金聘醫。每戰建旗章。往來彈雨硝煙劍戟相戛之間。扶其負傷。護其罹病。彼我之軍。並不加害也。蓋各國出軍。必有野戰病院備之。然死傷相踵。不得盡療之。十字社。不論東西。不問內外。悉力救之。所謂救護隊者是也。

我日本政府。加盟在明治十九年。先是、有西南役。死傷頗多。元老院議官佐野常民・大給恒患之。聞歐洲有此社法。倣之設博愛社。請於官遍療傷者。不問官兵與賊徒也。二十年。經世捏婆所置中央赤十字社所許。始名日本赤十字社。　皇上聞嘉之。每歲賜五千圓。於是爲宮內陸軍兩省所監督。救護之法。不唯戰時矣。有天變地異。人民負傷罹病。本社出救護之。亦博愛之意也。

送岡山縣近衞將卒出征序　　三島中洲

我大日本帝國。本於天祖御劍之遺訓。以武立國。上

以此率下。下以此奉上。尚武之俗。冠於宇內。是以神武天皇以還。二千五百有餘歲。未嘗受外國侵略。迨今上天皇中興。威武益宣揚于祖宗。有光四方萬國。莫不來通好。獨淸國傲慢自大。凌虐孤弱朝鮮。遂啓兵端於我。我　天皇赫斯怒。發宣戰之詔。興膺懲之師。進大營於廣島。親執統御之勞。海內臣民。聞之憤然興起。五千萬惟一心。以敵王愾。出者以小當大。以寡抵衆。知進而慙退。居者獻金納物。爭助軍須。交兵未一年。陸則于牙山。于平壤。攘朝鮮之淸賊。進入淸境。自鴨綠江・鳳凰城。至旅順・牛莊。數十城壘。莫伐而

不破。莫攻而不取。盛京半省之民。簞食壺漿。迎王師。海則于豐島。于黃海。于威海衞。幾隊賊艦。擊則覆沒。劫則降服。北洋水師。一掃無迹。舟楫之權。盡歸我手。我帝國尙武。威風震動五大洲。然而淸主依然頑冥。未至懲創悔悟。謝罪過。以霽我　天皇之赫怒。歲之三月。更發近衞軍。以爲後勁。我岡山縣人在軍中者數百。亦將出征。同縣舊藩諸公。貴衆兩院議員。及朝野有志之士。相謀張祖道之宴於錦輝館。以送之。酒酣。休職判事從五位三島毅。代衆贈一言曰。嗚呼。何出征諸君之多幸也。我邦出兵海外。雖有神功皇后・

豐臣秀吉之兩役。不過三韓之近地。遠出大軍於禹域。奏連戰連勝之功。如今日。開闢以來。所未曾有。而諸君則幸遭其時。然人各有官守。有業務。雖欲從軍報國。非身在兵籍。則不能。而諸君則幸當此職。然戰不教之民。古聖人所戒。雖有拔山之力。蓋世之氣。徒勇不可以戰。我軍平素訓練皆精熟。近衞最稱選拔。而諸君則幸在其隊。嗚呼。聚此難獲之多幸於一身。以出征。博竹帛千歲之名。豈非男兒畢生之一大快事耶。且夫我岡山縣。往古吉備之國。而神武天皇東征。駐大營于此。備舟檝。蓄兵食。其後吉備津彥命。以

將軍鎭西海、于此遺化流風所薰染、尙武之俗尤古矣。加之有吉備眞備唱斯文、以發揮我邦固有懿德。蓋亦本於天祖玉璽之遺訓也。自此右文之風至今不衰。則我縣軍人謂文武兼備、亦何不可。夫武以殲滅賊虜、文以綏撫降民、以收膺懲諸軍後勁之全功。是諸君之大任、而我輩縣人之所屬望也。諸君往矣。勉哉。凱旋期不遠。我輩縣人將翹足拭目、設歡迎之宴、以待之。

故近衛師團長陸軍大將大勳位功三級能久親王墓誌銘　川田甕江

自國家中興、振乾綱、除弊制、一旦緩急、至奮躬爲大元帥、選皇族才且武者、爲將領。於是上下奮勵、皇威遠宣海內外。若陸軍大將能久親王、致力於征臺之役、求諸史傳、未多見匹儔。而大功方成、將星墜地。嗚呼惜夫。謹按親王初稱滿宮、伏見宮一品邦家親王第九子。母藤原氏、准后鷹司公政熙之女。弘化四年二月十六日生。明年、爲仁孝天皇養子、充青蓮院宮法嗣。嘉永五年、更爲梶井宮法嗣。安政五年、東下爲輪王寺宮附弟。尋爲親王、賜名能久。及入寺得度、更賜名公現。萬延元年、敍二品。元治元年、進一品。慶應

三年、今上親政、廢幕府。明年改元明治。東軍亂作、擁親王、矯稱令旨、徵兵奧・羽諸藩、始抗命。大師征討。及亂平、親王獲譴居。然以年少無罪、明年得事釋、仍停位記、復歸伏見宮、歲給米三百石。三年、有旨航海、往孛國修學焉。因許稱宮。五年、敍三品。承北白川宮三品智成親王後。七年、任陸軍步兵少佐。十年、還自歐洲。明年、特旨復仁孝天皇養子及親王。是冬、補近衛局出仕。尋敍勳一等。十二年、爲中佐。明年四月、罷近衛局出仕、補參謀本部出仕。五月、進二品。十四年四月、從幸九州厚木驛。六月、兼議定官。是秋、從幸奧羽

及北海道。十一月、爲大佐、兼議定官如故。十五年、從幸千葉縣。十六年四月、罷參謀本部出仕、補戶山學校次長。尋罷次長、補敎頭。十七年冬、爲陸軍少將。十八年二月、補步兵第一旅團長。七月、從幸於山陽道。十九年冬、敍大勳位、賜菊花大綬章。二十五年冬、進中將、補第六師團長。明年、轉第四師團長。今茲二十八年一月、補近衛師團長。是時與淸國構兵日久。四月、親王率師、航在金州。會和議成。臺灣歸我版圖。而臺灣地險俗頑。加有賊帥劉永福者、扇動匪徒、以拒命。親王乃赴臺北、自洩底上陸、轉戰數月、退據要害。

時至夏矣。炎熱如燬。山谷路阻。糧食屢絶。親王跋渉曝露。與兵卒同艱苦。每遇強敵。勇氣勃興。志爲振。一夕觸瘴毒困却。左右告以永福踰海逃亡狀。乃切齒良久。既而曰。彼果逃。亂平在近。我身雖亡。無所復憾矣。十月二十二日。疾病。尙進入臺南府。二十八日。航就歸途。十一月一日。賞以菊花章頸飾。又敍功三級。授金鵄勳章。四日。拜大將。五日。歸東京。遂薨。聖上震悼。遣使賻弔。宮中喪五日。海內遏密三日。朝野痛歎不停。聲。外國使署。亦行半旗弔禮。五日。越十一日。以國葬儀。瘞柩於城北豐島岡。親王爲人。溫恭寛弘。尙

賢愛士。爲衆人所景慕。凡文武工藝諸會。皆請爲其會長。海外露・佛諸國。贈以勳章。可謂榮矣。薨時年四十有九。納公爵島津久光養女富子。爲妃。實侯爵伊達宗德第二女也。四男。曰恆久王。曰恆久王。曰成久王。曰輝久王。成久王以嫡出爲嗣。餘與五女。皆庶出。

銘曰。

惟昔武尊。東征樹功。一朝毒霧。忽亡厥躬。
彼之與此。時異跡同。俯仰感慨。情結於中。
勿謂福薄。恩禮加隆。勿謂命短。名傳無窮。
屹彼豐岡。爲卜幽居。松樹欝蒼。長仰英風。

阿閉掃部

室鳩巣

秀康卿越前に封ぜられ給ひし後、阿閉掃部とて、武功の譽ありし者を、厚祿にて召し抱へられけり。又、狛伊勢とて、是も國にて世祿の歷歷なりしが、嫡子に鎧の著初させけるに、彼の掃部を招待しつつ、子に鎧著することを賴みけり。さて饗膳すみ、祝ひの盃に及びし時、伊勢今日は愚息が鎧の著初にて候ふまま、御身の御武功の事、御物語候ひて、彼に御聞かせ候へといひしに、掃部いや、某が身の上に、御話し申すべき程の武功は覺え申さず候ふ。されど、御望みも默しがたく候ふまま、某一生の内に、武者振の見事なる士を、一人見

て候ふ。其の事を話し申すべし。

江州志津嶽の戰に、暮方に、某一騎、余吾の湖の邊を引き返し候ひしに、敵とおぼしくて、後より詞をかけし故、馬を引き返し候へば、其の人申し候ふは、今朝よりかせぎ候へども、好き敵に逢ひ申さず候ふ。御人體を見受け、幸こそ存じ候へ。御不祥ながら、御相手になり申すべしとて、進み寄り候ふ故、それこそこなたも望む所にて候へとて、互に馬を乘りはなし、直に槍をあはせんとしけるに、其の人しばし御待ち候へ。今朝より、雑兵を多く突き崩し候ふ故、槍汚れ候ふまま、槍を洗ひ候うて、御相手になり候はんとて、余吾の湖に

槍を打ち潰し、二三遍洗ひつつ、さらばとて、突きあひしが、久しく勝負なかりし程に、日も暮れ果てて、物のあやめも見えずなりぬ。其の時彼方より、又、詞をかけ、最早槍先も見えず候ふ。御殘り多くは候へども、是までにて候ふ。御暇申すべし。御名こそ承りたく候ふ。某は青木新兵衞と申す者にて候ふとて、某が名をも承り候うて、此の後、又、陣頭にて出合ひ候はば、互に人手にはかかり申すまじく候ふ。若、又、味方にて候はば、割なく入魂致し候ふべし。さらばとて、立ち別れしが、是程みごとなる武士は、遂に見待らず。如何なり果て候ふにかと語りけるに、

其の比、伊勢が許に、心安く出入する青木方齋といふ浪士あり。其の日も來て、勝手に居たりしが、此の物語を聞きて、勝手より、にじり出でつつ、掃部にむかひて、さても唯今の御物語承り、今更昔を思ひ、涙をおこしてこそ候へ。其の時の御相手になり候ふ青木新兵衞は、恥しながら、我等にて候ふ。かく申すばかりにては、浮きたる事におぼすべく候はんとて、其の時、雙方の鎧の縅、馬の毛色を、一一いひけるが、一つも違はざりければ、掃部驚きつつ、さてさて久しくて逢ひ候うて、本望に候ふとて、其の前にありし盃を、方齋にさし、是を記にとて、腰のわきざしを拔きてひきけり。それよ

り方齋が名、國に高くなりし程に、秀康卿の耳へも達せしかば、掃部と同じ祿にて、召し出だされけるとぞ。

尙武之俗可想（國文漢譯）　大槻磐溪

越前侯秀康之就封也。聞阿閉掃部爲勳閥之士。以重祿聘之。狛伊勢亦越之世臣也。將爲其子行擐甲之禮。請掃部爲賓。禮畢置酒。伊勢謂掃部曰。今日豚兒擐甲之初。願子語當年武功。以祝豚兒前程。掃部曰。吾豈有武功可語乎。無已則有一焉。吾嘗見一士武風最可觀者矣。賤嶽之役。兩軍既散。吾單騎沿余吾湖而退。有一騎呼於後者。回鑣接之則曰。朝來所殪。

皆雜兵矣。余不幸未遇好敵。觀子儀容。果非凡士。敢請一戰決輸贏。余曰。諾。下馬將交槍。其人曰。請俟之須臾。我槍蟣矣。沒鋒於湖。洗之者三。曰。可以戰矣。於是相鬭。雌雄未決。而日已昏黑。乃呼曰。可恨。槍鋒難辨。請期他日。子爲誰。身是青木新兵也。後日相見戎閒。誓不付勝負於他人矣。揚鞭而別。結髮從軍。未嘗見從容整暇如此之士。言未畢。有青木方齋者。自屛後出。謂掃部曰。側聽吾子話。懷舊之淚。不能自禁。吾子亦不記乎。爾時與君交鋒者。卽此翁也。掃部拍掌曰。契濶久矣。今日相遇。何其奇也。乃擧觴屬之。好以

腰刀。由此青木之名。顯于一時。侯聞而聘之。與掃部同其秩祿。

寧靜子曰。當時士風桓桓如此。尚武之俗可想耳。今日武辨之家。生男則口食之儀。著袴之式。盛張伎樂。請客極歡者。家家皆是。而擐甲之禮。則寥寥罕聞。嗟乎。亦可以觀世變矣夫。

訂正中學漢文讀本卷三終

（訂正中學漢文讀本全五冊）

明治三十四年十月廿五日印刷
明治三十四年十一月三十日發行
明治三十五年二月二十日訂正再版印刷
明治三十五年二月廿五日訂正再版發行
明治三十五年十一月廿五日訂正三版印刷
明治三十五年十二月[illegible]日訂正三版發行

訂正者　深井鑑一郎

編輯兼發行者　弘文館

發行所　右代表者　吉川半七
東京市京橋區南傳馬町一丁目

印刷所　吉川印刷工場
東京市京橋區柳町五番地

深井鑑一郎訂正
弘文館編纂

訂正 中學漢文讀本

東京 弘文館藏版

訂正中學漢文讀本卷四

目次

霞關臨幸記　重野成齋　(一)
十一月之吉上親行大祭恭記其事(詩)　鷲津毅堂　(四)
明治孝節錄序　元田東野　(五)
賀立皇太子表(島田重禮撰文)　(八)
奉送皇太子遊西京(詩)　三島中洲　(九)
日本之漢學其一　清 黃遵憲　(一〇)
日本之漢學其二　清 黃遵憲　(一三)

晰文法　齋藤拙堂　(一八)
讀書法　清 魏東房　(二二)
學說贈葉徂徠　清 魏祐齋　(二三)
幼學所當先(小學)　(二四)
十四歲時述懷(詩)　山田方谷　(二五)
格言三則　(二六)
日本之西學　清 黃遵憲　(二七)
奉使倫敦記　清 黎庶昌　(三三)
倫敦繁盛　清 薛福成　(三九)
巴黎斯繁華　清 王紫詮　(四一)

贈人赴佛國博覽會序　竹添井井　(四四)
佛郎王歌(詩)　賴山陽　(四七)
普法戰紀序　清 陳桂士　(　)
讀李佛戰爭紀畧(詩)　鷲津毅堂　(五六)
中東戰紀本末初編叙　清 龔心銘　(五七)
大日本帝國皇帝宣戰の詔　(六一)
譯日本宣戰書　韓國 尹致昊　(六六)
清國皇帝宣戰詔　(六八)
聞黃海捷報作(詩)　藤澤南岳　(七〇)
論鴉片　清 彭玉麟　(七二)

曾文正公神道碑其一　清 李鴻章　(七五)
曾文正公神道碑其二　清 李鴻章　(七九)
與李鴻章書　竹添井井　(八四)
岳飛(廿一史約編)　(八八)
題青泥市寺壁(詩)　宋 岳飛　(九五)
擬褒崇岳忠武王議　清 魏祐齋　(九五)
上高宗封事　宋 胡澹菴　(九八)
文天祥(元史節錄)　(一〇三)
正氣歌　宋 文文山　(一一〇)
和文天祥正氣歌有序　藤田東湖　(一一一)

述懷(詩)　明 朱舜水　(一一六)
格言四則　(一一六)
諸葛亮(十八史畧)　(一一七)
蜀相(詩)　唐 杜子美　(一二三)
赤壁之戰(資治通鑑綱目)　(一二三)
前赤壁賦　宋 蘇東坡　(一三四)
前赤壁の賦に擬す(漢文國譯)　伴蒿蹊　(一三七)
後赤壁賦　宋 蘇東坡　(一四一)
赤壁圖　明 方正學　(一四二)
赤壁(詩)　清 袁隨園　(一四三)

黃州快哉亭記　宋 蘇潁濱　(一四四)
早發白帝城(詩)　唐 李太白　(一四五)
附
用語練習　(一四六)
用字練習　(一五四)

訂正
中學漢文讀本卷四

深井鑑一郎訂正
弘文館編纂

霞關臨幸記

重野成齋

明治九年四月十九日。車駕幸參議兼內務卿大久保利通之第。第在霞關。地勢高爽。下瞰城市。凡官署之布置。肆廛之交錯。燦列眉睫。東南望海。風帆雲鳥。出沒乎碧波浩蕩之中。其灣泊則歐艦・米舶。麕至輻輳。旗章搖搖閃日。是日也。天晴氣朗。矚目殊豁。八州

之野。莽蒼連天。秀峯峻嶺。攢翠疊嵐。爭呈秀於御座之前。上顧而樂之。有栖川親王及臺閣諸大臣悉侍焉。皆欣欣如也。宴酣。命畫工安田某・藤堂某寫景。史官日下部某金井某作書。玉案之下。雲煙飛動。既而樂作于中庭。鼓吹鉦鏜。池水爲涌。庭前有古松樹。幹屈而條垂。如老人跪伏上壽狀。其下櫻花爛發。豐艷可愛。乃折一枝。挿之御輿中。及日晡。六馬始回。參議君惶恐俯伏。不知所措。賦和歌三首。以見意。遂名其松。曰御幸松。又將建碑櫻樹側。俾安繹撰文。伏惟中世以降。九重深遠。其幸臣子之第。搢紳則染殿・御堂

二氏。武弁則室町・聚樂二氏而已矣。當其時。將相專權。事出脅制。務飾外觀。誇張以衒世。安能得君臣樂易。上下愉悅。毫無有閒隔。如今日之擧邪。方今國家內外乂安。中興之業。駸駸乎日進。乃破故格。棄舊例。屈萬乘之尊。而數臨懿親勳舊之家。是不獨結上下之懽心。抑又觀感之際。大有啓發聖心焉者也。是故觀官署之布置。則思所以獎勵百官。肆廛之交錯。則思所以殷阜民庶。歐艦・米舶。則思所以修善外交。海水之淼漫無際。與山巒原野之莽蒼連天。則思政敎之或有所不暨。顧見其左右勳親。則思益安之。材能

則思益來之。而凡諸臣之侍筵者。亦皆思所以奉聖旨而贊至治。然則此一幸也。國家經綸之大業存焉。遊豫云乎哉。而豈染殿・御堂與室町・聚樂之可以比邪。安繹忝列館職。紀盛事以道古今。史臣之責也。故敢冒瀆如此。若夫參議君之竭力王事。蹇蹇匪躬。以致今日之寵榮。其豐功偉績。勒在簡策。此不復及也。

十一月之吉上親行大祭恭記其事

鷲津毅堂

天皇神且武。當其卽位初。既平于紛亂。治敎
明坤輿。各知其非有。不勞收版圖。一朝撤藩

翰。郡縣新畫區。橿原奠中土。水垣徵賦租。帝親
不知功孰大。唯見巍巍乎。維時仲冬吉。器尙潔而
羞新稌。白醴兼玄酒。馨香流瓦壺。萬世循寶謨。
質。豈倣璉與瑚。是禮肇鳥畤。顯承
國體所以立。祭政同一途。兼寓告功意。
羣相趨。蹌蹌又濟濟。中殿鳴佩琚。乙夜淸且
肅。微風來颯如。洋洋在其上。神人誠相孚。
定是賚祉福。永言終令譽。綿綿連瓜瓞。累葉
百有餘。未聞今日盛。金册宜大書。

明治孝節錄序　元田東野

一人之孝。可動九天之高。匹婦之節。能感三軍之衆。
誠之不可揜如此夫。唯其誠也。積之爲德行。擴而爲
達道。其凝結也。爲金城湯池。其發暢也。爲和風慶雲。
其感孚浹洽也。六合一和。篤恭而治矣。故曰。一家仁。
一國興仁。一家讓。一國興讓。西哲亦曰。國之强弱。關
于民之品行。德行之力。十倍於身體之力。豈不眞也
耶。世之輓近淺識。大率以德行爲迂闊。專尙才智。重
藝能。爭飾外貌。以爲文明。而不知所謂文明者。乃人
民實德之發爲英華文彩者也。民之秉彝。誰不好是
懿德。但不爲之倡導勸奬。故特孤臣孽子之一善行

而止耳。堯・舜帥天下以仁。而民從之。桀・紂帥天下以
暴。而民從之。上之所好。下有甚焉。苟爲之唱導勸奬。
則人人興孝。家家興弟。其相感動風勵。蓋非政令之
所及也。竊惟皇后淑德夙顯。仰奉至尊。俯育衆妾之
暇。潛心於聖經賢傳。閒又取新聞紙讀之。每覽有孝
子・節婦品行著者。深嘉之。命侍妃採錄。積至若干紙。
明治癸酉春。皇居火。稿本皆燬。二等侍講福羽美靜
稟內旨。再收輯其事蹟。徵諸官府賞典錄。得數十名。
文學員近藤芳樹整理其文。書成。名曰明治孝節錄。
廣布于世。嗚呼。閭巷匹夫匹婦。而其誠孝義節。如彼

其烈也。而皇后好德勸善之旨。如此其篤也。乃知此
書之行也。遠邇感激。各自勵行。一人之孝。匹婦之節。
施及億萬人。則不止一國之仁讓。全州金湯。四海慶
雲者。往將有觀焉。而眞文明之効。始可與言也。豈不
盛矣哉。乃爲之序。明治九年十月。三等侍講元田永
孚撰。

賀立皇太子表（島田篁村撰文）

萬世垂統。與天壤無窮。元嗣應祥。重日月而有耀。臣
等誠惶誠恐頓首頓首。伏惟　皇太子殿下。英姿天
縱。加以聰明剛健之質。令聞夙達。自備仁孝恭儉之

賚。辰儀所表。襁褓之訓已明。聖眷斯鍾。宮僚之簡必愼。玉册下授。傳壺切而居東儲。金輅入朝。帶菊章而副衆望。豈惟尋常垂拱良君。實異日太平天子。夫創業匪易。守成亶難。敎聞樂善之徽譽。久仰丰采。思觀德之衛翼。喜逢盛儀。庶成金玉之美。永賴國家之慶。不禁感激懇欵之至。謹奉表以聞。學士會員臣工學士飯沼基次郎等謹上。

奉送皇太子遊西京　三島中洲

雨洗征途絕暑氛。送迎鶴駕簇祥雲。先陵歷拜修追孝。古跡遍探賚博聞。山水被恩光濯濯。

士民相慶色欣欣。黃花紅葉秋方好。裝飾全都待嗣君。

日本之漢學 其一　淸 黃遵憲

日本之習漢學。蓋自應神時始。時阿直岐自百濟來。帝使敎太子菟道稚郎子以經典。十五年。又徵博士王仁。仁始齎論語十卷・千文一卷而來。至繼體七年。百濟又遣五經博士段揚爾。十年。復遣漢安茂。於是始傳五經。然漢籍初來時。僅令王子大臣受學。第行於官府而已。及通使隋・唐。典章日備。敎化益隆。逮夫大寶。益崇斯文。自京師至邦國。莫不有學。學必藏經

典。才必爲貢人。其敎之之法。有周易・尙書・周禮・儀禮・禮記・毛詩・春秋左氏傳之七經。而孝經・論語。則令學者兼習。此外有算學。有書學。有律學。有音學。有天文・陰陽・曆・醫等學。其養之之法。於大學置勸學田數百町。以資費用。於大炊寮。每日給百度飯一石五斗。以賞其勞。其取之之法。有秀才・明經・進士・明法・書・算。其大學生。取五位以上子孫。及東西史部。以補於式部。國學生取郡司子弟。以補國司。國司旣試。則隨朝集使造於官。至則引見於辨官。並付式部試而得第。而朝廷之上。自帝王以至公卿。皆喜爲詩文。以相提倡。

文武帝嘗謁學行釋奠禮。淸和帝並詔修釋奠式。則敍官於五畿七道。以示尊崇聖敎之意。所有典章制度。一倣唐制。而遣唐學生。所得學術。歸輒以敎人。以故人材蔚起。延喜・天曆之閒。彬彬乎稱極盛焉。王綱解紐。學校漸廢。及保元以降。區宇雲擾。士大夫皆從事金革。源平迭起。互爭雄霸。一切以武斷爲治。無暇文字。惟足利氏嘗建一校。彙藏古書而已。爾時惟緇流略習文字。國家有典章詞令。皆命僧徒充其役。斯文一綫之傳。僅賴浮屠氏。得不墜地者三百餘年。逮德川氏興。投戈講藝。專欲以詩書之澤。銷兵革之氣。

於是崇儒重道。首拔林忠於布衣。命之起朝儀。定律令。俾世司學事。爲國祭酒。及其孫信篤。遂變僧服種髮。稱大學頭。而儒教日尊。幕府既崇儒術。首建先聖祠於江戶。德川常憲。自書大成殿字於上。鳥革翬飛。輪奐俱美。諸藩聞風倣傚。各建學校。由是人人知儒術之貴。爭自濯磨文治之隆。遠越前古。

日本之漢學 其二

清　黃　遵憲

自藤原肅始爲程朱學。師其說者凡百五十人。尤著者。曰林信勝・林信篤・林衡・木下貞幹・新井君美・室直清・柴野邦彥・那波觚・山崎嘉・淺見安正・德川光圀・安

積覺・貝原篤信・中井積善・佐藤坦・尾藤孝肇・古賀樸・古賀煜・賴襄。爲陽明之學者凡六人。中江原爲之首。其徒之善者。曰熊澤伯繼。又有伊藤維楨。不甚喜宋儒。而講學自樹一幟。其徒七十人。尤者曰伊藤長胤。物茂卿之學。由史漢以上求經典。學識頗富近伊藤。而指斥宋儒空談則過之。門徒六十四人。尤者曰太宰純・服部元喬・龜井魯・帆足萬里。更有古學家。專治漢唐註疏。共六十人。尤者曰細井德民・豬飼彥博・中井積德・藤田一正・藤田彪・會澤安・松崎復・安井衡・鹽谷世弘。此外則爲史學者。有源光圀・賴襄・巖垣松苗。

爲古文之學者。有物茂卿・古賀樸・賴襄・鹽谷世弘・安井衡・齋藤謙。皆卓然能成一家言。餘外則柴野邦彥・尾藤孝肇・室直清・太宰純・服部元喬・山縣孝孺・中井積善・中井積德・木下貞幹。新井君美・安藤煥圖・古賀樸・伊藤維楨・伊藤長胤・中江原・松永遐年・熊澤伯繼・安積覺・山崎嘉・湯淺元禎・皆川愿・賴惟寬・貝原篤信・龜井魯・千葉玄之・龍公美・細井德民・大田元貞・大田敦・朝川鼎・龜田興・山本信有・秦鼎・春田嶅・曾我章・佐藤坦・安積信・柴野允升・齋藤馨・林長孺・藤田彪・長野確・藤森大雅・藤澤甫・廣瀨謙・篠崎弼・阪井華・野田逸・

青山延于・青山延光・中村和・貫名苞・摩島弘・松崎復・大橋順・佐久間啓。爲詩詞之學者。有新井君美・梁田邦彥・祇園瑜・秋山儀・菅晉帥・賴惟柔・廣瀨建・賴襄・梁川孟緯・市河子靜・大窪天民・柏木昶・菊池五山。著述之富。汗牛充棟。不可勝數。三百年來。國家太平。優游無事。士夫每立一義。創一說。則別樹一幟。如宋明人聚徒講學之風。爲之黨徒者。若蟻慕甘。以千百計。及其黨羽已盛。名望已成。則王公貴人。列藩侯伯。爭賁束帛。饋兼金。或自稱門下。或冀得其尺牘手書以爲榮。其上者拔之草茅。命參機密。其次者。廣借聲譽。亦

得溫飽。自德川氏好文尙學。親藩德川光圀。著大日本史。隱然寓斥武門崇王室之意。其後高山彥九郎・蒲生君平・賴襄。概以此意著書立說。子孫徒黨繼續而起。浸淫漸積。民益知義。逮外舶事起。始主攘夷。繼主尊王。以攘夷終主尊王。皆假借春秋論旨。以成明治中興之功。斯亦崇漢學之効也。維新以來。庶事外交。日重西法。於是又斥漢學爲無用。有昌言廢之者。雖當路諸公知其不可。而漢學之士。多潦倒擯棄。卒不得志。明治十二三年。西說益盛。朝廷又念漢學有益於世道。有益於風俗。於時有倡斯文會者。專以崇

漢學爲主。開會之日。親王大臣。咸與其席。來會者凡數千人云。

晰文法　　齋藤拙堂

凡晰文理。不止爲作文之資。又爲讀書良法。世人讀書。多不知此法。逐字逐句而解之。故其於古書。往往不通。若得此法。雖字句或不通。大意莫不了然。故讀書者。以晰文理爲要。

晰文之法。先分章段。次看照應。而求旨意所在。則莫不通。如此而猶有艱澁不通者。非誤謬則錯脫闕疑可也。程端禮讀書分年日程云。學者當取古文之絕

佳者三十篇許。潛心誦讀。爲我物耳。緣一生靠此爲作文骨子故也。文章既讀之後。須反覆詳看。每篇先看主意。以識一篇之綱領。次看其敘述・抑揚・輕重・運意・轉換・演證・開闔・關鍵・首腹・結末・詳畧・淺深・次序。既于大段中看篇法。又於大段中分小段看節法。又於節法中看句法。句法中看字法。則作者之心。不能逃矣。譬之於樹。通看則繇根至表。幹生枝。枝生葉。葉大小次第相生而爲樹。又折一幹一枝看。則又皆各自有枝幹華葉。猶一樹然。未嘗毫髮雜亂。此可以識文法矣。凡看文皆當如此看。久之自會得法。今日學文。

能如此看。則他日作文。能如此作。亦自能如此改矣。然又當知有法而無法。無法而有法。有法者篇篇皆有法也。無法者篇篇法各不同也。所以然者。如化工賦物。皆自然而然。非區區摸擬所致。在我經史熟。析理精。有學有識有才。又能集義以養氣。是皆有以爲文章之根本矣。果能如此讀書。則是學天下第一等學。作天下第一等文。爲天下第一等人。在我而已。未易與俗子言也。

文譬之人身。其中以意爲主。氣爲之輔。其外以篇爲體。章爲之肢。字句爲之毛髮。數者不具焉。則不得爲

人矣。亦不得爲文也。
世人作文、意既不瑩、氣亦不盈。肢體雖具、偶人而已。然肢體具者、猶得爲文也。彼唯知排字塡句者、獨有毛髮而已。烏得爲文哉。
文有頭有腹有足。是篇法也。頭欲小、腹欲滿、足欲健而不欲大。是章法也。然此其大畧而已。若細分之、則四肢百骸在焉。又欲各得其所也。
文務要合格法。然拘法不條達者、未爲得也。倪元璐云、文必馳騁縱橫、務盡其才。然後軌於法。斯言得之矣。

讀書法

清　魏東房

若欲翻書、勿以爪掐。若欲看書、勿以手壓。掐則痕多。壓則汗塌。不可摩擦。擦則糢糊。不可捲折。折則痐瘢。不可亂點。不可狂塗。識者所笑。馬牛襟裾。書貴齊整。不宜散亂。部正行勻、秩然可玩。書貴齊修。不宜齷齪。潔淨精良、人生一樂。即不常讀、亦可常翻。讀之養心。翻者怡顏。書有廉隅、書有文飾。彼讀書者、自宜愛惜。不讀書者、亦宜惜書。雖無他智、即此非愚。予亦有書百千萬卷。不汙不塵、不折不捲。君欲讀書、奉贈此法。予言或然、幸垂笑納。

學說贈葉徂徠

清　魏祐齋

傳曰、人之有學、如玉之必琢而成器。玉不琢、其璞不毀、人不學、則失其質。故質美者、譬諸苗。不深其耕、擇種而播之、土化而耘耨、則庶草蕃而苗以萎死。故曰、苟爲不熟、不如荑稗。葉子徂徠、年少而質美、能自浣濯于俗、以志于學。雖然必謹乎其所習、愼其交、毋玩其歲月、以實致于令名。君子者、有益于人者也。人之交貴君子、以其益我也。君子而無益于人、交君子而不自取益、則與世俗人無幾異。徂徠好君子交。其所以自益、有可言者乎。孔子曰、友直友諒。記曰、審問之。

愼思之。易曰、積小以高大。此學之實也。

幼學所當先（小學）

陳忠肅公曰、幼學之士、先要分別人品之上下。何者是聖賢所爲之事、何者是下愚所爲之事。向善背惡。去彼取此。此幼學所當先也。顏子・孟子亞聖也。學之雖未至、亦可爲賢人。今學者若能知此、則顏・孟之事、我亦可學。言溫而氣和、則顏子之不遷、漸可學矣。過而能悔、又不憚改、則顏子之不貳、漸可學矣。知埋鬻之戲不如俎豆、念慈母之教至於三遷、自幼至老、不厭不改。終始一意、則我之不動心、亦可以如孟子矣。

若夫立志不高。則其學皆常人之事。語及顏・孟。則不敢當也。其心必曰。我爲孩童。豈敢學顏・孟哉。此人不可以語上矣。先生長者。見其卑下。豈肯與之語哉。先生長者。不肯與之語。則其所與語。皆下等人也。言不忠信。下等人也。行不篤敬。下等人也。過而不知悔。下等人也。悔而不知改。下等人也。聞下等之語。爲下等之事。譬如坐於房舍之中。四面皆墻壁也。雖欲開明。不可得矣。

十四歲時述懷　山田方谷

父兮生我母育我。　天兮覆我地載吾。　身爲男兒

宜自思。　茶茶寧與草木枯。　慷慨難成濟世業。
蹉跎不奈隙駒驅。　幽愁倚柱獨呻吟。　知我者言
我念深。　流水不停人易老。　鬱鬱無緣啓胸襟。
生育覆載眞罔極。　不識何日報此恩。

格言三則

其爲人也多暇日。其出人也不遠矣。(荀子)

陶侃曰。大禹聖人。乃惜寸陰。至於衆人。當惜分陰。豈可逸遊荒醉。生無益于時。死無聞於後。是自棄也。

陶潛曰。盛年不重來。一日難再晨。及時當勉勵。歲月不待人。

日本之西學　清　黃遵憲

西學之濫觴。蓋始於寶永年閒。德川將軍家宣云。自耶蘇教作亂於天草。設爲厲禁。教士悉加驅逐。西書概行塗抹。及是有羅馬教士若望（ワアガンス）。幕府命新井君美。就詢海外事。君美始著采覽異言一書。既而和蘭船主至。君美復奉命私問之。嗣後船主閒歲一入覲。君美輒就問。沿爲例。復續爲後語。世始知有和蘭學。尋命醫官桂川甫筑・儒官青木文藏・長崎人西川如見等。從蘭人習其語言。或醫術・曆算等學。而前野良澤・杉田玄白等諸子。各研究其術。由是西學漸行於世。

延享元年。將軍吉宗。始建天文臺於江戶神田。又製簡天儀。後迭經廢置。更於淺草建二臺。九段阪建一臺。凡曆・算・推步之事。悉命司掌。處士若閒長涯・麻田剛立輩。亦頗習西術。故當時遂採西法。以改曆焉。外舶迭來。海疆多事。當路者皆以知彼國情。取彼長技。爲當務之急。文化八年。始置翻譯局於淺草天文臺中。特擧蘭學者數名。專譯和蘭文書。稱爲蕃書和解方。安政三年丙辰。又改稱翻譯局。爲蕃書調所。更於翻譯之外。講授蘭書。幕府尋諭凡士人願入學者聽。又諭諸藩士有願入學者亦聽。未幾。英吉利・法蘭西・

普魯士・魯西亞諸書。並令講授。漸次設置化學・物産學・數學等三科。又命編纂英和對譯書。文久二年壬戌。又改爲洋書調所。六月。遣教授手傳津田眞一郎。西周助於和蘭留學。後二年。乃歸朝。八月。更改校名。爲開成所。癸亥。又遣生徒市川文吉・小澤圭次郎・緒方四郎・大築彦五郎等於魯西亞留學。慶應二年丙寅。又遣生徒箕作奎吾・箕作大麓・外山捨八・市川森三郎・億川一郎等於英國留學。是年特聘和蘭人特馬。爲理學化學教師。延外國人爲教授。蓋於此權輿。明治元年。將軍奉還政權。當幕府時。所習西學。以天

文・暦・算・醫術。爲宗。率以荷蘭人。爲師。逮其末造。兼及他術。並師他國。然一二西學學校皆爲官學。諸藩猶未之知。當時諸藩若薩摩。若長門。皆力主攘夷。既鹿島・馬關戰輒失利。則爭遣藩士。擇其翹楚。厚其資裝。俾留學外國。今之當路諸公。大率從外國學校歸來者也。

維新以後。壹意外交。既遣大使。巡覽歐・美諸大國。目覩其事物之美・學術之精。益以崇尚西學。爲意。明治四年。設立文部省。尋頒學制於各大學區。分設諸校。有外國語學校。以英語。爲則。有小學校。其學科。曰讀

書。曰習字。曰算術。曰地理。曰歴史。曰修身。兼及物理學・生理學・博物學之淺者。益以罫畫・唱歌・體操諸事。有中學校。其學科亦如小學。而習其等級之高者。術藝之精者。有師範學校。則所以養成教員。以期廣益者也。有專門學校。則所以研究學術。以期專精者也。有東京大學校。分法學・工學・理學・醫學・文學・農學六學部。有海陸軍兵學校。以教練兵・製器・造船之術。有農學校。以教種植。商學校以教貿易。工學校以教技巧。女學校以教婦職。凡學校無論官立・公立・私立。皆受轄於文部。學規教則。命文部卿監督之。朝廷既崇

重西學。爭延西人。爲之教師。明治六七年間。各官省所聘。府縣所招。統計不下五六百人。初徵諸藩貢進生。留學外國。既乃擇專門學生・大學生學之小成者。以官費留學。而各府縣子弟。以私費學於外國者尤衆。既廣開黌校。延師督教。朝夕有課。講誦有程。而隸於學校者。有動物室・植物室・金石室・古生物室・土木・機械・模型室・製造・化學諸品室・古器物室。羅列各品。以供生徒實地考驗之用。各官省爭譯西書。若法律書・農書・地理書・醫書・算學書・化學書・天文書・海陸軍兵書。各刊官板。以爲生徒分科學習之用。復有書籍

館。彙集古今圖書。以縱人觀覽。博物館陳列歐・亞器物。以供考證。新聞紙論列內外事情。以啓人智慧。由是西學有蒸蒸日上之勢。

奉使倫敦記　　清　黎蒓齋

光緒丙子十月。余在江南通州花布釐金局。蒙欽差大臣禮部侍郎郭公嵩燾檄。調出洋。於是有奉使英國倫敦之役。至上海。始知其爲駐紮三年也。十七日。乘英國公司輪船。自上海出吳淞。放大洋。指南行約二千一百六十里。可四日程。而得香港。經過浙江・福建・廣東三省境地。福建以東。臺灣障之。西人謂其海

爲中國海。常有大風。又多暗礁。船人以爲戒。又自香港指南行。經七洲洋。約四千三百一十里。可六日程。而得新加坡。從雨中過越南。羣山連延。隱約可辨。新加坡爲亞細亞斗入海中處。最近赤道。以圖經索之。蓋距二百四十里而遙。迤西爲馬納甲。對峙者蘇門答臘。別自一島。不相聯屬。舟行有時望見。其地炎熱卑濕。有春夏無秋冬。山中奇花異卉。冬至前後號爲繁盛。往遊粵黃浦人胡璇澤園。園皆西式。有池沼而無亭臺。畜養虎豹熊猿・袋鼠・鸞鳥之屬甚多。胡君固富人。英・俄二國。皆假以馭民之職。而郭公欲於此建

設領事。以之充補者也。又自新加坡。折而西北行。約一千一百四十三里。可二日程。而得檳榔嶼。英語如碧瀾。凡乘法國船往者。至越南之西貢。而不至此嶼。嶼山明水秀。迤南多深林叢木。聞其中有瀑泉。直下數十丈。甚奇偉也。自檳榔嶼。指西行約三千六百三十九里。可五日程。而得錫蘭。錫蘭佛所生也。島周千餘里。其泊船。當南岸盡西處。一海汊名曰高諸。椰樹成林。極望結實。巨如瓜。剖之有甘漿可飲。土人貧薄。或取饅頭果食之。而飲此漿以解渴。近岸有布喀刺瓦得寺。經皆貝葉書。文若連圜。卽印度字母也。又自

錫蘭易船。指西行約六千四百三里。可八日程。而得亞丁。是爲印度大洋。八日中無所睹。惟巨浸稽天。時有飛魚而已。

亞丁與阿剌伯連。距紅海口三百五十里。瀕海一山多石。英人建礮臺。設兵二千守之。屯煤於此。備輪船取攜。阿剌伯唐世天方。於漢條支也。產駝鳥。高可逾丈。其卵大者徑三四寸。予購得其一。史記大宛傳所謂其巨如甕者也。西洋婦女。取其毛羽。以爲首飾。又自亞丁折入紅海。西北行約三千九百二十四里。可六日程。而得蘇衣士。當紅海中。經過麥加城。望見之

焉。地產加非。其實大類蠶豆。西洋搗淪爲茗。與中國
茶葉並行。而麥加爲良品。入麥西境後。中國謂之埃
及海。海盡處分兩汊。東出曰阿嗒巴。屬阿剌伯。西出
曰蘇衣士灣。屬埃及。中有大山。曰西奈。傳爲摩西以
十誡立教地。蘇衣士界亞細亞・阿非利加兩洲之閒。
地本相連。同治三年。法人頼賽楼司建議。以機器開
河。通商旅。避大浪山海道之險。糜費至八千萬金磅。
鑿之七年。卒斷此峽。而兩洲分矣。自蘇衣士入新開
河。北行二百六十里。可一日程。而得波塞。波塞臨地
中海。昔班超遣掾甘英。往通大秦。至條支臨海。欲渡

安息西界。船人以海水廣大。止之。蓋即此海也。又自
波塞。正西行約二千八百十四里。可四日程。而得毛
兒達島。島形如臼。犬牙曲抱。爲英國修泊戰船處。地
中海第一重鎭也。街市整齊壯麗。視波塞迥殊。又自
毛兒達。西行約二千九百四十三里。可四日程。而得
支布洛陀。縮轂大西洋之口。觀所謂山礮臺者。環山
穿石爲隧道。凡三重。設礮門。置礮五百餘尊。高處距
海面一千四百尺。仰望若蜂窠然。自此出大西洋。折
而北行。沿葡萄牙・法蘭西西境約三千四百五十三
里。可五日程。而得掃司阿母敦。掃司者。英語南方之

謂。阿母敦則其碼頭也。蓋自新加坡以西。波塞以東。
相望萬餘里閒。無城郭大都之會。其人民頗有夷狄
之風焉。至亞丁。而貧陋極矣。紅海之中。山皆童赤無
草木。至或終年不雨。人事地理。無足尙者。盡波塞而
止。至毛兒達。而異境特開。西洋局面見矣。又自掃司
阿母敦登陸。乘火輪車行二百一十五里。而抵倫敦。
時十二月八日也。總五十一日。凡行三萬一千百十
四里。皆以英之買爾折計。每買爾當中國三里云。使
英三等參贊黎庶昌記。

倫敦繁盛

清　薛福成

倫敦惟四月至八月。天氣較爲清朗。九月以後。直至
三月。幾於無日不陰。無日不霧。雖有時天氣稍晴。而
日爲煙霧所遮。但見紅輪晃漾。其光不甚明亮。蓋英
倫三島。四面皆海。本多白霧。而倫敦五百萬煙戶之
煤煙。又爲霧所掩。不能衝霄直上。聚爲黃霧。往往白
晝晦冥。室中皆燃燈火。方能觀書寫字。冬春尤甚。每
五日中。必有兩三日晝晦者。蓋天氣稍冷。則人皆擁
爐。又多五百餘萬人終日夜焚煤之煙。非特竈突之
煙也。大抵倫敦爲地球第一繁盛之區。洋房幾無隙
地。又多三層四層之樓。平房之下。尙有地室。已不啻

五六層矣。是不曾以一倫敦化為三四倫敦也。所以英之官紳。每至夏冬。必移居鄉間一兩月。名為避暑避寒。實則欲換吸新氣。謂可卻病養身。蓋煤炭薰灼之氣。與人身臟腑之濁氣。惟倫敦為最盛也。此人煙過於稠密之患也。

巴黎斯繁華

清　王紫詮

條刺匣宮。建於一千五百六十四年。為格連窩富勿特所剏造。其深一千有八尺。廣一百八尺。其中層樓複閣。邃室洞房。萬戶千門。幾於不可指數。宮門外。即向奇列士特拉干葛。為都中游玩廣場。王宮峙其

東。鉅院翼其西。危橋通其南。大街接其北。別開勝景。洵號名區。尤足以擅一都之形勝。王劃其三之一為禁地。以鐵欄為之界。而守以禁旅。外環以池。固若金湯。凡宸居所在。其上則懸大纛。使民閒一望而知王在宮中也。若乘輿他幸則否。遠人之欲瞻觀王宮者。可先謁其國之大臣。乞其名簡。即得入覽。然必俟王出始可。禁地以外。例許民人游眺。嘉木千章。扶疎蔽蔭。夏日坐憩者。幾不知有盛暑。是中臺沼陂池。林樹花卉。禽獸蟲魚。無一不備。宮之東隅。亦為廣場。而國家所設。總習藝院。正與毗連。院名魯華。東西南北皆

有門。四通八達。崇閎鞏麗。足與王宮並峙。相距不遠。又有巴列士萊亞耳院。院立基於北。而於東西傅以兩翼。直達通衢。正如鳥之振翅。院後建大樓。高峻宏壯。全用白石築成。晶瑩耀目。屋頂俱用玻璃。朗徹無垠。纖悉畢見。樓左右。悉市廛屋宇也。列肆櫛比。珍貨錯陳。樓前闢隙地。為園。廣袤無際。長七百尺。廣三百尺。園四周環峙廣廈。麗棟崇甍。珠聯璧合。幾於一望連雲。齊歸一律。其閒皆係酒樓茗肆。佳肴異饌。芬芳外溢。客至一呼。叱嗟立辦。其別肆之相連者。名品異果。充牣其中。以供游人之燕娯食息。都中士女。每日

往來如織。甚至足無停趾。車無停軌。其他羈客旅人。聯鑣接軫而至者紛如也。皆以其地為勝境大觀。或且以不得一游為缺典。

贈人赴佛國博覽會序

竹添井井

歐人創製火輪船。駕風破浪。萬里比隣。往來如織。舉地球為一大市場。其平居和好。貿遷使聘。若無足慮者。一旦臨利害。輒蹶起忿爭。蹀血千里。蒼生塗炭。竟不免弱肉強食矣。蓋國之亡。非必易其主失其地之謂也。國體不立。受制於他國。即亡也。國力不足。仰給於他國。亦亡也。制度文物。一摸擬於彼。法律禁令。為

彼所掣肘。謂之國非其國。譬如世農之家。釋其耒耜。從商賈之後。去朴就侈。自以爲得。徒取市儈之笑耳。能不能爲農。又不能爲商。其家非亡而何。高其屋。華其室。衣服器用。皆仰外輸。工藝未起。產物未旺。而金貨濫出。府庫一空。上下爲之告窮。譬之東家之女。羨西隣之婦。不度貧富之相懸。專效其服飾。不蠶不桑。貲費無所出。終之不免爲流亡之瘠。智者防禍於未萌。寧可不早爲之所乎哉。今茲佛國有博覽會。我邦人多往會之。友人某亦與焉。余謂之曰。盍博覽之爲會。凡百器物悉備。觀之者。足以發心智。磨巧思。講之

者。足以詫新創弋奇贏。故競技者必於是。爭利者必於是。我邦所出。其類亦多。其閒或有駕出乎諸國之上者。則聲價百倍。而輸出之利。從此盛矣。抑余更有進焉者。夫巴里者。歐洲大都。今茲之會。坤輿諸國皆造焉。子試觀其市。綠眼紅髯。氣揚揚而視耽耽者。皆虎狼也。子輩目擊其狀。而歸報吾君吾相曰。市有虎狼。白晝羣行。吮人之腦。不斃不已。我寧爲卞莊子。勿爲魚肉。彼不出刀而我自割。彼不出薪而我自烹。以飽其口腹。非計之得者也。吾君吾相。於是乎知所戒。國體以加尊。國力以加強。則子輩之於此行。其利於

我邦。顧不尤大哉。書以爲贈。

佛郎王歌

賴　山陽

佛郎王。王起何處。大西洋。大白鍾精眼碧光。天付韜畧鑄其腸。蠶食歐邏東拓疆。誓以崑崙爲中央。國內游手收編行。兵無妻子武趪趪。縮梃爲銃伸爲槍。銃退鎗進互搪摚。所向無前血玄黃。獨有鄂羅相頡頏。潛遣諜賊懷劍鋩。王覺故與之翺翔。能刺刺我不能亡。汝主何不旗鼓當。遣客卽發陣堂堂。絨旗蔽天日無芒。五戰及國我武揚。鄂羅如魚泣釜湯。何料大

雪平地一丈强。王馬八千凍且僵。運路梗塞不可望。馬肉方寸日充糧。王曰天不右佛郞。我活吾衆降何妨。單騎降敵敵不敢戕。放之阿墨君臣慶。戊寅歲吾遊碕陽。遭逢蠻醫聞其詳。自言在陣療金創。食馬免死今不忘。君不見何國蔑有貪如狼。勇夫重閉貴預防。又不見禍福如繩何可常。窮兵黷武每自殃。方今五洲休奪攘。何知殺運被西荒。作詩記異傳故鄉。猶覺殺氣迸奚囊。

普法戰紀序

淸　陳　桂士

國家之興。雖曰天命。豈非人事哉。是不徒在土宇之廣。甲兵之强。士民之衆也。在乎得人而已。昔湯以七十里。文王以百里。夏少康以一成一旅之師。朝諸侯。而有天下。秦始則以關中一隅之地。而滅六國。以德若此。以力若彼。固不必跨州連郡。兼幷拓土也。普之於法。其始大小强弱。迥不相侔。普中歐洲而立國。西有法。而東有俄。皆强隣也。曩者爲法所制。幾於一步不可復西。一旦發奮爲雄。摧陷剔攘。飇馳電掃。鴻功駿烈。前無往古。後無來今。嗚呼。豈不偉哉。然而普在此時。地不加廣。民不加衆。徒以區區義憤。聯絡南北

日耳曼諸邦。同心幷力。西向以與法爭。兵鋒既交。所至輒捷。幾於戰無不勝。攻無不取。於是普强法弱。遂爲歐洲大局之所關。而揆其所以致此者。則由乎有俾思麥以爲之相。世子郡王以爲之將。毛奇以爲之謀主。欒尙書以爲之轉運。士顯密士。福堅士。田・蠻雕飛・窩得。以爲之折衝行陣。或拔諸儔人之中。或擢自百僚之下。或卽收之於宗潢骨肉閒。故能左右輔弼。若心膂。前後驅使。如指臂。臣民戮力。士卒效命。以興此小邦普。嗚呼。謂非得人之効哉。是故有國家者。得人則興。失人則亡。得人則弱可以爲强。小可以爲大。

振興之機。捷於影響。否則以普觀之。僅抵中國粤東二三省耳。至於生齒殷繁。則又遠不能及也。而卒能盟長歐洲。高執牛耳。則人爲之也。國之有人。如山澤之有虎豹。江湖之有蛟龍。伏乎其中。而威乎其外。漁夫樵叟。自不敢狎至焉。普既伐嗹勝墺。而今又蹶法。歐洲諸國。皆拱手環視。莫敢誰何。非有人焉。安能如是哉。我嘗曠觀夫普・法戰爭之際。而求其盛衰升降之故。成敗勝負之端。而恍然於國之不可不有人也。然其計之得者。則又在東和强俄。西制暴法。蓋與我者我可結之以爲援。好我者我可和之以爲用。然後

敵我者咸可合全力以制其死命。故在今日。握歐洲變局之樞機者。惟普而已。弱法和俄。孤英親墺。此卽變局之所由成也。向者持論嘗如此。

今觀於王君紫詮廣文所著普法戰紀。而益信王君之能實獲我心也。王君之爲此書也。載筆於庚午八月。而斷手於辛未六月。網羅宏富。有非見聞所及。序述戰事。纖悉靡遺。若觀楚漢鉅鹿之鬭。聲情畢見。而尤於近日歐洲形勢。瞭如指掌。其書雖未付手民。而鈔本流傳。南北殆徧。湘鄉曾文正公。稱之爲未易才。合肥相國李公。許以識議閎遠。目之爲佳士。豐順丁

中丞。則謂具有史筆。能兼才識學三長者。當今名公偉人。皆譽之不容口。則是書之足傳於後也。可知矣。噫。王君向固嘗有志於富彊之術矣。其論以爲莫如師其所長。持此說。閱二十餘年而不變。觀其弢園文錄。中與周弢甫徵君書。言及練兵製艦。造鎗礮。肄習語言文字。今當事者。皆一一行之。而考王君所言時。固在咸豐初元也。可不謂灼然有先見哉。王君旅寄香海。一星將終。雖伏處菰蘆。流離僻遠。而忠君愛國之念。未嘗一刻忘。恆思得當以報國家。嘗曰。熟刺外事。宣揚國威。此羈臣之職也。然則王君此書。非其濫

觴也哉。余爲王君。悲其遇。哀其志。重惜其才。而猶幸此書之略足以表見也。王君述撰等身。於文多經濟之作。生平尤邃於經學。大抵皆從閱歷憂患中來。嗚呼。天之所以厄之者。其即所以成之者歟。於王君何憾焉。是書也出。願與天下有心人。共讀之可也。特余意更有進者。夫天下大矣。人才夥矣。軼羣之材。殊尤之姿。世當不乏其人耳。特恐淪落於荒煙瘴雨之鄉。偃蹇於僻壤遐陬之外。而物色之者。有未至也。況乎我中國。地非不廣也。材非不衆也。幅員三萬里。北至於朔漠。南至於滇・粤。東至於浙・閩。西至

於西藏。版章恢廓。前此之所未有。陸以長城爲屏藩。水以大海爲襟帶。包江阻河。控遼引越。以此險固。長駕遠馭。足以鞭笞天下而有餘。絲絮出於江浙。茗荈出於閩・豫。藥石材木出於蜀。金鐵穀米出於粤。歲以供天下之用。而不見其不足。閩・粤之人。帆檣往來。負販於東南洋者。凡數百萬。類皆於其地。購田園。長子孫。衣冠典籍。無改我制。習俗方言。不易我素。雖居處二百餘年之久。無不奉我正朔。懾我王靈。卽遠至美洲之嘉釐符尼・夏華那・祕魯。無不爲我中國人足跡所至。生聚既盛。其間豈無爲之魁爲之傑者。有若虬

髯故事。前者朝廷兩遣使臣。乘槎遠出。此後豈無奉命絕域。立功徼外。如班定遠・傅介子其人者。嗚呼。此蓋天之特欲興我中國。故使東西之交。由漸而合也。中國之興。沛然天下莫之能禦。普之強云乎哉。因序普法戰紀。縱論之如此。有心人當不河漢斯言。同治十有一年。龍在壬申重九前一日。新會陳桂士拜序。

讀孛佛戰爭記畧　　鷲津毅堂

孛魯堂堂兵盡練。　大邦自許奈渠何。　一勝一敗無多子。　只在人心和不和。

誰復黃金鑄法王。　身爲降虜滯他鄉。　蹉跎宇內

渾同志。十八年閒夢一場。

中東戰紀本末初編叙　清　龔心銘

員球大勢。亞·歐·斐輔車相依。亞洲大勢。華·日·韓肩背相倚。俄羅斯跨亞歐兩洲而立國。而踞華韓兩國之上游。其始與歐洲諸雄國。積不相能。往往以身犯難。諸國乃屏之局外。黑海之峽。不得出其艦隊。斐洲之地。諸國皆有分。俄獨無與。俄人蓄怒日久。孤掌難鳴。深幸法有圖雪德恥之心。與俄漸相結納。然德先與奧意。立合縱之約。而隱毗乎英。法不敢遽發難端。俄豈能獨求大欲。於是變西趨之局。而爲東注之謀。不

惜金繒。不計歲月。專心致志於西伯里亞鐵路。識者謂路工告成之日。正華·韓瀕險之時。日本雖僻在東瀛。豈其獨能倖免。爲華·日·韓三國計。誠宜乘俄水陸未通之隙。互蠲小忿。共保太和。交暢新機。同馨郅治。合三國爲一體。與德·奧·意遙遙相對。西伯里亞路工既竟。華不妨明予以通商之便。彼能來。我亦能往。有百利。幾無一害也。三國隱戢其黷武之雄。西有長城。東亦有大壩。有百密。遂無一疏也。俄雖彊亦惟跧伏於冰山雪窖之中。或俟突厥之機有可乘。一快其馳驟之私而已矣。豈料日本三海島。儼然自命爲東方

之新國。不悟鷸蚌相爭。利歸漁父。不思韓魏相弱。禍啓彊秦。遽欲乘俄路之未成。先占三韓。獨成一大。迨華與師問罪。勢同騎虎。日即反顏相向。以逼韓者害華。卒之韓受逼矣。華受害矣。然非日之能逼韓而害華也。韓爲俄逼。華爲俄害。而日且同受其逼與害也。嗚呼。日人志得意滿。其亦知俄人方笑逐顏開乎。日人欲豫遏其燄。其亦知適速其來乎。日與我華。非如德與法之有夙憾。既以貪兵倖勝者。壞亞洲之全局。猶欲妄踞遼東之陸地。導俄以隱握太平洋之利權。於是歐洲諸國。胥遭震動。甚且波及美洲。豈徒助法

撓英。斐洲埃及之英權。幾不免遭俄侵占哉。若專以亞洲論。朝鮮長已矣。日本得志於中國。中國損。而日本能得其益乎。更專以中國論。既遭俄制。又失韓藩。有志之士。所爲痛哭而長嘆者也。然而可無咎乎。日人也。中國之大弊。惟在局於成見。而不自知其無以勝人。今既自知其不可恃矣。一旦動心忍性。增益其所不能。皇然日求所以自强之計。而與泰西諸雄國。益敦睦誼。師所長。以輔我之短。則我四百兆人者。雄視五洲萬國而有餘。不惟日之勝我。不足爲仇。即俄之制我。亦不必爲慮也。語云。人擧其疵則怨人。鑑見

其醜。則善鑑。我中國要在能自鑑焉。可矣。僕不敏。幸與美國名進士林樂知先生遊。因得備聆偉論。恍然悟天下之大局。中東難作。先生與上海蔡紫紱茂才。日撰論議。以餉當道。積一年許。稿盈數寸。遂成中東戰紀本末一書。意在呼寐者而使之覺。茂才過圓成璧。因方爲珪。先生自序。既言之矣。夫何贅。而有欲言而不能已者。既深佩林君之意。并以見基督教中人之居我華者。未嘗存畛域之見。而我華之所以待教士者。亦必優以禮貌。予以保護。俾得伸善。與人同之志。則有裨于我之國計民生者。非淺鮮矣。

大日本帝國皇帝宣戰の詔

天佑を保全し、萬世一系の皇祚を踐める大日本帝國皇帝は、忠實勇武なる汝有衆に示す。

朕玆に清國に對して戰を宣す。朕か百僚有司は、宜く朕か意を體し、陸上に、海面に、清國に對して、交戰の事に從ひ、以て國家の目的を達するに努力すへし。苟も國際法に戻らさる限り、各、權能に應して、一切の手段を盡すに於て、必す遺漏なからんことを期せよ。

惟ふに、朕か卽位以來、玆に二十有餘年、文明の化を平和の治に求め、事を外國に構ふるの極めて不可なるを信し、有司をして、常に友邦の誼を篤くするに努力

せしめ、幸に列國の交際は、年を逐うて親密を加ふ。何そ料らむ、清國の朝鮮事件に於ける、我に對して、著著鄰交に戻り、信義を失するの擧に出てむとは。

朝鮮は、帝國か其の始に啓誘して、列國の伍伴に就かしめたる獨立の一國たり。而して清國は、每に自ら朝鮮を以て、屬邦と稱し、陰に陽に其の內政に干涉し、其の內亂あるに於て、口を屬邦の拯難に藉き、兵を朝鮮に出したり。朕は明治十五年の條約に依り、兵を出して變に備へしめ、更に朝鮮をして、禍亂を永遠に免れ、治安を將來に保たしめ、以て東洋全局の平和を維持せむと欲し、先つ清國に告くるに、協同事に從はむこ

とを以てしたるに、清國は、翻て種種の辭柄を設け、之を拒みたり。帝國は、是に於て、朝鮮に勸むるに、其の秕政を釐革し、內は治安の基を堅くし、外は獨立國の權義を全くせむことを以てしたるに、朝鮮は、既に之を肯諾したるも、清國は、終始陰に居て、百方其の目的を妨碍し、剩へ辭を左右に託し、時機を緩にし、以て其の水陸の兵備を整へ、一旦成るを告くるや、直に其の力を以て、其の欲望を達せんとし、更に大兵を韓土に派し、我艦を韓海に要擊し、殆と亡狀を極めたり。則ち清國の計圖たる、明に朝鮮國治安の責をして、歸する所あらさらしめ、帝國か率先して、之を諸獨立國の列に

伍せしめたる朝鮮の地位は、之を表示するの條約と共に、之を蒙晦に付し、以て帝國の權利利益を損傷し、以て東洋の平和をして、永く擔保なからしむるに存するや疑ふへからす。熟、其の爲す所に就いて、深く其の謀計の存する所を揣るに、實に始めより、平和を犧牲として、其の非望を遂けむとするものと謂はさるへからす。事既に玆に至る。朕平和と相終始して、以て帝國の光榮を、中外に宣揚するに專なりと雖、亦、公に戰を宣せさるを得さるなり。汝有衆の忠實勇武に倚賴し、速に平和を永遠に克復し、以て帝國の光榮を全くせむことを期す。

譯日本皇帝宣戰詔　　韓國　尹致昊

朕玆與清國開戰。其令各有司。上承朕意。下順民心。水陸攻守。咸修其職。以振一國之威名。勿違萬邦之公法。朕之素志。惟在偃武修文。納民於平安之軌。卽位以來。兢兢業業。三十年矣。夫交隣失和。其禍難測。故朕常飭諭大臣。務修隣好。年來內外相親。深喜擇交之善。近因高麗一事。清國失信背好。實非朕意料所及。緬維高麗爲獨立之邦。而與各國結約通商。實由我日本勸導之也。然而清國恆隣高麗爲藩邦。干涉其內政。今者。高麗有事。清國託以護藩。擧兵入韓。

朕乃照西曆一千八百八十二年成約。命師渡海。用備不虞。而拯高麗於禍亂之中。置東亞於太平之域。以符素願。故延清國。協力同事。成此美擧。豈知清國推諉萬端。不允所商。日本乃告高麗。一新厥政。使內安其民。外睦厥隣。高廷業經明允。自新。清國不啻暗阻圖治。陽示鎭靜。陰整兵甲。水陸武具既完。遂增兵添將。加在韓之勢。憑强逼弱。逞利己之策。傲慢自大。乃至礮擊我船。玆按高麗獨立之位。原係日本維持之力。各國條約之所認也。清國非但謀損高麗位地。兼且置條約於不顧。此等擧措。傷我國之權利。害東

亞之安穩。清國貪利樂禍之心。瞭然可見。我邦仗義興兵之擧。勢不可止。吾民忠勇。宜各任厥職。期使早致太平。顯揚國光。朕有厚望焉。大日本帝國明治二十七年八月初一日。

清國皇帝宣戰詔

七月初一日。奉上諭。朝鮮爲我大清藩屛。二百餘年。歲修職貢。爲中外所共知。近十數年。該國時多內亂。朝廷字小爲懷。疊次派兵。前往戡定。並派員駐紮該國都城。隨時保護。本年四月間。朝鮮又有土匪變亂。該國王請兵援勦。情詞迫切。當卽諭令李鴻章。撥兵

赴援。甫抵牙山。匪徒星散。乃倭人無故派兵。突入韓城。嗣又增兵萬餘。迫令朝鮮更改國政。種種要挾。難以理喩。我朝撫綏藩服。其國內政事。向令自理。日本與朝鮮立約。係屬與國。更無以重兵欺壓。强令革政之理。各國公論。皆以日本師出無名。不合情理。勸令撤兵和平商弁。乃竟悍然不顧。迄無成說。反更陸續添兵。朝鮮百姓及中國商民。日加驚擾。是以添兵前往保護。詎行至中途。突有倭船多隻。乘我不備。在牙山口外海面。開炮轟擊。傷我運船。變詐情形。殊非意料所及。該國不遵條約。不守公法。任意鴟張。專行詭

計。釁開自彼。公論昭然。用特布告天下。俾曉然於朝廷辦理此事。實已仁至義盡。而倭人渝盟肇釁。無理已極。勢難再予姑容。著李鴻章。嚴飭派出各軍。迅速進剿。厚集雄師。陸續進發。以拯韓民於塗炭。並著沿江沿海各將軍督撫及統兵大臣。整飭戎行。遇有倭人輪船。駛入各口。卽行迎頭痛擊。悉數殲除。毋得稍有退縮。致干罪戾。將此通諭知之。欽此。

聞黃海捷報作　　藤澤南岳

手提捷書起狂呼。若此快戰古來無。黃海秋高氣慘肅。一擊鏖殺索頭奴。奴艦二十我十二。

團如車輪張如翅。馳突奔迅疾於風。一退一進角神智。巨砲轟天天疑坼。水雷激地地欲碎。洪濤怒起助勢威。銃丸亂飛如雨墜。我軍奮躍勇氣倍。擊破奴艦似掃地。近世兵家說一新。器械利鈍勝敗存。彼亦競製甲鐵艦。載將巨熕鎭海門。定遠·來遠及經遠。幷他四艦尤精堅。恃之傲然向大東。欲逞猛志展威權。何料三隻沈沒四隻燒。自餘艨艟盡敗殘。我軍鼓舷又担稍。唱起奏凱歌一曲。烟收風死波濤靜。星月皎皎海山綠。嗚呼東西今古海戰多。尤推英人

特拉華爾牙。試以比此戰。艱易豈同科。鐵艦勿言堅。巨熕且休誇。小大衆寡不足算。制勝畢竟在人和。人和妙用不可測。威風宣揚無窮極。五千萬民同一心。忠誠之士齊戮力。邦俗雄偉雖自古。教化實仰聖上德。從今宇內第一强勇名。歸吾大東日出國。

論鴉片　　清　彭玉麟

攷李時珍本草綱目。阿芙蓉俗名鴉片。性澀有微毒。並未言能殺人之事。今則生食者。急以殺之。吸食者。徐而殺之。而不解人之何以甘受其毒而不辭也。當

西人鴉片入境之初。禁煙之議。持之甚堅。奈始則操之過急。繼則縱之過寬。流毒至今。幾無術可以挽回。計鴉片進口之數。每年約七萬餘箱。每箱售銀五百兩。總計値三千五六百萬。中國每箱收稅三十兩。計銀不過二百二十萬。中國漏出之銀。每歲實三千數百萬兩之多。果孰得而孰失乎。中國利源之涸。可立而待也。於是薦紳先生目擊時艱。羣起而議之。有謂宜禁內地之仿種者。有謂宜禁洋藥之入口者。有謂宜加洋藥之稅者。更有謂不禁內地之種。方可分洋人利權者。然其中皆有弊焉。方今各直省。除江西・湖

南。外。餘省之種罌粟者日多。無論不能驟禁也。卽能禁此。而吸食者。爭取購於洋人。是又爲洋人之敺。而予以壟斷之權也。外洋入口之貨。以鴉片爲大宗。利源所在。誰肯遏之。且既不能禁之於前。何能禁之於後。相持太甚。適啓釁端。至若加收釐稅。則價愈昂。價愈昂。則吸者可以漸稀。似亦補救之一法。然則每見吸食之人。雖飧饔不給。猶必多方設法。以謀煙貲。幾見有因價貴而不食乎。況所加之稅。洋人卽隱增入售價之中。於洋人無所損。而吸食之貧民。益促之貧也。若謂聽內地之種。冀以所出日多。藉分洋人之利。

不盡利者也。上年盛道宣懷在天津。創設戒煙局。已著成效。各直省似可踵而行之。總之鴉片本屬毒人之物。泰西各國准播種。而不准吸食。卽日本・越南亦禁之甚嚴。唯中國之人。習焉不察。受其毒蠱者。已百餘年。其吸食之人。荒時廢業。毀體傷財。是誠可憐可痛。若能永遠禁止。弊絕風清。則國脈以培。元氣以復。利源以裕。是則蒙之所深幸也夫。

曾文正公神道碑 其一　清　李鴻章

聖清受命二百載。有相曰曾公。始以儒業事宣宗皇帝。入翰林。七遷而爲禮部侍郎。文宗御極。正色直諫。

多大臣之言。咸豐二年。以母憂歸湘鄉。遂起鄉兵討賊。自宣宗時。天下乂安。內外弛備。於是西洋始通中國。海上多事。未幾而廣西羣盜起。大亂以興。及此年。放兵東出。攻長沙。不克。遂渡洞庭。陷武昌。循江而下。所過摧靡。而是時天下兵大抵惰窳恇怯。不可復用。諸老將盡死。爲吏者不習戰陣。公既歸。天子詔公治團練長沙。公曰。金革之事。其敢有避。因奏言團練不食於官。緩急不可恃。請就其鄉團丁千人募爲勇營。教以兵法。束伍練技。號曰湘軍。湘軍之名。自此始。明年益募人三千。解南昌之圍。是時賊已陷金陵據之。

掠民艘巨萬。縱橫大江中。於是議創舟師。制船鑄礮。選將練卒。敎習水戰。天子嘉之。湘軍水師由此起矣。四年成軍東討。初戰再失利。未幾大捷湘潭。以師不全勝。上疏自劾。已而克岳州。下武昌。大破田家鎭。斷橫江鐵鎖。乘勝圍九江。進規湖口。當是時湘軍威名震天下。會水師陷入彭蠡湖。鄂師喪帥。武昌再失。公曰。武昌據長江上游。必爭之地也。急檄湖北按察使胡公林翼。率偏師西援。不克則悉銳師繼之。而自留江西。督攻九江。已而悍賊石達開等。分道犯江西。破郡縣六十餘城。公上疏自劾。卒以孤軍堅拒死守。賊

不得逞。六年。胡公等復武昌。明年。拔九江。軍威復振。公治軍謀定後動。折而不撓。堅如金石。重如山岳。諸將化之。雖離公遠出。皆遵守約束。不變。自九江未拔。諸軍已略定江西郡縣矣。公以父憂歸。累詔起復視師。不出。旣逾小祥。始奉命援浙江。是時公軍爲天下勁旅。四方有警。爭乞公赴援。南則浙・閩。西則蜀。北則淮・甸。皆遙恃公軍爲固。慮旌旗他指。天子亦屢詔公。規畫全勢。視緩急輕重去就之。公曰。謀金陵者。必據上游。法當舍枝葉。圖本根。遂建議三道規皖。咸豐十年。蘇・浙淪陷。朝廷憂之。以公總制江南。趣詔公東兵。

而公卒不棄皖以失上游。是年西夷內犯。定和議。十一年。公克安慶。今上同治元年。正月元日。授公協辦大學士。於是分道出師。大舉東下。公弟浙江巡撫國荃。以湘軍。緣大江。薄金陵。今陝甘總督左公宗棠。以楚軍。抵衢州。援浙江。鴻章以淮軍。出上海。規蘇・常水師。中江而下。爲陸軍聲援。三年。蘇・浙以次戡定。而公弟等亦攻拔金陵僞都。自公初出師。至是十有三年。粤賊平。東南大定。論功封一等毅勇侯。開國以來。文臣封侯自公始。

曾文正公神道碑　其二　淸　李鴻章

公旣平定江南。威振方夏。名聞外國。會忠親王僧格林沁戰歿於曹。廷議以公北討流寇。是時公所部湘軍皆已散歸。經畫歲餘。功績漸彰。會疾作。有詔還鎭江南。中外大事皆就決之。公所謀議。思慮深遠。進規中原。議築長牆以制流寇。策西事。議淸甘肅而後出關。籌滇・黔。議以蜀・湘兩省爲根本。皆初立一議。數年之後。事之成否。卒如其說。而馭夷爲尤著云。初咸豐三年。金陵始陷。米利堅人嘗謁江南帥。願以夷兵助戰。十一年。和議旣成。俄羅斯・米利堅皆請以兵來助。公議以爲。宜嘉其效順。而緩其師期。及同治元年。英

吉利・法蘭西。又以爲請。公又議以爲。宜申大義以謝之。陳利害以勸之。皆報可。廷議購夷船。公力贊之。比船至。欲用夷將。則議寢其事。其後自募工。寫夷船之制。近似之。遂議開局製造。自是外洋機器・輪舟・夷礮。中國頗得其要領矣。六年。詔中外大臣。籌和議利害可許不可許。公議以爲其爭彼我之虛儀者許之。其奪吾民之生計者勿許也。移直隸總督。天津民有擊殺法蘭西領事官者。法人訟之朝。天子慰解之。法人固爭。有詔備兵以待。公曰。百姓小忿。不足搆邊釁。從之而密議儲將練兵。設方略甚備。先是公已積勞成

疾。至是疾益劇。會江南闕帥。上念南洋馭夷事任絕重。非公不可。遂命還江南。臥治之。至則經營遠略。益勤。既一年疾甚。同治十一年二月戊午。遂薨於位。官至武英殿大學士。享年六十有二。遺疏入。天子震悼。賻賜有加。贈太師。謚文正公。諱某。字滌生。世爲湖南湘鄉人。曾祖竟希。祖玉屏。父縣學生麟書。三世皆以公貴。封光祿大夫。曾祖妣彭氏。祖妣王氏。妣江氏。皆封一品夫人。夫人衡陽歐陽氏。生男二人。紀澤廕生。戶部員外郎。襲爵爲侯。紀鴻附貢生。孫三人。廣鈞・廣鎔・廣銓。皆幼。公既薨。紀鴻・廣鈞。皆賜擧人。廣鎔賜員

外郎。廣銓賜主事。女五人。皆適士族。公爲學。研究義理。精通訓詁。爲文效法韓・歐。而補益之以漢賦之氣體。其學問宗旨。以禮爲歸。嘗曰。古無所謂經世之學。也。學禮而已。於古今聖哲。自文・周・孔・孟。下逮國朝顧炎武・秦蕙田・姚鼐・王念孫諸儒。取三十有二人。圖其像而師事之。自文章・政事。外大抵皆禮家言。嘗謂聖人者。自天地萬物。推極之。至一室米鹽。無不條而理之。又嘗慨古禮殘闕無軍禮。軍禮要自有專篇細目。如戚敬元氏所紀者。若公所定營制營規。博稽古法。辨等明威。其於軍禮。庶幾近之。至其論議規畫。秩序

井井。經緯乎萬變。調理乎鉅細。其素所蘊蓄。然也。喪歸湖南。營葬於善化縣某鄉。鴻章少從公問學。又相從於軍旅。與聞公謀國之大者。乃爲文刻其墓道之碑。

與李鴻章書　　竹添井井

五月二十三日。日本國竹添光鴻再拜獻書李中堂閣下。天災流行。國家代有。救灾恤隣。古今之通誼。況敝國與貴國。人同其種。文同其字。勢成脣齒。情如同胞。疾痛相關。不分畛域也。比年貴國大旱。北地荐饑。草根樹皮。剝掘既盡。得食無路。至人相食。旻天降虐。

何至此耶。敝國第一國立銀行。姓澁澤名榮一。三井物產會社。姓益田名孝。三菱輪船公司。姓岩崎名彌太郎。廣業會社。姓笠野名熊吉。此四人者。生計頗裕。傳聞貴國之災。深思隣交之誼。各發千金。又作書勸募國中。應募捐施者甚衆。獨奈蕞爾敝國。得金不過三萬洋銀。以購米麥。運至貴國。船費既鉅。及達天津。粒米漏下。亦復不尠。量其見數。僅六千二百五十八石。而上棧過斛。多雇役夫。所餘金亦止銅錢百萬文。誠知涓滴無補大海。雖然集腋成裘。或勝於已。初鴻之發日本也。四人者屬曰。往入凶區。隨宜散賑。鴻至

津之日。拜候貴衙門。辱賜大教。初知山西・河南。瀕死者殆一千萬人。然以道路梗塞。運糧甚艱。而直隸亦燃眉勢急。飢民來津待哺者其數至四萬之多。則在津散賑。情勢俱宜。不必舍近而趨遠也。鴻嘗聞之。散金賑粥。儆竇寔多。運搬之閒。既有侵蝕乾沒之患。而粥廠又不免有偸漏濫冒之虞。至甚則有縮米添水。投白礬及礆。使粥濃厚。以圖利者。苟稽察不嚴。則周急之擧。變爲利奸之具。名爲活人。其實殺人。豈可不深爲之慮乎。且鴻爲海外之人。未諳貴國情實。而爲任甚重。故處事最難。用意極苦。乃如運到糧包。亦以

潰出狼藉。請貴國委員。移盛布囊。量其多少。秤其輕重。欲審實數以直授受。於是穿窄袖衣。執竹杖。奔走塵土中。親督傭夫。日出從事。日昃而止。幸賴貴委員勉勵之力。凡六日而畢。鴻素弱質。未嘗任勞役。今乃如此者無他。我人民應募捐施者。非悉有餘財。惟出於惻隱之不可已。而隣交之不可忽也。故一粒雖微。我人民辛苦之脂膏也。一錢雖少。我人民思義之赤心也。分其脂膏。以付鴻一身。移其赤心。以置鴻腹中。在鴻固不可憚難厭勞也。但賑救事宜。鴻所未嘗講。況異境殊俗。茫乎不知所爲。伏請擧我錢穀。致諸下

執事。唯命之聽。幸藉閣下之靈。一粒不耗。一錢無遺。遍及在津飢民。以延四萬人旦夕之命。則我人民之心。有由以慰。而鴻亦得無負屬託之重。閣下之爲賜實大矣。若不然。徒有振救之名。而無振救之實。即有其實。亦消耗濫費居多。是鴻不堪其任。而獲罪於我國人也。昊天后土。必加冥罰。閣下仁如父母。明若觀火。洞察鄙衷。辱賜恩眷。使鴻得如所請。何幸如之。干瀆尊嚴。不堪戰懼之至。

岳飛（廿一史約編）

飛字鵬擧。生時有大鳥若鵠。飛鳴屋上。因名飛。未彌

月。會河決水暴溢。母姚抱飛坐甕中。任其漂泊。適濤衝及岸得免。人異之。少好左氏春秋・孫呉兵法。力挽弓三百斤・弩八石。能左右射。初隷留守宗澤。澤奇之曰。爾智勇才藝。古良將不能過。然好野戰。非萬全計。因授以陣圖。飛曰。陣而後戰。兵法之常。運用之妙。存乎一心。澤更奇其言。自是遂以將略顯。飛以諫南幸。爲汪黃所排奪職。詣張所。所時招討河北。問曰。汝能敵幾何。飛曰。勇不足恃。用兵在先定謀。欒枝曳柴以敗荊。莫敖採樵以致絞。皆謀定也。所矍然曰。君殆非行伍中人。飛因進說曰。國家都汴。恃河北爲固。苟能

憑據要衝。峙列重鎭。一城受圍。諸城或撓或救。則虜騎不敢窺河南。而京師固矣。招撫能提兵壓境乎。飛惟命是聽。所大喜。會金兵至新鄕。衆莫敢攖。飛獨引所部鏖戰。爲奪其纛而舞。諸軍爭奮。遂直擣太行。殺其黑風大王。擒將拓跋耶烏。虜大敗去。郾城之役。兀朮合龍虎大王・蓋天大王・韓常等兵。併力大戰。中朝震懼。飛與對壘。戒其子雲曰。不勝先斬汝。時兀朮有勁軍。皆重鎧貫以韋索。三人爲聯。號拐子馬。官軍不能當。是役也。以萬五千騎來。飛戒步卒。以麻札刀入陣。勿仰視。第斫馬足。拐子馬相連。一馬仆。二馬不能

行。乘勝奮擊。遂盡殲敵。兀朮大慟曰。自海上起兵。皆以此勝。今已矣。未幾復戰潁昌。殺兀朮壻夏金吾。於是兀朮遁去。中原大震。朱仙鎭之捷。兩河豪傑響應。皆擬剋日興師。與官軍會。父老子弟頂香盆迎候者充道。燕以南。金號令幾不行。兀朮欲簽軍至無一人應者。金帥烏謖思謀素桀黠。亦不能制其下。但諭曰。毋輕動。俟岳家軍來卽降。將軍韓常及忔査千戶等。皆密受旗榜。飛大喜。因語其下曰。直抵黃龍府。與諸君痛飮耳。方指日渡河。而檜以十二金字牌。一日狎至。飛憤惋泣下。東向再拜曰。十年之功廢一旦。及班

師。百姓遮馬慟哭。飛亦哭。第取詔示之曰。吾不得擅留。時哭聲震埜。飛爲留五日。以待其徙。飛治軍嚴而有恩。卒有疾。爲躬調藥餌。諸將遠戍。至遣妻問勞其家。死事者哭之而撫其孤。或以子壻其女。卒有取民麻一縷以束芻者。立斬之以徇。以是師行所至。民有開門納宿。而無敢入者。軍號凍不拆屋。餓死不鹵掠。居恆閒暇。則課將士。注坡跳壕。皆重鎧習之。子雲嘗習注坡。馬躓。怒而鞭之。每遇敵。必謀定而後戰。故有勝無敗。猝遇敵不動。故敵爲之語曰。撼山易。撼岳軍難。張浚嘗問用兵之術。應曰。仁・信・知・勇・嚴。缺一不可。

秦檜之議和也。兀朮遺之書曰。汝朝夕以和請。而岳飛方爲河北圖。不殺飛。和議必不就。檜以爲然。遂決計殺飛。使万俟卨・何鑄・羅汝楫等。交章論劾。誣飛逗留舒蘄。棄山陽不守。而以飛父子與張憲書。證其事。遂捕飛父子對簿。飛爲裂裳。示以背。鑄盡忠報國四大字。因笑曰。皇天后土。可表此心。時韓世忠不平。詣檜詰其實。檜曰。飛子雲與張憲書雖不明。其事體莫須有。世忠曰。莫須有三字。何以服天下。久之獄不決。會歲暮。檜手書小紙付獄。尋報飛死。是時洪皓在金。蠟書馳奏。金人所畏服惟飛。至以父呼之。或呼爺爺。

諸酋聞其死。爲酌酒相賀云。飛事母至孝。尤折節下士。居恆覽對經史。雅歌投壺。恂恂如書生。少喜豪飲。帝戒之曰。卿異時到河朔。乃可飲。遂絕不飲。或問天下何時太平。答曰。文臣不愛錢。武臣不惜死。天下太平矣。秦檜議和。帝前謂德無常師。主善爲師。飛恚曰。君臣大倫。根於天性。大臣而忍面謾其主耶。帝嘗手書曹操・諸葛亮・羊祜三事。賜之。飛跋其後。獨指操爲姦賊。以是尤爲檜所忌。先是兀朮屢敗。謀棄汴去。有書生叩馬諫曰。太子毋走。自古未有權臣在內。而大將能成功於外者。矣少保身且不免。況其他乎。及是

果驗。

題青泥市寺壁　　岳飛

雄氣堂堂貫斗牛。誓將眞節報君讎。斬除頑惡還車駕。不問登壇萬戶侯。

擬褒崇岳忠武王議　　清　魏祐齋

禧伏讀宋史。每至賊檜殺岳忠武王飛事。輒椎胸泣下。呼天自恨。不生其時。與之同死。蓋自古大功至忠之臣。蒙冤以死。未有若忠武王之甚者。後雖易諡追王。建廟封墓。而百世之下。人情未愜。雖愚夫婦人。莫不痛心發憤。若殺其父母之恨。自非天挺聖哲。格外

賞罰。則何以平萬世之怨憤。補天地之缺陷。禧伏見。漢關壽亭侯羽。至忠大義。歷代褒封。累爵帝號。通都窮鄉。五家之聚。莫不有廟。婦人孺子。咸知尊親。然考其行事。純疵互見。食報如此。惟忠武王。精忠神武。亘古無二。立心制行。至純無疵。古今名將賢相。可謂集其大成矣。顧遭趙構昏逆。秦檜凶賊。闔門屠戮。死無怨言。禧嘗代爲自反。未有纖毫致咎之故。啣冤如此。日月長昏。人類當絕。伏望聖明破格褒崇。如漢壽亭侯故事。尊以帝號。詔天下州縣市鎭鄕村。悉立廟塑像。忠武袞冕居中。岳雲・張憲。施全配享。侍立庭墀。仍

列秦檜夫婦方俟卨・張浚・王俊跪像。如今制。凡拜謁祈請者。必加捶撻。而趙構不孝不弟。暱奸仇忠。罪亦不容於死。則當剗夷陵墓。刻碑于上。宣示其罪。庶人心憤怒可平。昏主賊臣。知所鑒戒。天理明。國法彰。而萬世忠臣義士。有所激勸。或謂忠武本人臣。尊以帝制。非其所安。封爵鬼神。不合古義。禧又以爲禮緣義起。非常之事。不在常格。生人耳目。必以人爵爲榮。是以孔子匹夫袞冕無嫌。關公帝號通于夷夏。未有非而革正之者。蓋精忠奇冤。非極格外褒崇。不足壓伏衆心。發揚正氣。譬如嚴冬雪霜。百草夭絕。使無春氣

怒發。則天心閉塞。終不可得而見。謹議。

上高宗封事　　宋　胡澹菴

謹按。王倫本一狎邪小人。市井無賴。頃緣宰相無識。遂擧以使虜。惟務詐誕。欺罔天聽。驟得美官。天下之人。切齒唾罵。今者無故誘致虜使。以詔諭江南爲名。是欲臣妾我也。是欲劉豫我也。劉豫臣事醜虜。南面稱王。自以爲子孫帝王萬世不拔之業。一旦豺狼改慮。捽而縛之。父子爲虜。商鑑不遠。而倫又欲陛下效之。夫天下祖宗之天下也。陛下所居之位。祖宗之位也。奈何以祖宗之天下。爲犬戎之天下。以祖宗之位。

爲犬戎藩臣之位。陛下一屈膝。則祖宗廟社之靈。盡汙夷狄。祖宗數百年之赤子。盡爲左衽。朝廷宰執。盡爲陪臣。天下士大夫。皆當裂冠毀冕。變爲胡服。異時豺狼無厭之求。安知不加我無禮如劉豫也哉。夫三尺童子。至無知也。指犬豕而使之拜。則怫然怒。今醜虜則犬豕也。堂堂天朝。相率而拜犬豕。曾童孺之所羞。而陛下忍爲之耶。倫之議乃曰。我一屈膝。則梓宮可還。太后可復。淵聖可歸。中原可得。嗚呼。自變故以來。主和議者。誰不以此啗陛下哉。而卒無一驗。是虜之情僞。已可知矣。陛下尙不覺悟。竭民膏血而不恤。

忘國大讎而不報。含垢忍恥。擧天下而臣之甘心焉。就令虜決可和。盡如倫議。天下後世謂陛下何如主。況醜虜變詐百出。而倫又以奸邪濟之。梓宮決不可還。太后決不可復。淵聖決不可歸。中原決不可得。而此膝一屈。不可復伸。國勢陵夷。不可復振。可爲痛哭流涕長太息也。向者陛下間關海道。危如累卵。當時尙不肯北面臣虜。況今國勢稍張。諸將盛銳。士卒思奮。唯如頃者醜虜陸梁。僞豫入寇。固嘗敗之於襄陽。敗之於淮上。敗之於渦口。敗之於淮陰。較之前日蹈海之危。已萬萬矣。儻不得已而遂至於用兵。則我豈

遠出虜人下哉。今無故而反臣之。欲屈萬乘之尊。下穹廬之拜。三軍之士。不戰而氣亦索。此魯仲連所以義不帝秦。非惜夫帝秦之虛名。惜夫天下大勢有所不可也。今內而百官。外而軍民。萬口一談。皆欲食倫之肉。謗議洶洶。陛下不聞。正恐一旦變作。禍且不測。臣切謂。不斬王倫。國之存亡。未可知也。雖然倫不足道也。秦檜以腹心大臣。而亦爲之。陛下有堯舜之資。檜不能致陛下如唐虞。而欲導陛下如石晉。近者禮部侍郎曾開等。引古誼以折之。檜乃厲聲曰。侍郎知古事。我獨不知。則檜之遂非狠愎。已自可見。而乃建

白令臺諫從臣僉議可否。是乃畏天下議己。而令臺諫從臣共分謗耳。有識之士。皆以爲朝廷無人。吁可惜哉。孔子曰。微管仲。吾其被髮左衽矣。夫管仲覇者之佐耳。尙能變左衽之區。爲衣冠之會。秦檜大國之相也。反驅衣冠之俗。歸左衽之鄕。則檜也不唯陛下之罪人。實管仲之罪人矣。孫近附會檜議。遂得參知政事。天下望治。有如飢渴。而近伴食中書。漫不可否事。檜曰。虜可講和。近亦曰。可和。檜曰。天子當拜。近亦曰。當拜。臣嘗至政事堂。三發問。而近不答。但曰。已令臺諫侍從議矣。嗚呼。參贊大政。徒取充位如此。有如

虜騎長驅。尙能折衝禦侮耶。臣竊謂。秦檜孫近亦可斬也。臣備員樞屬。義不與檜等共戴天。區區之心。願斬三人頭。竿之藁街。然後羈留虜使。責以無禮。徐興問罪之師。則三軍之士。不戰而氣自倍。不然臣有赴東海而死耳。寧能處小朝廷求活耶。

文天祥（元史節錄）

文天祥字元瑞。又字履善。吉之廬陵人也。體貌豐偉。美皙如玉。秀眉而長目。顧眄燁然。自爲童子時。見學宮所祠鄕先生歐陽修・楊邦乂・胡銓像。皆謚忠節。欣然慕之曰。沒不俎豆其閒。非夫也。年二十。擧進士。對

策集英殿。帝親擢爲第一。考官王應麟奏曰。是卷古誼若龜鑑。忠肝如鐵石。臣敢爲得人賀。開慶初。元兵伐宋。宦官董宋臣說上遷都。人莫敢議其非者。天祥時入爲寧海軍節度判官。上書乞斬宋臣。以一人心。不報。卽自免歸。德祐初。江上報急。詔天下勤王。天祥捧詔涕泣。使陳繼周發郡中豪傑。幷結溪峒蠻。使方興召吉州兵。諸豪傑皆應之。有衆萬人。事聞。以江西提刑安撫使召入衞。其友止之曰。今大兵三道鼓行。破郊畿。薄內地。君以烏合萬餘赴之。是何異驅羣羊而搏猛虎。天祥曰。吾亦知其然也。第國家養育臣庶

三百餘年。一旦有急。徵天下兵。無一人一騎入關者。吾深恨於此。故不自量力。而以身徇之。庶天下忠臣義士。將有聞風而起者。義勝者謀立。人衆者功濟。如此則社稷猶可保也。十月。天祥入平江。元兵已發金陵。入常州矣。既而元兵破常州。入獨松關。陳宜中・劉夢炎召天祥。棄平江。守餘杭。明年正月。除知臨安府。未幾宋降。宜中・張世傑皆去。仍除天祥樞密使。尋除右丞相兼樞密使。如軍中請和。與元丞相伯顏抗論皐亭山。丞相怒拘之。天祥與其客杜滸十二人。夜亡入眞州。至高郵。泛海至溫州。聞益王朱立。乃上表勸

進。以觀文殿學士侍讀。召至福。拜右丞相。尋與宜中等議不合。七月。乃以同都督出江西。遂行收兵入汀州。至元十四年正月。元兵入汀州。天祥遂移漳州。乞入衞。吳浚來說天祥。天祥縛浚縊殺之。七月。元江西宣慰使李恆。遣兵援贛州。而自將攻天祥于興國。天祥不意恆兵猝至。乃引兵走。卽鄒渢于永豐。渢兵先潰。恆窮追天祥方石嶺。鞏信拒戰。箭被體死之。至空坑。軍士皆潰。天祥妻妾子女皆見執。時賞坐肩輿後。兵問謂誰。時賞曰。我姓文。衆以爲天祥。擒之而歸。天祥以此得逸去。至元十五年六月。益王殂。衞王繼立。

天祥自劾乞入朝。不許。八月。加天祥少保信國公。軍中疫且起。兵士死者數百人。天祥惟一子。與其母皆死。十二月。趨南嶺。鄒渢・劉子浚又自江西起兵來攻潮州盜陳懿黨。懿乃潛道元帥張弘範兵。濟潮陽。天祥方飯五坡嶺。張弘範兵突至。衆不及戰。皆頓首伏草莽。天祥倉皇出走。千戶王惟義前執之。天祥呑腦子。不死。鄒渢自剄。衆扶入南嶺死。官屬士卒得脫空坑者。至是皆死。天祥至潮陽見弘範。左右命之拜。不拜。弘範遂以客禮見之。與俱入崖山。使爲書招張世傑。天祥曰。吾不能救父母。乃教人叛父母可乎。索之

固。乃書所過零丁洋詩與之。其末有云。人生自古誰無死。留取丹心照汗靑。弘範笑而置之。崖山破。軍中置酒大會。弘範曰。國亡。丞相忠孝盡矣。能改心以事宋者事皇上。將不失爲宰相也。天祥泫然出涕曰。國亡不能捄。爲人臣者。死有餘罪。況敢逃其死。而二其心乎。弘範義之。遣使護送天祥。至京師。天祥在道。不食八日。不死。卽復食。至燕。館人供張甚盛。天祥不寢處。坐達旦。遂移兵馬司。設卒以守之。時世祖多求才。南官王積翁言。南人無如天祥者。遂遣積翁諭旨。天祥曰。國亡吾分一死矣。儻緣寬假。得以黃冠歸故鄕。

他日以方外備顧問可也。若遽官之。非直亡國之大夫。不可以圖存。舉其平生盡棄之。將焉用我。天祥在燕凡三年。上知天祥終不屈也。與宰相議釋之。有以天祥起兵江西事爲言者。不果釋。召入諭之曰。汝何願。天祥對曰。天祥受宋恩。爲宋相。安事二姓。願賜之一死足矣。然猶不忍。遽麾之退。言者力贊從天祥之請。從之。俄有詔使止之。天祥死矣。天祥臨刑。從容謂吏卒曰。吾事畢矣。南鄉拜而死。數日其妻歐陽氏。收其屍。面如生。年四十七。其衣帶中有贊。曰。孔曰成仁。孟曰取義。惟其義盡。所以仁至。讀聖賢書。所學何事。

而今而後。庶幾無愧。

正氣歌　宋 文文山

天地有正氣。雜然賦流形。下則爲河瀆。上則爲日星。於人曰浩然。沛乎塞蒼冥。皇路當清夷。含和吐朝廷。時窮節乃見。一一垂丹青。在齊太史簡。在晉董狐筆。在秦張良椎。在漢蘇武節。爲嚴將軍頭。爲嵇侍中血。爲張睢陽齒。爲顏常山舌。或爲遼東帽。清操厲冰雪。或爲出師表。鬼神泣壯烈。或爲渡江楫。慷慨吞胡羯。或爲擊賊笏。逆豎頭破裂。是氣所磅

礴。凛冽萬古存。當其貫日月。生死安足論。地維賴以立。天柱賴以尊。三綱實繫命。道義爲之根。嗟予遘陽九。隸也實不力。楚囚纓其冠。傳車送窮北。鼎鑊甘如飴。求之不可得。陰房闃鬼火。春院閟天黑。牛驥同一皁。雞棲鳳凰食。一朝蒙霧露。分作溝中瘠。如此再暑寒。百沴自辟易。哀哉沮洳場。爲我安樂國。豈有他繆巧。陰陽不能賊。顧此耿耿在。仰視浮雲白。悠悠我心憂。蒼天曷有極。哲人日已遠。典刑在宿昔。風簷展書讀。古道照顏色。

和文天祥正氣歌 有序　藤田東湖

彪年八九歲。受文天祥正氣歌於先君子。先君子每誦之。引盃擊節。慷慨奮發。談說正氣之所以塞乎天地。必推本之於忠孝大節。然後止。距今三十餘年。凡古人詩文。少時所誦。十忘七八。至於天祥歌。則歷歷暗記。不遺一字。而先君子容。宛然猶在心目。彪性善病。去歲從公駕而來也。方患感冒。力疾上途。及公獲罪。彪亦就禁錮。風窗雨室。濕邪交侵。菲衣疏食。飢寒並至。其辛楚艱苦。常人所難堪。而宿痾頓瘉。體氣頗佳。睥睨宇宙。可與古人相期

者蓋資於天祥歌爲多。夫天祥值宋社之傾覆。身囚胡虜。實臣子之至變。若彪被幽。則特一時之奇禍。其事與跡。皆大不同。然古人有云。死生亦大矣。今彪之困阨既已若此。而人猶或不以慊於意。曰何不遂賜死。曰何不早自裁。彪之所以出入於死生間。亦復若此。而頑乎不變。自信愈厚者。未始不與天祥同也。嗚呼。彪之生死固不足道。至於公之進退。則正氣之屈伸。神州之汚隆繫焉。豈特一時奇禍之云乎哉。天祥曰。浩然者。天地之正氣也。余廣其說曰。正氣者道義之所積。忠孝之所發。然彼

所謂正氣者。秦・漢・唐・宋變易不一。我所謂正氣者。亘萬世而不變者也。極天地而不易者也。因誦天祥歌。又和之以自歌。歌曰。

天地正大氣。　粹然鍾神州。　秀爲不二嶽。　巍巍聳千秋。　注爲大瀛水。　洋洋環八洲。　發爲萬朶櫻。　衆芳難與儔。　凝爲百鍊鐵。　鋭利可斷鍪。　藎臣皆熊羆。　武夫盡好仇。　神州誰君臨。　萬古仰天皇。　皇風洽六合。　明德侔太陽。　不世無汚隆。　正氣時放光。　乃參大連議。　侃侃排瞿曇。　乃助明主斷。　燄燄焚伽藍。　中郎嘗用之。　宗社

磐石安。　清丸嘗用之。　妖僧肝膽寒。　忽揮龍口劍。　虜使頭足分。　忽起西海颶。　怒濤殲妖氛。　志賀月明夜。　陽爲鳳輦巡。　芳野戰酣日。　又代帝子屯。　或投鎌倉窟。　憂憤正悁悁。　或伴櫻井驛。　遺訓何慇懃。　或殉天目山。　幽囚不忘君。　或守伏見城。　一身當萬軍。　承平二百歲。　斯氣常獲伸。　然當其鬱屈。　生四十七人。　乃知人雖亡。　英靈未嘗泯。　長在天地間。　凛然敍彝倫。　誰能扶持之。　卓立東海濱。　忠誠尊皇室。　孝敬事天神。　修文兼奮武。　誓欲清胡塵。　一朝天歩

艱。　邦君身先淪。　頑鈍不知機。　罪戻及孤臣。　孤臣困葛藟。　君寃向誰陳。　孤子遠墳墓。　何以報先親。　荏苒二周星。　獨有斯氣隨。　嗟予雖萬死。　豈忍與汝離。　屈伸付天地。　生死又何疑。　生當雪君寃。　復見張四維。　死爲忠義鬼。　極天護皇基。

述懷　　明　朱舜水

九州如瓦解。　忠臣苟偸生。　受詔蒙塵際。　晦跡到東瀛。　回天謀不成。　長星夜夜明。　單身寄孤島。　抱節比田横。　已聞鼎命變。　西望獨呑聲。

格言四則

世篤忠貞。服勞王家。（書經）

夙夜匪懈。以事一人。（詩經）

事君能致其身。（論語）

君子事上也。進思盡忠。退思補過。將順其美。匡救其惡。（孝經）

諸葛亮（十八史略）

瑯琊諸葛亮。寓居襄陽隆中。每自比管仲・樂毅。劉備訪士於司馬徽。曰。識時務者在俊傑。此閒自有伏龍鳳雛。諸葛孔明・龐士元也。徐庶亦謂備曰。諸葛孔明

臥龍也。備三往乃得見。亮問策。亮曰。曹操擁百萬之衆。挾天子令諸侯。此誠不可與爭鋒。孫權據有江東。國險而民附。可與爲援。而不可圖。荊州用武之國。益州險塞。沃野千里。天府之土。若跨有荊・益。保其巖阻。天下有變。荊州之軍向宛・洛。益州之衆出秦川。孰不簞食壺漿。以迎將軍乎。備曰。善。與亮情好日密。曰。孤之有孔明。猶魚之有水也。士元名龐統。龐德公從子也。德公素有重名。亮每至其家。獨拜床下。劉備崩。子劉禪立。丞相諸葛亮。受遺詔輔政。備臨終謂亮曰。君才十倍曹丕。必能安國家。終定大事。嗣子可輔輔之。

如其不可。君可自取。亮涕泣曰。臣敢不竭股肱之力。效忠貞之節。繼之以死。亮乃約官職。修法制。下敎曰。夫參署者。集衆思。廣忠益也。若遠小嫌。難相違覆。曠闕損矣。丞相亮率諸軍。北伐魏。臨發上疏曰。今天下三分。益州疲弊。此危急存亡之秋也。宜開張聖聽。不宜塞忠諫之路。宮中府中。俱爲一體。陟罰臧否。不宜異同。若有作姦犯科及忠善者。宜付有司。論其賞罰。以昭平明之治。親賢臣。遠小人。此先漢所以興隆也。親小人。遠賢臣。此後漢所以傾覆也。臣本布衣。躬耕南陽。苟全性命於亂世。不求聞達於諸侯。先帝不以

卑鄙。猥自枉屈。三顧臣於草廬之中。諮臣以當世之事。由是感激。許先帝以驅馳。先帝知臣謹愼。臨崩寄以大事。受命以來。夙夜憂懼。恐付託不效。以傷先帝之明。故五月渡瀘。深入不毛。今南方已定。兵甲已足。當將率三軍。北定中原。興復漢室。還于舊都。此臣所以報先帝。而忠陛下之職分也。明年。率大軍攻祁山。戎陣整齊。號令明肅。始魏以昭烈既崩。數歲寂然無聞。略無所備。猝聞亮出。朝野恐懼。於是天水・安定等郡皆應亮。關中響震。魏主如長安。遣張郃拒之。亮使馬謖督諸軍。戰于街亭。謖違亮節度。郃大破之。亮乃

還漢中。已而復言於漢帝曰。漢・賊不兩立。王業不偏安。臣鞠躬盡力。死而後已。至於成敗利鈍。非臣所能逆覩也。引兵出散關。圍陳倉。不克。漢丞相亮又伐魏圍祁山。魏遣司馬懿。督諸軍拒亮。懿不肯戰。賈詡等曰。公畏蜀如虎。奈天下笑何。懿乃使張郃向亮。亮逆戰。魏兵大敗。亮以糧盡退軍。郃追之。與亮戰。中伏弩而死。亮還勸農講武。作木牛・流馬。治邸閣。息民休士。三年而後用之。悉衆十萬。又由斜谷口伐魏。進軍渭南。魏大將軍司馬懿。引兵拒守。亮以前者數出。皆運糧不繼。使己志不伸。乃分兵屯田。耕者雜於渭濱居

民之閒。而百姓安堵。軍無私焉。亮數挑懿戰。懿不出。乃遺以巾幗婦人之服。亮使者至懿軍。懿問其寢食及事繁簡。而不及戎事。使者曰。諸葛公夙興夜寢。罰二十以上親覽。所噉食不至數升。懿告人曰。食少事煩。其能久乎。亮病篤。未幾卒。長史楊儀整軍還。百姓告懿。懿追之。姜維令儀反旗鳴鼓。若將向懿。懿不敢逼。百姓爲之諺曰。死諸葛走生仲達。懿笑曰。吾料生不能料死。亮嘗推演兵法。作八陣圖。至是懿案行其營壘。歎曰。天下奇材也。亮爲政無私。馬謖素爲亮所知。及敗軍。流涕斬之。而卹其後。李平・廖立皆爲亮所廢。

及聞亮之喪。皆歎息流涕。卒至發病而死。丞相亮嘗表於帝曰。臣成都有桑八百株。薄田十五頃。子弟衣食自有餘。不別治生以長尺寸。臣死之日。不使內有餘帛。外有贏財。以負陛下。至是如其言。謚忠武。

蜀相　　唐　杜子美

丞相祠堂何處尋。錦宮城外栢森森。映堦碧草自春色。隔葉黃鸝空好音。三顧頻繁天下計。兩朝開濟老臣心。出師未捷身先死。長使英雄淚滿襟。

赤壁之戰（資治通鑑綱目）

初魯肅聞劉表卒。言於孫權曰。荊州與國鄰接。江山險固。沃野萬里。士民殷富。若據而有之。此帝王之資也。今劉表新亡。二子不協。軍中諸將。各有彼此。劉備天下梟雄。與操有隙。寄寓於表。表惡其能而不能用也。若備與彼協心。上下齊同。則宜撫安與結盟好。如有離違。宜別圖之。以濟大事。肅請得奉命。弔表二子。幷慰勞其軍中用事者。及說備使撫表衆。同心一意。共治曹操。備必喜而從命。如其克諧。天下可定也。今不速往。恐爲操所先。權卽遣肅。行到夏口。聞操已向荊州。晨夜兼道。比至南都。而琮已降。備南走。肅徑迎

之。與備會于當陽長阪。肅宣權旨。論天下事勢。致殷勤之意。且問備曰。豫州今欲何至。備曰。與蒼梧太守吳巨有舊。欲往投之。肅曰。孫討虜聰明仁惠。敬賢禮士。江表英豪。咸歸附之。已據有六郡。兵精糧多。足以立事。今爲君計。莫若遣腹心。自結於東。以共濟世業。而欲投吳巨。巨是凡人。偏在遠郡。行將爲人所併。豈足託乎。備甚悅。肅又謂諸葛亮曰。我子瑜友也。卽共定交。子瑜者亮兄瑾也。避亂江東。爲孫權長史。備用肅計。進住鄂縣之樊口。曹操自江陵。將順江東下。諸葛亮謂劉備曰。事急矣。請奉命求救於孫將軍。遂與

魯肅俱詣孫權。亮見權於柴桑。說權曰。海內大亂。將軍起兵江東。劉豫州收衆漢南。與曹操共爭天下。今操芟夷大難。略已平矣。遂破荊州。威震四海。英雄無用武之地。故豫州遁逃至此。願將軍量力而處之。若能以吳越之衆。與中國抗衡。不如蚤與之絕。若不能。何不按兵束甲。北面而事之。今將軍外託服從之名。而內懷猶豫之計。事急而不斷。禍至無日矣。權曰。苟如君言。劉豫州何不遂事之乎。亮曰。田橫齊之壯士耳。猶守義不辱。況劉豫州王室之胄。英才蓋世。衆士慕仰。若水之歸海。若事之不濟。此乃天也。安能復爲

之下乎。權勃然曰。吾不能舉全吳之地。十萬之衆。受制於人。吾計決矣。非劉豫州莫可以當曹操者。然豫州新敗之後。安能抗此難乎。亮曰。豫州軍雖敗於長阪。今戰士還者。及關羽水軍。精甲萬人。劉琦合江夏戰士。亦不下萬人。曹操之衆。遠來疲敝。聞追豫州。輕騎一日一夜。行三百餘里。此所謂强弩之末。勢不能穿魯縞者也。故兵法忌之曰。必蹶上將軍。且北方之人。不習水戰。又荊州之民附操者。偪兵勢耳。非心服也。今將軍誠能命猛將。統兵數萬。與豫州協規同力。破操軍必矣。操軍破。必北還。如此則荊・吳之勢强。鼎

足之形成矣。成敗之機在於今日。權大悅。與其羣下謀之。是時曹操遺權書曰。近者奉辭伐罪。旌麾南指。劉琮束手。今治水軍八十萬衆。方與將軍會獵於吳。權以示臣下。莫不響震失色。長史張昭等曰。曹公豺虎也。挾天子以征西方。動以朝廷爲辭。今日拒之。事更不順。且將軍大勢可以拒操者長江也。今操得荊州。奄有其地。劉表治水軍。蒙衝鬭艦。乃以千數。操悉浮以沿江。兼有步兵。水陸與下。此爲長江之險。已與之共矣。而勢力衆寡。又不可論。愚謂大計不如迎之。魯肅獨不言。權起更衣。肅追於宇下。權知其意。執肅手

曰。卿欲何言。肅曰。向察衆人之議。專欲誤將軍。不足與圖大事。今肅可迎操耳。如將軍不可也。何以言之。今肅迎操。操當以肅還付鄕黨。品其名位。猶不失下曹從事。乘犢車。從吏卒。交遊士林。累官故不失州郡也。將軍迎操。欲安所歸乎。願早定大計。莫用衆人之議也。權歎息曰。諸人持議。甚失孤望。今卿廓開大計。正與孤同。時周瑜受使至番陽。肅勸權召瑜還。瑜至。謂權曰。操雖託名漢相。其實漢賊也。將軍以神武雄才。兼仗父兄之烈。割據江東。地方數千里。兵精足用。英雄樂業。當橫行天下。爲漢家除殘去穢。況操自送

死。而可迎之邪。請爲將軍籌之。今北土未平。馬超・韓遂尙在關西。爲操後患。而操舍鞍馬。仗舟楫。與吳・越爭衡。今又盛寒。馬無藁草。驅中國士衆。遠涉江湖之間。不習水土。必生疾病。此數者用兵之患也。而操皆冒行之。將軍禽操。宜在今日。瑜請得精兵數萬人。進住夏口。保爲將軍破之。權曰。老賊欲廢漢自立久矣。徒忌二袁・呂布・劉表與孤耳。今數雄已滅。惟孤尙存。孤與老賊勢不兩立。君言當擊。甚與孤合。此天以君授孤也。因拔刀斫前奏案曰。諸將吏敢復有言當迎操者。與此案同。乃罷會。是夜瑜復見權曰。諸人徒見

操書言水・步八十萬。而各恐懾。不復料其虛實。便開此議。甚無謂也。今以實校之。彼所將中國人。不過十五六萬。且已久疲。所得表衆。亦極七八萬耳。尙懷狐疑。夫以疲病之卒。御狐疑之衆。衆數雖多。甚未足畏。瑜得精兵五萬。自足制之。願將軍勿慮。權撫其背曰。公瑾。卿言至此。甚合孤心。子布・元表諸人。各顧妻子。挾持私慮。深失所望。獨卿與子敬與孤同耳。此天以卿二人贊孤也。五萬兵難卒合。已選三萬人。船糧戰具倶辨。卿與子敬・程公。便在前發。孤當續發人衆。多載資糧。爲卿後援。卿能辨之者誠決。邂逅不如意。便

還就孤。孤當與孟德決之。遂以周瑜・程普爲左右督。將兵與備幷力逆操。以魯肅爲贊軍校尉。助畫方略。劉備在樊口。日遣邏吏於水次。候望權軍。吏望見瑜船。馳往白備。備遣人慰勞之。瑜曰。有軍任。不可得委署。儻能屈威。誠副其所望。備乃乘單舸。往見瑜曰。今拒曹公。深爲得計。戰卒有幾。瑜曰。三萬人。備曰。恨少。瑜曰。此自足用。豫州但觀瑜破之。備欲呼魯肅等共會語。瑜曰。受命不得妄委署。若欲見子敬。可別過之。備深愧喜。進與操遇於赤壁。時操軍衆已有疾疫。初一交戰。操軍不利。引次江北。瑜等在南岸。瑜部將黃

蓋曰。今寇衆我寡。難與持久。操軍方連船艦首尾相接。可燒而走也。乃取蒙衝鬪艦十艘。載燥荻枯柴。灌油其中。裹以帷幕。上建旌旗。豫備走舸。繫於其尾。先以書遺操。詐云欲降。時東南風急。蓋以十艦最著前。中江舉帆。餘船以次俱進。操軍吏士。皆出營立觀。指言蓋降。去北軍二里餘。同時發火。火烈風猛。船往如箭。燒盡北船。延及岸上營落。頃之烟炎張天。人馬燒溺死者甚衆。瑜等率輕銳。繼其後。雷鼓大震。北軍大壞。操引軍。從華容道步走。遇泥濘。道不通。天又大風。悉使羸兵負艸塡之。騎乃得過。羸兵爲人馬所蹈藉。

陷泥中。死者甚多。劉備・周瑜水陸幷進。追操至南郡。時操軍兼以飢疫。死者太半。操乃留征南將軍曹仁・橫野將軍徐晃。守江陵。折衝將軍樂進守襄陽。引軍北還。

前赤壁賦

宋　蘇東坡

壬戌之秋。七月既望。蘇子與客泛舟。遊於赤壁之下。清風徐來。水波不興。舉酒屬客。誦明月之詩。歌窈窕之章。少焉月出於東山之上。徘徊於斗牛之閒。白露橫江。水光接天。縱一葦之所如。凌萬頃之茫然。浩浩乎如馮虛御風。而不知其所止。飄飄乎如遺世獨立。

羽化而登仙。於是飲酒樂甚。扣舷而歌之。歌曰。桂棹兮蘭槳。擊空明兮泝流光。渺渺兮予懷。望美人兮天一方。客有吹洞簫者。倚歌而和之。其聲嗚嗚然。如怨。如慕。如泣。如訴。餘音嫋嫋。不絕如縷。舞幽壑之潛蛟。泣孤舟之嫠婦。蘇子愀然正襟。危坐而問客曰。何爲其然也。客曰。月明星稀。烏鵲南飛。此非曹孟德之詩乎。西望夏口。東望武昌。山川相繆。鬱乎蒼蒼。此非孟德之困於周郎者乎。方其破荊州。下江陵。順流而東也。舳艫千里。旌旗蔽空。釃酒臨江。橫槊賦詩。固一世之雄也。而今安在哉。況吾與子。漁樵於江渚之上。侶

魚鰕而友麋鹿。駕一葉之扁舟。舉匏樽以相屬。寄蜉蝣於天地。渺滄海之一粟。哀吾生之須臾。羨長江之無窮。挾飛仙以遨遊。抱明月而長終。知不可乎驟得。託遺響於悲風。蘇子曰。客亦知夫水與月乎。逝者如斯。而未嘗往也。盈虛者如彼。而卒莫消長也。蓋將自其變者而觀之。則天地曾不能以一瞬。自其不變者而觀之。則物與我皆無盡也。而又何羨乎。且夫天地之閒。物各有主。苟非吾之所有。雖一毫而莫取。惟江上之清風。與山閒之明月。耳得之而爲聲。目遇之而成色。取之無禁。用之不竭。是造物者之無盡藏也。而

吾與子之所共適。客喜而笑。洗盞更酌。肴核既盡。杯盤狼藉。相與枕藉乎舟中。不知東方之既白。

前赤壁の賦に擬す（漢文國譯）

伴蒿蹊

七月望の夕さり、友どちと舟をうかべて、桂より大井にのぼす。吹く風は、すずしきものから、立つ浪もなし。杯をあげて、まらうどにすすめ、をりにつけたるふることども、打ち誦しなどする程に、月東の山の端を出でて、ややさしのぼりゆくに、岸根の松の葉、かずもよみぬべく、水の光は空や水とも見えわかねば、天の川

にやのぼりなん。棚機つめに、やどやからまし。雲をふみ風にのる身とさへぞおぼゆるや。かかれば、酒たけなはにして、たのしさのあまりに、舷を扣きて、「久かたの月のみやこに舟はてん。名もかつらてふ川瀬のぼりて」と、うたふに、まらうどの笛を好むが、これにあはせて吹きすさぶ。其の聲、秋風のうらみをそへ、ゑたふがごと、なげくがごと、あまりの聲ほのかに、いとすぢの心地して、遠山の鹿の音にかよひ、賤がきぬたを催すらんかし。おのれまづ心萎ひて、かたちをあらためて、とひけらく、なぞしもかかるや。まらうどのいはく、「もみぢのみふねふなよそひせり」と、きこゆるは、源師

の歌にあらずや。白河院、此の川に、みゆきましまして、からうたやまとうた、絲竹の三つのみふねよそひ給ひ、おのおの其の歌に堪へたる人を、舟を分ちて乗せさせ給ひし時、源師おくれてまゐり、岸に膝つきて、いづれの舟にまれ、よせ給へと、まねかれしは、ここなり。そのざえまたたぐひあらじを、其の人今いづこにありや。まして君と我と、けふこのあそびするも、空にたなびくいとゆふ、水にむすべるうたかた、いつまでありとたのむべき身ぞ。死なぬ藥は、もとめん道なく、老いせぬ水も、名のみ流れぬ。さは心のなげきを、聲にもらすのみ。おのれいふ、君此の月と水とを見よ、行くも

のはこのごとくも、いまだゆかず。みちかくるものは、かのごときも、ついにおとろへず。はたかはらふをいへば、天地も、目わたる鳥のとりとめぬがごとなんある。變らぬをいへば、物と我と、まさきづらのたゆる時なし。また何をかうらやみなん。そもそも天地のあはひ、物みなあろじなり。吾がものにしあらざれば、ちりばかりもとることなからん。ただささ波よする風の清らに、雲もさはらぬ月のあかき、耳に喜び、目に樂しむ、とれどもとどむるものなく、用ふれどもつきず。君とわれとかなへるものか。ともがきわらひて、またさらに杯をめぐらす。醉ひゑれて、共に舟のうちにねぶ

り、志ののめの空をも知らず。

後赤壁賦

宋　蘇東坡

是歲十月之望。步自雪堂。將歸于臨皐。二客從予。過黃泥之阪。霜露既降。木葉盡脫。人影在地。仰見明月。顧而樂之。行歌相答。已而歎曰。有客無酒。有酒無肴。月白風淸。如此良夜何。客曰。今者薄暮。擧網得魚。巨口細鱗。狀似松江之鱸。顧安所得酒乎。歸而謀諸婦。婦曰。我有斗酒。藏之久矣。以待子不時之需。於是攜酒與魚。復遊於赤壁之下。江流有聲。斷岸千尺。山高月小。水落石出。曾日月之幾何。而江山不可復識矣。

予乃攝衣而上。履巉巖。披蒙茸。踞虎豹。登虬龍。攀棲鶻之危巢。俯馮夷之幽宮。蓋二客不能從焉。劃然長嘯。草木震動。山鳴谷應。風起水涌。予亦悄然而悲。肅然而恐。凛乎其不可留也。反而登舟。放乎中流。聽其所止而休焉。時夜將半。四顧寂寥。適有孤鶴。橫江東來。翅如車輪。玄裳縞衣。戛然長鳴。掠予舟而西也。須臾客去。予又就睡。夢一道士。羽衣蹁躚。過臨皐之下。揖予而言曰。赤壁之遊樂乎。問其姓名。俛而不答。嗚呼噫嘻。我知之矣。疇昔之夜。飛鳴而過我者。非子也耶。道士顧笑。予亦驚悟。開戶視之。不見其處。

赤壁圖贊

明　方正學

羣兒戲兵。汙此赤壁。江山無情。猶有慚色。帝命偉人。眉山之蘇。酹酒大江。以滌其汙。揮斥玄化。與造物伍。哀彼妄庸。攘敓腐鼠。明月在水。獨鶴在天。勿謂公亡。公在世間。

赤壁

清　袁隨園

一面東風百萬軍。　當年此處定三分。
漢家火德終燒賊。　池上蛟龍竟得雲。
江水自流秋渺渺。　漁燈猶照荻紛紛。
我來不共吹簫客。　烏鵲寒聲靜夜聞。

黃州快哉亭記

宋　蘇穎濱

江出西陵。始得平地。其流奔放肆大。南合湘沅。北合漢沔。其勢益張。至於赤壁之下。波流浸灌。與海相若。淸河張君夢得。謫居齊安。卽其廬之西南爲亭。以覽觀江流之勝。而余兄子瞻。名之曰快哉。蓋亭之所見。南北百里。東西一舍。濤瀾洶涌。風雲開闔。晝則舟楫出沒於其前。夜則魚龍悲嘯於其下。變化倏忽。動心駭目。不可久視。今乃得玩之几席之上。擧目而足。西望武昌諸山。岡陵起伏。草木行列。煙消日出。漁夫樵父之舍。皆可指數。此其所以爲快哉者也。至於長洲之濱。故城之墟。曹孟德・孫仲謀之所睥睨。周瑜・陸遜之所馳騖。其流風遺跡。亦足以稱快世俗。昔楚襄王從宋玉・景差於蘭臺之宮。有風颯然至者。王披襟當之曰。快哉此風。寡人所與庶人共者耶。宋玉曰。此獨大王之雄風耳。庶人安得共之。玉之言蓋有諷焉。夫風無雄雌之異。而人有遇不遇之變。楚王之所以爲樂。與庶人之所以爲憂。此則人之變也。而風何與焉。士生於世。使其中不自得。將何往而非病。使其中坦然不以物傷性。將何適而非快。今張君不以謫爲患。收會計之餘功。而自放山水之閒。此其中宜有以過

人者。將蓬戸甕牖。無所不快。而況乎濯長江之清流。挹西山之白雲。窮耳目之勝。以自適也哉。不然連山絕壑。長林古木。振之以清風。照之以明月。此皆騷人思士之所以悲傷憔悴而不能勝者。烏覩其爲快哉也哉。

早發白帝城　　唐　李太白

朝辭白帝彩雲閒。千里江陵一日還。兩岸猿聲啼不住。輕舟已過萬重山。

用語練習

尤物(左傳)　國是(劉向新序)　長舌(詩經)　喉舌(詩經)

釋褐(晉書)　筮仕(左傳)　致仕(唐書)　祿仕(唐書)
頓足(漢書)　驥尾(史記)　龍種(唐書)　伯仲(詩經)
聚斂(大學)　編氓(宋史)　乘程(蜀都賦)　內謁(漢書)
女謁(韓非子)　義旅(任昉)　逆旅(史記)　振旅(周禮)
治兵(周禮)　偃蹇(後漢書)　蹇蹇(易經)　稽留(史記)
內子(左傳)　猶子(禮記)　花押(國史補)　押字(宋史)
三公(書經)　三台(後漢書)　睥睨(後漢書)　逸豫(書經)
不豫(孟子)　塗炭(書經)　袞龍(東都賦)　龍顏(史記)
控弦(漢書)　領袖(晉書)　推步(後漢書)　河漢(左傳)
髫齔(後漢書)　襁褓(史記)　陶冶(孟子)　瞑眩(孟子)
祝髮(穀梁傳)　秋毫(孟子)　六合(史記)　三綱(白虎通)

五常(白虎通)　追孝(書經)　達孝(禮記)　愷悌(詩經)
泫然(禮記)　狷介(國語)　介然(孟子)　嬝娜(梁簡文帝詩)
鞺鞳(上林賦)　玉兎(謝觀)　金烏(孟康)　烏兎(吳都賦)
榛莽(唐書)　鹵莽(莊子)　荒唐(莊子)　俶儻(史記)
卓犖(魏志)　犖犖(史記)　諄諄(孟子)　謳歌(孟子)
科斗(爾雅)　熨斗(晉書)　泰斗(唐書)　猙獰(廣異記)
倍蓰(孟子)　鈇鉞(禮記)　節鉞(魏史)　雍熙(東京賦)
恬熙(王逢詩)　掣肘(梁武帝敕)　忸怩(孟子)　羞赧(孫綽歌)
覬覦(後漢書)　妍媸(史通)　風騷(杜甫詩)　騷人(李白)
同人(易經)　拮据(詩經)　僑居(魏書)　流亞(晉書)
倉皇(胡曾詩)　寒心(戰國策)　奇寒(酉陽雜俎)　祁寒(書經)

行李(左傳)　治裝(戰國策)　浮屠(釋老志)　方策(禮記)
熱中(孟子)　怵惕(孟子)　惻隱(孟子)　五行(後漢書)
五音(孟子)　金石(禮記)　絲竹(周禮)　浮梁(唐書)
棟梁(後漢書)　彊梁(晉書)　陸梁(史記)　酬唱(宋史)
翰墨(晉書)　墨池(宋九域志)　臨池(王羲之與人書)　秀才(史記)
進士(禮記)　貢擧(舊唐書)　場屋(宋史)　擧場(玉海)
處士(孟子)　居士(禮記)　陵遲(毛詩)　陵夷(漢書)
憑陵(左傳)　崛起(漢書)　排擠(漢書)　偃武(書經)
生靈(晉書)　億兆(戰國策)　蒼生(書經)　垂涎(嫏嬛記)
朶頤(易經)　歆羨(詩經)　豺狼(孟子)　狼顧(戰國策)
狼戾(孟子)　狐疑(史記)　索然(晉書)　津津(莊子)

屑屑(左傳)　斗筲(論語)　駐蹕(北史)　警蹕(漢書)
鹵簿(後漢書)　比周(左傳)　朋黨(史記)　附庸(詩經)
斧質(史記)　鼎鑊(周禮)　腹心(詩經)　婆娑(詩經)
高邁(晉書)　八表(晉書)　四裔(史記)　綢繆(詩經)
然諾(史記)　屛息(五代史)　喙息(史記)　捷徑(後漢書)
素服(禮記)　布衣(左傳)　蕭灑(南史)　蓬勃(香譜)
牙籌(晉書)　牙城(唐書)　籌策(史記)　侏儒(禮記)
孺子(書經)　豎子(左傳)　休戚(宋書)　戚戚(詩經)
撥刺(李白詩)　部曲(漢書)　紆曲(世說)　委曲(史記)
炎上(書經)　點竄(魏志)　是正(後漢書)　雌黃(夢溪筆談)
折衷(史記)　中庸(中庸)　命中(漢書)　健兒(洛陽伽藍記)

袒裼(孟子)　裸裎(孟子)　坎坷(論衡)　埳壈(後漢書)
黔首(禮記)　芻蕘(詩經)　通刺(異苑)　樞機(易經)
萬機(五燈會元)　邂逅(詩經)　彈劾(北史)　芻豢(禮記)
沙汰(晉書)　鼓吹(晉書)　先進(論語)　先達(後漢書)
縕袍(論語)　褐夫(孟子)　乾坤(易經)　霄壤(張養浩詩)
穆穆(書經)　刺史(後漢書)　傅會(列子)　輪奐(禮記)
堂堂(論語)　潤色(論語)　隆準(史記)　酸鼻(漢書)
膺懲(詩經)　搢紳(晉書)　頓首(周禮)　稽首(禮記)
解倒懸(孟子)　合符節(孟子)　三達尊(孟子)
二千石(漢書)　木强人(漢書)　風雲會(吳質牋)
好事人(陶潛詩)　水魚交(蜀志)　紈袴子(宋史)

肉食者(左傳)　三尺法(史記)　四壁立(史記)
五斗米(晉書)　五尺童(孟子)　有聲畫(岑安卿詩)
毛錐子(五代史)　管城子(韓愈文)　記問學(禮記)
黃口兒(家語)　竹馬友(世說)　刀筆吏(史記)
棄敝屣(孟子)　觸忌諱(漢書)　口耳學(南史)
莫逆友(梁書)　喬松壽(漢書)　赤松子(史記)
斷金契(易經)　從隗始(史記)　賜骸骨(漢書)
靑雲士(史記)　南柯夢(異聞錄)　寧馨兒(世說)
灑掃應對(論語)　定省溫凊(禮記)　芝蘭之化(家語)
切切偲偲(論語)　戰戰兢兢(詩經)　小心翼翼(詩經)
渙然冰釋(杜預文)　咄咄怪事(晉書)　殷鑑不遠(詩經)

被堅執銳（漢書）　金甌無缺（南史）　先聖先師（禮記）
簞食壺漿（孟子）　白面書生（南史）　睚眦之怨（史記）
色厲內荏（論語）　首鼠兩端（史記）　被髮左衽（論語）
穿窬之盜（禮記）　執鞭之士（論語）　黃屋左纛（史記）
糟糠之妻（後漢書）　食前方丈（孟子）　盤根錯節（後漢書）
肩摩轂擊（史記）　鐵中錚錚（後漢書）　駟不及舌（論語）
氣息奄奄（李密文）　造次顚沛（論語）　六尺之孤（論語）
肉袒膝行（史記）　孩提之童（孟子）　菽水之歡（禮記）
鰥寡孤獨（孟子）　規矩繩墨（禮記）　間不容髮（漢書）
言近指遠（孟子）　桴鼓之間（漢書）　頭童齒豁（韓愈文）
金城湯池（漢書）　懷金垂紫（後漢書）　紆青拖紫（晉書）

累卵之危（後漢書）　佶屈聱牙（韓愈文）　草莽之臣（孟子）
九五之尊（易經）　左提右挈（史記）　前襟後裾（顏氏家訓）
傾蓋而語（家語）　干將莫邪（戰國策）　夢中說夢（冷齋夜話）
寢苫枕塊（儀禮）　麻姑搔背（李白詩）　百發百中（史記）
學步邯鄲（後漢書）　倨傲鮮腆（蘇軾文）　金科玉條（劇秦美新）
轍鮒之患（莊子）　挂劍之信（史記）　牝雞之晨（書經）
忠言逆耳（家語）　坐井見天（韓愈文）　舐糠及米（漢書）
出乎爾者反乎爾（孟子）　意氣揚揚自得（史記）
不屑之敎誨（孟子）　對癡人說夢（冷齋夜話）

用字練習

第一　則乃卽輒便

善醫者不攻其疾。而務養其氣。氣實則病去。（歐陽修）

今羣邪爭進讒巧。正士繼去朝廷。乃臣忘身報國之秋。（歐陽修）

自陳州召至闕。拜司諫。卽欲爲一書以賀。多事卒卒未能也。（歐陽修）

時坐有他客。不能盡所懷。故輒布區區。（歐陽修）

足下在其位而不言。便當去之。無妨他人之堪其任者也。（歐陽修）

第二　肯敢

中外之臣。皆知不便。而未有肯爲國家極言其利害者。（歐陽修）

不肖之身不足惜。而天之所與者。不忍棄。且不敢褻也。（蘇洵）

第三　又亦復

樂其地僻而事簡。又愛其俗之安閑。（歐陽修）

狀貌奇偉。望之而昂然。而卽之温温。而愈可愛慕。其材雖高。而人亦不甚嫉忌。（歐陽修）

是足下不復知人間有羞恥事爾。（歐陽修）

第四　尙猶仍

去一善人。而衆善人尙在。則未爲小人之利。（歐陽修）

仲淹初以忠言讜論。聞於中外。天下賢士爭相稱慕。當時姦臣誣作朋黨。猶難辨明。（歐陽修）

秦穆懲殽之敗。仍用孟明。增修國政。竟刷大恥。（呂祖謙）

第五　適正方將當且

狄公在樞府、號爲寬厚愛人、狎昵士卒、得其歡心、而太尉適承其後。(蘇洵)

方今西北二虜、交爭未已、正是天與陛下經營之時。(歐陽修)

十月七受聖恩、而致身兩制、方思君寵至深、未知報効之所。(歐陽修)

雖知名於時、仕官久而不進、晩而朝廷方將用之、未及而卒。(歐陽修)

河水天災、非人可回、惟當順導防捍之而已。(歐陽修)

皇甫湜曰、若不明白、子與賀且得罪。愈曰、然。(韓愈)

第六　遂終卒了竟

宜上恩德、以與民共樂、刺史之事、遂書以名其亭焉。(歐陽修)

是終無一言而去也、何所取哉。(歐陽修)

自澶至海二千餘里、堤埽不可卒修、修之雖成、又不能捍水。(歐陽修)

今乃不然、反昂然自得、了無媿畏、便毀其賢、以爲當黜。(歐陽修)

秦穆懲殽之敗、仍用孟明、增修國政、竟刷大恥。(呂祖謙)

第七　惟但直徒止唯

朋黨之說、自古有之、惟幸人君辨其君子小人而已。(歐陽修)

爲人君者、但當退小人僞朋、用君子之眞朋、則天下治矣。(歐陽修)

是直可欺當時之人、而不可欺後世也。(歐陽修)

非徒以防其亂、又因而致之、使知尊卑長幼凡人之大倫也。(歐陽修)

不止宦官宮妾在於左右而已。(歐陽修)

過不自料、懃懃勉勵、唯以中正信義爲志。(柳宗元)

第八　哉夫耶乎歟

若賢不肯混、則賢者安肯顧我哉。(歐陽修)

問者嘻曰、不亦善夫。吾問養樹、得養人術。(柳宗元)

晉文以一亡公子、而列於五覇、揆厥本原、果誰之力耶。(呂祖謙)

至於父母之邦、尤君子所祗畏而不敢忽者也、維桑與梓、必

恭敬止於一草一木、猶嚴如是、況於人乎。(呂祖謙)

聖主不加誅、宰臣不見斥、茲非其幸歟。(韓愈)

第九　斯時茲此之諸惟是爰

公之愛斯堂也、雖去而不忘。(歐陽修)

自時厥後、晉有案之敗、齊有郤之敗、楚有鄢陵之敗。(呂祖謙)

由此觀之、佛不足事亦可知矣。(韓愈)

君子不欲加諸人、而惡訐以爲直者。(韓愈)

永州實惟九嶷之麓。(柳宗元)

是以善養生者、愼起居、節飮食、導引關節、吐故納新。(蘇軾)

百廢具興、多士爰集。(蘇軾)

第十　也矣焉

邑犬羣吠。吠所怪也。（屈平）

國家制郡邑。連置守宰。其不可變也固矣。善制兵。謹擇守則理平矣。（柳宗元）

與吾父居者。今其室十無二三焉。與吾居十二年者。今其室十無四五焉。非死則徙爾。（柳宗元）

第十一　言曰云謂

孟子有言。其進鋭者。其退速。（蘇軾）

孔子曰。欲速則不達。見小利則大事不成。（蘇軾）

念報德之何時。悼此心之永已。俯伏流涕。不知所云。（蘇軾）

余謂守原政之大者也。所以承天子。樹霸功。致命諸侯。不宜

謀及媟近。以忝王命。（柳宗元）

第十二　當宜須可

聖人方盛而慮衰。當先立法以救弊。（蘇軾）

雖至仁屢赦。而衆議不容。案罪責情。固宜伏斧鑕於兩觀。（蘇軾）

自古小人讒害忠賢。其說不遠。欲廣陷良善。則不過指爲朋。欲動搖大臣。必須誣以專權。（歐陽修）

繩墨誠陳。規矩誠設。高者不可抑而下也。狹者不可張而廣也。（柳宗元）

訂正中學漢文讀本卷四　終

明治卅四年十月廿五日印刷
明治卅四年十月三十日發行
明治卅五年二月二十日訂正再版印刷
明治卅五年二月廿五日訂正再版發行
明治卅五年十一月廿五日訂正三版印刷
明治卅五年十二月五日訂正三版發行

著作權所有

（訂正中學漢文讀本奥付）

定價
卷一 卷二 各金廿貳錢
卷三 金貳拾參錢
卷四 卷五 各金參拾錢

（卷四、五用）

訂正者　深井鑑一郎

編輯兼發行者　弘文館

發行所　吉川半七
東京市京橋區南傳馬町一丁目

印刷所　吉川印刷工場
東京市京橋區柳町五番地

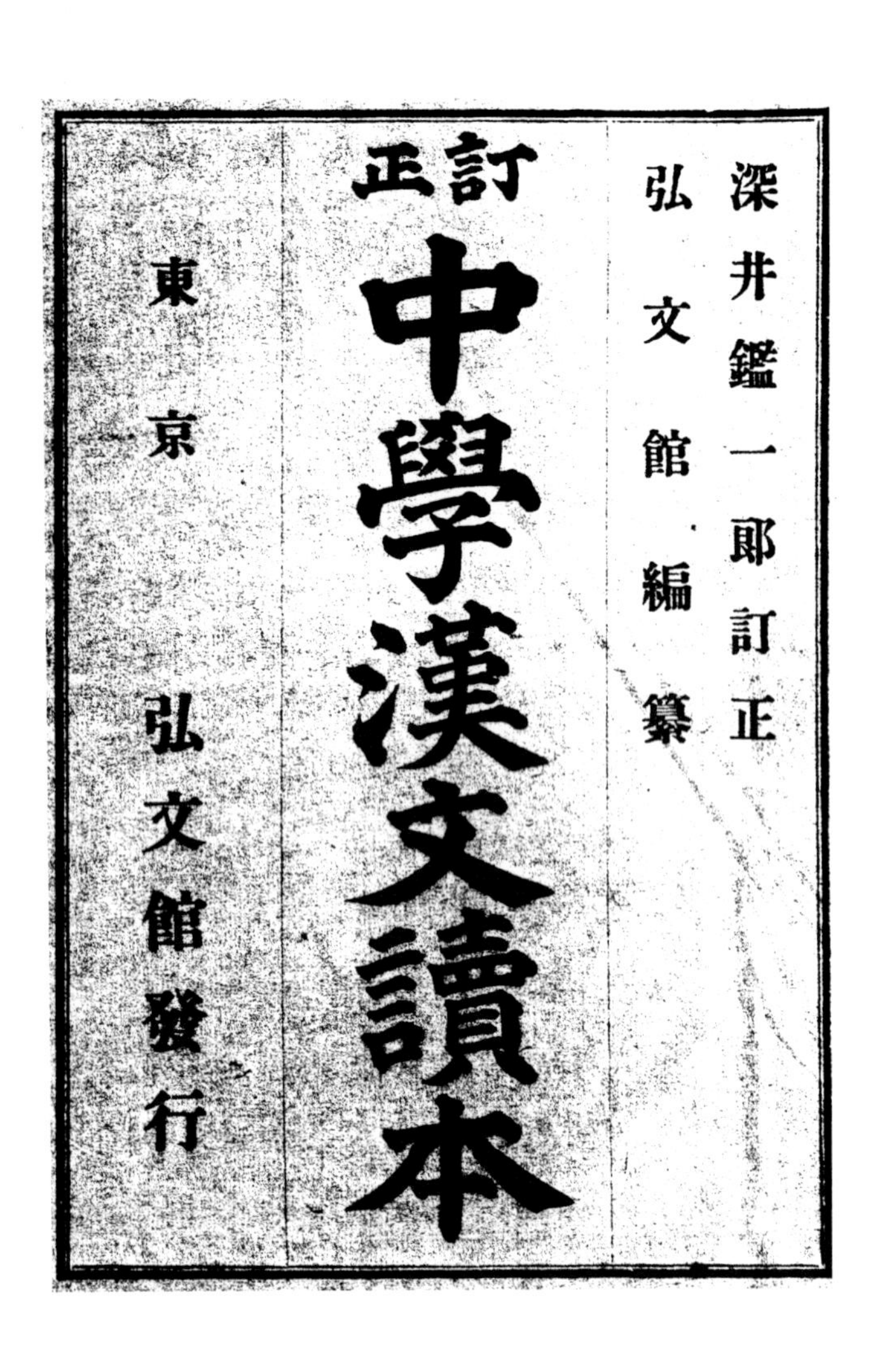
訂正 中學漢文讀本

深井鑑一郎訂正

弘文館編纂

東京 弘文館發行

訂正中學漢文讀本卷五

目次

陳情表 晉 李密 (一)

格言四則 (三)

孝子(詩) 唐 狄仁傑 (五)

慈烏夜啼(詩) 唐 白樂天 (五)

格言三則 (六)

撫州顏魯公祠堂記 宋 曾南豐 (六)

過平原作(詩) 宋 文文山 (一〇)

雜說上 唐 韓退之 (一一)

雜說下 唐 韓退之 (一二)

王彥章畫像記 唐 歐陽永叔 (一三)

豐樂亭記 唐 歐陽永叔 (一七)

喜雨亭記 宋 蘇東坡 (一九)

雷雨(詩) 宋 劉克莊 (二一)

田家行(詩) 唐 王建 (二二)

織女詞(詩) 唐 孟東野 (二二)

格言三則 (二三)

送薛存義序 唐 柳柳州 (二三)

捕蛇者說 唐 柳柳州 (二五)

種樹郭橐駝傳　唐 柳柳州　(二七)
王無罪歲(孟子)　(二九)
孟母斷機(蒙求)　(三二)
孟母三遷の教(漢文國譯、女郎物語)　(三二)
仲尼之徒無道桓文之事者(孟子)　(三四)
宣王拜醜女爲王后(劉向新序)　(四一)
管仲傳(史記)　(四四)
管仲論　宋 蘇老泉　(四七)
上尚德緩刑書　漢 路溫舒　(五一)
商君傳(史記)　(五六)

除肉刑詔　漢 孝文帝　(七〇)
報任安書　漢 司馬遷　(七一)
答蘇武書　漢 李陵　(八三)
蘇武傳(漢書)　(九〇)
蘇武(詩)　唐 李太白　(九八)
胡歌曲(詩)　唐 無名氏　(九九)
諫伐匈奴書　漢 主父偃　(九九)
上范司諫書　宋 歐陽永叔　(一〇三)
義田記　宋 錢公輔　(一〇八)
岳陽樓記　宋 范仲淹　(一一一)

登岳陽樓(詩)　唐 杜子美　(一一三)
初至巴陵與李十二白同泛洞庭湖(詩)　唐 王維　(一一三)
偃虹堤記　宋 歐陽永叔　(一一四)
新修滕王閣記　唐 韓退之　(一一七)
袁州州學記　宋 李泰伯　(一一九)
師說　唐 韓退之　(一二一)
格言八則　(一二四)
小學題解　宋 朱晦庵　(一二六)
符讀書城南(詩)　唐 韓退之　(一二七)

獨樂園記　宋 司馬光　(一二九)
躁進徒爲耳(小學)　(一三〇)
三戒并序　唐 柳柳州　(一三二)
有齊人一妻一妾而處者(孟子)　(一三五)
有齊人一妻一妾而處者の章を譯す(漢文國譯)　伴蒿蹊　(一三六)
歸去來辭　晉 陶淵明　(一三七)
附
用語練習　(一四〇)
用字格　(一四九)

訂正 中學漢文讀本卷五

深井鑑一郎訂正
弘文館編纂

陳情表

晉 李密

臣密言。臣以險釁。夙遭閔凶。生孩六月。慈父見背。行年四歲。舅奪母志。祖母劉愍臣孤弱。躬親撫養。臣少多疾病。九歲不行。零丁孤苦。至于成立。既無伯叔。終鮮兄弟。門衰祚薄。晚有兒息。外無期功彊近之親。內無應門五尺之童。煢煢孑立。形影相弔。而劉夙嬰疾

病。常在牀蓐。臣侍湯藥。未嘗廢離。逮奉聖朝。沐浴清化。前太守臣逵。察臣孝廉。後刺史臣榮。舉臣秀才。臣以供養無主。辭不赴命。詔書特下。拜臣郎中。尋蒙國恩。除臣洗馬。猥以微賤。當侍東宮。非臣隕首所能上報。臣具以表聞。辭不就職。詔書切峻。責臣逋慢。郡縣逼迫。催臣上道。州司臨門。急於星火。臣欲奉詔奔馳。則以劉病日篤。欲苟順私情。則告訴不許。臣之進退。實爲狼狽。伏惟聖朝以孝治天下。凡在故老。猶蒙矜育。況臣孤苦。特爲尤甚。且臣少事僞朝。歷職郎署。本圖宦達。不矜名節。今臣亡國賤俘。至微至陋。過蒙拔

擢。寵命優渥。豈敢盤桓。有所希冀。但以劉日薄西山。氣息奄奄。人命危淺。朝不慮夕。臣無祖母。無以至今日。祖母無臣。無以終餘年。母孫二人。更相爲命。是以區區不能廢遠。臣密今年四十有四。祖母劉今年九十有六。是臣盡節於陛下之日長。報劉之日短也。烏鳥私情。願乞終養。臣之辛苦。非獨蜀之人士及二州牧伯所見明知。皇天后土。實所共鑒。願陛下矜愍愚誠。聽臣微志。庶劉僥倖。卒保餘年。臣生當隕首。死當結草。臣不勝犬馬怖懼之情。謹拜表以聞。

格言四則

凡爲人子之禮。冬溫而夏凊。昏定而晨省。出必告。反必面。所遊必有常。所習必有業。恆言不稱老。(禮記)

孔子謂曾子曰。身體髮膚。受之父母。不敢毀傷。孝之始也。立身行道。揚名於後世。以顯父母。孝之終也。(孝經)

孝子之事親。居則致其敬。養則致其樂。病則致其憂。喪則致其哀。祭則致其嚴。五者備矣。然後能事親。(孝經)

凡子受父母之命。必籍記佩之。時省而速行之。事畢則返命焉。或所命有不可行者。則和色柔聲。具是非利害而白之。待父母之許。然後改之。若不許。苟於事無大害者。亦當曲從。若以父母之命爲非。而直行己

志。雖所行皆是。猶爲不順之子。況未必是乎。（小學）

孝子　唐　狄仁傑

幾度天涯望白雲。今朝歸省見雙親。春秋雖富朱顏在。歲月無憑白髮新。美味調羹呈玉箏。佳殽入饌鱠氷鱗。人生百行無如孝。此志眷眷慕古人。

慈烏夜啼　唐　白樂天

慈烏失其母。啞啞吐哀音。晝夜不飛去。經年守故林。夜夜夜半啼。聞者爲沾襟。聲中如告訴。未盡反哺心。百鳥豈無母。爾獨哀怨深。

應是母慈重。使爾悲不任。昔有吳起去。母歿喪不臨。哀哉若此輩。其心不如禽。慈烏復慈烏。鳥中之曾參。

格言三則

忠臣與孝子。不爲昭昭信節。不爲冥冥惰行。（左傳）

孔子曰。志士仁人。無求生以害仁。有殺身以成仁。（論語）

孔子曰。歲寒然後知松栢之後凋也。（論語）

撫州顏魯公祠堂記　宋　曾南豐

贈司徒魯郡顏公諱眞卿。事唐爲太子太師。與其從父兄杲卿。皆有大節以死。至今雖小夫婦人。皆知公

之爲烈也。初公以忤楊國忠。斥爲平原太守。策安祿山必反。爲之備。祿山既擧兵。與常山太守杲卿伐其後。賊之不能直闚潼關。以公與杲卿撓其勢也。在肅宗時。數正言。宰相不悅。斥去之。又爲御史唐旻所構。連輒斥。李輔國遷太上皇居西宮。公首率百官。請問起居。又輒斥。代宗時。與元載爭論是非。載欲有所壅蔽。公極論之。又輒斥。楊炎盧杞既相德宗。益惡公所爲。連斥之猶不滿意。李希烈陷汝州。杞即以公使希烈。希烈初懾其言。後卒縊公以死。是時公年七十有七矣。天寶之際。久不見兵。祿山既反。天下莫不震動。

公獨以區區平原。遂折其鋒。四方聞之。爭奮而起。唐卒以振者。公爲之倡也。當公之開土門。同日歸公者十七郡。得兵二十餘萬。由此觀之。苟順且誠。天下從之矣。自此至公歿。垂三十年。小人繼續任政。天下日入於弊。大盜繼起。天子輒出避之。唐之在朝臣。多畏怯觀望。能居其間。一忤於世。失所而不自悔者寡矣。至於再三忤於世。失所而不自悔者。蓋未有也。若至於起且仆。以至於七八。遂死而不自悔者。則天下一人而已。若公是也。公之學問文章。往往雜於神仙浮屠之說。不皆合於理。及其奮然自立。能至於此者。蓋

天性然也。故公之能處其死。不足以觀公之大。何則及至於勢窮。義有不得不死。雖中人可勉焉。況公之自信也歟。唯歷忤大奸。顚跌撼頓。至於七八。而終始不以死生禍福。爲秋毫顧慮。非篤於道者。不能如此。此足以觀公之大也。夫世之治亂不同。而士之去就亦異。若伯夷之淸・伊尹之任・孔子之時。彼各有義。夫旣自比於古之任者矣。乃欲晩顧回隱。以市於世。其可乎。故孔子惡鄙夫不可以事君。而多殺身以成仁者。若公非孔子所謂仁者歟。今天子至和三年。尙書都官郎中知撫州聶君厚載・尙書屯田員外郎通判

撫州林君慥。相與慕公之烈。以公之嘗爲此邦也。遂爲堂而祠之。旣成。二君過予之家。而告之曰。願有述。夫公之赫赫不可蓋者。固不繫於祠之有無。蓋人之嚮往之不足者。非祠則無以致其志也。聞其烈足以感人。況拜其祠而親炙之者歟。今州縣之政。非法令所及者。世不復議。二君獨能追公之節。尊而事之。以風示當世。爲法令之所不及。是可謂有志者也。

過平原作

宋　文　文山

平原太守顏眞卿・　長安天子不知名。　一朝漁陽動鼙鼓。　大江以北無堅城。　公家兄弟奮戈起。

一十七郡連夏盟。　賊聞失色分兵還。　不敢長驅入咸京。　明皇父子將西狩。　由是靈武起義兵。　唐家再造李・郭力。　若論牽制公威靈。　哀哉常山慘鉤舌。　心歸朝廷氣不懾。　崎嶇坎坷不得志。　出入四朝老忠節。　當年幸脫安祿山。　白首竟陷李希烈。　希烈安能遽殺公。　宰相盧杞欺日月。　亂臣賊子歸何處。　茫茫煙草中原土。　公死於今六百年。　忠精赫赫雷當天。

雜說上

唐　韓　退之

龍噓氣成雲。雲固弗靈於龍也。然龍乘是氣。茫洋窮

乎玄間。薄日月。伏光景。感震電。神變化。水下土。汨陵谷。雲亦靈怪矣哉。雲龍之所能使爲靈也。若龍之靈。則非雲之所能使爲靈也。然龍不得雲。無以神其靈矣。失其所憑依。信不可歟。異哉其所憑依。乃其所自爲也。易曰。雲從龍。旣曰龍。雲從之矣。

雜說下

唐　韓　退之

世有伯樂。然後有千里馬。千里馬常有。而伯樂不常有。故雖有名馬。祗辱於奴隷人之手。駢死於槽櫪之間。不以千里稱也。馬之千里者。一食或盡粟一石。食馬者。不知其能千里而食也。是馬也。雖有千里之能。

食不飽力不足。才美不外見。且欲與常馬等不可得。安求其能千里也。策之不以其道。食之不能盡其材。鳴之不能通其意。執策而臨之曰。天下無良馬。嗚呼。其眞無馬耶。其眞不識馬耶。

王彦章畫像記

宋　歐陽永叔

太師王公諱彦章。字子明。鄆州壽昌人也。事梁爲宣義軍節度使。以身死國。葬鄭州之管城。晉天福二年。始贈太師。公在梁。以智勇聞。梁・晉之爭數百戰。其爲勇將多矣。而晉人獨畏彦章。自乾化後。常與晉戰。屢困莊宗於河上。及梁末年。小人趙巖等用事。梁之大

臣老將。多以讒不見信。皆怒而有怠心。而梁亦盡失河北。事勢已去。諸將多懷顧望。獨公奮然自必。不少屈撓。志雖不就。卒死以忠。公既死。而梁亦亡矣。悲夫。五代終始纔五十年。而更十有三君。五易國而八姓。士之不幸而出乎其時。能不汙其身。得全其節者鮮矣。公本武人。不知書。其語質。平生嘗謂人曰。豹死留皮。人死留名。蓋其義勇忠信。出於天性而然。予於五代書。竊有善善惡惡之志。至於公傳。未嘗不感憤歎息。惜乎舊史殘略。不能備公之事。康定元年。予以節度判官來此。求於滑人。得公之孫睿所錄家傳。頗多

於舊史。其記德勝之戰尤詳。又言。敬翔怒末帝不肯用公。欲自經於帝前。公因用笏畫山川。爲御史彈而見廢。又言。公五子。其二同公死節。此皆舊史無之。又云。公在滑。以讒自歸於京師。而史云召之。是時梁兵盡屬段凝。京師羸兵不滿數千。公得保鑾五百人之鄆州。以力寡敗於中都。而史云將五千以往者。亦皆非也。公之攻德勝也。初受命於帝前。期以三日破敵。梁之將相聞者皆竊笑。及破南城果三日。是時莊宗在魏。聞公復用。料公必速攻。自魏馳馬來救。已不及矣。莊宗之善料。公之善出奇。何其神哉。今國家罷兵

四十年。一旦元昊反。敗軍殺將。連四五年。而攻守之計。至今未決。予嘗獨持用奇取勝之議。而歎邊將屢失其機。時人聞予說者。或笑以爲狂。或忽若不聞。雖予亦惑。不能自信。及讀公家傳。至於德勝之捷。乃知古之名將必出於奇。然後能勝。然非審於爲計者。不能出奇。奇在速。速在果。此天下偉男子之所爲。非拘牽常算之士可到也。每讀其傳。未嘗不想見其人。後二年。予復來通判州事。歲之正月。過俗所謂鐵槍寺者。又得公畫像而拜焉。歲久磨滅。隱隱可見。亟命工完理之。而不敢有加焉。懼失其眞也。公尤善用槍。當

時號王鐵槍。公死已百年。至今俗猶以名其寺。童兒牧豎皆知王鐵槍之爲良將也。一槍之勇同時豈無。而公獨不朽者。豈其忠義之節使然歟。畫已百餘年矣。完之復可百年。然公之不泯者。不繫乎畫之存不存也。而予尤區區如此者。蓋其希慕之至焉耳。讀其書尙想乎其人。況得拜其像識其面目。不忍見其壞也。畫已完。因書予所得者于後。而歸其人使藏之。

豐樂亭記

宋　歐陽永叔

修既治滁之明年夏。始飲滁水而甘。問諸滁人。得於州南百步之近。其上豐山聳然而特立。下則幽谷窈

然而深藏。中有淸泉。滃然而仰出。俯仰左右。顧而樂之。於是疏泉鑿石。闢地以爲亭。而與滁人往遊其閒。滁於五代干戈之際。用武之地也。昔太祖皇帝嘗以周師破李景兵十五萬於淸流山下。生擒其將皇甫暉・姚鳳於滁東門之外。遂以平滁。修嘗考其山川。按其圖記。升高以望淸流之關。欲求暉・鳳就擒之所。而故老皆無在者。蓋天下之平久矣。自唐失其政。海內分裂。豪傑並起而爭。所在爲敵國者何可勝數。及宋受天命。聖人出而四海一。嚮之憑恃險阻。剷削消磨。百年之閒。漠然徒見山高而水淸。欲問其事。而遺老

盡矣。今滁介於江・淮之閒。舟車商賈。四方賓客之所不至。民生不見外事。而安於畎畝衣食。以樂生送死。而孰知上之功德休養生息。涵煦百年之深也。修之來此。樂其地僻而事簡。又愛其俗之安閒。既得斯泉於山谷之閒。乃日與滁人仰而望山。俯而聽泉。掇幽芳而蔭喬木。風霜冰雪。刻露淸秀。四時之景無不可愛。又幸其民樂其歲物之豐成。而喜與予遊也。因爲本其山川。道其風俗之美。使民知所以安此豐年之樂者。幸生無事之時也。夫宣上恩德。以與民共樂。刺史之事也。遂書以名其亭焉。

喜雨亭記

宋　蘇東坡

亭以雨名。志喜也。古者有喜則以名物。示不忘也。周公得禾以名其書。漢武得鼎以名其年。叔孫勝狄以名其子。其喜之大小不齊。其示不忘一也。余至扶風之明年。始治官舍。爲亭於堂之北。而鑿池其南。引流種樹。以爲休息之所。是歲之春。雨麥於岐山之陽。其占爲有年。既而彌月不雨。民方以爲憂。越三月乙卯乃雨。甲子又雨。民以爲未足。丁卯大雨。三日乃止。官吏相與慶於庭。商賈相與歌於市。農夫相與抃於野。憂者以樂。病者以愈。而吾亭適成。於是擧酒於亭上。

以屬客而告之曰。五日不雨可乎。曰。五日不雨則無麥。十日不雨可乎。曰。十日不雨則無禾。無麥無禾。歲且荐饑。獄訟繁興。而盜賊滋熾。則吾與二三子。雖欲優遊以樂於此亭。其可得耶。今天不遺斯民。始旱而賜之以雨。使吾與二三子。得相與優遊而樂於此亭者。皆雨之賜也。其又可忘邪。既以名亭。又從而歌之曰。使天而雨珠。寒者不得以爲襦。使天而雨玉。飢者不得以爲粟。一雨三日。繄誰之力。民曰。太守。太守不有。歸之天子。天子曰。不然。歸之造物。造物不自以爲功。歸之太空。太空冥冥。不可得而名。吾以名吾亭。

雷雨　宋　劉克莊

海激天飜電雹嗔。蒼松十丈劈爲薪。須臾龍卷他山去。誤殺田頭望雨人。

田家行　唐　王建

男聲欣欣女顏悅。人家不怨言語別。五月雖熱麥風淸。簷頭索索繰車鳴。野蠶作繭人不取。葉間撲撲秋蛾生。麥收上場絹在軸。的知輸得官家足。不望入口復上身。且免向城賣黃犢。田家衣食無厚薄。不見縣門身即樂。

織女詞　唐　孟東野

夫是田中郞。妾是田中女。當年嫁得君。爲君秉機杼。筋力日已疲。不息窻下機。如何織紈素。自著藍縷衣。官家牓邨路。更索栽桑樹。

格言三則

治國之道。富民爲始。富民之要。在於節儉。(史記)

武王曰。惟天地萬物父母。惟人萬物之靈。亶聰明作元后。元后爲民父母。(書經)

孔子曰。苛政猛於虎也。虎之殺人。出於倉卒之不免。苛政之害。雖未至死。而朝夕有愁思之苦。不如速死之爲愈。此所以猛於虎。爲人上者。可不知此哉。(禮記)

送薛存義序　唐　柳柳州

河東薛存義將行。柳子載肉于俎。崇酒于觴。追而送之江之滸。飮食之。且告曰。凡吏于土者。知其職乎。蓋民之役。非以役民而已也。凡民之食於土者。出其什一。傭乎吏。使司平於我也。今受其直。怠其事者。天下皆然。豈惟怠之。又從而盜之。向使傭一夫於家。受若直。怠若事。又盜若貨器。則必甚怒而黜罰之矣。以今天下多類此。而民莫敢肆其怒與黜罰。何哉。勢不同也。勢不同。而理同。如吾民何。有達于理者。得不恐而畏乎。存義假令零陵二年矣。蚤作而夜思。勤力而勞心。訟者平。賦者均。老弱無懷詐暴憎。其爲不虛取直也的矣。其知恐而畏也審矣。吾賤且辱。不得與考績幽明之說。於其往也。故賞之以酒肉。而重之以辭。

捕蛇者說　　唐　柳　柳州

永州之野。產異蛇。黑質而白章。觸草木盡死。以齧人。無禦之者。然得而腊之。以爲餌。可以已大風・攣踠・瘻癘。去死肌。殺三蟲。其始太醫以王命聚之。歲賦其二。募有能捕之者。當其租入。永之人爭奔走焉。有蔣氏者。專其利三世矣。問之則曰。吾祖死於是。吾父死於是。今吾嗣爲之十二年。幾死者數矣。言之。貌若甚戚

者。余悲之。且曰。若毒之乎。余將告於莅事者。更若役。復若賦。則何如。蔣氏大戚。汪然出涕曰。君將哀而生之乎。則吾斯役之不幸。未若復吾賦不幸之甚也。嚮吾不爲斯役。則久已病矣。自吾氏三世居是鄉。積於今六十歲矣。而鄉鄰之生日蹙。殫其地之出。竭其廬之入。號呼而轉徙。餓渴而頓踣。觸風雨。犯寒暑。呼噓毒癘。往往而死者相藉也。曩與吾祖居者。今其室十無一焉。與吾父居者。今其室十無二三焉。與吾居十二年者。今其室十無四五焉。非死則徙爾。而吾以捕蛇獨存。悍吏之來吾鄉。叫囂乎東西。隳突乎南北。譁

然而駭者。雖雞狗不得寧焉。吾恂恂而起。視其缶。而吾蛇尚存。則弛然而臥。謹食之。時而獻焉。退而甘食其土之有。以盡吾齒。蓋一歲之犯死者二焉。其餘則熙熙而樂。豈若吾鄉鄰之旦旦有是哉。今雖死乎此。比吾鄉鄰之死。則已後矣。又安敢毒邪。余聞而愈悲。孔子曰。苛政猛於虎也。吾嘗疑乎是。今以蔣氏觀之。猶信。嗚呼。孰知賦斂之毒。有甚是蛇者乎。故爲之說。以俟夫觀人風者得焉。

種樹郭橐駝傳　　唐　柳　柳州

郭橐駝。不知始何名。病僂隆然伏行。有類橐駝者。故

鄉人號曰駝。駝聞之曰。甚善。名我固當。因捨其名。亦自謂橐駝云。其鄉曰豐樂鄉。在長安西。駝業種樹。凡長安豪富人。爲觀遊及賣果者。皆爭迎取養。視駝所種樹。或移徙。無不活。且碩茂蚤實以蕃。他植者雖窺伺傚慕。莫能如也。有問之。對曰。橐駝非能使木壽且孳也。能順木之天。以致其性焉爾。凡植木之性。其本欲舒。其培欲平。其土欲故。其築欲密。既然已。勿動勿慮。去不復顧。其蒔也若子。其置也若棄。則其天者全。而其性得矣。故吾不害其長而已。非有能碩茂之也。不抑耗其實而已。非有能蚤而蕃之也。他植者則不

然根拳而土易。其培之也。若不過焉。則不及焉。苟能有反是者。則又愛之太恩。憂之太勤。旦視而暮撫。已去而復顧。甚者爪其膚。以驗其生枯。搖其本以觀其疏密。而木之性日以離矣。雖曰愛之。其實害之。雖曰憂之。其實讎之。故不我若也。吾又何能爲哉。問者曰。以子之道。移之官理可乎。駝曰。我知種樹而已。理非吾業也。然吾居鄉。見長人者。好煩其令。若甚憐焉。而卒以禍。旦暮吏來而呼曰。官命促爾耕。勗爾植。督爾穫。蚤繅而緒。蚤織而縷。字而幼孩。遂而雞豚。鳴鼓而聚之。擊木而召之。吾小人輟飧饔以勞吏者。且不得

暇。又何以蕃吾生而安吾性耶。故病且怠。若是則與吾業者。其亦有類乎。問者嘻曰。不亦善夫。吾問養樹。得養人術。傳其事以爲官戒也。

王無罪歲（孟子）

梁惠王曰。寡人之於國也。盡心焉耳矣。河內凶則移其民於河東。移其粟於河內。河東凶亦然。察鄰國之政。無如寡人之用心者。鄰國之民不加少。寡人之民不加多何也。孟子對曰。王好戰。請以戰喩。塡然鼓之。兵刃既接。棄甲曳兵而走。或百步而後止。或五十步而後止。以五十步笑百步。則何如。曰。不可。直不百步

耳。是亦走也。曰。王如知此。則無望民之多於鄰國也。不違農時。穀不可勝食也。數罟不入洿池。魚鼈不可勝食也。斧斤以時入山林。材木不可勝用也。穀與魚鼈不可勝食。材木不可勝用。是使民養生喪死無憾也。養生喪死無憾。王道之始也。五畝之宅。樹之以桑。五十者可以衣帛矣。雞豚狗彘之畜。無失其時。七十者可以食肉矣。百畝之田。勿奪其時。數口之家。可以無饑矣。謹庠序之敎。申之以孝悌之義。頒白者不負戴於道路矣。七十者衣帛食肉。黎民不饑不寒。然而不王者。未之有也。狗彘食人食而不知檢。塗有餓莩

而不知發。人死則曰。非我也歲也。是何異於刺人而殺之。曰。非我也兵也。王無罪歲。斯天下之民至焉。

孟母斷織（蒙求）

古列女傳。鄒孟軻母。其舍近墓。孟子少嬉遊。爲墓閒之事。孟母曰。此非吾所以居處子也。乃去舍市傍。其嬉戲乃賈人衒賣之事。又曰。此非吾所以居處子也。復徙舍學官之旁。其嬉戲乃設俎豆揖讓進退。孟母曰。眞可以居吾子矣。遂居。及孟子既學而歸。孟母問學所至。孟子曰。自若也。孟母以刀斷其織。曰。子之廢學。若吾斷斯織也。孟子懼。旦夕勤學不息。師事子思。

遂成名儒。君子謂孟母知爲人母之道。

孟母三遷の教（漢文國譯）

孟子といひける大賢の母ぎみ、其の家、墓の側にありければ、孟子幼かりしほどの戲に、つねに、其の墓のいとなみを見習ひつつ、人を埋み、墓を築くまねをし給へりしかば、彼の母、これを見て、我が子の居るべき所にあらずとて、家の所をかへ給へるに、市の側なりければ、孟子、また、商人のまねを戲にゑたまへり。母、また、我が子の居らん所ならずといひて、學官の邊に家をうつして、住み給ひければ、孟子、亦、其の學者の業を見ならひて、遊びたはぶれにも、禮をなし、爼豆とて禮に

用ふる道具をこしらへなども給ひけり。母これをみて、ここそは、誠に我が子のあるべき所なれとて、家居をさだめ給ひければ、孟子成人したまふままに、終に大儒の名をとげ給ひき。かやうに、母の心用ひによりて、其の子の見ならふ所の善惡侍れば、人の母として、子を育つる道は、つつしむべき業にこそ。（女郎物語）

仲尼之徒無道桓文之事者（孟子）

齊宣王問曰。齊桓・晉文之事。可得聞乎。孟子對曰。仲尼之徒。無道桓・文之事者。是以後世無傳焉。臣未之聞也。無以則王乎。曰。德何以則可以王矣。曰。保民而

王。莫之能禦也。曰。若寡人者。可以保民乎哉。曰。可。曰。何由知吾可也。曰。臣聞之胡齕。曰。王坐於堂上。有牽牛而過堂下者。王見之曰。牛何之。對曰。將以釁鐘。王曰。舍之。吾不忍其觳觫若無罪而就死地。對曰。然則廢釁鐘與。曰。何可廢也。以羊易之。不識有諸。曰。有之。曰。是心足以王矣。百姓皆以王爲愛也。臣固知王之不忍也。王曰。然。誠有百姓者。齊國雖褊少。吾何愛一牛。卽不忍其觳觫若無罪而就死地。故以羊易之也。曰。王無異於百姓之以王爲愛也。以小易大。彼惡知之。王若隱其無罪而就死地。則牛羊何擇焉。王笑曰。

是誠何心哉。我非愛其財而易之以羊也。宜乎百姓之謂我愛也。曰。無傷也。是乃仁術也。見牛未見羊也。君子之於禽獸也。見其生。不忍見其死。聞其聲。不忍食其肉。是以君子遠庖廚也。王說曰。詩云。他人有心。予忖度之。夫子之謂也。夫我乃行之。反而求之。不得吾心。夫子言之。於我心有戚戚焉。此心之所以合於王者何也。曰。有復於王者。曰。吾力足以擧百鈞。而不足以擧一羽。明足以察秋毫之末。而不見輿薪。則王許之乎。曰。否。今恩足以及禽獸。而功不至於百姓者。獨何與。然則一羽之不擧。爲不用力焉。輿薪之不見。

爲不用明焉。百姓之不見保。爲不用恩焉。故王之不王不爲也。非不能也。曰。不爲者與不能者之形何以異。曰。挾泰山以超北海。語人曰。我不能。是誠不能也。爲長者折枝。語人曰。我不能。是不爲也。非不能也。故王之不王。非挾泰山以超北海之類也。王之不王。是折枝之類也。老吾老以及人之老。幼吾幼以及人之幼。天下可運於掌。詩云。刑于寡妻。至于兄弟。以御于家邦。言擧斯心。加諸彼而已。故推恩足以保四海。不推恩無以保妻子。古之人所以大過人者。無他焉。善推其所爲而已矣。今恩足以及禽獸。而功不至於百

姓者。獨何與。權然後知輕重。度然後知長短。物皆然。心爲甚。王請度之。抑王興甲兵。危士臣。構怨於諸侯。然後快於心與。王曰。否。吾何快於是。將以求吾所大欲也。曰。王之所大欲。可得聞與。王笑而不言。曰。爲肥甘不足於口與。輕煖不足於體與。抑爲采色不足視於目與。聲音不足聽於耳與。便嬖不足使令於前與。王之諸臣。皆足以供之。而王豈爲是哉。曰。否。吾不爲是也。曰。然則王之所大欲可知已。欲辟土地。朝秦楚。莅中國。而撫四夷也。以若所爲。求若所欲。猶緣木而求魚也。王曰。若是其甚與。曰。殆有甚焉。緣木求魚。雖

不得魚。無後災。以若所爲。求若所欲。盡心力而爲之。後必有災。曰。可得聞與。曰。鄒人與楚人戰。則王以爲孰勝。曰。楚人勝。曰。然則小固不可以敵大。寡固不可以敵衆。弱固不可以敵彊。海內之地。方千里者九。齊集有其一。以一服八。何以異於鄒敵楚哉。蓋亦反其本矣。今王發政施仁。使天下仕者皆欲立於王之朝。耕者皆欲耕於王之野。商賈皆欲藏於王之市。行旅皆欲出於王之塗。天下之欲疾其君者。皆欲赴愬於王。其如是孰能禦之。王曰。吾惛不能進於是矣。願夫子輔吾志。明以敎我。我雖不敏。請嘗試之。曰。無恆產

而有恆心者。惟士爲能。若民則無恆產。因無恆心。苟無恆心。放辟邪侈。無不爲已。及陷於罪。然後從而刑之。是罔民也。焉有仁人在位。罔民而可爲也。是故明君制民之產。必使仰足以事父母。俯足以畜妻子。樂歲終身飽。凶年免於死亡。然後驅而之善。故民之從之也輕。今也制民之產。仰不足以事父母。俯不足以畜妻子。樂歲終身苦。凶年不免於死亡。此惟救死而恐不贍。奚暇治禮義哉。王欲行之。則盍反其本矣。五畝之宅。樹之以桑。五十者可以衣帛矣。雞豚狗彘之畜。無失其時。七十者可以食肉矣。百畝之田。勿奪其

時。八口之家。可以無飢矣。謹庠序之教。申之以孝悌之義。頒白者不負戴於道路矣。老者衣帛食肉。黎民不飢不寒。然而不王者。未之有也。

宣王拜醜女爲后 (劉向新序)

齊有婦人。極醜無雙。號曰無鹽女。其爲人也。臼頭深目。長壯大節。昂鼻結喉。肥項少髮。折腰出胷。皮膚若漆。行年三十。無所容入。衒嫁不售。流棄莫執。於是乃拂拭短褐。自詣宣王。願一見。謂謁者曰。妾齊之不售女也。聞君王之聖德。願備後宮之埽除。頓首司馬門外。唯王幸許之。謁者以聞。宣王方置酒於漸臺。左右

聞之。莫不揜口而大笑。曰。此天下强顏女子也。於是宣王乃召而見之。謂曰。昔先王爲寡人取妃匹。皆已備有列位矣。寡人今日聽鄭衞之聲。嘔吟感傷。揚激楚之遺風。今夫人不容鄉里布衣。而欲干萬乘之主。亦有奇能乎。無鹽女對曰。無有。直竊慕大王之美義耳。王曰。雖然何喜。良久曰。竊嘗喜隱。王曰。隱固寡人之所願也。試一行之。言未卒。忽然不見矣。宣王大驚。立發隱書而讀之。退而惟之。又不能得。明日復更召而問之。又不以隱對。但揚目銜齒。擧手拊肘曰。殆哉殆哉。如此者四。宣王曰。願遂聞命。無鹽女對曰。今大

王之君國也。西有衡秦之患。南有强楚之讐。外有三國之難。內聚姦臣。衆人不附。春秋四十。壯男不立。不務衆子。而務衆婦。尊所好。而忽所恃。一旦山陵崩弛。社稷不定。此一殆也。漸臺五重。黃金白玉。琅玕龍疏。翡翠珠璣。莫落連飾。萬民罷極。此二殆也。賢者伏匿於山林。諂諛强於左右。邪僞立於本朝。諫者不得通入。此三殆也。酒漿流湎。以夜續朝。女樂俳優。從橫大笑。外不修諸侯之禮。內不秉國家之治。此四殆也。故曰。殆哉殆哉。於是宣王掩然無聲。意入黃泉。忽然而昂。喟然而嘆曰。痛乎無鹽君之言。吾今乃一聞。寡人

之殆。寡人之殆。幾不全。於是立停漸臺。罷女樂。退諂諛。去彫琢。選兵馬。實府庫。四闢公門。招進直言。延及側陋。擇吉日。立太子。進慈母。顯隱女。拜無鹽君爲王后。而國大安者。醜女之力也。

管仲傳 (史記)

管仲夷吾者。潁上人也。少時常與鮑叔牙遊。鮑叔知其賢。管仲貧困。常欺鮑叔。鮑叔終善遇之。不以爲言。已而鮑叔事齊公子小白。管仲事公子糾。及小白立爲桓公。公子糾死。管仲囚焉。鮑叔遂進管仲。既用任政於齊。齊桓公以覇。九合諸侯。一匡天下。管仲之謀

也。管仲曰、吾始困時、嘗與鮑叔賈。分財利多自與。鮑叔不以我爲貪。知我貧也。吾嘗爲鮑叔謀事。而更窮困。鮑叔不以我爲愚。知時有利不利也。吾嘗三仕三見逐於君。鮑叔不以我爲不肖。知我不遭時也。吾嘗三戰三走。鮑叔不以我爲怯。知我有老母也。公子糾敗。召忽死之。吾幽囚受辱。鮑叔不以我爲無恥。知我不羞小節。而恥功名不顯於天下也。生我者父母。知我者鮑子也。鮑叔既進管仲。以身下之。子孫世祿於齊。有封邑者十餘世。常爲名大夫。天下不多管仲之賢。而多鮑叔能知人也。管仲既任政相齊。以區區之

齊。在海濱。通貨積財。富國彊兵。與俗同好惡。故其稱曰、倉廩實而知禮節。衣食足而知榮辱。上服度則六親固。四維不張。國乃滅亡。下令如流水之原。令順民心。故論卑而易行。俗之所欲。因而予之。俗之所否。因而去之。其爲政也。善因禍而爲福。轉敗而爲功。貴輕重。愼權衡。桓公實怒少姬。南襲蔡。管仲因而伐之。責包茅不入貢於周室。桓公實北征山戎。而管仲因而令燕修召公之政。於柯之會。桓公欲背曹沫之約。管仲因而信之。諸侯由是歸齊。故曰、知與之爲取。政之寶也。管仲富擬於公室。有三歸反坫。齊人不以爲侈。

管仲卒。齊國遵其政。常彊於諸侯。後百餘年。而有晏子焉。

管仲論

宋　蘇老泉

管仲有疾。桓公往問之曰、仲父之疾病矣。將何以敎寡人。管仲對曰、願君之遠易牙。豎刁。衞公子啓方。公曰、易牙烹其子。以愜寡人。猶尚可疑邪。管仲對曰、人之情。非不愛其子也。其子之忍。又將何有於君。公又曰、豎刁自宮。以近寡人。猶尚可疑邪。管仲對曰、人之情。非不愛其身也。其身之忍。又將何有於君。公又曰、衞公子啓方。事寡人十五年矣。其

父死而不敢歸哭。猶尚可疑邪。管仲對曰、人之情非不愛其父也。其父之忍。又將何有於君。公曰、諾。管仲死。盡逐之。食不甘。官不治。朝不肅。居三年。公曰、仲父不亦過乎。孰謂仲父盡之乎。於是皆復召而反。明年公有病。易牙豎刁與常之巫。作亂。塞宮門。築高牆不通人。矯以公令。公索食飮。不能得。衞公子啓方。以書社四十下衞。公慨焉歎。涕出曰、嗟乎。聖人之所見。豈不遠哉。若死者有知。我何面目以見仲父乎。蒙衣袂而絶乎壽宮。蟲流出於戶上。蓋以楊門之扇。三月不葬。事見管子及呂覽。而詳

略互有不同。

管仲相桓公。霸諸侯。攘戎狄。終其身。齊國富強。諸侯不敢叛。管仲死。豎刁・易牙・開方用。桓公薨於亂。五公子爭立。其禍蔓延。訖簡公。齊無寧歲。夫功之成。非成於成之日。蓋必有所由起。禍之作。不作於作之日。亦必有所由兆。則齊之治也。吾不曰管仲。而曰鮑叔。及其亂也。吾不曰豎刁・易牙・開方。而曰管仲。何則豎刁・易牙・開方三子。彼固亂人國者。顧其用之者桓公也。夫有舜而後知放四凶。有仲尼而後知去少正卯。彼桓公何人也。顧其使桓公得用三子者。管仲也。仲之

疾也。公問之相。當是時也。吾以仲且舉天下之賢者以對。而其言乃不過曰豎刁・易牙・開方三子非人情。不可近而已。嗚呼。仲以爲桓公果不用三子矣乎。仲與桓公處幾年矣。亦知桓公之爲人矣乎。威公聲不絶乎耳。色不絶乎目。而非三子者。則無以遂其欲。彼其初之所以不用者。徒以有仲焉耳。一日無仲。則三子者可以彈冠而相慶矣。仲以爲將死之言。可以縶桓公之手足邪。夫齊國不患有三子。而患無仲。有仲則三子者三匹夫耳。不然天下豈少三子之徒哉。雖桓公幸而聽仲。誅此三人。而其餘者仲能悉數而去

之邪。嗚呼仲可謂不知本者矣。因桓公之問。舉天下之賢者以自代。則仲雖死。而齊國未爲無仲也。夫何患三子者。不言可也。五霸莫盛於桓・文。文公之才。不過桓公。其臣又皆不及仲。靈公之虐。不如孝公之寬厚。文公死。諸侯不敢叛晉。晉襲文公之餘威。得爲諸侯之盟主百餘年。何者其君雖不肖。而尚有老成人焉。威公之薨也。一敗塗地。無惑也。彼獨恃一管仲。而仲則死矣。天下未嘗無賢者。蓋有有臣而無君者矣。桓公在焉。而曰天下不復有管仲者。吾不信也。仲之書有記其將死論鮑叔・賓胥無之爲人。且各疏其短。

是其心以爲是數子者皆不足以託國。而又逆知其將死。則其書誕謾不足信也。吾觀史鰌以不能進蘧伯玉而退彌子瑕。故有身後之諫。蕭何且死。舉曹參以自代。大臣之用心。固宜如此也。一國以一人興。以一人亡。賢者不悲其身之死。而憂其國之衰。故必復有賢者。而後可以死。彼管仲者。何以死哉。

上尚德緩刑書　　漢　路溫舒

臣聞齊有無知之禍。而桓公以興。晉有驪姬之難。而文公用伯。近世趙王不終。諸呂作亂。而孝文爲太宗。繇是觀之。禍亂之作。將以開聖人也。故桓・文扶微興

壞。尊文・武之業。澤加百姓。功潤諸侯。雖不及三王。天下歸仁焉。文帝永思至德。以承天心。崇仁義。省刑罰。通關梁。一遠近。敬賢如大賓。愛民如赤子。內恕情之所安。而施之於海內。是以囹圄空虛。天下太平。夫繼變化之後。心有異舊之恩。此賢聖所以昭天命也。往者昭帝卽世而無嗣。大臣憂戚。焦心合謀。皆以昌邑尊親。援而立之。然天不授命。淫亂其心。遂以自亡。深察禍變之故。迺皇天之所以開至聖也。故大將軍受命武帝。股肱漢國。披肝膽。決大計。黜亡義。立有德。輔天而行。然後宗廟以安。天下咸寧。臣聞春秋正卽位。

大一統而愼始也。陛下初登至尊。與天合符。宜改前世之失。正始受命之統。滌煩文。除民疾。存亡繼絕。以應天意。臣聞秦有十失。其一尙存。治獄之吏是也。秦之時。羞文學。好武勇。賤仁義之士。貴治獄之吏。正言者謂之誹謗。遏過者謂之妖言。故盛服先生。不用於世。忠良切言。皆鬱於胸。譽諛之聲。日滿於耳。虛美薰心。實禍蔽塞。此乃秦之所以亡天下也。方今天下賴陛下恩厚。亡金革之危。饑寒之患。父子夫妻。戮力安家。然太平未洽者。獄亂之也。夫獄者。天下大命也。死者不可復生。斷者不可復屬。書曰。與其殺不辜。寧失

不經。今治獄吏則不然。上下相毆。以刻爲明。深者獲公名。平者多後患。故治獄之吏。皆欲人死。非憎人也。自安之道。在人之死。是以死人之血。流離於市。被刑之徒。比肩而立。大辟之計。歲以萬數。此仁聖之所以傷也。太平之未洽。凡以此也。夫人情安則樂生。痛則思死。棰楚之下。何求而不得。故囚人不勝痛。則飾辭以視之。吏治者利其然。則指道以明之。上奏畏卻。則鍛鍊而周內之。蓋奏當之成。雖咎繇聽之。猶以爲死有餘辜。何則成練者衆。文致之罪明也。是以獄吏專爲深刻殘賊而亡極。媮爲一切。不顧國患。此世之

大賊也。故俗語曰。畫地爲獄。議不入。刻木爲吏。期不對。此皆疾吏之風。悲痛之辭也。故天下之患。莫深於獄。敗法亂正。離親塞道。莫甚乎治獄之吏。此所謂一尙存者也。臣聞烏鳶之卵不毀。而後鳳皇集。誹謗之罪不誅。而後良言進。故古人有言。山藪藏疾。川澤納汚。瑾瑜匿惡。國君含詬。唯陛下除誹謗。以招切言。闓天下之口。廣箴諫之路。掃亡秦之失。尊文・武之悳。省法制。寬刑罰。以廢治獄。則太平之風。可興於世。永履和樂。與天亡極。天下幸甚。

商君傳（史記）

商君者。衞之諸庶孼公子也。名鞅。姓公孫氏。其祖本姬姓也。鞅少好刑名之學。事魏相公叔座。爲中庶子。公叔座知其賢。未及進。會座病。魏惠王親往問疾曰。公叔病有如不可諱。將奈社稷何。公叔曰。座之中庶子公孫鞅。年雖少。有奇才。願王擧國而聽之。王嘿然。王且去。座屏人言曰。王卽不聽用鞅。必殺之。無令出境。王許諾而去。公叔座召鞅謝曰。今者王問可以爲相者。我言若。王色不許。我方先君後臣。因謂王卽弗用鞅。當殺之。王許我。汝可疾去矣。且見禽。鞅曰。彼王不能用君之言任臣。又安能用君之言殺臣乎。卒

不去。惠王既去。而謂左右曰。公叔病甚。悲乎。欲令寡人以國聽公孫鞅也。豈不悖哉。公叔既死。公孫鞅聞秦孝公下令國中。求賢者。將修繆公之業。東復侵地。廼遂西入秦。因孝公寵臣景監。以求見孝公。孝公既見衞鞅。語事良久。孝公時時睡弗聽。罷而孝公怒景監曰。子之客妄人耳。安足用邪。景監以讓衞鞅。衞鞅曰。吾說公以帝道。其志不開悟矣。後五月。復求見鞅。鞅復見孝公。益愈。然而未中旨。罷而孝公復讓景監。景監亦讓鞅。鞅曰。吾說公以王道而未入也。請復見公。鞅復見孝公。孝公善之而未用也。罷而去。孝公謂

景監曰。汝客善。可與語矣。鞅曰。吾說公以覇道。其意欲用之矣。誠復見我。我知之矣。衞鞅復見孝公。公與語。不自知膝之前於席也。語數日不厭。景監曰。子何以中吾君。吾君之讙甚也。鞅曰。吾說君以帝王之道比三代。而君曰。久遠吾不能待。且賢君者。各及其身顯名天下。安能邑邑待數十百年。以成帝王乎。故吾以彊國之術說君。君大說之耳。然亦難以比德於殷周矣。

孝公既用衞鞅。鞅欲變法。恐天下議己。衞鞅曰。疑行無名。疑事無功。且夫有高人之行者。固見非於世。有

獨知之慮者。必見敖於民。愚者闇於成事。知者見於未萌。民不可與慮始。而可與樂成。論至德者。不和於俗。成大功者。不謀於衆。是以聖人苟可以彊國。不法其故。苟可以利民。不循其禮。孝公曰。善。甘龍曰。不然。聖人不易民而教。知者不變法而治。因民而教。不勞而成功。緣法而明者。吏習而民安之。衞鞅曰。龍之所言。世俗之言也。常人安於故俗。學者溺於所聞。以此兩者。居官守法可也。非所與論於法之外也。三代不同禮而王。五伯不同法而覇。知者作法。愚者制焉。賢者更禮。不肖者拘焉。杜摯曰。利不百。不變法。功不十。

不易器。法古無過。循禮無邪。衞鞅曰。治世不一道。便國不法古。故湯・武不循古而王。夏・殷不易禮而亡。反古者不可非。而循禮者不足多。孝公曰善。以衞鞅爲左庶長。卒定變法之令。令民爲什伍。而相收司連坐。不告姦者腰斬。告姦者與斬敵首同賞。匿姦者與降敵同罰。民有二男以上。不分異者倍其賦。有軍功者。各以率受上爵。爲私鬭者。各以輕重被刑。大小僇力。本業耕織。致粟帛多者。復其身。事末利及怠而貧者。舉以爲收孥。宗室非有軍功。論不得爲屬籍。明尊卑爵秩等級。各以差次。名田宅臣妾衣服。以家次。有功

者顯榮。無功者雖富無所芬華。令既具未布。恐民之不信己。乃立三丈之木於國都市南門。募民有能徙置北門者。予十金。民怪之。莫敢徙。復曰能徙者予五十金。有一人徙之。輒予五十金。以明不欺。卒下令。令行於民期年。秦民之國都。言初令之不便者以千數。於是太子犯法。衞鞅曰。法之不行。自上犯之。將法太子。太子君嗣也。不可施刑。刑其傅公子虔。黥其師公孫賈。明日秦人皆趨令。行之十年。秦民大說。道不拾遺。山無盜賊。家給人足。民勇於公戰。怯於私鬭。鄉邑大治。秦民初言令不便者。有來言令便者。衞鞅曰。

此皆亂化民也。盡遷之於邊城。其後民莫敢議令。於是以鞅爲大良造。將兵圍魏安邑。降之。居三年。作爲築冀闕宮廷於咸陽。秦自雍徙都之。而令民父子兄弟同室內息者爲禁。而集小都鄉邑聚爲縣。置令丞。凡三十一縣。爲田開阡陌封疆。而稅平。平斗桶權衡丈尺。行之四年。公子虔復犯約。劓之。居五年。秦人富彊。天子致胙於孝公。諸侯畢賀。其明年齊敗魏兵於馬陵。虜其太子申。殺將軍龐涓。其明年衞鞅說孝公曰。秦之與魏。譬若人之有腹心疾。非魏并秦。秦即并魏。何者魏居嶺阨之西。都安邑。與秦界河。而獨擅山

東之利。利則西侵秦。病則東收地。今以君之賢聖。國賴以盛。而魏往年大破於齊。諸侯畔之。可因此時伐魏。魏不支秦。必東徙。東徙秦據河山之固。東鄉以制諸侯。此帝王之業也。孝公以爲然。使衞鞅將而伐魏。魏使公子卬將而擊之。軍既相距。衞鞅遺魏將公子卬書曰。吾始與公子驩。今俱爲兩國將。不忍相攻。可與公子面相見盟。樂飲而罷兵。以安秦・魏。魏公子卬以爲然。會盟已飲。而衞鞅伏甲士而襲。虜魏公子卬。因攻其軍。盡破之。以歸秦。魏惠王兵數破於齊・秦。國內空。日以削。恐乃使使割河西之地。獻於秦以和。而

魏遂去安邑、徙都大梁。梁惠王曰、寡人恨不用公叔座之言也。衛鞅既破魏還、秦封之於商十五邑、號爲商君。

商君相秦十年、宗室貴戚、多怨望者。趙良見商君。商君曰、鞅之得見也、從孟蘭皐。今鞅請得交、可乎。趙良曰、僕弗敢願也。孔丘有言曰、推賢而戴者進、聚不肖而王者退。僕不肖、故不敢受命。僕聞之曰、非其位而居之曰貪位、非其名而有之曰貪名。僕聽君之義、則恐僕貪位貪名也。故不敢聞命。商君曰、子不說吾治秦與。趙良曰、反聽之謂聰、內視之謂明、自勝之謂彊。

虞舜有言曰、自卑也尙矣。君不若首虞舜之道。無爲問僕矣。商君曰、始秦戎翟之教、父子無別、同室而居。今我更制其教、而爲其男女之別。大築冀闕、營如魯衛矣。子觀我治秦也、孰與五羖大夫賢。趙良曰、千羊之皮、不如一狐之掖。千人之諾諾、不如一士之諤諤。武王諤諤以昌、殷紂墨墨以亡。君若不非武王乎、則僕請終日正言而無誅、可乎。商君曰、語有之矣。貌言華也、至言實也、苦言藥也、甘言疾也。夫子果肯終日正言、鞅之藥也。鞅將事子。子又何辭焉。趙良曰、夫五羖大夫、荊之鄙人也。聞秦繆公之賢、而願望見。行而

無資、自粥於秦客、被褐食牛。期年、繆公知之、擧之牛口之下、而加之百姓之上。秦國莫敢望焉。相秦六七年、而東伐鄭、三置晉國之君、一救荊國之禍。發教封內、而巴人致貢。施德諸侯、而八戎來服。由余聞之、款關請見。五羖大夫之相秦也、勞不坐乘、暑不張蓋。行於國中、不從車乘、不操干戈。功名藏於府庫、德行施於後世。五羖大夫死、秦國男女流涕、童子不歌謠、舂者不相杵。此五羖大夫之德也。今君之見秦王也、因嬖人景監以爲主。非所以爲名也。相秦不以百姓爲事、而大築冀闕。非所以爲功也。刑黥太子之師傅、殘

傷民以駿刑。是積怨畜禍也。教之化民也深於命、民之效上也捷於令。今君又左建外易。非所以爲教也。君又南面而稱寡人、日繩秦之貴公子。詩曰、相鼠有體、人而無禮。人而無禮、何不遄死。以詩觀之、非所以爲壽也。公子虔杜門不出、已八年矣。君又殺祝懽、而黥公孫賈。詩曰、得人者興、失人者崩。此數事者、非所以得人也。君之出也、後車十數、從車載甲、多力而駢脅者爲驂乘、持矛而操闟戟者、旁車而趨。此一物不具、君固不出。書曰、恃德者昌、恃力者亡。君之危若朝露、尙將欲延年益壽乎。則何不歸十五都、灌園於

鄙。勸秦王。顯巖穴之士。養老存孤。敬父兄。序有功。尊有德。可以少安。君尚將貪商於之富。寵秦國之教。畜百姓之怨。秦王一旦捐賓客而不立朝。秦國之所以收君者。豈其微哉。亡可翹足而待。商君弗從。

後五月。而秦孝公卒。太子立。公子虔之徒。告商君欲反。發吏捕商君。商君亡至關下。欲舍客舍。舍人不知其是商君也。曰。商君之法。舍人無驗者坐之。商君喟然歎曰。嗟乎。爲法之敝。一至此哉。去之魏。魏人怨其欺公子卬而破魏師。弗受。商君欲之他國。魏人曰。商君秦之賊。秦彊而賊入魏。弗歸不可。遂內秦。商君既

復入秦。走商邑。與其徒屬發邑兵。北出擊鄭。秦發兵攻商君。殺之於鄭黽池。秦惠王車裂商君以徇。曰。莫如商鞅反者。遂滅商君之家。

太史公曰。商君其天資刻薄人也。跡其欲干孝公以帝王術。挾持浮說。非其質矣。且所因由嬖臣。及得用。刑公子虔。欺魏將卬。不師趙良之言。亦足發明商君之少恩矣。余嘗讀商君開塞・耕戰書。與其人行事相類。卒受惡名於秦。有以也夫。

除肉刑詔

漢　孝　帝

制詔御史。蓋聞有虞氏之時。畫衣冠。異章服。以爲戮。

而民弗犯。何治之至也。今法有肉刑三。而姦不止。其咎安在。毋乃朕德之薄。而教之不明歟。吾甚自愧。故夫訓道不純。而愚民陷焉。詩曰。愷悌君子。民之父母。今人有過。教未施而刑已加焉。或欲改行爲善。而道亡繇至。朕甚憐之。夫刑至斷支體。刻肌膚。終身不息。何其刑之痛而不德也。豈稱爲民父母之意哉。其除肉刑。有以易之。及令罪人各以輕重不亡逃。有年而免。具爲令。

報任安書

漢　司馬遷

太史公牛馬走司馬遷再拜言。少卿足下。曩者辱賜

書。教以愼於接物。推賢進士爲務。意氣懃懃懇懇。若望僕不相師。而用流俗人之言。僕非敢如此也。僕雖罷駑。亦嘗側聞長者之遺風矣。顧自以爲身殘處穢。動而見尤。欲益反損。是以獨抑鬱而與誰語。諺曰。誰爲爲之。孰令聽之。蓋鍾子期死。伯牙終身不復鼓琴。何則士爲知己者用。女爲說己者容。若僕大質已虧缺矣。雖材懷隨・和。行若由・夷。終不可以爲榮。適足以見笑而自點耳。書辭宜答。會東從上來。又迫賤事。相見日淺。卒卒無須臾之閒得竭志意。今少卿抱不測之罪。涉旬月。迫季冬。僕又薄從上雍。恐卒然不可爲

諱。是僕終已不得舒憤懣以曉左右。則長逝者魂魄私恨無窮。請略陳固陋。闕然久不報。幸勿爲過。僕聞之。修身者智之符也。愛施者仁之端也。取予者義之表也。恥辱者勇之決也。立名者行之極也。士有此五者。然後可以託於世。而列於君子之林矣。故禍莫憯於欲利。悲莫痛於傷心。行莫醜於辱先。詬莫大於宮刑。刑餘之人。無所比數。非一世也。所從來遠矣。昔衛靈公與雍渠同載。孔子適陳。商鞅因景監見。趙良寒心。同子驂乘。袁絲變色。自古而恥之。夫中材之人。事有關於宦豎。莫不傷氣。而況於慷慨之士乎。如今朝

廷雖乏人。奈何令刀鋸之餘。薦天下豪傑哉。僕賴先人緒業。得待罪輦轂下二十餘年矣。所以自惟。上之。不能納忠效信有奇策材力之譽。自結明主。次之。又不能拾遺補闕招賢進能顯巖穴之士。外之不能備行伍。攻城野戰有斬將搴旗之功。下之。不能積日累勞。取尊官厚祿。以爲宗族交遊光寵。四者無一遂。苟合取容。無所短長之效。可見於此矣。嚮者僕亦嘗厠下大夫之列。陪奉外廷末議。不以此時引綱維。盡思慮。今已虧形爲掃除之隷。在闒茸之中。乃欲仰首伸眉。論列是非。不亦輕朝廷。羞當代之士邪。嗟乎嗟乎。

如僕尚何言哉。尚何言哉。

且事本末未易明也。僕少負不羈之才。長無鄉曲之譽。主上幸以先人之故。使得奏薄技。出入周衛之中。僕以爲戴盆何以望天。故絕賓客之知。忘室家之業。日夜思竭其不肖之材力。務一心營職。以求親媚於主上。而事乃有大謬不然者。夫僕與李陵俱居門下。素非能相善也。趣舍異路。未嘗銜盃酒接殷勤之餘歡。然僕觀其爲人。自守奇士。事親孝。與士信。臨財廉。取與義。分別有讓。恭儉下人。常思奮不顧身。以徇國家之急。其素所蓄積也。僕以爲有國士之風。夫人臣

出萬死。不顧一生之計。赴公家之難。斯以奇矣。今舉事一不當。而全軀保妻子之臣。隨而媒孽其短。僕誠私心痛之。且李陵提步卒不滿五千。深踐戎馬之地。足歷王庭。垂餌虎口。橫挑彊胡。仰億萬之師。與單于連戰十有餘日。所殺過當。虜救死扶傷不給。旃裘之君長咸震怖。乃悉徵其左右賢王。舉引弓之人。一國共攻而圍之。轉鬭千里。矢盡道窮。救兵不至。士卒死傷如積。然陵一呼勞軍。士無不起。躬自流涕。沬血飲泣。更張空拳。冒白刃。北嚮爭死敵者。陵未沒時。使有來報。漢公卿王侯皆奉觴上壽。後數日。陵敗書聞。主

上爲之食不甘味。聽朝不怡。大臣憂懼不知所出。僕竊不自料其卑賤。見主上慘愴怛悼。誠欲效其款款之愚。以爲李陵素與士大夫。絕甘分少。能得人死力。雖古之名將。不能過也。身雖陷敗。彼觀其意。且欲得其當而報於漢。事已無可奈何。其所摧敗。功亦足以暴於天下矣。僕懷欲陳之。而未有路。適會召問。卽以此指推言陵之功。欲以廣主上意。塞睚眦之辭。未能盡明。明主不曉。以爲僕沮貳師而爲李陵遊說。遂下於理。拳拳之忠。終不能自列。因爲誣上。卒從吏議。家貧貨賂不足以自贖。交遊莫救。左右親近不爲一言。

身非木石。獨與法吏爲伍。深幽囹圄之中。誰可告愬者。此眞少卿所親見。僕行事豈不然乎。李陵既生降。頹其家聲。而僕又佴之蠶室。重爲天下觀笑。悲夫悲夫。事不易一二爲俗人言也。

僕之先人非有剖符丹書之功。文史星曆。近乎卜祝之閒。固主上所戲弄。倡優所畜。流俗之所輕也。假令僕伏法受誅。若九牛亡一毛。與螻蟻何以異。而世俗又不能與死節者次比。特以爲智窮罪極。不能自免。卒就死耳。何也。素所自樹立使然也。人固有一死。死或重於泰山。或輕於鴻毛。用之所趨異也。太上不辱

先。其次不辱身。其次不辱理色。其次不辱辭令。其次詘體受辱。其次易服受辱。其次關木索被箠楚受辱。其次剔毛髮嬰金鐵受辱。其次毀肌膚斷肢體受辱。最下腐刑。極矣。傳曰。刑不上大夫。此言士節不可不勉勵也。猛虎在深山。百獸震恐。及在陷穽之中。搖尾而求食。積威約之漸也。故士有畫地爲牢。勢不可入。削木爲吏。議不可對。定計於鮮也。今交手足。受木索。暴肌膚。受榜箠。幽於圜牆之中。當此之時。見獄吏則頭槍地。視徒隷則正惕息。何者積威約之勢也。及以至是。言不辱者。所謂强顏耳。曷足貴乎。且西伯伯也。

拘於羑里。李斯相也。具於五刑。淮陰王也。受械於陳。彭越・張敖南面稱孤。繫獄抵罪。絳侯誅諸呂。權傾五伯。囚於請室。魏其大將也。衣赭衣關三木。季布爲朱家鉗奴。灌夫受辱於宮室。此人皆身至王侯將相。聲聞鄰國。及罪至罔加。不能引決自裁。在塵埃之中。古今壹體。安在其不辱也。由此觀之。勇怯勢也。彊弱形也。審矣。何足怪乎。夫人不能早自裁繩墨之外。以稍陵遲至於鞭箠之閒。乃欲引節。斯不亦遠乎。古人所以重施刑於大夫者。殆爲此也。夫人情莫不貪生惡死。念父母。顧妻子。至激於義理者不然。乃有所不得

已也。今僕不幸早失父母。無兄弟之親。獨身孤立。少卿視僕於妻子何如哉。且勇者不必死節。怯夫慕義。何處不勉焉。僕雖怯懦欲苟活。亦頗識去就之分矣。何至自沈溺縲紲之辱哉。且夫臧獲婢妾。由能引決。況僕之不得已乎。所以隱忍苟活。幽於糞土之中而不辭者。恨私心有所未盡。鄙陋沒世而文采不表於後世也。

古者富貴而名磨滅。不可勝記。唯倜儻非常之人稱焉。蓋文王拘而演周易。仲尼厄而作春秋。屈原放逐乃賦離騷。左丘失明厥有國語。孫子臏脚兵法修列。

不韋遷蜀。世傳呂覽。韓非囚秦。說難孤憤。詩三百篇。大抵賢聖發憤之所爲作也。此人皆意有所鬱結。不得通其道。故述往時思來者。乃如左丘無目。孫子斷足。終不可用。退而論書策。以舒其憤思。垂空文以自見。僕竊不遜。近自託於無能之辭。網羅天下放失舊聞。略考其行事。綜其終始。稽其成敗興壞之紀。上計軒轅。下至於茲。爲十表・本紀十二・書八章・世家三十・列傳七十・凡百三十篇。亦欲以究天地之際。通古今之變。成一家之言。草創未就。會遭此禍。惜其不成。是以就極刑而無慍色。僕誠已著此書。藏諸名山。傳之

其人通邑大都。則僕償前辱之責。雖萬被戮。豈有悔哉。然此可爲智者道。難爲俗人言也。且負下未易居。下流多謗議。僕以口語遇遭此禍。重爲鄉黨所戮笑。以汚辱先人。亦何面目復上父母之丘墓乎。雖累百世。垢彌甚耳。是以腸一日而九廻。居則忽忽若有所亡。出則不知其所往。每念斯恥。汗未嘗不發背霑衣也。身直爲閨閤之臣。寧得自引深藏巖穴邪。故且從俗浮沈。與時俯仰。以通其狂惑。今少卿乃教以推賢進士。無乃與僕私心剌謬乎。今雖欲自雕琢曼辭以自飾。無益於俗不信。秖足取辱耳。要之死日然後是

非乃定。書不能悉意。略陳固陋。謹再拜。

答蘇武書

漢　李陵

子卿足下。勤宣令德。策名清時。榮問休暢。幸甚幸甚。遠託異國。昔人所悲。望風懷想。能不依依。昔者不遺。遠辱還答。慰誨懃懃。有踰骨肉。陵雖不敏。能不慨然。自從初降。以至今日。身之窮困。獨坐愁苦。終日無覩。但見異類。韋韝毳幕。以禦風雨。羶肉酪漿。以充飢渴。舉目言笑。誰與爲歡。胡地玄冰。邊土慘裂。但聞悲風蕭條之聲。涼秋九月。塞外草衰。夜不能寐。側耳遠聽。胡笳互動。牧馬悲鳴。吟嘯成羣。邊聲四起。晨坐聽之。

不覺涙下。嗟乎子卿。陵獨何心。能不悲哉。與子別後。益復無聊。上念老母臨年被戮。妻子無辜。並爲鯨鯢。身負國恩。爲世所悲。子歸受榮。我留受辱。命也如何。身出禮義之鄕。而入無知之俗。違棄君臣之恩。長爲蠻夷之域。傷已令先君之嗣。更成戎狄之族。又自悲矣。功大罪小。不蒙明察。孤負陵心。區區之意。每一念至。忽然忘生。陵不難刺心以自明。刎頸以見志。顧國家於我已矣。殺身無益。適足增羞。故每攘臂忍辱。輒復苟活。左右之人。見陵如此。以爲不入耳之歡。來相勸勉。異方之樂。祇令人悲。增忉怛耳。嗟乎子卿。人之

相知。貴相知心。前書倉卒。未盡所懷。故復畧而言之。昔先帝授陵步卒五千。出征絕域。五將失道。陵獨遇戰。而裹萬里之糧。帥徒步之師。出天漢之外。入彊胡之域。以五千之衆。對十萬之軍。策疲乏之兵。當新羈之馬。然猶斬將搴旗。追奔逐北。滅跡掃塵。斬其梟帥。使三軍之士。視死如歸。陵也不才。希當大任。意謂此時功難堪矣。匈奴既敗。擧國興師。更練精兵。彊踰十萬。單于臨陣。親自合圍。客主之形。既不相如。步馬之勢。又甚懸絕。疲兵再戰。一以當千。然猶扶乘創痛。決命爭首。死傷積野。餘不滿百。而皆扶病。不任干戈。然

陵振臂一呼。創病皆起。擧刃指虜。胡馬奔走。兵盡矢窮。人無尺鐵。猶復徒手奮呼。爭爲先登。當此時也。天地爲陵震怒。戰士爲陵飮血。單于謂陵不可復得。便欲引還。而賊臣教之。遂使復戰。故陵不免耳。昔高皇帝以三十萬衆。困於平城。當此之時。猛將如雲。謀臣如雨。然猶七日不食。僅乃得免。況當陵者。豈易爲力哉。而執事者云云。苟怨陵以不死。陵不死罪也。然子卿視陵。豈偸生之士。而惜死之人哉。寧有背君親。捐妻子。而反爲利者也。然陵不死。有所爲也。故欲如前書之言。報恩於國主耳。誠以虛死不如立節。滅名不

如報德也。昔范蠡不殉會稽之恥。曹沫不死三敗之辱。卒復勾踐之讎。報魯國之羞。區區之心。竊慕此耳。何圖志未立。而怨已成。計未從。而骨肉受刑。此所以仰天椎心而泣血也。

足下又云。漢與功臣不薄。子爲漢臣。安得不云爾乎。昔蕭・樊囚縶。韓・彭葅醢。鼂錯受戮。周・魏見辜。其餘佐命立功之士。賈誼・亞夫之徒。皆信命世之才。抱將相之具。而受小人之讒。並受禍敗之辱。卒使懷才受謗。能不得展。彼二子之遐擧。誰不爲之痛心哉。陵先將軍。功畧蓋天地。義勇冠三軍。徒失貴臣之意。剄身絕

域之表。此功臣義士、所以負戟而長歎者也。何謂不
薄哉。且足下昔以單車之使。適萬乘之虜。遭時之不
遇。至於伏劍不顧。流離辛苦。幾死朔北之野。丁年奉
使。皓首而歸。老母終堂。生妻去帷。此天下所希聞。古
今所未有也。蠻貊之人。苟猶嘉子之節。況爲天下之
主乎。陵謂足下當享茅土之薦。受千乘之賞。聞子之
歸。賜不過二百萬。位不過典屬國。無尺土之封。嘉子
之勤。而妨功害能之臣。盡爲萬戶侯。親戚貪佞之類。
悉爲廊廟宰。子尙如此。陵復何望哉。且漢厚誅陵以
不死。薄賞子以守節。欲使遠聽之臣。望風馳命。此實

難矣。所以每顧而不悔者也。陵雖孤恩。漢亦負德。昔
人有言。雖忠不烈。視死如歸。陵誠安。而主豈復能眷
眷乎。男兒生已不成名。死則葬蠻夷中。誰復能屈身
稽顙。還向北闕。使刀筆之吏。弄其文墨邪。願足下勿
復望陵。嗟乎子卿。夫復何言。相去萬里。人絕路殊。生
爲別世之人。死爲異域之鬼。長與足下。生死辭矣。幸
謝故人。勉事聖君。足下胤子無恙。勿以爲念。努力自
愛。時因北風。復惠德音。李陵頓首。

蘇武傳（漢書）

武字子卿。少以父任。兄弟並爲郎。稍遷至栘中廐監。

天漢元年。且鞮侯單于初立。恐漢襲之。迺曰。漢天子
我丈人行也。盡歸漢使路充國等。武帝嘉其義。迺遣
武以中郎將使持節。送匈奴使留在漢者。因厚賂單
于。答其善意。武與副中郎將張勝及假吏常惠等。募
士斥候百餘人俱。既至匈奴。置幣遺單于。單于益驕。
非漢所望也。方欲發使送武等。會緱王與長水虞常
等。謀反匈奴中。後月餘。單于出獵。虞常等七十餘人
欲發。其一人夜亡。告之。單于子弟發兵與戰。緱王等
皆死。虞常生得。單于使衞律治其事。張勝聞之。恐前
語發。以狀語武。武曰。事如此。此必及我。見犯迺死。重

負國。欲自殺。勝・惠共止之。虞常果引張勝。單于怒。欲
殺漢使者。左伊秩訾曰。卽謀單于。何以復加。宜皆降
之。單于使衞律召武受辭。武謂惠等。屈節辱命。雖生
何面目以歸漢。引佩刀自刺。衞律驚自抱持武。馳召
醫。鑿地爲坎。置熅火。覆武其上。蹈其背以出血。武氣
絕。半日復息。惠等哭輿歸營。單于壯其節。朝夕遣人
候問武。而收繫張勝。單于使使曉武。會論虞常。欲因
此時降武。劍斬虞常已。律曰。漢使張勝謀殺單于近
臣。當死。單于募降者赦罪。擧劍欲擊之。勝請降。律謂
武曰。副有罪。當相坐。武曰。本無謀。又非親屬。何謂相

坐。復擧劍擬之。武不動。律曰。蘇君。律前負漢歸匈奴。
幸蒙大恩。賜號稱王。擁衆數萬。馬畜彌山。富貴如此。
蘇君今日降。明日復然。空以身膏草野。誰復知之。武
不應。律曰。君因我降。與君爲兄弟。今不聽吾計。後雖
欲復見我。尚可得乎。武罵律曰。女爲人臣子。不顧恩
義。畔主背親。爲降虜於蠻夷。何以女爲見。律知武終
不可脅。白單于。單于愈益欲降之。廼幽武置大窖中。
絕不飲食。天雨雪。武臥齧雪與旃毛。幷咽之。數日不
死。匈奴以爲神。乃徙武北海上無人處。使牧羝。羝乳。
乃得歸。別其官屬常惠等。各置他所。武既至海上。廩

食不至。掘野鼠。去草實而食之。杖漢節牧羊。臥起操
持。節旄盡落。初武與李陵俱爲侍中。武使匈奴。明年
陵降。不敢求武。久之單于使陵至海上。爲武置酒設
樂。因謂武曰。單于聞陵與子卿素厚。故使陵來說足
下。虛心欲相待。終不得歸漢。空自苦亡人之地。信義
安所見乎。前長君爲奉車。從至雍棫陽宮。扶輦下除。
觸柱折轅。劾大不敬。伏劍自刎。賜錢二百萬以葬。孺
卿從祠河東后土。宦騎與黃門駙馬爭船。推墮駙馬
河中溺死。宦騎亡。詔使孺卿逐捕。不得。惶恐飲藥而
死。來時大夫人已不幸。陵送葬至陽陵。子卿婦年少。

聞已更嫁矣。獨有女弟二人。兩女一男。今復十餘年。
存亡不可知。人生如朝露。何久自苦如此。陵始降時。
忽忽如狂。自痛負漢。加以老母繫保宮。子卿不欲降。
何以過陵。且陛下春秋高。法令亡常。大臣亡罪夷滅
者數十家。安危不可知。子卿尚復誰爲乎。願聽陵計。
勿復有云。武曰。武父子亡功德。皆爲陛下所成就。位
列將。爵通侯。兄弟親近。常願肝腦塗地。今得殺身自
效。雖蒙斧鉞湯鑊。誠甘樂之。臣事君。猶子事父也。子
爲父死。無所恨。願勿復再言。陵與武飲數日。復曰。子
卿壹聽陵言。武曰。自分已死久矣。王必欲降武。請畢

今日之驩。效死於前。陵見其至誠。喟然歎曰。嗟乎義
士。陵與衛律之罪。上通於天。因泣下霑衿。與決去。陵
惡自賜武。使其妻賜武牛羊數十頭。後陵復至北海
上。語武。區脫捕得雲中生口。言太守以下吏民皆白
服。曰上崩。武聞之南鄉。號哭歐血。旦夕臨數月。昭帝
卽位數年。匈奴與漢和親。漢求武等。匈奴詭言武死。
後漢使復至匈奴。常惠請其守者與俱。得夜見漢使。
具自陳道。教使者謂單于。言天子射上林中。得鴈。足
有係帛書。言武等在某澤中。使者大喜。如惠語以讓
單于。單于視左右而驚。謝漢使曰。武等實在。於是李

陵置酒。賀武曰。今足下還歸。揚名於匈奴。功顯於漢室。雖古竹帛所載。丹青所畫。何以過子卿。陵雖駑怯。令漢且貰陵罪。全其老母。使得奮大辱之積志。庶幾乎曹柯之盟。此陵宿昔之所不忘也。收族陵家。爲世大戮。陵尚復何顧乎。已矣。令子卿知吾心耳。異域之人。壹別長絕。陵起舞。歌曰。徑萬里兮度沙幕。爲君將兮奮匈奴。路窮絕兮矢刃摧。士衆滅兮名已隤。老母已死。雖欲報恩。將安歸。陵泣下數行。因與武決。單于召會武官屬。前以降及物故。凡隨武還者九人。武以始元六年春至京師。詔武奉一大牢。謁武帝園廟。拜

爲典屬國。秩中二千石。賜錢二百萬。公田二頃。宅一區。武留匈奴。凡十九歲。始以彊壯出。及還須髮盡白。甘露三年。單于始入朝。上思股肱之美。廼圖畫其人於麒麟閣。法其形貌。署其官爵姓名。唯霍光不名。曰大司馬大將軍博陸侯姓霍氏。次曰衞將軍富平侯張安世。次曰車騎將軍龍額侯韓增。次曰後將軍營平侯趙充國。次曰丞相高平侯魏相。次曰丞相博陽侯丙吉。次曰御史大夫建平侯杜延年。次曰宗正陽城侯劉德。次曰少府梁丘賀。次曰太子太傅蕭望之。次曰典屬國蘇武。皆有功德。知名當世。是以表而揚

之。明著中興輔佐。列於方叔・召虎・中山甫焉。凡十一人。

蘇武　　唐 李太白

蘇武在匈奴。　十年持漢節。　白鴈上林飛。　空傳一書札。　牧羊邊地苦。　落日歸心絕。　渴飮月窟水。　飢餐天上雪。　東還沙塞遠。　北愴河梁別。　泣把李陵衣。　相看涙成血。

胡歌曲　　唐 無名氏

月明星稀霜滿野・　氈車夜宿陰山下・　漢家自失李將軍。　單于公然來牧馬。

諫伐匈奴書　　漢 主父偃

臣聞。明主不惡切諫以博觀。忠臣不避重誅以直諫。是故事無遺策。而功流萬世。今臣不敢隱忠避死。以效愚計。願陛下幸赦而少察之。司馬法曰。國雖大。好戰必亡。天下雖平。忘戰必危。天下既平。天子大凱。春蒐秋獮。諸侯春振旅。秋治兵。所以示不忘戰也。且夫怒者逆德也。兵者凶器也。爭者末節也。古之人君一怒。必伏尸流血。故聖主重行之。夫務戰勝。窮武事。未有不悔者也。昔秦皇帝任戰勝之威。蠶食天下。幷吞戰國。海內爲一。功齊三代。務勝不休。欲攻匈奴。李斯諫

日不可。夫匈奴無城郭之居。委積之守。遷徙鳥擧。難得而制。輕兵深入。糧食必絕。運糧以行。重不及事。得其地。不足以爲利。得其民。不可調而守也。勝必棄之。非民父母。靡敝中國。甘心匈奴。非完計也。秦皇帝不聽。遂使蒙恬將兵而北攻胡。卻地千里。以河爲境。地固澤鹵。不生五穀。然後發天下丁男。以守北河。暴兵露師十有餘年。死者不可勝數。終不能踰河而北。是豈人衆之不足。兵革之不備哉。其勢不可也。又使天下飛芻輓粟。起於東陲・琅邪・負海之郡。轉輸北河。率三十鍾而致一石。男子疾耕。不足於糧餉。女子紡績。

不足於帷幕。百姓靡敝。孤寡老弱。不能相養。道死者相望。蓋天下始叛也。及至高皇帝定天下。略地於邊。聞匈奴聚代谷之外。而欲伐之。御史成諫曰。不可。夫匈奴獸聚而鳥散。從之如搏景。今以陛下盛德。攻匈奴。臣竊危之。高帝不聽。遂至代谷。果有平城之圍。高帝悔之。廼使劉敬往結和親。然後天下亡干戈之事。故兵法曰。興師十萬。日費千金。秦常積衆數十萬人。雖有覆師殺將。係虜單于。適足以結怨深讎。不足以償天下之費。夫匈奴行盜侵敺。所以爲業。天性固然。上自虞・夏・殷・周。固不程督。禽獸畜之。非比爲人。夫非

上觀虞・夏・殷・周之統。而下循近世之失。此臣之所以大恐。百姓所疾苦也。且夫兵久則變生。事苦則慮易。使邊境之民。靡敝愁苦。將吏相疑而外市。故尉佗・章邯得成其私。而秦政不行。權分二子。此得失之效也。故周書曰。安危在出令。存亡在所用。願陛下熟計之而加察焉。

上范司諫書　　宋　歐陽永叔

月日具官謹齋沐拜書司諫學士執事。前月中得進奏吏報。云自陳州召至闕。拜司諫。卽欲爲一書以賀。多事匆卒。未能也。司諫七品官爾。於執事得之不爲

喜。而獨區區欲一賀者。誠以諫官者。天下之得失。一時之公議係焉。今世之官。自九卿百執事。外至一郡縣吏。非無貴官大職。可以行其道也。然縣越其封。郡逾其境。雖賢守長不得行。以其有司也。吏部之官。不得理兵部。鴻臚之卿。不得理光祿。以其有司也。若天下之得失。生民之利害。社稷之大計。惟所見聞。而不繫職司者。獨宰相可行之。諫官可言之爾。其故士學古懷道者。仕於時。不得爲宰相。必爲諫官。諫官雖卑。與宰相等。天子曰。不可。宰相曰。可。天子曰。然。宰相曰。不然。坐乎廟堂之上。與天子相可否者宰相也。天子

日。是諫官曰非。天子曰必行。諫官曰必不可行。立于殿陛之前。與天子爭是非者諫官也。宰相尊行其道。諫官卑行其言。言行道亦行也。九卿百司郡縣之吏。守一職者任一職之責。宰相諫官係天下之事。亦任天下之責。然宰相九卿而下失職者受責於有司。諫官之失職也取譏於君子。有司之法行乎一時。君子之譏著之簡冊而昭昭。垂之百世而不泯。甚可懼也。夫七品之官任天下之責。懼百世之譏。豈不重邪。非材且賢者不能也。近執事始被召於陳州。洛之士大夫相與語曰。我識范君。知其材也。其來不爲御史必

爲諫官。及命下果然。則又相與語曰。我識范君。知其賢也。他日聞有立天子陛下。直辭正色面爭廷論者。非他人必范君也。拜命以來。翹首企足。竚乎有聞而卒未也。竊惑之。豈洛之士大夫能料於前而不能料於後也。將執事有待而爲也。昔韓退之作爭臣論以譏陽城不能極諫。卒以諫顯。人皆謂城之不諫蓋有待而然。退之不識其意而妄譏。修獨以謂不然。當退之作論時。城爲諫議大夫已五年。後又二年。始廷論陸贄。及沮裴延齡作相。欲裂其麻。纔兩事耳。當德宗時。可謂多事矣。授受失宜。叛將强臣羅列天下。又多

猜忌。進任小人。於此之時。豈無一事可言。而須七年耶。當時之事。豈無急於沮延齡論陸贄兩事耶。謂宜朝拜官而夕奏疏也。幸而城爲諫官七年。適遇延齡陸贄事。一諫而罷。以塞其責。向使止五年六年而遂遷司業。是終無一言而去也。何所取哉。今之居官者。率三歲而一遷。或一二歲。甚者半歲而遷也。此又非可以待乎七年也。今天子躬親庶政。化理清明。雖爲無事。然自千里詔執事而拜是官者。豈不欲聞正議而樂讜言乎。今未聞有所言說。使天下知朝廷有正士。而彰吾君有納諫之明也。夫布衣韋帶之士。窮居

草茅。坐誦書史。常恨不見用。及用也。又曰彼非我職。不敢言。或曰我位猶卑。不得言。得言矣。又曰我有待。是終無一人言也。可不惜哉。伏惟執事思天子所以見用之意。懼君子百世之譏。一陳昌言。以塞重望。且解洛士大夫之惑。則幸甚幸甚。

義田記

宋　錢公輔

范文正公蘇人也。平生好施與。擇其親而貧。疏而賢者。咸施之。方貴顯時。置附郭常稔之田千畝。號曰義田。以養濟羣族之人。日有食。歲有衣。嫁娶凶葬皆有贍。擇族之長而賢者。主其計。而時其出納焉。日食人

一升。歲衣人一縑。嫁女者五十千。再嫁者三十千。娶婦者三十千。再娶者十五千。葬者如再嫁之數。葬幼者十千。族之聚者九十口。歲入粳稻八百斛。以其所入。給其所聚。沛然有餘而無窮。仕而家居。俟代者與焉。仕而居官者罷其給。此其大較也。初公之未貴顯也。嘗有志於是矣。而力未逮者二十年。既而爲西帥及參大政。於是始有祿賜之入而終其志。公既沒。後世子孫。至今修其業。承其志。如公之存也。公雖位充祿厚。而貧終其身。沒之時。身無以爲斂。子無以爲喪。唯以施貧活族之義。遺其子而已。昔晏平仲敝車

羸馬。桓子曰。是隱君之賜也。晏子曰。自臣之貴。父之族。無不乘車者。母之族。無不足以衣食者。妻之族。無凍餒者。齊國之士。待臣而擧火者。三百餘人。如此爲隱君之賜乎。彰君之賜乎。於是齊侯以晏子之觴而觴桓子。予嘗愛晏子好仁。齊侯知賢。而桓子服義也。又愛晏子之仁有等級。而言有次第也。先父族。次母族。次妻族。而後及其疎遠之賢。孟子曰。親親而仁民。仁民而愛物。晏子爲近之。今觀文正公之義田。宜與晏子比肩矣。然晏子仁止生前。而文正公之義垂於身後。其規摹遠擧。又疑過之。嗚呼。世之都三公位。享

萬鍾祿。其邸第之雄。車輿之飾。聲色之多。妻孥之富。止乎一己而已。而族之人。不得其門而入者。豈少也哉。況於施賢乎。其下爲卿爲大夫。廩稍之充。奉養之厚。止乎一己而已。而族之人。操壺瓢爲溝中瘠者。又豈少哉。況於他人乎。是皆公之罪人也。公之忠義滿朝廷。事業滿邊隅。功名滿天下。後必有史官書之者。予可略也。獨高其義。因以遺於世云。

岳陽樓記　宋 范仲淹

慶曆四年春。滕子京謫守巴陵郡。越明年。政通人和。百廢具興。乃重修岳陽樓。增其舊制。刻唐賢今人詩

賦于其上。屬予作文以記之。予觀夫巴陵勝狀。在洞庭一湖。銜遠山。呑長江。浩浩湯湯。橫無際涯。朝暉夕陰。氣象萬千。此則岳陽樓之大觀也。前人之述備矣。然則北通巫峽。南極瀟湘。遷客騷人。多會于此。覽物之情。得毋異乎。若夫霪雨霏霏。連月不開。陰風怒號。濁浪排空。日星隱曜。山岳潛形。商旅不行。檣傾楫摧。薄暮冥冥。虎嘯猿啼。登斯樓也。則有去國懷鄕。憂讒畏譏。滿目蕭然。感極而悲者矣。至若春和景明。波瀾不驚。上下天光。一碧萬頃。沙鷗翔集。錦鱗游泳。岸芷汀蘭。郁郁青青。而或長烟一空。皓月千里。浮光躍金。

靜影沈璧。漁歌互答。此樂何極。登斯樓也則有心曠神怡。寵辱皆忘。把酒臨風。其喜洋洋者矣。嗟夫。予嘗求古仁人之心。或異二者之爲。何哉。不以物喜。不以已悲。居廟堂之高。則憂其民。處江湖之遠。則憂其君。是進亦憂。退亦憂。然則何時而樂耶。其必曰。先天下之憂而憂。後天下之樂而樂歟。噫。微斯人。吾誰與歸。

登岳陽樓　唐　杜子美

昔聞洞庭水。今上岳陽樓。呉・楚東南坼。乾坤日夜浮。親朋無一字。老病有孤舟。戎馬關山北。憑軒涕泗流。

初至巴陵與李十白同泛洞庭湖　唐　王維

楓岸紛紛落葉多。洞庭秋水晩來波。乘興輕舟無遠近。白雲明月弔湘娥。

偃虹隄記　宋　歐陽永叔

有自岳陽至者。以滕侯之書洞庭之圖來告曰。願有所記。予發書按圖。自岳陽門西。距金鷄之右。其外隱然隆高以長者。曰偃虹隄。問其作而名者。曰吾滕侯之所爲也。問其所以作之利害。曰。洞庭天下之至險。而岳陽荊・潭・黔・蜀四會之衝也。昔舟之往來湖中者。

至無所寓。則皆泊南津。其有事于州者遠且勞。而又常有風波之恐。覆溺之虞。今舟之至者。皆泊隄下。有事于州者。近而且無患。問其大小之制。用人之力。曰。長一千尺。高三十尺。厚加二尺。而殺其上。得厚三分之二。用民力萬有五千五百工。而不踰時以成。問其始作之謀。曰。州以事上轉運使。轉運使擇其吏之能者。行視可否。凡三反復。而又上于朝廷。決之三司。然後曰可。而皆不能易吾侯之議也。曰。此君子之作也。可以書矣。蓋慮於民也深。則謀其始也精。故能用力少。而爲功多。夫以百步之隄。禦天下至險不測之虞。

惠其民。而及於荊・潭・黔・蜀。凡往來湖中。無遠邇之人。皆蒙其利焉。且岳陽四會之衝。舟之來而止者。日凡有幾。使隄土石幸久不朽。則滕侯之惠。利於人物。可以數計哉。夫事不患于不成。而患于易壞。蓋作者未始不欲其久存。而繼者常至於殆廢。自古賢智之士。爲其民捍患興利。其遺跡往往而在。使其繼者皆如始作之心。則民到于今受其賜。天下豈有遺利乎。此滕侯之所以慮而欲有紀於後也。滕侯志大材高。名聞當世。方朝廷用兵急人之時。常顯用之。而功未及就。退守一州。無所用心。略施其餘。以利及物。夫慮熟謀審。力不勞而功倍。作事可以爲後法。一宜書。不苟一時之譽。思爲利於無窮。而告來者不以廢。二宜書。岳之民人。與湖中之往來者。皆欲爲滕侯紀。三宜書。以宜書不可以不書。乃爲之書。

新修滕王閣記　唐　韓退之

愈少時。側聞江南多游觀之美。而滕王閣獨爲第一。有瑰偉絕特之稱。及得三王所爲序・賦・記等。壯其文辭。益欲往一觀而讀之。以忘吾憂。係官於朝。願莫之遂。十四年。以言事。斥守揭陽。便道取疾。以至海上。又不得過南昌而觀所謂滕王閣者。其冬。以天子進大

號。加恩區內。移刺袁州。袁於南昌爲屬邑。私喜幸自語。以爲當得躬詣大府。受約束於下執事。及其無事且還。儻得一至其處。竊寄目償所願焉。至州之七月。詔以中書舍人太原王公爲御史中丞。觀察江南西道。洪・江・饒・虔・吉・信・撫・袁。悉屬治所。八州之人。前所不便及所願欲而不得者。公至之日。皆罷行之。大者驛聞。小者立變。春生秋殺。陽開陰閉。令修於庭戶數日之間。而人自得於湖山千里之外。吾雖欲出意見。論利害。聽命於幕下。而吾州乃無一事可假而行者。又安得捨己所事以勤館人。則滕王閣又無因而至焉

矣。其歲九月。人吏浹和。公與監軍使。燕於此閣。文武賓士。皆與在席。酒半合辭言曰。此屋不修且壞。前公爲從事此邦。適理新之。公所爲文。實書在壁。今三十年。而公來爲邦伯。適及期月。公又來燕於此。公烏得無情哉。公應曰。諾。於是棟楹梁桷板檻之腐黑撓折者。蓋瓦級甎之破缺者。赤白之漫漶不鮮者。治之則已。無侈前人。無廢後觀。工既訖功。公以衆飲。而以書命愈曰。子其爲我記之。愈既以未得造觀爲嘆。竊喜載名其上。詞列三王之次。有榮耀焉。乃不辭而承公命。其江山之好。登望之樂。雖老矣。如獲從公游。尙能

爲公賦之。

袁州州學記　宋　李泰伯

皇帝二十有三年。制詔州縣立學。惟時守令。有哲有愚。有屈力殫慮。祗順德意。有假宮借師。苟具文書。或連數城。亡誦弦聲。倡而不和。教尼不行。三十有二年。范陽祖君無擇知袁州。始至。進諸生。知學宮闕狀。大懼。人才放失。儒效闊疎。亡以稱上意旨。通判潁川陳君侁聞而是之。議以克合。相舊夫子廟。狹隘不足改爲。廼營治之東。厥土燥剛。厥位面陽。厥材孔良。殿堂門廡。黝堊丹漆。舉以法。故生師有舍。庖廩有次。百爾

器備。並手偕作。工善吏勤晨夜展力。越明年成。舍菜
且有日。旴江李覯。諗於衆曰。惟四代之學。考諸經可
見已。秦以山西塈六國。欲帝萬世。劉氏一呼。而關門
不守。武夫健將。賣降恐後。何耶。詩書之道廢。人唯見
利而不聞義焉耳。孝武乘豐富。世祖出戎行。皆孳孳
學術。俗化之厚。延於靈・獻。草茅危言者。折首而不悔。
功烈震主者。聞命而釋兵。羣雄相見。不敢去臣位。尙
數十年。教道之結人心如此。今代遭聖神。爾袁得賢
君。俾爾由庠序。踐・古人之迹。天下治則譚禮樂以陶
吾民。一有不幸。猶當仗大節。爲臣死忠。爲子死孝。使

人有所法。且有所賴。是惟朝家教學之意。若其弄筆
墨以徼利達而已。豈徒二三子之羞。抑亦爲國者之
羞抑亦爲國者之憂。

師說　唐　韓退之

古之學者必有師。師者所以傳道授業解惑也。人非
生而知之者。孰能無惑。惑而不從師。其爲惑也終不
解矣。生乎吾前。其聞道也固先乎吾。吾從而師之。生
乎吾後。其聞道也亦先乎吾。吾從而師之。吾師道也。
夫庸知其年之先後生於吾乎。是故無貴無賤。無長
無少。道之所存。師之所存也。嗟乎師道之不傳也久

矣。欲人之無疑惑也難矣。古之聖人。其出人也遠矣。
猶且從師而問焉。今之衆人。其去聖人也亦遠矣。而
恥學於師。是故聖益聖。愚益愚。聖人之所以爲聖。愚
人之所以爲愚。其皆出於此乎。愛其子。擇師而教之。
於其身也。則恥師焉。惑矣。彼童子之師。授之書而習
其句讀者也。非吾所謂傳其道。解其惑者也。句讀之
不知。惑之不解。或師焉。或不焉。小學而大遺。吾未見
其明也。巫醫樂師百工之人。不恥相師。士大夫之族。
曰師曰弟子云者。則羣聚而笑之。問之則曰彼與彼。
年相若也。道相似也。位卑則足羞。官盛則近諛。嗚呼。

師道之不復可知矣。巫醫樂師百工之人。君子不齒。
今其智乃反不能及。可怪也歟。聖人無常師。孔子師
郯子・萇弘・師襄・老聃。郯子之徒。其賢不及孔子。孔子
曰。三人行。必有我師焉。故弟子不必不如師。師不必
賢於弟子。聞道有先後。術業有專攻。如是而已。李氏
子蟠。年十七。好古文。六藝經傳。皆通習之。不拘於時。
請學於余。余嘉其能行古道。作師說以貽之。

格言八則

人之有道也。飽食煖衣。逸居而無教。則近於禽獸。聖
人有憂之。使契爲司徒。教以人倫。父子有親。君臣有

義。夫婦有別。長幼有序。朋友有信。(孟子)

先生施教。弟子是則。溫恭自虛。所受是極。見善從之。聞義則服。溫柔、孝弟。毋驕恃力。志毋虛邪。行必正直。游居有常。必就有德。顏色整齊。中心必式。夙興夜寐。衣帶必飭。朝益暮習。小心翼翼。一此不懈。是謂學則。(禮記)

孔子曰。吾嘗終日不食。終夜不寢以思。無益。不如學也。(論語)

孔子曰。生而知之者上也。學而知之者次也。困而學之。又其次也。困而不學。民斯爲下矣。(論語)

子夏曰。日知其所亡。月無忘其所能。可謂好學也已矣。(論語)

孔子曰。溫故而知新。可以爲師矣。(論語)

孔子曰。古之學者爲己。今之學者爲人。(論語)

孔子曰。後世可畏。焉知來者之不如今也。四十五十而無聞焉。斯亦不足畏也。(論語)

小學題辭

宋　朱晦庵

元亨利貞。天道之常。仁義禮智。人性之綱。凡此厥初。無有不善。藹然四端。隨感而見。愛親敬兄。忠君弟長。是曰秉彝。有順無彊。惟聖性者。浩浩其天。不加毫末。

萬善足焉。衆人蚩蚩。物欲交蔽。乃頽其綱。安此暴棄。惟聖斯則。建學立師。以培其根。以達其支。小學之方。灑掃應對。入孝出恭。動罔或悖。行有餘力。誦詩讀書。詠歌舞蹈。思罔或逾。窮理修身。斯學之大。明命赫然。罔有內外。德崇業廣。乃復其初。昔非不足。今豈有餘。世遠人亡。經殘教弛。蒙養弗端。長益浮靡。鄉無善保。世乏良材。利欲紛拏。異言喧豗。幸茲秉彝。極天罔墜。爰輯舊聞。庶覺來裔。嗟嗟小子。敬受此書。匪我言耄。惟聖之謨。

符讀書城南

唐　韓退之

木之就規矩。　在梓匠輪輿。　人之能爲人。　由腹有詩書。　詩書勤乃有。　不勤腹空虛。　欲知學之力。　賢愚同一初。　由其不能學。　所入遂異閭。　兩家各生子。　提孩巧相如。　少長聚嬉戲。　不殊同隊魚。　年至十二三。　頭角稍相疎。　二十漸乖張。　淸溝映汙渠。　三十骨骼成。　乃一龍一豬。　飛黃騰踏去。　不能顧蟾蜍。　一爲馬前卒。　鞭背生蟲蛆。　一爲公與相。　潭潭府中居。　問之何因爾。　學與不學歟。　金璧雖重寶。　費用難貯儲。　學問藏之身。　身在則有餘。　君子與小人。　不繫父母且。不見公與相。起身自犂鋤。不見三公後。寒饑出無驢。文章豈不貴。經訓乃菑畬。潢潦無根源。朝滿夕已除。人不通古今。馬牛而襟裾。行身陷不義。況望多名譽。時秋積雨霽。新涼入郊墟。燈火稍可親。簡編可卷舒。豈不旦夕念。爲爾惜居諸。恩義有相奪。作詩勸躊躇。

獨樂園記

宋　司馬溫公

迂叟平日讀書。上師聖人。下友羣賢。窺仁義之原。探禮樂之緒。自未始有形之前。暨四達無窮之外。事物

之理。與集目前。可者學之。未至夫可。何求於人。何待於外哉。志倦體疲。則投竿取魚。執衽采藥。決渠灌花。操斧剖竹。濯熱盥水。臨高縱目。逍遙徜徉。惟意所適。明月時至。清風自來。行無所牽。止無所柅。耳目肺腸。卷爲己有。踽踽焉。洋洋焉。不知天壤之間。復有何樂可以代此也。因合而命之曰獨樂。

躁進徒爲耳（小學）

范魯公質爲宰相。從子杲嘗求奏遷秩。質作詩曉之。其略曰。戒爾學立身。莫若先孝悌。怡怡奉親長。不敢生驕易。戰戰復兢兢。造次必於是。戒爾學干祿。莫若

勤道藝。嘗聞諸格言。學而優則仕。不患人不知。惟患學不至。戒爾遠恥辱。恭則近乎禮。自卑而尊人。先彼而後己。相鼠與茅鴟。宜鑑詩人刺。戒爾勿放曠。放曠非端士。周孔垂名教。齊梁尚清議。南朝稱八達。千古穢青史。戒爾勿嗜酒。狂藥非佳味。能移謹厚性。化爲凶險類。古今傾敗者。歷歷皆可記。戒爾勿多言。多言衆所忌。苟不慎樞機。災厄從此始。是非毀譽閒。適足爲身累。擧世重交游。擬結金蘭契。忿怨容易生。風波當時起。所以君子心。汪汪淡如水。擧世好承奉。昂昂增意氣。不知承奉者。以爾爲玩戲。所以古人疾籧篨

與戚施。擧世重游俠。俗呼爲氣義。爲人赴急難。往往陷囚繫。所以馬援書。殷勤戒諸子。擧世賤清素。奉身好華侈。肥馬衣輕裘。揚揚過閭里。雖得市童憐。還爲識者鄙。我本羇旅臣。遭逢堯舜理。位重才不充。戚戚懷憂畏。深淵與薄冰。蹈之惟恐墜。爾曹當閔我。勿使增罪戾。閉門斂蹤跡。縮首避名勢。勢位難久居。畢竟何足恃。物盛則必衰。有隆還有替。速成不堅牢。速走多顚躓。灼灼園中花。早發還先萎。遲遲澗畔松。鬱鬱含晚翠。賦命有疾徐。青雲難力致。寄語謝諸郎。躁進徒爲耳。

三戒幷序

唐　柳柳州

吾恆惡世之人不推己之本。而乘物以逞、或依勢以干非其類。出技以怒強。竊時以肆暴。然卒迨于禍。有客談麋・驢・鼠三物。似其事、作三戒。

臨江之麋

臨江之人畋得麋麑畜之。入門、羣犬垂涎揚尾皆來。其人怒怛之。自是日抱就犬習示之。使勿動。稍使與之戲。積久、犬皆如人意。麋麑稍大。忘己之麋也。以爲犬良我友。抵觸偃仆益狎。犬畏主人。與之俯仰甚善。然時啖其舌。三年麋出門。見外犬在道甚衆。走欲與

之戲。外犬見而喜且怒。共殺食之。狼藉道上。麋至死不悟。

黔之驢

黔無驢。有好事者。船載以入。至則無可用。放之山下。虎見之。尨然大物也。以爲神。蔽林間窺之。稍出近之。慭慭然莫相知。他日驢一鳴。虎大駭遠遁。以爲且噬己也。甚恐。然往來視之。覺無異能者。益習其聲。又近出前後。終不敢搏。稍近益狎。蕩倚衝冒。驢不勝怒蹄之。虎因喜。計之曰。技止此耳。因跳踉大㘎。斷其喉。盡其肉乃去。噫。形之尨也類有德。聲之宏也類有能。向

不出其技。虎雖猛疑畏卒不敢取。今若是焉、悲夫。

永某氏之鼠

永有某氏者。畏日拘忌異甚。以爲己生歲直子。鼠子神也。因愛鼠、不畜猫犬。禁僮勿擊鼠。倉廩庖廚悉以恣鼠不問。由是鼠相告。皆來某氏。飽食而無禍。某氏室無完器。椸無完衣。飲食大率鼠之餘也。晝累累與人兼行。夜則竊齧鬬暴。其聲萬狀。不可以寢。而終不厭。數歲、某氏徙居他州。後人來居。鼠爲態如故。其人曰。是陰類惡物也。盜暴尤甚。且何以至是乎哉。假五六猫。闔門撤瓦灌穴。購僮羅捕之。殺鼠如邱。棄之隱

處。臭數月乃已。嗚呼、彼以其飽食無禍。爲可恆也哉。

齊人有一妻一妾而處室者（孟子）

齊人有一妻一妾而處室者。其良人出。則必饜酒肉而後反。其妻問所與飲食者。則盡富貴也。其妻告其妾曰。良人出則必饜酒食而後反。問其與飲食者。盡富貴也。而未嘗有顯者來。吾將瞷良人之所之也。蚤起施從良人之所之。徧國中無與立談者。卒之東郭墦間之祭者。乞其餘。不足又顧而之他。此其爲饜足之道也。其妻歸告其妾曰。良人者所仰望而終身也。今若此。與其妾訕其良人。而相泣於中庭。而良人未

之知也。施施從外來。驕其妻妾。

齊人有一妻一妾而處室者の章を譯す

（漢文國譯）　伴蒿蹊

みやこべに、むかひめと、をんなめと、たづさへて住むものあり。出づるごとに、必ず飽きみちて歸りて、今日は、それの人に誘はれ、それの處にうたげして、樂しかりきとのみいふ。其の友とする人、遊ぶ處、富み貴き邊にあらずといふことなし。其の妻疑ひて、をんなめに語らく、吾が妹の君、常にかく誇りがなれど、稀にも訪ひ來る人なし。何處にか遊ぶらん。己れ窺ひ見んと思

ふ。如何にとて、或あした夙く起きて、竊に其の後につきて、行く處をとゞむるに、終日立ちて語らふ人を見ず。はてに、東の野らに、墓祭りせる處に行きて、みわもけも、おろしを乞ひてのみ食ひ、猶飽かざれば、又他處に行きて、乞ふこと始めの如し。妻もの蔭より見て、驚き歸りて語らく、うま人は、仰ぎ望みて、身を終ふるところなるを、今かかりと、庭に立ちて、諸共に泣きぬ。ゐかも、をとこ知らず、歸り來て、笑み誇ること先の如し。

歸去來辭

晉　陶淵明

歸去來兮。田園將蕪。胡不歸。既自以心爲形役。奚惆悵而獨悲。悟已往之不諫。知來者之可追。實迷途其

未遠。覺今是而昨非。舟搖搖以輕颺。風飄飄而吹衣。問征夫以前路。恨晨光之熹微。乃瞻衡宇。載欣載奔。僮僕歡迎。稚子候門。三逕就荒。松菊猶存。携幼入室。有酒盈罇。引壺觴以自酌。眄庭柯以怡顏。倚南窻以寄傲。審容膝之易安。園日涉以成趣。門雖設而常關。策扶老以流憩。時矯首而遐觀。雲無心而出岫。鳥倦飛而知還。景翳翳以將入。撫孤松而盤桓。歸去來兮。請息交以絕遊。世與我以相遺。復駕言兮焉求。悅親戚之情話。樂琴書以消憂。農人告余以春及。將有事於西疇。或命巾車。或棹孤舟。既窈窕以尋壑。亦崎嶇

而經丘。木欣欣以向榮。泉涓涓而始流。善萬物之得時。感吾生之行休。已矣乎。寓形宇內復幾時。曷不委心任去留。胡爲乎遑遑欲何之。富貴非吾願。帝鄉不可期。懷良辰以孤往。或植杖而耘耔。登東皐以舒嘯。臨清流而賦詩。聊乘化而歸盡。樂夫天命。復奚疑。

用語練習

權輿（詩經）　坤輿（易經）　濫觴（家語）　素封（史記）
杞憂（列子）　矛盾（韓非子）　祖道（史記）　白眉（三國志）
嚆矢（莊子）　翹楚（春秋序）　不腆（儀禮）　釋奠（晉書）
六藝（周禮）　操觚（全唐詩話）　鉛槧（茅亭客話）　總角（詩經）

童丱(晉書)　庠序(孟子)　元元(戰國策)　考妣(唐書)
北芒(北史)　中原(左傳)　璅尾(詩經)　式徽(詩經)
遏密(書經)　衰絰(禮記)　齋戒(易經)　韜略(李林甫詩)
組練(五代史)　鞬櫜(禮記)　三軍(周禮)　六師(書經)
金革(大學)　蛇足(史記)　輸贏(南部新書)　納款(魏收移梁文)
戎服(左傳)　頡頏(詩經)　兎闕(五代史)　藎臣(詩經)
宵旰(唐書)　大憝(書經)　彪炳(鍾嶸詩品)　萬乘(晉書)
千乘(大學)　百乘(大學)　孟浪(莊子)　杜撰(野客叢談)
振古(詩經)　執贄(禮記)　頭陀(宣和書譜)　茶毗(翻譯名義)
掎角(左傳)　面縛(左傳)　轅門(周禮)　柴門(後漢書)
膾炙(禮記)　壎篪(詩經)　出藍(荀子)　志學(禮記)

成童(禮記)　强仕(禮記)　知命(易經)　耳順(論語)
永言(書經)　束脩(禮記)　俎豆(禮記)　胄子(書經)
國子(周禮)　下帷(漢書)　上梓(周禮)　倥傯(後漢書)
歸寧(詩經)　纏頭(舊唐書)　指南(蜀志)　天爵(孟子)
人爵(孟子)　逕庭(莊子)　龜鑑(唐書)　儒墨(史記)
楊墨(孟子)　黃老(史記)　支吾(漢書)　拔萃(孟子)
淵藪(孟子)　辭令(禮記)　竹帛(漢書)　五霸(孟子)
三皇(周禮)　五帝(周禮)　阡陌(史記)　二豎(左傳)
于役(詩經)　肯綮(莊子)　斡旋(西清詩話)　裘葛(漢書)
箕裘(禮記)　刀圭(神仙傳)　杏林(神仙傳)　挂冠(崔信詩)
蒹葭(詩經)　剞劂(淮南子)　推敲(隋唐嘉話)　眉壽(儀禮)

推轂(史記)　月旦(後漢書)　寓言(莊子)　大塊(莊子)
三光(禮記)　三才(易經)　私淑(孟子)　揣摩(戰國策)
國手(酉陽雜俎)　綠林(漢書)　苞苴(禮記)　刀鋸(國語)
縲紲(論語)　端午(風土記)　上巳(周禮)　重陽(屈原遠遊)
天籟(莊子)　人籟(莊子)　古稀(杜甫詩)　三伏(唐書)
沙彌(善覺要覽)　冥福(北史)　三餘(魏略)　委積(雪賦)
乙夜(漢儀)　三族(禮記)　大牢(禮記)　友于(書經)
合巹(禮記)　同人(易經)　南面(易經)　落魄(史記)
絕倒(晉書)　閒言(論語)　鼎輔(魏志)　反眼(韓愈文)
白眼(晉書)　木鐸(書經)　衡門(詩經)　措大(五代史)
青史(隋書)　江湖(莊子)　剝啄(輟耕錄)　父執(禮記)

紹述(宋史)　繾綣(詩經)　消遣(王禹文)　鄉原(論語篇)
駙馬(行營雜錄)　數奇(史記)　蠹魚(徐積詩)　抖擻(王維詩)
大纛(歐陽修文)　頓挫(後漢書)　壼奧(漢書)　深造(孟子)
聲教(書經)　唱道(禮記註)　不肖(戰國策)　武弁(魏志)
方便(維摩經)　管見(晉書)　邦彥(詩經)　既望(書經)
資望(晉書)　車駕(漢書)　假借(史記)　聲價(後漢書)
流亞(晉書)　皮相(韓詩外傳)　流浪(避暑錄話)　宗匠(晉書)
勾當(唐書)　健忘(司空圖)　考課(漢書)　高臥(晉書)
食貨(書經)　佔畢(禮記)　虛喝(戰國策)　挨拶(葛長庚)
唐虞化(晉書)　阿堵物(晉書)　易子敎(孟子)
執牛耳(左傳)　旦暮遇(莊子)　孔方兄(晉書)

守錢虜（後漢書）　登龍門（後漢書）　嬰逆鱗（韓非子）
集大成（孟子）　遼東豕（後漢書）　宋人苗（孟子）
私壟斷（孟子）　避三舍（左傳）　丈人行（史記）
不貳過（論語）　捕播臣（書經）　刮目視（北史）
庖丁解牛（莊子）　抱關擊柝（孟子）　世濟其美（左傳）
朝三暮四（莊子）　與世浮沈（史記）　差强人意（後漢書）
奇貨可居（史記）　尸衣素餐（漢書）　一唱三嘆（禮記）
置郵傳命（孟子）　中權後勁（左傳）　南風不競（左傳）
吐哺握髮（史記）　風聲鶴唳（晉書）　君子豹變（易經）
陶朱猗頓（史記）　刎勁之交（史記）　不召之臣（孟子）
射人射馬（杜甫詩）　汗馬之勞（史記）　卞和泣玉（韓非子）

尾大不掉（新書）　藥籠中物（唐書）　倚門之望（戰國策）
吳牛喘月（世說）　不絕若髮（漢書）　百舍重繭（戰國策）
流連荒亡（孟子）　勦說雷同（禮記）　放飯流歠（禮記）
亢龍有悔（易經）　幹父之蠱（易經）　殷鑑不遠（詩經）
采薪之憂（孟子）　深厲淺揭（論語）　得魚忘筌（莊子）
脣亡齒寒（左傳）　殃及池魚（風俗通）　魯魚之誤（抱朴子）
刻舟求劍（呂覽）　膠柱鼓瑟（史記）　洙泗之學（盧象詩）
口耳之學（孟子）　暴虎馮河（論語）　得隴望蜀（李白詩）
武陵桃源（陶潛桃花源記）　行尸走肉（拾遺記）　多多益辨（史記）
吳下阿蒙（江表傳）　馬耳東風（李白詩）　滄桑之變（神仙傳）
亡羊之嘆（列子）　常山蛇勢（孫子）　蝸角之爭（莊子）

疾入膏肓（左傳）　食牛之氣（尸子）　賢賢易色（論語）
朽木糞土（論語）　克己復禮（論語）　道聽塗說（論語）
尙方斬馬劍（漢書）　老馬之智可用（韓非子）
貂不足狗尾續（晉書）　疾風知勁草（後漢書）
五十步百步（孟子）　優孟之衣冠（史記）
不龜手之藥（莊子）　便辟、善柔、便佞（論語）
履霜堅冰至（易經）　緣木而求魚（孟子）
憂在蕭牆之內（論語）　誰知烏之雌雄（詩經）
爲雞口無爲牛後（史記）　藉寇兵齎盜糧（史記）
門前設雀羅（漢書）　桂林一枝、崑山片玉（晉書）
惡紫之奪朱（論語）　告朔之餼羊（論語）

無恒産則無恒心（孟子）　趙孟之所貴趙孟能賤（孟子）
一日暴之、十日寒之（孟子）　怒者常情、笑者不可測（唐書）
出自幽谷遷于喬木。（詩經）　長袖善舞多錢善賈（史記）
王臣蹇蹇匪躬之故（易經）　割雞焉用牛刀（論語）
桃李不言、下自成蹊。（史記）　靡不有初、鮮克有終（詩經）
若越人視秦人之肥瘠。（韓愈）　從善如登、從惡如崩（小學）
尺有所短、寸有所長（屈平）　有陰德者必有陽報（易經）
人心之不同如其面（左傳）　燕雀安知鴻鵠之志（史記）
王侯將相寧有種乎（史記）　積善之家必有餘慶（易經）
知其一未知其二（史記）　不入虎穴不得虎子（後漢書）
三軍之士皆如挾纊（左傳）　求忠臣必於孝子之門（後漢書）

尺蠖之屈以求信也(易經)　衆口鑠金、積毀銷骨(史記)
飢者易為食、渇者易為飲(孟子)
運籌帷幄之中、決勝千里之外(史記)
新沐者必彈冠、新浴者必振衣(史記)
天作孼猶可違、自作孼不可活(書經)
親賢如就芝蘭、避惡如畏蛇蝎(小學)
狡兎死走狗烹、飛鳥盡良弓藏(史記)
刻鵠不成尚類鶩、畫虎不成反類狗(小學)
成立之難如升天、覆墜之易如燎毛(小學)
泰山不讓土壤故大、河海不擇細流故深(史記)
書足記姓名而已、劒一人敵、不足學、學萬人敵(史記)

用字格

第一　不亦　不亦

人而無禮、雖能言、不亦禽獸之心乎。(禮記)
知者不失人、亦不失言。(論語)

第二　可復　復可

實之既成、則其根蔕脱落、可復種而生矣。(朱熹)
桓範曰、今日卿等門戶求貧賤、復可得乎。(資治通鑑)

第三　有敢　敢有

昔秦攻齊、令有敢去柳下季壟五十步而樵採者、死不赦。(戰國策)
大將軍忠臣、敢有毀者、坐之。(漢書)

第四　無欲　欲無

無欲速、無見小利。(論語)
不欲人之加諸我也、吾亦欲無加諸人。(論語)

第五　莫—大　——莫大

兄弟一體耳。卽不利長而利少、莫不利大焉(汪道昆)
父子之間不責善。責善則離。離則不祥莫大焉(孟子)

第六　未之有　未有之

不好犯上而好作亂者、未之有也(論語)
旌旗彌亘千里。近古出師之盛、未有之也。(宋濂)

第七　雖——沒　——雖沒

父母有婢子若庶子庶孫、甚愛之。雖父母沒、沒身敬之不衰。

(禮記)
父母雖沒、將為善。思貽父母令名、必果。(禮記)

第八　—非不—　非——不—

城非不高也、城非不深也、兵革非不堅利也、米粟非不多也。(孟子)
孟珙曰、非將士不勇也、非車馬器械不精也。實在乎事力之不給耳。(續通鑑綱目)

第九　所深　深所

以時節宣、益綏壽祉、是所深望。(朱熹)
竊聞進學之意甚篤、深所望於左右。(朱熹)

第十　使各　各使

使各反其郷里。（賈誼）
降者厚賞。各使安土。（范仲淹）

第十一　爲最　最爲

天於萬物爲最大。（唐書）
衆科之目。進士尤爲貴。（唐書）

第十二　似稍　稍似

近加訂正。似稍明白。（朱熹）
前說稍似可採。（歐陽修）

第十三　難悉　悉難

言不盡於此。餘難悉載。（曹植）
是皆大者。餘悉難名。（歐陽修）

第十四　不可皆　皆不可

珍寶甚多。不可皆識。（南齊書）
是果堯舜之法歟。皆不可得而考矣。（衍義補）

第十五　無物不　物無不

苟得其養。無物不長。苟失其養。無物不消。（孟子）
天覆地載。物無不容。（漢書）

第十六　不能自　自不能

家無錢財。寸步不能自致。（韓愈）
嚴者君子守身之常。小人自不能近。（朱熹）

第十七　不敢　敢不

牲殺器皿衣服不備。不敢以祭。則不敢以宴。（孟子）

妻也者親之主也。敢不敬與。子也者親之後也。敢不敬與。（禮記）

第十八　自始　始自

古人有言。請自隗始。（韓愈）
黃光之說。始自黃帝老子。（文章辨體）

第十九　此所以　所以此

公論與私言。交入於耳。此所以聽之難也。（歐修）
既每事用禮。所以此復禮也。（皇侃）

第二十　於此有―有―於此

於此有人焉。入則孝。出則悌。（論語）
有人於此。力不勝一匹雛。（孟子）

第二十一　傍若　若傍

荊軻至燕。日與屠狗及高漸離擊筑。荊軻和而歌於市中。相樂已而相泣。傍若無人。（史記）
荊軻飲燕市。酒酣氣益震。哀歌和漸離。謂若傍無人。（左傳）

第二十二　不啻――　――不啻

三人交章累上。不啻數十。（蘇軾）
去其親三千里不啻。是其心獨能毋介然者耶。（王安石）

訂正
中學漢文讀本卷五 終

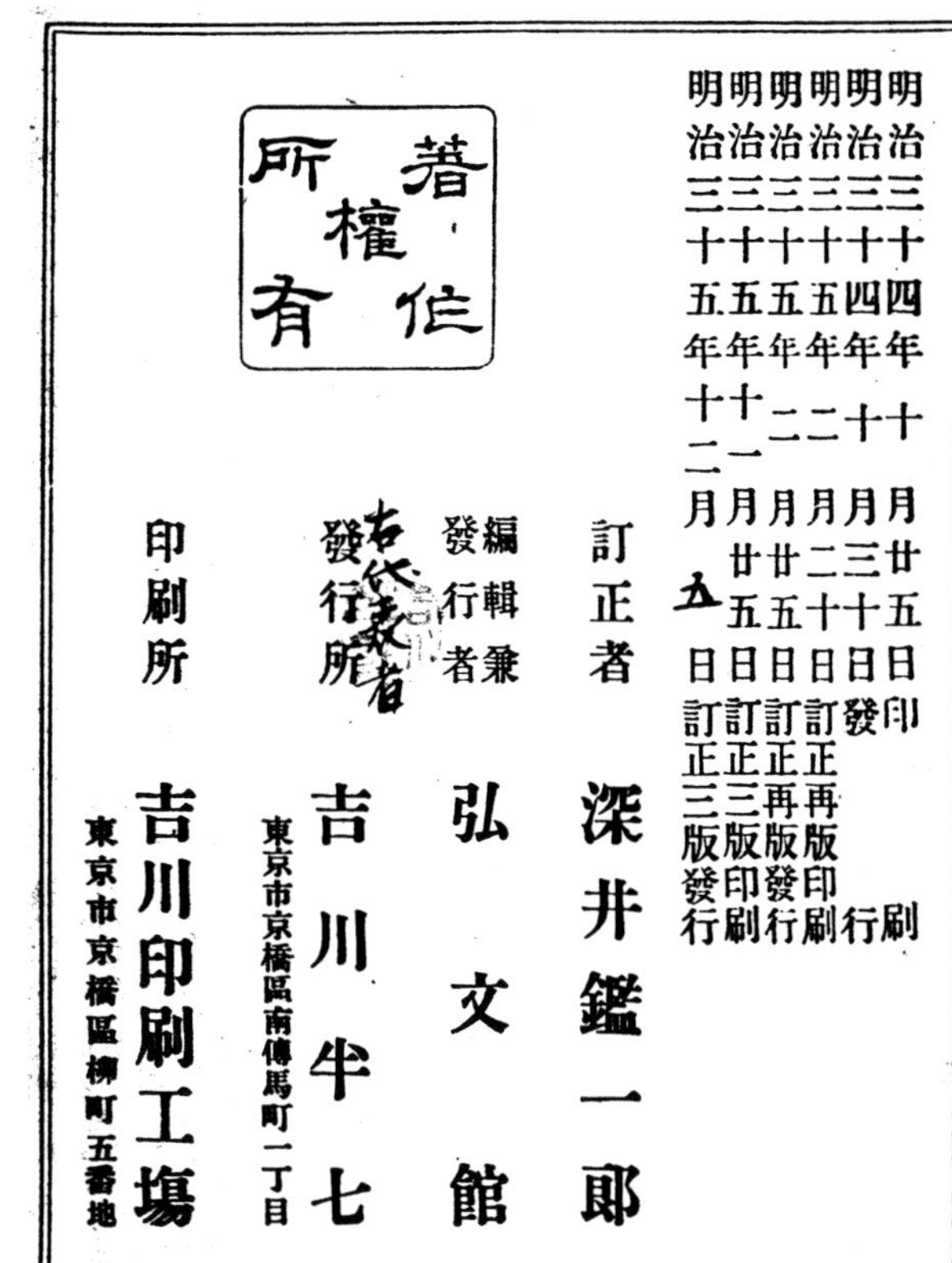

（訂正中學漢文讀本全五册）

明治三十四年十月廿五日印刷
明治三十四年十一月三十日發行
明治三十五年二月二十日訂正再版印刷
明治三十五年二月廿五日訂正再版發行
明治三十五年十一月廿五日訂正三版印刷
明治三十五年十二月五日訂正三版發行

訂正者　深井鑑一郎

編輯兼發行者　弘文館

右代表者
發行所　吉川半七
東京市京橋區南傳馬町一丁目

印刷所　吉川印刷工場
東京市京橋區柳町五番地

編集復刻版 明治漢文教科書集成（めいじかんぶんきょうかしょしゅうせい）
補集Ⅱ 模索期の教科書編
（第11巻～第13巻・別冊1）

2018年11月30日 第1刷発行
揃定価（本体84,000円＋税）

編・解説者 木村 淳
発行者 小林淳子
発行所 不二出版株式会社
東京都文京区水道2-10-10
TEL 03(5981)6704
印刷所 富士リプロ
製本所 青木製本

第12巻 ISBN978-4-8350-8168-7
補集Ⅱ（全4冊 分売不可 セットISBN978-4-8350-8166-3）